考前充分準備　臨場沉穩作答

高分上榜 讀書計畫表

使用方法 本讀書計畫表共分為60天和30天兩種學習區段，可依個人需求選擇用60天或30天讀完本書。

各章出題率分析
A 頻率高 **B** 頻率中 **C** 頻率低

可針對頻率高的章節加強複習！

頻出度	章節範圍		60天完成	30天完成	考前複習
B	第一篇 教育測驗	**第一章** 測驗的基本概念與原理	**第1～4天** 完成日期 ____年____月____日	**第1～2天** 完成日期 ____年____月____日	完成日期 ____年____月____日
A		**第二章** 測驗的種類與用途	**第5～10天** 完成日期 ____年____月____日	**第3～5天** 完成日期 ____年____月____日	完成日期 ____年____月____日
A		**第三章** 測驗的編製與實施	**第11～15天** 完成日期 ____年____月____日	**第6～7天** 完成日期 ____年____月____日	完成日期 ____年____月____日
A		**第四章** 測驗的計分與解釋	**第16～18天** 完成日期 ____年____月____日	**第8天** 完成日期 ____年____月____日	完成日期 ____年____月____日
B		**第五章** 教師自編測驗與評量	**第19～20天** 完成日期 ____年____月____日	**第9天** 完成日期 ____年____月____日	完成日期 ____年____月____日
A		**第六章** 新興的測驗理論與方法	**第21天** 完成日期 ____年____月____日	**第10天** 完成日期 ____年____月____日	完成日期 ____年____月____日
A	第二篇 教育統計	**第一章** 教育統計基本概念	**第22～24天** 完成日期 ____年____月____日	**第11天** 完成日期 ____年____月____日	完成日期 ____年____月____日
A		**第二章** 基本統計量數	**第25～27天** 完成日期 ____年____月____日	**第12～13天** 完成日期 ____年____月____日	完成日期 ____年____月____日

頻出度	章節範圍		60天完成	30天完成	考前複習
C	第二篇 教育統計	**第三章** 抽樣理論 與分配	**第28～30天** 完成日期 ___年___月___日	**第14～15天** 完成日期 ___年___月___日	完成日期 ___年___月___日
B		**第四章** 推論統計 基本概念	**第31～34天** 完成日期 ___年___月___日	**第16～17天** 完成日期 ___年___月___日	完成日期 ___年___月___日
B		**第五章** 母群統計量 假設考驗	**第35～39天** 完成日期 ___年___月___日	**第18～19天** 完成日期 ___年___月___日	完成日期 ___年___月___日
A		**第六章** 積差相關 與迴歸分析	**第40～44天** 完成日期 ___年___月___日	**第20～21天** 完成日期 ___年___月___日	完成日期 ___年___月___日
A		**第七章** 卡方考驗	**第45～49天** 完成日期 ___年___月___日	**第22～24天** 完成日期 ___年___月___日	完成日期 ___年___月___日
A		**第八章** 變異數分析	**第50～53天** 完成日期 ___年___月___日	**第25～26天** 完成日期 ___年___月___日	完成日期 ___年___月___日
C		**第九章** 其他相關 統計法	**第54～55天** 完成日期 ___年___月___日	**第27天** 完成日期 ___年___月___日	完成日期 ___年___月___日
B		**第十章** 新興統計理論 與方法	**第56天** 完成日期 ___年___月___日	**第28天** 完成日期 ___年___月___日	完成日期 ___年___月___日
—	**最新試題與解析**		**第57～60天** 完成日期 ___年___月___日	**第29～30天** 完成日期 ___年___月___日	完成日期 ___年___月___日

新北市中和區中山路三段136巷10弄17號
TEL: 02-22289070　FAX: 02-22289076
千華公職資訊網 http://www.chienhua.com.tw

公務人員

「高等考試三級」應試類科及科目表

高普考專業輔考小組◎整理

完整考試資訊

http://goo.gl/LaOCq4

✪普通科目

1.國文◎（作文80%、測驗20%）

2.法學知識與英文※（中華民國憲法30%、法學緒論30%、英文40%）

✪專業科目

類科	科目
一般行政	一、行政法◎ 二、行政學◎ 三、政治學 四、公共政策
一般民政	一、行政法◎ 二、行政學◎ 三、政治學 四、地方政府與政治
社會行政	一、行政法◎ 二、社會福利服務 三、社會學 四、社會政策與社會立法 五、社會研究法 六、社會工作
人事行政	一、行政法◎ 二、行政學◎ 三、現行考銓制度 四、公共人力資源管理
勞工行政	一、行政法◎ 二、勞資關係 三、就業安全制度 四、勞工行政與勞工立法
戶　　政	一、行政法◎ 二、國籍與戶政法規（包括國籍法、戶籍法、姓名條例及涉外民事法律適用法） 三、民法總則、親屬與繼承編 四、人口政策與人口統計
教育行政	一、行政法◎ 二、教育行政學 三、教育心理學 四、教育哲學 五、比較教育 六、教育測驗與統計
財稅行政	一、財政學◎ 二、會計學◎ 三、稅務法規◎ 四、民法◎
金融保險	一、會計學◎ 二、經濟學◎ 三、貨幣銀行學 四、保險學 五、財務管理與投資學
統　　計	一、統計學 二、經濟學◎ 三、資料處理 四、抽樣方法與迴歸分析
會　　計	一、財政學◎ 二、會計審計法規◎ 三、中級會計學◎ 四、政府會計◎

法　　制	一、民法◎　二、立法程序與技術　三、行政法◎ 四、刑法　五、民事訴訟法與刑事訴訟法
法律廉政	一、行政法◎　二、行政學◎ 三、公務員法（包括任用、服務、保障、考績、懲戒、交代、行政中立、利益衝突迴避與財產申報） 四、刑法與刑事訴訟法
財經廉政	一、行政法◎　二、經濟學與財政學概論◎ 三、公務員法（包括任用、服務、保障、考績、懲戒、交代、行政中立、利益衝突迴避與財產申報） 四、心理學
交通行政	一、運輸規劃學　二、運輸學　三、運輸經濟學 四、交通政策與交通行政
土木工程	一、材料力學　二、土壤力學　三、測量學 四、結構學　五、鋼筋混凝土學與設計 六、營建管理與工程材料
水利工程	一、流體力學　二、水文學　三、渠道水力學 四、水利工程　五、土壤力學
水土保持工程	一、坡地保育規劃與設計（包括沖蝕原理） 二、集水區經營與水文學 三、水土保持工程（包括植生工法） 四、坡地穩定與崩塌地治理工程
文化行政	一、文化行政與文化法規　二、本國文學概論 三、藝術概論 四、文化人類學
機械工程	一、熱力學　二、流體力學與工程力學　三、機械設計 四、機械製造學

註：應試科目後加註◎者採申論式與測驗式之混合式試題(占分比重各占50%)，應試科目後加註※者採測驗式試題，其餘採申論式試題。

各項考試資訊，以考選部正式公告為準。

千華數位文化股份有限公司
新北市中和區中山路三段136巷10弄17號
TEL: 02-22289070　FAX: 02-22289076

公務人員
「普通考試」應試類科及科目表

高普考專業輔考小組◎整理

完整考試資訊

http://goo.gl/7X4ebR

✪普通科目

1.國文◎（作文80%、測驗20%）

2.法學知識與英文※（中華民國憲法30%、法學緒論30%、英文40%）

✪專業科目

類科	科目
一般行政	一、行政法概要※　二、行政學概要※ 三、政治學概要◎
一般民政	一、行政法概要※　二、行政學概要※ 三、地方自治概要◎
教育行政	一、行政法概要※　二、教育概要 三、教育行政學概要
社會行政	一、行政法概要※　二、社會工作概要◎ 三、社會政策與社會立法概要◎
人事行政	一、行政法概要※　二、行政學概要※ 三、公共人力資源管理
戶　　政	一、行政法概要※ 二、國籍與戶政法規概要◎（包括國籍法、戶籍法、姓名條例及涉外民事法律適用法） 三、民法總則、親屬與繼承編概要
財稅行政	一、財政學概要◎　二、稅務法規概要◎ 三、民法概要◎
會　　計	一、會計學概要◎　二、會計法規概要◎ 三、政府會計概要◎
交通行政	一、運輸經濟學概要　二、運輸學概要 三、交通政策與行政概要
土木工程	一、材料力學概要　二、測量學概要 三、土木施工學概要 四、結構學概要與鋼筋混凝土學概要

水利工程	一、水文學概要　　二、流體力學概要 三、水利工程概要
水土保持工程	一、水土保持（包括植生工法）概要 二、集水區經營與水文學概要 三、坡地保育（包括沖蝕原理）概要
文化行政	一、本國文學概要　　二、文化行政概要 三、藝術概要
機械工程	一、機械力學概要　　二、機械設計概要 三、機械製造學概要
法律廉政	一、行政法概要※ 二、公務員法概要（包括任用、服務、保障、考績、懲戒、交代、行政中立、利益衝突迴避與財產申報） 三、刑法與刑事訴訟法概要
財經廉政	一、行政法概要※ 二、公務員法概要（包括任用、服務、保障、考績、懲戒、交代、行政中立、利益衝突迴避與財產申報） 三、財政學與經濟學概要

註：應試科目後加註◎者採申論式與測驗式之混合式試題(占分比重各占50%)，應試科目後加註※者採測驗式試題，其餘採申論式試題。

各項考試資訊，以考選部正式公告為準。

千華數位文化股份有限公司
新北市中和區中山路三段136巷10弄17號
TEL: 02-22289070　FAX: 02-22289076

注意！考科大變革！

112年起
高普考等各類考試刪除列考公文

考試院院會於**110**年起陸續通過，高普考等各類考試國文**刪除列考公文**。**自112年考試開始適用**。

考試院說明，考量現行初任公務人員基礎訓練已有安排公文寫作課程，各機關實務訓練階段，亦會配合業務辦理公文實作訓練，故不再列考。

等別	類組	變動	新規定	原規定
高考三級、地方特考三等、司法等各類特考三等	各類組	科目刪減、配分修改	各類科普通科目均為：國文（作文與測驗）。其占分比重，分別為**作文占80%，測驗占20%**，考試時間二小時。	各類科普通科目均為：國文（作文、公文與測驗）。其占分比重，分別為作文占60%，公文20%，測驗占20%，考試時間二小時。
普考、地方特考四等、司法等各類特考四等	各類組	科目刪減、配分修改	各類科普通科目均為：國文（作文與測驗）。其占分比重，分別為**作文占80%，測驗占20%**，考試時間二小時。	各類科普通科目均為：國文（作文、公文與測驗）。其占分比重，分別為作文占60%，公文20%，測驗占20%，考試時間二小時。
初等考試、地方特考五等	各類組	科目刪減	各類科普通科目均為：**國文刪除公文格式用語**，考試時間一小時。	各類科普通科目均為：國文（包括公文格式用語），採測驗式試題，考試時間一小時。

參考資料來源：考選部

～以上資訊請以正式簡章公告為準～

千華數位文化股份有限公司
新北市中和區中山路三段136巷10弄17號
TEL: 02-22289070　FAX: 02-22289076

目次

【第一篇　教育測驗】

第一章　測驗的基本概念與原理

第二章　測驗的種類與用途

第三章　測驗的編製與實施

第四章　測驗的計分與解釋

第五章　教師自編測驗與評量

第六章　新興的測驗理論與方法

【第二篇　教育統計】

第一章　教育統計基本概念

第二章　基本統計量數

第三章　抽樣理論與分配

第四章　推論統計基本概念

第五章　母群統計量假設考驗

第六章　積差相關與迴歸分析

第七章　卡方考驗

第八章　變異數分析

第九章　其他相關統計法

第十章　新興統計理論與方法

附表

【最新試題與解析】

高分上榜秘訣

「教育測驗與統計」一科，可說是公務人員國家考試教育行政類科最難準備與應考的科目，主要因為此科包含「教育測驗」與「教育統計」兩部分，兩科的內容繁雜且偏重概念的理解與計算，尤其教育統計假設考驗、抽樣分配、積差相關、迴歸分析、卡方考驗與變異數分析等章節，每年必有計算題出現，且題目越來越艱深，是必須投入相當多時間與精力準備的科目，也是能否上榜的關鍵。

本書有鑑於準備此科的難度與需要，特別以初學者的角度編撰本書，只要依序研讀學習本書的內容與方向，定能讓你由淺入深、循序漸進地瞭解教育測驗與統計的堂奧，輕鬆得取高分。本書的特點如下：

完全命中考題	本書自出版以來，囊括該年度所有考題內容，百分百命中，所向披靡。
內容多元豐富	本書內容涵蓋各項國家考試出題重點，並隨時參酌命題委員最新研究方向與關心議題，各種考題無一疏漏。
敘述精簡扼要	本書對於各項重要概念的說明，用詞精要，直指答題核心。
圖表精美完備	本書突破篇幅限制，繪製各種圖表，輔以文字說明，可深化學習成效。
例題重點呈現	本書例題多達兩百餘題，以歷屆考題為主，精編概念範例，可從練習中印證所學。
考題重點提示	本書於每章節之前加入「考點提示」，清楚說明考題重點，提綱挈領，並於內容中隨時以括弧標示考題年度，方便瞭解過去考題分布概況。

名師貼心叮嚀	本書針對概念內容於書中一隅加入「小叮嚀」，以明白點出需注意之處，加強學習印象。
考題集錦範例	本書於每章節之末有「考題集錦」，收集該章節曾出現過的考題，並於每章之末撰寫「本章考題解析範例」，詳細解答並示範答題技巧，供參考。
資料新穎詳盡	本書內容涵蓋最新教育時事與政策，包括：PIRLS數位閱讀評量、PISA測驗、電腦化適性測驗、教育會考、特色招生、試題反應理論（IRT）、校務研究（IR）、資料探勘等，都是目前極為新穎重要的考點內容。
出題頻率分析	本書於每章之前編列出題難易度、出題頻率、命題排行榜、開箱密碼，可清楚瞭解該章的重要性與過去的出題軌跡。
編排清晰美觀	本書編輯排版重視閱讀感受，加強圖表文字的清晰，版面配置的美化，務期充分享受閱讀與學習的愉悅。
最新考題詳解	本書書末針對106～112年最新考題，提供題題詳解與解題觀念分析，並提供未來準備相關概念的建議。

本書雖是編者嘔心瀝血之作，但疏漏之處在所難免，敬祈各方先進不吝指正，並希望能帶給你最大的幫助與收穫。

舒懷 謹誌

2023年9月

「教育測驗與統計（含概要）」試題分析與未來準備之道

教育測驗與統計學的準備，必須從基本的教育測驗入手，有了編製試題與分析解釋試題的概念之後，再以統計方法進行母群的推論。所謂「知己知彼，百戰百勝」，要戰勝國家考試的關鍵科目，必須先對考題內容與章節分布加以分析，才能快速掌握考題重點與方向，理出準備的頭緒。

除此之外，針對最新的時事題，更是不能忽略，例如：2023年紅透半邊天的人工智慧（Artificial intelligence）與ChatGPT、2023年《校園霸凌防制準則》修正草案有關不強調「持續性」與增訂「網暴」……等，相信都是未來教育時事在測驗與統計這科的考題重點。因此，本科的準備之道，必須兼顧理論、實務與時事，著實重要。

壹、近五年教育測驗與統計試題出處與本書章節分配

依據近五年高考、普考、地方政府特考三四等、原住民特考三四等，以及身心障礙特考三四等有關教育測驗與統計（含概要）的考題，並配合本書的章節內容加以整理如下表：

近五年教育測驗與統計試題出處與本書章節分配

篇別	章節	108年出題數	109年出題數	110年出題數	111年出題數	112年出題數
第一篇 教育測驗	第一章 測驗的基本概念與原理	4	3	3	5	5
	第二章 測驗的種類與用途	1	1	—	5	4
	第三章 測驗的編制與實施	1	1	—	—	1
	第四章 測驗的計分與解釋	—	—	1	—	1
	第五章 教師自編測驗與評量	—	4	4	4	3
	第六章 新興測驗理論與方法	—	—	—	—	—

篇別	章節	108年出題數	109年出題數	110年出題數	111年出題數	112年出題數
第二篇 教育統計	第一章 教育統計基本概念	1	—	—	—	—
	第二章 基本統計量數	1	1	3	2	2
	第三章 抽樣理論與分配	—	1	1	1	—
	第四章 推論統計基本概念	1	3	3	1	1
	第五章 母群統計量假設考驗	1	1	—	3	3
	第六章 積差相關與迴歸分析	1	2	1	3	1
	第七章 卡方考驗	—	2	2	3	2
	第八章 變異數分析	1	1	2	4	4
	第九章 其他相關統計法	—	—	1	1	1
	第十章 新興統計理論與方法	—	—	—	—	—

註：本表112年度僅計算身三、身四、原三、原四、高考、普考六份試題，至截稿前其他考試尚未登場。

由上表可知，每年教育測驗與統計的題目出處分布非常廣泛而均勻，出題數名列前茅的有四個章節，包括第一篇第1章、第一篇第2章、第二篇第2章、第二篇第6章。綜觀近兩年來的考題，第一篇第5章、第二篇第7章與第8章有漸增的趨勢，必須注意。歷年考題統計結果，大致集中在第一篇第1、2、5章，以及第二篇第2、5、6、7、8章，若準備時間較為不足，前述這八個章節，千萬不能遺漏，必須好好用心準備。

貳、教育測驗與統計準備之道

111年度與112年度的考題題型相當靈活，且有愈來愈難的趨勢，許多題目看似容易，但概念卻不容易掌握，非數理或教育本科系的考生不易解答。因此，只要熟讀本書精編的概念解說與內容，並不斷仔細演練相關例題與考題，相信不僅可以輕鬆通過考試，甚至還能穩拿高分。以下是準備考試的衷心建議：

一、複習重點概念

本書涵括教育測驗與統計歷年出題範圍的所有重點概念，每個概念均有重點解說。建議將重點概念錄成聲音檔，騎車、開車或搭乘公車也能充分利用時間複習，而且反覆聆聽的學習效果，是熟能生巧的不二法門。

二、演算精選範例

只有概念清楚是不夠的，本書各個重要概念皆編有「精選範例」，每個範例皆清楚寫出解題所需的概念，可以充分印證章節內容所學的概念，並落實概念的應用與深化，且每題範例均有編者親自演算的詳解，可供參考。

三、練習基礎考題

範例是概念的練習，而考題演練卻可幫助掌握考題方向與重點，不可不練。本書各章節之後，均編有過去考題集錦與練習，取材廣泛，涵括歷屆考試題目。

四、圈點迷思概念

在進行範例或考題演練的過程中，遇到過去出現而目前仍然存在的迷思概念，必須加以圈點註記，最好用紅筆寫下心得與注意事項，如此做法可以提醒自己，未來遇到相類似的題目，不能再犯第二次錯誤。對迷思概念的導正與重新建構，幫助甚大。

五、標記解題技巧

在進行範例或考題演練的過程中，遇到做錯的題目，要謹慎地將正確的做法寫下，並標記其重要的解題技巧。解題的對錯往往只是一念之差，只要標記解題技巧的功夫下得深，鐵杵終能磨成繡花針，可以快速提升解題的速度與正確率。

六、整理易錯題型

除了標記解題技巧外，建議將容易出錯的單元概念與題型，自行整理於可以隨身攜帶的筆記本中，利用上課、工作的空檔或閒暇拿出來翻閱，多看、多想、多做幾遍，自然能內化成自己的認知概念與思維邏輯。

七、反覆練習弱處

當將本書題目都已做過一遍之後，距離考試的時間必然不多。因此，必須逐步地縮小研讀範圍，尤其每次針對自己較弱的章節概念或題型，必須反覆練習，如此一次比一次範圍都小，到了考前，說不定要讀的只剩下幾頁而已。

八、成為作者粉絲

名稱：謝小樂

本書作者舒懷老師，擁有教育博士學位，著作等身，是少數橫跨數理與文法不同學習領域的專家。代表著作有：《準老師的上岸救星：教甄教育專業科目子彈考點速成》、《每天10分鐘！斜槓考生養成計畫（光碟函授）》、《15招最狂國考攻略》、名師壓箱秘笈系列（包括《教育心理學》、《教育測驗與統計（含概要）》、《教育行政學精析》、《教育哲學與比較教育》、《課程與教學》）、《校長主任甄試葵花寶典》、《地表最強教育專業科目(一)～(三)》……等（以上均為千華數位出版）。**若有興趣成為作者的粉絲，購買本書後，將發票照相檔傳至下列line條碼（名稱：謝小樂），即可與作者進行討論，還有意想不到的驚喜喔！**

本書在整體內容的編排上，架構清晰完整，可以幫助培養最堅強的應試實力。希望本書的出版可以嘉惠莘莘考生，讓各位在準備教育測驗與統計之餘，還能體會「學習之美與好」，這就是編者所深切期盼的！

最後祝

金榜題名　高分通過

編者 舒懷 謹識

2023年9月

第一篇　教育測驗

第一章　測驗的基本概念與原理

依據出題頻率區分，屬：**B** 頻率中

開箱密碼

本章為測驗概論，介紹測驗學的歷史與演進，以及測驗工具的基本原理與內涵。本章的出題形式主要以解釋名詞為主，對於測驗的意涵、特徵、量尺、信度種類、測量標準誤、效度種類等都要加以熟讀，尤其各種信、效度的內涵與使用時機，更是出題的焦點所在，信、效度的計算題有逐年增加的趨勢。

第一節　測驗的意涵與發展

考點提示

(1)測驗與測量、評量、評鑑的不同；(2)智力、性向、成就測驗的比較，幾乎必考，本節僅只概論，尚須搭配第二章重點加以詳讀。

一、測驗的意涵及其與測量、評量、評鑑的分別

測驗、測量、評量、評鑑此四者字義相近，但實質意義卻不同。**測驗（test）是一種工具，也是評量的一種形式，用來評定學習成效**，例如：段考、學力測驗；**測量（measurement）是根據約定程序進行測驗，得出一個數字結果的歷程**，例如：英文聽力測驗得到80分的過程；而**評量（assessment）**是指所有能測得能力表現的測驗方式，**是一種價值判斷，依據測驗與測量的綜合結果進行優劣評判**，例如：經成就測驗與態度評估的結果，某人學習成就高但學習態度不佳；最後，所謂的**評鑑（evaluation）是指經由系統化多面向的評估，瞭解整體績效**，例如：校務評鑑。圖1-1劃出此四者的概念比較，可清楚瞭解四種概念間的關係。

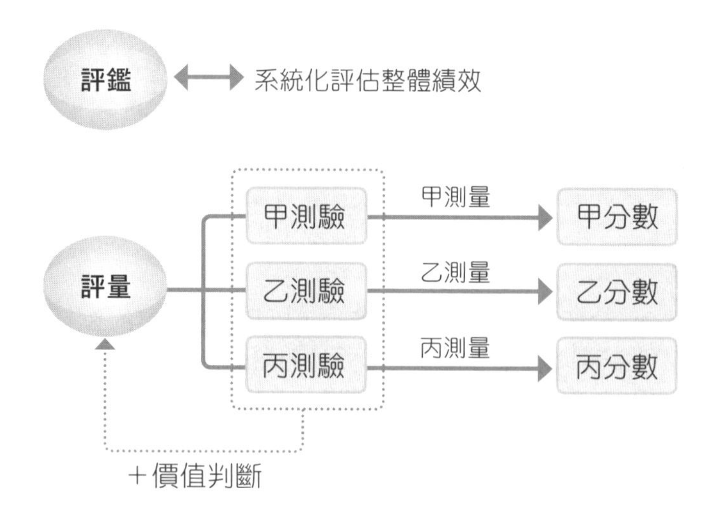

圖1-1　測驗、測量、評量、評鑑概念圖

二、測驗的發展

西元1838年法國醫生**艾斯奎諾**（J. E. D. Esquirol）以語文材料**編製**成測量**不同心智程度的測驗，是智力測驗的濫觴**。1879年德國馮德（W. Wundt）設立第一所心理學實驗室，以科學方法研究人類行為之後，行為學派盛行。1890年美國心理學家**卡泰爾**（J. M. Cattell）**發表《心理測驗與測量》一文，首先創用「心理測驗」**（Mental Test）一詞，使心理研究邁向實證科學。1904年美國行為學派學者**桑代克**（E. L. Thorndike）**出版第一本教育測驗教科書**，建立測量理論與技術。

(一) **智力測驗的發展**：1905年法國**比奈**（A. Binet）**與西蒙**（T. Simon）發展出舉世聞名的**比西量表**（Binet-Simon Scale），**是第一套測量智力高低的標準化測驗**，並為許多國家使用。1916年美國史丹佛大學心理學家**特爾曼**（L. M. Terman）修訂比西量表後，**發表了斯比量表**（standford revision of the Binet scale），以智力商數（intelligence quotient, IQ）為單位測量智力。1986年美國第四次修訂的比西量表（stanford-Binet Scale）和以前的版本最大不同之一是明確地將卡特爾（R. B. Cattell）的流體智力（fluid intelligence）與晶體智力（crystallized intelligence）的理論納入其測驗編製所依賴的架構。**流體智力是指個人的推理思考能力，它不受學習、經驗與個人文化及背景的影響。晶體智力是指經由個人的學習和經驗，逐漸累積而成的能力，受生長環境或文化背景影響。**

(二) **性向測驗的發展：傳統的智力測驗只是以一個智力商數代表一個人的智商，對於有關數理、語文、空間、推理等內在差異的情形並無法區分，因此，性向測驗應運而生**。1902年萊斯（J. M. Rice）發表的算術測驗，1923年史丹桂（Stonquist）發表的機械能力測驗以及1919年西索（C. E. Seashore）編製的音樂才能測驗，都是早期以單科為主的性向測驗。

(三) **成就測驗的發展**：十九世紀以前的美國學校成績評量大多以口試為準，然而口試成績易受臨場反應與主觀判斷的影響，於是較客觀可靠的筆試逐漸盛行。**第一個客觀的成就測驗始於1864年英國費雪（R. G. Fisher）的手寫量表（handwriting scale）**，接著1897年美國萊斯（J. M. Rice）編寫的拼字測驗，都是客觀測驗的創始，也是標準化測驗的先驅。1923年史丹佛成就測驗（standford achievement test）以組合式的分測驗，開啟了常模參照測驗題組的新紀元。

(四) **人格測驗的發展：智力測驗、性向測驗、成就測驗都屬於認知型測驗，而測量人格特質或傾向的人格測驗是屬於情意型測驗**，不同於上述的認知型測驗，以自由聯想技術來測量心理變態人格的柯雷培林（Kraepelin），首先提出第一個人格測驗。除此之外，自陳量表（self-report inventory）、表現或情境測驗（performance or situational test）以及投射技術（project technique），都是人格測驗的評量方式。

第二節 測驗的要素與功能

考點提示

(1)良好測驗的特徵；(2)信、效度的關係；(3)常模；(4)標準化測驗，幾乎必考。

一、良好測驗的要素

一份設計良好的測驗，是評量成功與否的關鍵。其要素主要包括良好的信度、效度、常模與標準化，而且應兼具實用性、適切性、參照性與客觀性等特徵，依序做詳細的介紹。

(一) **信度：信度（reliability）所關心的是測量分數的一致性或穩定性**。換言之，同樣的測驗在不同的時間對同一群受試者的測驗結果，應該趨近於相同，才是高信度的測驗。**信度是效度的必要條件，信度低，效度一定**

不高。有關信度的原理、類型、估計方法、解釋與運用，以及影響信度的因素或測量標準誤等重要概念，留待本章第四節加以詳細說明。

(二) **效度：效度（validity）是指測驗的正確性（accuracy）與精準度（precision）**。一個良好測驗的最重要條件就是效度要高。高效度的測驗，測量的目的方能實現。有關效度的意義、類型、解釋與運用，以及影響效度的因素，留待本章第四節加以詳細說明。

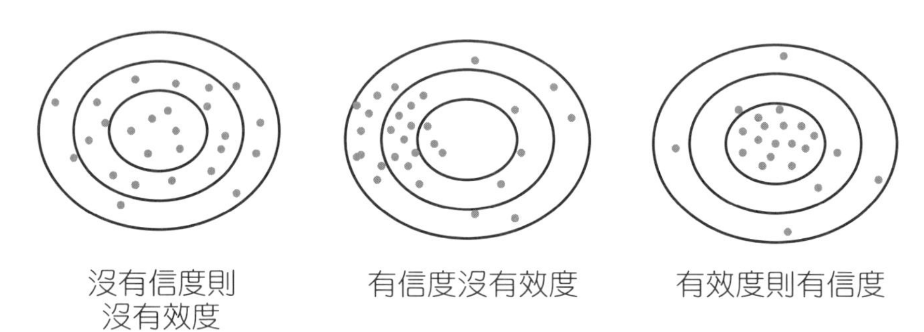

圖1-2　信度與效度的關係

(三) **常模**（108地三）：常模（norm）是測驗專家依一定的程序，將取樣對象的施測結果建立形成的一套比較標準，也是用以解釋個人測驗分數的依據。**常模的主要目的在提供個人成績在團體中的相對地位，也讓個人在不同測驗上的分數可以直接比較**。有關常模的基本概念與功用、建立常模分數的方法，以及常模品質的評鑑，留待第四章第四節加以詳細說明。

(四) **標準化**（101司三）：**標準化（standardization）是指：「測驗工具的編製、施測、計分與解釋，整個過程按一定的標準程序進行」**。教育與心理測驗大部分為標準化測驗，但一般的教師自編測驗，例如：隨堂考、段考等，較難做到標準化的要求。測驗的標準化包括測驗前題本、答案紙的編寫與印製；正式施測時的指導語、測驗材料與編製過程的說明、時間的限制、口頭指示，以及基本範例說明；測驗後處理受測者的質疑，以及測驗結果的計分與解釋，都是測驗標準化的重點。如：**我國施行多年的國中基本學力測驗及大學學科測驗都是標準化測驗**的例子。

(五) **實用、適切、客觀、參照**：良好的測驗應符合經濟效益，也就是說同樣效度的兩個測驗，施測、計分、解釋要愈簡單越好，實用性較高；另外，測驗的使用要適切，同一種測驗並不一定適用所有人；測驗的實施要客觀，必須依照一定的程序與標準；測驗結果的解釋要有參照標準才有意義，如前所言，若為瞭解個人的相對地位，採常模參照，若為瞭解個人是否達到預設的標準，則是絕對地位，採效標參照。

二、測驗的功能

測驗的功能可表現在教學、行政與輔導三個方面，其目的乃在瞭解學生基本特質，促進學習成效並提供行政決策之參考，以達適性學習、客製輔導等功能。詳述如下：

(一) **描述**的功能：測驗的結果可以描述個人或群體的行為概況、趨向或起點行為。

(二) **預測**的功能：有些測驗可以預測受試者未來的發展，例如：學習表現、性向認定或違規行為出現等。

(三) **診斷**的功能：測驗可診斷個案的學習困難、心理狀態，評估受試者的個別差異，以利教學改進與諮商輔導的參考。

(四) **甄選**的功能：不論是常模參照測驗或效標參照測驗，都能提供受試者個人或團體的表現，可提供甄選單位選材的依據。

(五) **研究**的功能：各式各樣的測驗提供人性許多客觀的測量，在心理、教育或諮商輔導等方面的研究領域，發展出許多理論，可供實務上的運用。

第三節 量尺的種類與統計

考點提示

四種量尺的特性與應用，幾乎必考。

一、測量的尺度（量尺）

量尺是測量所用的尺度，瞭解量尺的類型，才能正確地處理測驗分數，不致誤用。根據統計學者Stevens對數字的尺度分類，由低階而高階共有四種測量的尺度或方式：（100身三）

(一) **名義變項：名義變項**（nominal variable）**是定性的尺度**。只是一種標記，**無法運算也無法比較大小**，又稱為類別變項（categorical variable），其主要作為分類的功能。例如：性別、學號、班級、國別……。

(二) **次序變項：次序變項**（ordinal variable）**是半定量的尺度**。**可以比較大小**，但因不具相等的單位，因此**無法進行四則運算**。例如：學校段考的排名、等第制等，第一名與第二名的差距和第二名與第三名的差距不一定相等，但卻都相差一個名次，因此其單位並不相等。

(三) **等距變項：等距變項（interval variable）是定量的尺度，但不一定有絕對的零點**。教育測驗的成績通常屬於此類，因為具有相等的單位與範圍，**可以比較大小，也可以進行運算**。例如：數學科成績100分與90分的差距和英文科50分與40分的差距相同，都是10分，但卻不能說數學科100分同學的能力是英文科50分同學的兩倍強，因為工具不同，且分數沒有絕對的零點，全班最低分不一定為0。另外，溫度也有這樣的特性，60°C並非30°C的兩倍熱，因為化學上攝氏溫度的絕對零度是－273°C，60°C與－273°C相差333度，而30°C與－273°C相差303度，不是兩倍的關係。其原因在於0°C並非絕對的零點。

(四) **比例變項：比例變項（ratio variable）是定量的尺度，且有絕對的零點**，因此**可比較大小，可以進行四則運算，也可以直接形成比例**。例如：身高、體重都屬此類，其絕對零點是0，不會有負數的身高體重，因此，我們可以說180公分是90公分的兩倍高，50公斤重是100公斤重的一半重。

二、測驗與統計的關係

教育與心理測驗大都為標準化測驗（standardized test），標準化的過程包括：

(一) 測驗題目的編製經由項目分析、因素分析等試題預試結果進行統計分析得來。

(二) 信度與效度分析，牽涉效度係數、信度係數的計算與判別。

(三) 測驗結果的相關分析、差異分析須用到統計分析的積差相關、假設考驗與變異數分析。

(四) 迴歸分析可以預測行為表現。這些測驗標準化的過程都必須倚賴統計分析方法才能理出頭緒。

近年由於電腦科技的發達，**測驗理論的發展已由傳統的古典測驗理論進入現代測驗理論，更衍生出電腦化適性測驗**（computerized adaptive testing）**的運用**。另外，透過電腦運算效能的提昇，多變量統計的分析越來越便捷，例如：屬於高等統計範圍的**區別分析、集群分析與結構方程模式**等，也在電腦套裝軟體的陸續發明下，讓大量分析資料曠日廢時的景況消失不見。可見測驗與統計密不可分，測驗結果要靠統計方法的分析比較，分數才有意義。

第四節　信度

考點提示

本節極為重要，處處是考點，必須地毯式地精讀。
(1)信度的意義。
(2)古典測驗理論。
(3)變異數與公式。
(4)測量標準誤。
(5)信度的種類與誤差來源。
(6)測量誤差的分類。
(7)影響信度的因素，幾乎必考。

信度（reliability）與效度（validity）是所有測量的重要議題，也是各項考試中考題出現機率極高的概念。信度與效度兩者都是關心我們所設計的測驗品質如何，是否能重複有效地測出編製者想要測出的行為目標或能力。然而，**效度仍較信度重要**，因為一個效度很低的測驗，表示其誤差甚高，就算信度再高，也依然沒有準度，測不出目標概念，因此，**在有效度之下來談信度才有意義**。本節首先討論信度。

一、信度的意義（106身三）

信度就是測驗的「可信」程度。以磅秤來舉例說明，正常而言，用同一磅秤稱同一人的體重，今天稱和明天稱的結果應該很接近，如果差很多，我們便可合理推論磅秤故障，因此，測量的結果不可信，信度低。而心理與教育測驗就如同那個磅秤，我們相信人的特質也像體重一樣，在短時間內同一個人測出的結果很不一致， 就表示測驗結果很不穩定，此種測驗工具當然信度低，甚至沒有信度可言。換言之，相同受試者在不同時間，使用相同測驗測量（或複本測驗測量多次）或在不同情境下測量，所得結果若相當一致，就表示測量分數可靠性、穩定性高，信度就高。

二、信度的計算（108地四；106身三）

任何測量都有誤差，誤差可說是評量結果（測得分數）和真實分數間的差距，因為真實分數無法得知，所以用實得分數來推估真實分數，也就是說：**測得分數**(X_0)**＝真實分數**(X_t)**＋誤差分數**(X_e)。舉例來說，小靜的國文科考92分，但其真正能力為95分，這3分是粗心寫錯答案，那麼92分稱為測得分數，95分稱為真實分數，而92－95＝－3就是誤差分數。

接著以小靜班上五位同學的測驗分數為例，如表1-1所示，利用變異數公式可求測得分數變異數S_X^2=48.2，真實分數變異數S_t^2=32.2，誤差分數變異數S_e^2=12.8，由於**變異數**的單位是資料單位的平方，它必須開方後才能恢復原來的單位，因此常以**變異數開平方**來表示資料的分散程度，**即所謂的標準差**。算**變異數**有一個**口訣**就是**「平方的平均－平均的平方」**，各位讀者可以試算看看結果是不是與本例相同。變異數與標準差在本書第二篇的教育統計學會詳細討論。

古典測驗理論假設：測得分數變異數=真實分數變異數+誤差分數變異數，亦即$S_X^2=S_t^2+S_e^2$，那麼**信度就定義為**：$S_t^2/\ S_X^2$，**亦即真實分數變異數佔測得分數變異數的比例**，本例$S_t^2/\ S_X^2=32.2/48.2=0.668$，此比例係數就稱為信度係數（Reliability Coefficient），習慣以r表示。**信度係數介於0~1之間，越接近1，信度越好，表示測量工具越穩定**。

表1-1　五位考生的分數表

考生	測得分數	真實分數	誤差分數
1	85	81	4
2	84	85	-1
3	82	83	-1
4	78	80	-2
5	92	90	2
變異數(s^2)	$S_X^2=26.2$	$S_t^2=15.7$	$S_e^2=6.3$

註：變異數公式：

1.樣本變異數 $s^2=\dfrac{\sum(x_i-\bar{x})^2}{n-1}$（101地三）

2.母群變異數 $\sigma^2=\dfrac{\sum_{i=1}^{n}(x_i-\mu)^2}{n}$

說明：

1. 若題目是由母群中抽取5個考生當樣本，因為樣本只有5個，為使樣本變異數不偏估計母群變異數（避免樣本嚴重低估了母群），應計算樣本變異數（即公式的分母要除以n－1）而非母群變異數。
2. 本題並沒強調是自母群抽樣5個，僅是一般單純5個分數的變異數計算，因此變異數公式的分母只要除以n即可，如此計算的結果才會跟上述的口訣「平方的平均－平均的平方」相同。（本例題的答案即分母除以n的結果）
3. 對考者施測多次（無窮多次），則測量後的平均誤差在理想狀況下，會因正值或負值的誤差相互抵銷而變成零，即X（實得分數）≅ t（真實分數）。

4. 若對考者施測極少次（例如2次，且2個誤差分數相同，如下表所示），此時古典測驗理論的假設$S_X^2=S_t^2+S_e^2$才會成立，如下表8=8+0。否則，施測次數一多，只要誤差分數不盡相同，就會造成$S_X^2>S_t^2+S_e^2$，表1-1的結果即為一例。

考生	測得分數	真實分數	誤差分數
1	8	6	2
2	4	2	2
變異數(s^2)	$S_X^2=8$	$S_t^2=8$	$S_e^2=0$

三、測量標準誤（108普考；107原四；104地三、地四；101高考；100地四）

測量標準誤（Standard Error of Measurement, SEM），簡單的說就是「**誤差的標準差**」。前面的例子表中誤差分數的變異數$S_e^2=12.8$，將其開根號即為誤差的標準差$S_e=3.578$。測量標準誤不能與測量標準差混淆，測量標準差是上例的S_X，也就是測得分數變異數S_X^2的開根號。從這個例子的演算過程，便可瞭解測量標準誤、測量標準差與信度的關係：

(一) $SEM=S_x\times\sqrt{1-r}$（測量標準誤=測量標準差乘以1減信度係數之開平方根）

(二) 信度越低，表示誤差越大，測量標準誤S_e越大。

(三) 測量標準差越大，測量標準誤也越大。

另外，若要計算兩測量分數差異的測量標準誤，

則$SEM_{diff}=\sqrt{(SEM_1)^2+(SEM_2)^2}$

四、測量誤差

(一) **系統誤差**（systematic errors）

又稱常誤（恆定誤差）、偏誤（Biased）或規律誤差。**對同一群受試者的每一個人而言，影響都是相同的**。系統誤差總是使測量結果固定一致地偏向一邊，或者偏大，或者偏小，因此，多次測量求平均值並不能消除系統誤差。系統誤差影響因素主要原因有工具的誤差（如題目有漏字、出錯）、學生學習、訓練、疲勞、衰老、遺忘、成長、測驗情境（如監考老師遲到）等。**系統誤差小，效度高，但不影響信度。**

(二) **非系統誤差**（unsystematic errors）

又稱隨機誤差（random errors）、機會誤差或機誤。**沒有規則，隨機產生**，出現的情境與機率不可預測。非系統誤差影響因素如受試者身心狀況（動機、情緒、態度、意願、健康等）、測驗情境（噪音、溫度、

溼度、照明、座位等）和測驗試題（如題數、取樣、難度、計分、解釋等）。隨機誤差小，信度高。

五、信度的種類（107地四）

常模參照測驗的信度依照隨機誤差的來源不同，可以分成：再測信度、複本信度、內部一致性信度、評分者信度四大類。

(一) 再測信度或重測信度

1. **意義**：再測信度（test-retest reliability）考慮的誤差來源是時間誤差。也就是在不同時間，重複實施相同的評量工具，有時稱為**前測、後測，這兩次測量結果的相關係數即是再測信度係數，又稱穩定係數**（stability coefficient）。例如，某位應徵者，到某公司應徵兩次，相同的測驗也做了兩次，假設應徵者是誠實作答的狀況下，若相隔一段時間前後兩次的測驗分數，具有相當高的一致性，則該測驗具有良好的再測信度。
2. **優點**：可以瞭解測驗是否隨時間改變，用以預測受試者未來的行為。
3. **缺點與注意事項**：穩定係數易受練習或記憶效果的影響，較適用於動作技能方面的測驗。另外，重測的時間間隔不能太長，**最好相隔2週~6個月**，否則穩定係數會過低。

(二) 複本信度（108普考）

1. **意義**：複本信度（alternate forms reliability）又稱為等值係數（coefficient of equivalency）或穩定且等值係數（coefficient of stability and equivalency），考慮的誤差來源是內容取樣的誤差，**需用兩個不同題本但內容等同的評量工具來施測**。這兩份測驗在指導說明、施測時間、施測內容、題型、題數、計分方式、難度各方面，必須類似或相等。若**兩個複本讓同一群受試者同時間連續施測，就稱為等值係數**，由於是同時實施，因此是一種**複本立即信度**，可用以說明測驗內容取樣的誤差；**若間隔一段時間再實施，稱為穩定且等值係數**，由於不同時間施測，因此是一種**複本延宕信度**，這樣可以同時兼顧試題抽樣與時間，用以說明測驗內容與時間造成的誤差。
2. **優點**：因不受練習或記憶效果的影響，是最佳的信度。
3. **缺點與注意事項**：因必須題本各方面均類似或相同，因此不易編製。一般標準化測驗尚可做到，但教師自編測驗便很難達成。

(三) 內部一致性信度（101地三）

內部一致性信度係數（internal consistency reliability coefficient）考慮的誤差來源是內容取樣誤差、內容異質性誤差，關心受試者在各個評量題目上表現一致的程度。也就是說，**信度係數的大小反映的是內容取樣的誤差以及題目的同質性程度**。例如，受試者在同一份測驗中，面對A、B兩題同樣在測量「團結合作」的題目，受試者所呈現出來兩題的作答反應，若具有相當高的一致性，則測驗具有良好的內部一致性信度。其優點是一個題本加上只要一次測量結果，便能估計信度。但其缺點與限制就是不能用來估計速度測驗，信度會被高估。內部一致性信度包括折半信度、庫李信度與Cronbach's Alpha係數。

1. **折半信度**

(1)**意義**：折半信度（split-half reliability）考慮的誤差來源是內容取樣的誤差，其做法是**將一份試題拆成兩半（依單雙數題或隨機方式）進行施測，求其相關**，即得折半信度。其公式如下：

$$r_{SH}=\left|\frac{S_{xy}}{S_xS_y}\right|=\left|\frac{\sum xy-\frac{\sum x\sum y}{n}}{\sqrt{\sum x^2-\frac{(\sum x)^2}{n}}\sqrt{\sum y^2-\frac{(\sum y)^2}{n}}}\right|$$

(2)**優點**：施測簡易，只須一次。

(3)**缺點與注意事項**：易受意願、身心狀況的影響，不適用於速度測驗。**折半信度通常偏低，必須以斯布公式（Spearman-Brown formula）、福樂蘭根（Flanagan）或盧隆（Rulon）等校正公式加以矯正**，目地在預測增加或減少題目後，測驗信度的改變。其公式如下：（109高考；100高考）

$$r_{SB}=\frac{2r_{SH}}{1+r_{SH}}$$

2. **庫李信度**

(1)**意義**：庫李信度（Kuder-Richardson Reliability）受到內容取樣與內容異質性的影響，**關心整份測驗所有題目的一致性，不須將題本分成兩半**。公式有兩個，如下：

庫李20號：$r_{KR20}=\left(\frac{K}{K-1}\right)\left(1-\frac{\sum pq}{S^2}\right)$（較常用）（100身四）

庫李21號：$r_{KR21} = \frac{KS^2 - \overline{X}\left(K - \overline{X}\right)}{(K-1)S^2}$（題目難度相近時用）

(2)**優點**：施測簡易，只須一次。解決折半信度無法產生單一信度係數的缺點。

(3)**缺點與注意事項**：計算繁瑣，**僅適用於二元計分**（答對／答錯；同意／不同意）**的測驗**，不適用於速度測驗。

3. **克朗貝賀α係數**（108高考；106普考）

(1)**意義**：克朗貝賀α係數（Cronbach's Alpha Coefficient）受到的誤差來源是內容異質性誤差，亦是整份測驗所有題目計算其一致性。公式如下：

$$\alpha = \frac{I}{I-1}\left(1 - \frac{\sum S_i^2}{S^2}\right)$$

(2)**優點**：施測簡易，只須一次。

(3)**缺點與注意事項**：僅適用於多元計分的測驗，不適用於速度測驗。如：調查研究最常用的Likert四點量表，1表完全不同意、2表稍不同意、3表稍同意、4表完全同意。以下舉真實調查研究信度估算結果說明之。

本研究以Cronbach α係數檢定「青少年臉書成癮正式量表」中各分量表與總量表的內部一致性。「青少年臉書成癮正式量表」總量表之信度係數 .94。各分量之信度係數介於 .79至 .87之間，如下表所示，可看出各因素之間具有高度的顯著相關，顯示「青少年臉書成癮正式量表」的信度相當良好，且測量結果具有高度的可靠性。

「青少年臉書成癮正式量表」信度分析摘要表

分量表	題數	Cronbach α 係數
一、自我解禁	6	.81
二、重要與強迫	6	.87
三、耐受與戒斷	5	.85
四、否定與違常	4	.79
五、虛擬友誼依賴	4	.80
全量表	25	.94

資料來源：謝龍卿（2012），青少年臉書成癮、人際關係與學業成就及其相關因素之研究（未出版之博士論文）（頁104），國立彰化師範大學，彰化縣。

(四) **評分者信度**：因考量不同評分者產生的誤差，採用不同的評分者或同一評分者在不同時間評閱多份測驗卷，估計評分的一致性，稱為評分者信度（scorer reliability）。**評分者信度多用在主觀測驗類的評分**，如：觀察法、判斷法、人格測驗、申論題、作文等。評分者信度的求法有二：

1. 計算相關係數（兩者相關），若求評分者間的信度，則使用斯皮爾曼等級相關（Spearman rank correlation）（兩位評分者時用）、肯德爾和諧係數（Kendall coefficient of concordance）（多位評分者時用）；若求評分者內的信度，則使用同質性信度係數、G係數（有兩個次序尺度的變數，用gamma coeficient表示其相關程度）。
2. 計算評分者給予相同分數的百分比（符合度）。例如下例：

甲、乙兩位評分者對30位學生或30件作品的給分

甲評分者

乙評分者		1	2	3	4	5	
	1	2	①	0	1	0	4
	2	0	5	0	0	0	5
	3	0	①	9	②	0	12
	4	0	0	②	3	①	6
	5	0	0	0	0	3	3
		2	7	11	6	4	30

灰底為甲乙兩位評分一致的件數共2+5+9+3+3=22

符合度

$\frac{22}{30}\times100\%=73\%$

(五) **概化係數**：概化理論（generalizability）以概化係數提供了同時估計各種類型誤差對信度影響的理論基礎。即考慮不同誤差組合中，各類誤差對信度影響的程度。

六、各種信度係數與其誤差來源

信度類型	信度的涵義	主要的誤差來源
1.再測信度（又稱為穩定係數）	同一份測驗的兩次測量結果間的相關係數	時間抽樣
2.複本信度（又稱為等值穩定係數）	兩份複本測驗間的測量結果的相關係數	時間抽樣與內容抽樣
3.內部一致性信度	同一測驗之測量結果內各受試題間的相關係數	內容抽樣與內容異質
(1)折半信度	測驗試題分成兩半，這兩半間的相關係數	內容抽樣
(2)KR_{20}與KR_{21}公式	試題間的同質性或反應一致性的程度之關聯性指標	內容抽樣與內容異質
(3)α係數	試題間的同質性或反應一致性的程度之關聯性指標	內容抽樣與內容異質
4.評分者信度	各評分者間或各評分者內之評分結果的相關係數	評分者誤差

七、影響信度的因素（110高考；108地四；107地三、身四；105地三）

(一) 樣本特徵

1. 樣本團體**異質**性：團體**異質性越高**，測驗結果變異量越大，**信度越高**。
2. 樣本團體平均能力：各團體的平均能力水準不同可能會影響信度係數。有些測驗使用於**較年輕及能力差**之團體時，**信度可能相當低**，因為他們的分數很容易受到猜測因素的影響。

(二) **測量長度（題數）**：一般來說，在一個**測驗中增加同質性的題目**，分數受到猜測因素的影響就會減少，可以使**信度提高**。但也不可無限制地增加題目，增加測驗長度的效果應當遵循報酬遞減原則。通過斯皮爾曼-布朗公式的導出公式可以計算出最少應增加的題目：

$K=r(kk)\times(1-r(xx))/r(xx)\times(r(kk)-1)$

K為改變後的長度與原長度之比，r(xx)為原測試的信度，r(kk)為測驗長度是原來的K倍時的信度估計。

(三) **測驗難度**：理論上說，只有測驗難度為50%時，才能使測驗分數分布範圍最大，求得的信度也最高。在實際情況下，如果某個測驗適用範圍廣，其難度水平通常適用於中等能力水平的受試者，對於較高水平和較低水平的受試者，難度最高和最低的題目可能太少，不足以適當地區辨個人表現而造成**天花板或地板效應**，使得分數分布範圍縮小，**信度降低**。

(四) **時間間隔**：時間間隔只對重測信度和不同時間測量時的複本信度有影響，**間隔時間過長，信度會降低，間隔時間過短，由於記憶效應的影響，信度可能偏高**。對其餘的信度來說，不存在時間間隔的問題。

(五) **題目設計**：如果試卷本身設計**不合理**或是出現**自相矛盾的題目**，試卷的**信度會降低**。題目**鑑別度過低**，例如一道題目正確率或錯誤率達到90%，表示真實偏差的成分較少，隨機偏差的成分相對較多，試卷的**信度會降低**。

(六) **身心狀況**：受試者測驗時的情緒、態度、意願、健康，測驗情境（噪音、溫度、溼度、照明、座位等）疲勞程度、動機高低等因素，均會影響到測驗的結果。

(七) **時間限制**：作答時間的限制與否，會影響測驗的信度。

(八) **內容取樣**（107地三）：內容異質的影響，測驗**內容性質愈一致，則測驗的信度愈高**。因此，測驗內容必須「校正相關係數萎縮」，針對測驗工具的誤差進行校正，才能較為接近真正相關係數值，最常見的方法就是刪除「刪題後信度」低於「內部一致性」（即刪題後整體信度會提高）的題目。

(九) **評分者誤差**：諸如評分者標準，評分時間等均可能影響評分的客觀性，進而影響測驗的信度。

(十) **測驗情境**：測驗結果的一致性尚可能受到測驗情境的影響，諸如測驗時的溫度高低、光線強弱，噪音、溼度、座位安排等，均會影響測驗的信度。

第五節 效度

考點提示

本節與上一節同等重要，處處是考點，必須地毯式地精讀。(1)效度的計算；(2)各種效度的特性與運用；(3)影響效度的因素；(4)重要名詞解釋，幾乎必考。

一、效度的意義（106身三）

效度是指測驗分數的正確性。易言之，就是指一個測量能夠測量到它所想要測量的特質的程度。效度無法直接測量，但可從其他資料推論。效度的判斷，主要是依據測驗分數的使用目的，或測驗結果的解釋。舉一個較具體的例子來說，譬如我們拿一把刻度精確、不會熱脹冷縮的尺，來量一群人，以判斷誰輕誰重，似乎很奇怪。雖然刻度精確不熱脹冷縮的尺「信度」很高，但用來量體重就可能不大準確，不很「有效」。因此，尺對「體重」這個特質而言，就是一個「效度」不佳的測量工具。

二、效度的計算（106身三）

在前節說明信度時，我們曾提及測驗的總變異量$S_X^2=S_t^2+S_e^2$，在計算效度大小時，我們會關心真實分數變異量S_t^2中應包括所有受試者共同被測量的部分，稱為共同因素變異量（common factor variance）S_{co}^2，這是測驗真正要測到的部分，除此之外，真實分數變異量S_t^2中應還包括測驗技術上的困難所無法排除的部分，是測驗不願測到的無關變異量，稱為獨特因素變異量（specific variance）S_{sp}^2。因此，我們可說**真實分數變異量=共同因素變異量+獨特因素變異量，亦即$S_t^2= S_{co}^2+ S_{sp}^2$，將此式代入$S_X^2=S_t^2+S_e^2$可以發現$S_X^2= S_{co}^2+ S_{sp}^2+S_e^2$，其中$S_{co}^2$佔$S_X^2$的比例大小就是效度**。因此，**效度可以定義成：共同因素變異量佔測量總變異量的比例**，亦即S_{co}^2/ S_X^2。茲將各種變異量的關係整理如下：

$$S_X^2=S_{co}^2+S_{sp}^2+S_e^2$$

式中S_X^2為測驗總變異量

S_{co}^2為共同因素變異量

S_{sp}^2為獨特因素變異量

S_e^2為誤差變異量

兩邊同除以S_X^2後 $\frac{S_X^2}{S_X^2}=\frac{S_{co}^2}{S_X^2}+\frac{S_{sp}^2}{S_X^2}+\frac{S_e^2}{S_X^2}$

移項得 $\frac{S_{co}^2}{S_X^2}=\frac{S_X^2}{S_X^2}-\frac{S_{sp}^2}{S_X^2}-\frac{S_e^2}{S_X^2}$

因此得 效度$=\frac{S_{co}^2}{S_X^2}=1-\frac{S_{sp}^2}{S_X^2}-\frac{S_e^2}{S_X^2}$

所以，我們從式中可以得知，若$S_{sp}^2=0$，亦即測驗不願測到的無關變異量（獨特因素變異量）=0，則$S_t^2= S_{co}^2$，此時信度係數=效度係數。除此特例之外，**效度係數都小於等於信度係數，甚至可說信度是效度的極大值。**

三、效度的類型（108身三）

依照不同情境的要求，效度的類型可以分成：內容效度、效標關聯效度、建構效度三大類。

(一) 內容效度（108高考；100普考）

1. **意義：內容效度（content validity）是指測驗反應測驗目標與測驗內容的程度**。例如：教師所編的測驗是否可以測出考試範圍內的教學目標與教學內容，如果該測驗具有教學內容取樣的代表性且符合教學目標，則稱該測驗具有效度。因取樣自教學內容，內容效度又稱為**取樣效度**（sampling validity）。此衡量效度的方法必須由專家或教師以邏輯方法分析題目符合課程的目標內容的程度，故又稱**專家效度**（expert validity）、**邏輯效度**（logic validity）、**課程效度**（course validity）。
   內容效度不可與**表面效度**（face validity）混為一談。表面效度是缺乏邏輯系統的分析，**只是指給人的表面印象**，因此，表面效度不能代替客觀的效度。一般而言，**具有內容效度的測驗，通常也具有表面效度，但是，反之則不盡然**。表面效度有時是重要的，因為具有表面效度，可使受試者感到親切感，而願意合作。
2. **提高內容效度之方法：**
   (1)若評量的概念較多或內容廣泛，可用**「雙向細目表」**規畫。如表1-2。
   (2)由數位專家分別獨立設計不同的雙向細目表進行試題評鑑，再統計其一致性。

3. **限制與注意事項：內容效度主要用在學科考試前**，分析出題的分配是否得當，**其他的行為科學很少用**。

表1-2 數學成就測驗雙向細目分析表（例）

教材內容	教學目標						合計題數
	知識	理解	應用	分析	綜合	評鑑	
整數的加法	2	5	4	4	4	1	20
整數的減法	1	4	1	2	3	2	13
整數的乘法	3	8	3	2	2	2	20
因數與倍數	2	10	3	5	5	2	27
分數的四則運算	2	6	5	3	2	2	20
合計題數	10	33	16	16	16	9	100

(二) **效標關聯效度**（109地三；105地三；100普考；100原三）

1. **意義**：效標關聯效度（criterion-related validity）效度係指「測驗能夠測量到我們所想要測量特質的程度」，大多數的測驗以「效標關聯效度」來加以表示。所謂「效標關聯效度」**是指以驗證性的方法，來探討測驗分數與一些外在效標之間的關聯程度**，而效標就是指測驗所要預測的某些行為或量數，例如學業成就、平均收入等，**是實用性最高的效度**。由於效標關聯效度是建立在實證資料上，又稱為**實證效度**（empirical validity）。另外，效標關聯效度可經由統計分析方法得到一數量指標，因此又稱為**統計效度**（statistical validity）。

2. **分類**

效標關聯效度依效標取得時間又分為同時效度以及預測效度。依人事心理學分類成合成效度與區分效度。

(1)同時效度（concurrent validity）：指測驗成績與效標成績同時取得，再求兩者間的相關程度。施測者在同一時間測量二者，雖然目的是想用某測量結果以預測另一結果，但進行的方式是在同一時間以相關或迴歸的方式進行。其目的在評估當前的實際表現狀況。

(2)預測效度（predictive validity）：指測驗實施一段時間之後才取得效標。其目的在預測未來的行為（107身三）。

(3)合成效度（synthetic validity）：預測受試者整體的工作效率。

(4)區分效度（differential validity）：以兩種不同性質的職業的相關係數為效標，再以兩相關係數之差為區分效度。

3. **效標的類型**：因其具有適切、可靠、客觀、實用性。
(1)學業成就。 (2)特殊化的訓練成績。
(3)實際工作表現。 (4)對照團體。
(5)心理治療的診斷結果。 (6)先前的有效測驗。

(三) **建構效度**（101普考；100普考）

1. **意義**：建構效度（construct validity）又稱**構念效度**。是指**以實證方法求測驗分數能解釋理論構念的程度**。構念是指無法直接測量的抽象、假設概念或變項，例如：智力、性向等。構念效度包含三個成分：
(1)**信度**：量表本身可信的程度。
(2)**輻合效度（convergent validity）**（105高考；100地四；100身三：**可以測出構念的程度**，當測量同一構念的多重指標彼此間聚合或有關連時，就有此種效度存在。
(3)**區辨效度（discriminant validity）**（105高考；100地四；100身三）：**不包括其他構念和誤差的程度**，也稱為**分歧效度**（divergent validity），此類效度與聚合效度相反，是指一個構念相聚合的多重指標必與其相對立之構念指標有負向相關。例如與「臉書成癮」相關的多重指標應會與「臉書不成癮」相關的多重指標間存有負向相關。這三種成分必須靠合乎邏輯的推理，使它們合為一體的概念。

2. **考驗方法**
(1)**內部一致性相關**：同一題本的題目，由於測量同一種屬性，彼此間應具有極高的相關存在，因此各題與全量表總分的相關係數越低，表示越無法測出受試者反應的程度，題目越差。因此，**以總分為效標，檢驗各題目與總分之間的相關性**。相關係數越高，表示內部**題目一致性越高，整份測驗越能測出同一特質**。
(2)**外在相關**：找出測驗之外**已知具有效度的另一測驗作為效標**，計算兩者的相關係數。
(3)**因素分析法**（107地四）：多變量統計分析法的一種，透過因素分析，可使隱藏在題目背後許多概念相似的變項，透過數學關係的轉換，簡化成幾個足以代表整個量表的同質性因素結構，其優點可以協助測驗的編製，進一步修正項目分析的結果，並檢驗試題的優劣好壞。
因素分析法有兩種方式：探索性因素分析（exploratory factor analysis, EFA）與驗證性因素分析（confirmatory eactor analysis, CFA）。

探索性因素分析是較為傳統的因素分析法，對於因素的抽取、因素的數量、因素的內容，以及變項的分類，研究前都沒有事先的假設與預期，故全由因素分析的程序與結果而定。但是較晚出現的驗證性因素分析，則是認為除了應用在探索性的研究，歸納初步的方向之外，因素分析也可以用來做驗證已知的研究結果。例如有研究指出有A、B、C三個因素導致企業失敗，那麼透過因素分析的設計，任何人都可以客觀地挑戰這三個因素的適切性，假如歸納出的潛在變項性質非常接近A、B、C因素的描述，而且對整體的解釋能力也夠高，那麼A、B、C就能被認可是值得信賴的關鍵因素。

下表是有關臉書成癮構念的調查研究，表中「青年臉書成癮量表」因素分析結果，共可得自我解禁、重要與強迫、耐受與戒斷、否定與違常、虛擬友誼依賴等五個因素。各因素層面所組成之題目，其因素負荷量皆在 .40以上，且累積解釋總變異量為64.049%，顯示量表可測出的受試者共同因素變異量佔總變異量的0.64049，建構效度良好。

「青少年臉書成癮正式量表」因素分析摘要表

預試量表題號	因素負荷量					正式量表題號
	自我解禁	重要與強迫	耐受與戒斷	否定與違常	虛擬友誼依賴	
21	.767					18
27	.659					24
24	.647					21
22	.628					19
26	.580					23
30	.571					25
5		.819				5
6		.752				6
8		.738				8
1		.652				1
7		.560				7
2		.446				2
9			.728			9
11			.650			11

預試量表題號	因素負荷量					正式量表題號
	自我解禁	重要與強迫	耐受與戒斷	否定與違常	虛擬友誼依賴	
12			.621			12
10			.590			10
13			.491			13
16				.771		15
15				.682		14
19				.570		16
20				.532		17
3					.846	3
4					.774	4
25					.513	22
23					.413	20
特徵值	9.991	2.083	1.671	1.170	1.096	
可解釋變異量(%)	39.965	8.332	6.685	4.681	4.386	
累積解釋變異量(%)	39.965	48.297	54.982	59.663	64.049	

註：本表僅列出因素負荷量大於.40者。

資料來源：謝龍卿（2012），青少年臉書成癮、人際關係與學業成就及其相關因素之研究（未出版之博士論文）（頁103），國立彰化師範大學，彰化縣。

(4)**多元特質-多項分析法**（102普考；100身三）：**可用以建立輻合效度**（convergent validity）**和區辨效度**（discriminant validity）**的主要方法**。以多元特質-多項方法矩陣考驗一個測驗的建構效度。例如：機械性向測驗的分數應與學生在校的數理成績高相關（輻合效度），但卻應與社會科測驗的分數呈低相關或無相關（區辨效度）才是。如表1-3所示，相同方法測量相同特質的信度為（.77, .81, .92, .71, .78, .83）；相同方法測量不同特質的區辨效度為（.40, .31, .29, .37, .18, .25）；不同方法測量相同特質的輻合效度為（.59, .63, .68）；不同方法測量不同特質的區辨效度為（.29, .18, .27, .09, .11, .12）。

表1-3 多項特質—多項方法分析矩陣

方法	特質	方法① A₁	方法① B₁	方法① C₁	方法② A₂	方法② B₂	方法② C₂
方法①	A_1	(.77)					
	B_1	.40	(.81)				
	C_1	.31	.29	(.92)			
方法②	A_2	[.59]	.27	.11	(.71)		
	B_2	.29	[.63]	.12	.37	(.78)	
	C_2	.18	.09	[.68]	.25	.18	(.83)

( )中的數字為信度係數
□ 中的數字為輻合性效度
其餘的數字為區別性效度

(5)**實驗研究**：人類的行為或心理特質常因某項實驗處理或情境而產生不同結果，或維持不變。例：實施教學之後，學生的後測分數應該會比前測分數高，如果這個預測得到支持，將可用來支持構念效度。

(四) **後果效度**：Messick（1994）提出多元評量有其特定的效度基礎，稱為後果效度。Messick將後果效度－著重評量後果影響面，納入建構效度定義的範圍內。效度的後果基礎包括對評量解釋所蘊含的價值及使用所造成的長期和短期之有意圖或無意的後果做評鑑。

四、影響效度的因素（110高考；107地三；106高考；105地三）

(一) **測驗品質**：試題是構成測驗的要素，**測驗之效度取決於試題的性能**。若測驗材料經審慎選擇，測驗指導語清楚易懂，試題用字遣詞適合受試者程度，測驗的長度或題數恰當，試題具有相當的鑑別力且難易適中並作合理的安排，則效度高，反之則效度低。

(二) **測驗實施**：測驗的實施程序是影響效度的重要因素。若主試者能適當控制測驗情境，遵照測驗指導語或測驗手冊的各項規定而實施之，例如：時間的限制、答題的方式等，則可**避免外在因素影響測驗結果的正確性，效度自然提升**。

(三) **受試者反應**：受試者的意願、興趣、動機、情緒、態度、疲勞程度和身心健康狀況等，皆足以決定其在影響情境中的行為反應，而受試者是否充分合作與盡力而為，均能影響測驗結果的可靠性與正確性。另外，反應心向（response set），亦能影響效度，**所謂反應心向，指受試者依照某種反應的型態對測驗的題目作一致性的反應，如總答「是」或總是答「否」。**

(四) **效標品質：選擇適當的效標是提升實證效度的先決條件**，若因所選的效標不當，以致測驗的效度不能顯現出來，則測驗的價值可能被淹沒。一**個測驗會因其所採用的效標不同，效度係數就有差異**。

(五) **樣本團體：團體的異質性越高，信度越高，團體樣本適切性越高，效度也越高**。因此，效度考驗所依據的樣本，必須確能代表某一測驗所擬應用的全體對象。一個測驗應用於不同的對象，由於他們在性別、年齡、教育程度與經驗背景上的差異，其測驗功能不一致，效度亦隨之不同。

五、重要解釋名詞

(一) **增益效度**：增益效度（incremental validity）是指，某特定測驗對於準確預測某一效標，在考量其他測量分數對於效標影響後的貢獻程度。對於某一個測驗分數A，效標為Y變項，增益效度是指A對於Y的解釋是否優於另一個B變項對於Y變項的解釋。**如果A變項優於B變項，那麼A變項對於Y變項的解釋，在B變項被考慮的情況下，應仍具有解釋力。**

(二) **交叉驗證**：交叉驗證（cross-validation）係指**一個測驗的測量結果在許多不同群樣本下，能夠複製的程度，亦即具有跨樣本的有效性。其主要目的在檢測測驗的預測效度**。通常皆以隨機方式將原來的分析樣本分成兩半，以其中一半的樣本來建立最佳模式，並拿該模式來預測另一半樣本，看看預測誤差的變異數是否達顯著水準，以判定該模式的預測效度，稱作「**複核效化**」或是交叉驗證。

考題集錦

1. 請分別回答下列有關內容效度之問題：（103身三）
   (1)說明內容效度與表面效度之關係。
   (2)有學者不認為「專家效度」是效度的一種，試說明其理由。
   (3)試說明檢驗內容效度的四個步驟。
   (4)各舉二個適合與不適合使用效標關聯效度的測驗。
2. 某人編製一個團體式智力測驗，並考驗其效標關聯效度，試寫出性質不相同之三種效標及其優缺點。（103身四）

3. 李老師編製了一份數學推理測驗 X，下表為該份測驗的一些相關資料，請根據數據回答問題。（103高考）

平均數	20
標準差	6
題數	20
KR-20	0.64

(一)以 KR-20 為例：

1.從古典測驗理論真分數模式的角度，解釋該係數所代表之意義及其基本假定。

2.計算觀察分數與真分數的相關。

3.說明此信度係數之高低受那些因素的影響。

(二)小英與小明在該份測驗上分別得到20分及25分，請據此建立68%信心區間，並解釋及比較兩人的表現。

(三)若 X 測驗之兩週再測信度為0.70，以 68%信心區間預測小英兩週後的再測成績為何？

(四)由於X測驗之信度不理想，李老師決定將測驗題數增加至40題，請根據 KR-20之值估計40題測驗的信度。李老師在編製完成40題的新測驗後，以該校200位資優生進行預試，得到 KR-20 係數0.68，說明係數未如預期提高的可能原因為何？

4. 何謂「多特質－多方法矩陣」（multitrait-multimethod matrix）？它可以考驗那種效度？使用多特質－多方法矩陣分析的前提是什麼？（103原四）

5. 某能力測驗適用對象為小學四到六年級學生，測驗有兩個平行版本，甲式及乙式。測驗發展者抽取100名四到六年級的學生作為信度研究的對象。這100名學生同時完成甲、乙式測驗，然後求取兩式測驗成績的相關，其值為0.8。今有汪老師以此測驗測量小學四年級學生，為確保測驗結果的信度，抽取100名四年級學生，同時完成甲、乙兩式的測驗。（103地三）

(1)測驗發展者估計的是何種信度？並解釋信度0.8的意義。

(2)請問汪老師所得的信度是否會高於原測驗信度？為什麼？

(3)測驗發展者覺得信度不夠理想，打算將信度提升到0.9，如果以增加平行試題方式，測驗長度要如何調整？

6. 長興國中林老師編製了一份數學科的月考測驗（包含40題對錯計分的選擇題及4題多元計分的應用題）。下列為林老師建立這份測驗信度的方式：(1)他隨機抽取100位學生，在月考後1週重新施測了一次，得到兩次測驗分數的相關為.50；(2)他分別求得選擇題及應用題的α係數，前者為.80、後者為.40；(3)他隨機抽取50份試卷，請兩位評分者批改多元計分的應用題，並求得兩位評分者給分的相關為.60；(4)他求得學生月考分數與上學期數學總成績的相關為.90。（103地四）
   (1)請說明林老師建立課堂數學成就測驗信度的方式中有那些是不恰當的？理由為何？
   (2)針對林老師所蒐集的適當信度係數，說明這些信度的意義及影響信度的因素，並提出提高信度的方法。
7. 測驗是研究者用來收集受試者作答反應資料的工具，請問：
   (1)何謂測驗的信度（reliability）？
   (2)常模參照測驗（norm-referenced test）的信度係數可分成那幾種？
   (3)承(2)，每一種信度係數的主要誤差來源各為何？
   (4)常在公務人員考試中使用的測驗式試題，如果考試後想進行試題分析的話，它最適合使用那一種信度係數作為分析指標？（102地三）
8. Robert Linn 曾在其著作提到效度乃是一種一元論的概念，只是具有多種型式的證據，包括內容、建構、效標關聯和後果等四個面向。Linn也提到就許多測驗與評量而言，既不實際也不需同時考量上述四個面向。試就此四面向給予簡單定義，並以教室班級評量及學術性向測驗為例，說明各所強調的主要考量效度面向為何？較次要的面向為何？（102普考）
9. 利用某一「人格量表」與「教師評定」測量學生三項不同的特質：成就性（甲）、社會性（乙）及獨 性（丙）。根據資料分析所得之多重特質多重方法矩陣如附表。就表中資料，分別指出「相同方法測量相同特質」、「不同方法測量相同特質」、「相同方法測量不同特質」及「不同方法測量不同特質」的係數，並依據係數評論該人格測驗是否具有效度證據？（102普考）

附表：人格量表與教師評定之多重特質多重方法矩陣

	人格量表			教師評定		
	甲	乙	丙	甲	乙	丙
人格量表						
成就性（甲）	.71					
社會性（乙）	.62	.89				
獨立性（丙）	.92	.72	.67			
教師評定						
成就性（甲）	.79	.66	.64	.83		
社會性（乙）	.60	.61	.63	.80	.87	
獨立性（丙）	.51	.81	.85	.74	.69	.84

10. 一般測驗介紹的資訊中，常提供信度係數或測量標準誤來說明測驗的可靠程度。就這兩項指標而言，那一項指標在不同樣本呈現較佳的穩定性？那一項指標比較適合作為不同測驗可靠程度的直接比較？為什麼？（101身三）
11. 請說明常模參照測驗的各類信度作法，以及各類作法考量的主要測量誤差來源。（101身三）
12. 建民老師最近想進行一項行動研究，他自己編製一份國小四年級學生適用的閱讀態度量表，他同時準備以學生最近三篇作文的成績和最近一次國語文段考成績作為關連變項。就這三個變項，建民老師在研究計畫中擬提供最適切而重要的一項信度係數。最適合作為學生學習態度量表、作文、和國語文成就的信度係數分別為何？簡單說明支持你決定的理由。（101身三）
13. 收集構念效度證據常用的方法有那幾種？試以「數學推理評量」為例，簡要說明之。（101普考）
14. 請分別說明信度、效度，以及信度與效度兩者間的關係。（101原四）
15. 請以射箭或打靶為例（紅心表示所欲測量之心理特質），作圖說明測驗之信度與效度的關係。（101地三）
16. 何謂內部一致性信度？內部一致性信度可支持何種效度？其理由為何？（101地三）

[考題解析範例]

一、某校在數學（M）與英語（E）的評量方式包括教室觀察（O）、紙筆測驗（T）以及實作表現（P）等三種，分別以MO、MT、MP、EO、ET、EP代表學生在這三種評量方式中，數學和英語的得分情形。該校計算學生這6項分數之間的兩兩相關。請問若要證明這些評量有聚斂（Convergent）及區辨（Divergent）效度，則這些分數中，那些相關應該較高？而那些相關應較低？
(一) 請先說明何謂聚斂（Convergent）及區辨（Divergent）效度。
(二) 再說明那些應較高，那些應較低。（105高考）

破題分析 本題考測驗學者Campell和Fiske於1959年提出的「多項特質－多項方法相關矩陣分析」中的聚斂效度及區別效度，是近年效度種類中經常出現的考點，考生必須加以熟悉。相關概念詳見本書第一篇第一章第五節。

答 (一)聚斂效度及區辨效度的意義

1. **聚斂效度**（convergent：validity）：又稱「輻合效度」，是指可以測出構念的程度，當測量同一構念的多重指標，彼此間聚合或有關連時，就有此種效度存在。
2. **區辨效度**（discriminant：validity）：不包括其他構念和誤差的程度，也稱為分歧效度（divergent：validity），此類效度與聚合效度相反，是指一個構念相聚合的多重指標必與其相對立之構念指標有負向相關。

(二) **相關分數的高低**

依題意，這6項分數之間的兩兩相關分數的高低，如下圖分析：

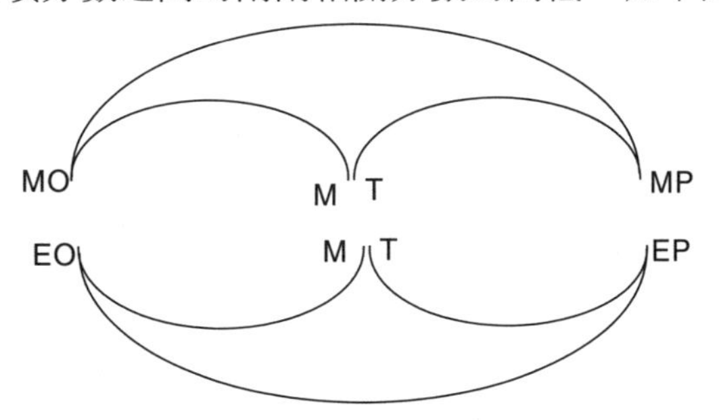

圖中六條連線具有高相關，是為聚斂效度

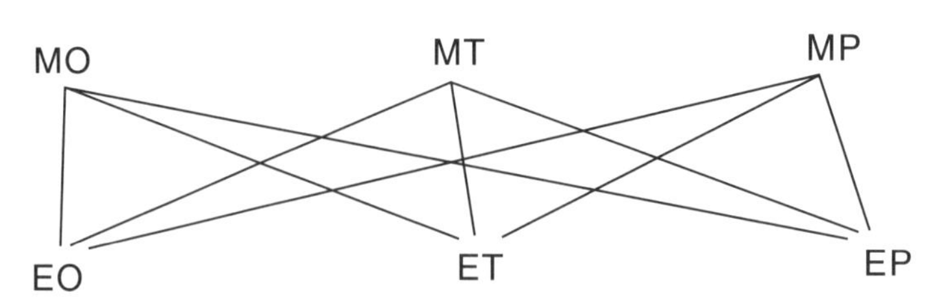

圖中九條連線具有低相關，是為區辨效度

觀念延伸 建構效度、效標關聯效度、多元特質-多項分析法。

二、某位教育學者自編一份數學成就測驗，試圖用來預測學生在「國中會考」的數學科成績。但該學者在發展測驗的過程中，於進行效標關連效度分析時發現，他的自編測驗缺乏信度。請問：你會建議他該如何改善自編測驗缺乏信度的問題？（105地三）

破題分析 本題考效標關聯效度分析中提升自編測驗信度的方法，是與信效度極其相關的考題，相信考生並不陌生。詳見本書第一篇第1章第4~5節。

答 效標關聯效度是指一個測驗的分數與外在效標之間的相關程度。外在效標必須適切、可靠、客觀、實用，其類型包括：

(一)學業成就。
(二)特殊化的訓練成績。
(三)實際工作表現。
(四)對照團體。
(五)心理治療的診斷結果。
(六)先前的有效測驗等。

若欲增加自編測驗的信度有以下幾中方法：

1. 選取受試者差異度大的樣本：要找異質性高的樣本來施測，團體異質性越高，測驗結果變異量越大，信度越高。
2. 題目難度適中：理論上說，只有測驗難度為50%時，才能使測驗分數分布範圍最大，求得的信度也最高。
3. 評分客觀或採用較客觀的試題：如申論題較難客觀，以及評分者標準，評分時間等均可能影響評分的客觀性，進而影響測驗的信度。
4. 間隔時間適中，不宜過長或過短：時間間隔只對重測信度和不同時測量時的複本信度有影響，間隔時間過長，信度會降低，間隔時間過短，由於記憶效應的影響，信度可能偏高。

5. 增加題數，尤其是同質性的題目：一般來說，在一個測驗中增加同質性的題目，分數受到猜測因素的影響就會減少，可以使信度提高。但也不可無限制地增加題目，增加測驗長度的效果應當遵循報酬遞減原則。通過斯皮爾曼－布朗公式的導出公式可以計算出最少應增加的題目：K＝r（kk）×（1－r（xx））／r（xx）×（r（kk）－1）（K為改變後的長度與原長度之比，r（xx）為原測試的信度，r（kk）為測驗長度是原來的K倍時的信度估計。）

觀念延伸 樣本特徵、測驗長度（題數）、測驗難度、時間間隔、題目設計、身心狀況、時間限制、內容取樣、評分者誤差、測驗情境。

NOTE

第二章 測驗的種類與用途

依據出題頻率區分，屬：**A** 頻率高

開箱密碼

本章介紹各種測驗，其重點在於各類測驗的定義、理論、原理、施測方式、用途、優缺點及其使用限制。本章較為繁雜，但必須將各類測驗融會貫通，並能加以比較，尤其要注意哪些測驗屬於認知測量；哪些測驗屬於情意測量。本章出題形式主要為名詞解釋與比較。

第一節 測驗的類型與特性（108普考）

標準化測驗、診斷性測驗、常模參照與效標參照測驗、最大表現與典型表現測驗，是必考重點。

目前應用於各領域的心理與教育測驗種類非常多，可依測驗的功能、診斷目的、測量目標、測量時機、實施對象、評分方式、是否標準化、測驗材料、題目難易、反應形態與結果解釋，分類如下：

一、依功能而分

測驗的功能可提供個案的評估、診斷或預測，以做為教學與行政的參考，可分成－智力測驗、性向測驗、人格測驗與成就測驗。

	意義	種類
智力測驗	智力測驗是用來測量個人或團體智力高低的工具，也是**最早發展的心理測驗，測量結果以智商（IQ）表示**。	可以分成測量個人智商的比西量表、魏氏量表、考夫曼兒童評鑑組合等，以及團體智力測驗所用的普通分類測驗、加州心理成熟測驗、瑞文氏非文字推理測驗等。

	意義	種類
性向測驗	**性向測驗是測量個人綜合能力或特殊能力的偏向，以做為升學或就業的參考。**	可以分成**綜合性向測驗**與**特殊性向測驗**。特殊性向測驗一次只測量一種能力，如：語文推理測驗、空間關係測驗等；綜合性向測驗一次可測量數種能力，較為經濟，也可說是多個特殊性向測驗的合體，如：多元性向測驗（包含語文理解能力、知覺速度、數字推理、空間關係、學業潛在能力）。
人格測驗	**人格測驗是測量人類態度、思想、習慣、興趣等內在心理特質或外在行為表現的工具。**	包括情緒測驗、興趣測驗、性格測驗等，其測驗的方法可分成自陳、投射與評定。
成就測驗	**成就測驗是測量學習者經過教育或訓練後的學習成果。學校的段考、基測、教育會考、學測等，都屬於學業成就測驗。**	**教師自編測驗大都屬於成就測驗**。依測量的內容可分成綜合成就測驗、單科成就測驗；依標準化的程度可分成標準化成就測驗、教師自編測驗。

二、依教學診斷目的而分

教師教學過程用以診斷學生學習概況與困難的測驗，可分成－非診斷性測驗與診斷性測驗。

(一) **非診斷性測驗**：如篩選性測驗，用以區分高低成就；安置性測驗，用以評估教學計畫的適切性或分班分組依據。

(二) **診斷性測驗**：如：單科能力診斷測驗（數學能力診斷測驗……），用以診斷學生學習成效。

三、依測量目標而分

依布魯姆（B. S. Bloom）的觀點，教學目標應包含認知、情意、技能三類，因此，依不同的測量目標可將測驗分成－認知測驗、情意測驗、技能測驗。

(一) **認知測驗**：由智力、性向、成就測驗測量出的能力，屬於內在心理認知。

(二) **情意測驗**：由人格測驗所測量出的態度、興趣、情緒、價值觀等，屬情意範圍。

(三) **技能測驗**：較偏向實際動手操作的能力，如：運動技能測驗、中文輸入技能測驗等。

四、依測量時機而分（108地四）

教師依教學前、教學中與教學後的各個不同時機對學生施行的測驗，用以評估起點行為與學習成效，可分成**教學前實施的－預備性評量、教學過程中實施的－形成性評量，以及教學後實施的－總結性評量**。

(一) **預備性評量**：教師為瞭解學生的起點行為、個別差異，於課前實施的教學評量。

(二) **形成性評量**：教師為瞭解教學過程中學生學習的概況，以調整或改進教學所做的正式或非正式的評量。

(三) **總結性評量**：教師於教學活動告一段落時，為瞭解學生的學習結果、教學成效所做的評量，用以評斷教學目標的達成度或教學方法的適切度。

五、依實施對象而分

測驗實施的對象有針對個人，也有針對團體而施測，依此可將測驗分成－個別測驗與團體測驗。

六、依評分的方式而分

測驗評分的方式是否受到評分者主觀意識的影響，可將測驗分成－主觀測驗與客觀測驗。

(一) **主觀測驗：指評分的依據沒有一致的標準，受評分者主觀的影響**，如：申論題、作文題。

(二) **客觀測驗：指評分者依循一致的標準進行評分**，如：選擇題、是非題。

七、依是否標準化而分

測驗的編製過程與細節是否遵守嚴格的規定，可分成－標準化測驗與非標準化測驗。

(一) **標準化測驗：測驗的編製、實施、計分、解釋、應用，所有過程均嚴格遵守統一的規定，且建立常模**。如：性向測驗、智力測驗。

(二) **非標準化測驗**：測驗的所有過程較有改變的彈性，且沒有常模的建立。如：教師自編成就測驗、學校段考。

八、依測驗材料而分

測驗的素材包括語言、文字、圖形、繪畫、模型等，將測驗分成－語言文字測驗、非語言文字測驗。

(一) **語言文字測驗**：測驗的內容是以語言或文字呈現，又稱「紙筆測驗」。

(二) **非語言文字測驗**：測驗的內容以圖畫、實物、模型等呈現方式。

九、依題目難易而分

測驗題目的難易程度會影響受試者答題的快慢，因此可將測驗分成－難度測驗（題目難且少）、速度測驗（題目易且多）。

(一) **難度測驗**：測驗題目由易至難排列，受試者答對題數越多，能力越好。

(二) **速度測驗**：測驗題目難度相同，受試者速度越快、答對題數越多，能力越好。

十、依反應形態而分

測驗的反應形態不同，有要求受試者盡全力得高分的測驗，稱為－最高表現測驗；也有要求受試者表現最真實自然的一面，稱為－典型表現測驗（typical performance tests）。

(一) **最高表現測驗：測驗結果有能力好壞高低之分，又稱最大表現測驗（measurement of maximum performance）**。如：智力、成就、性向測驗。

(二) **典型表現測驗：測驗結果僅能區別能力的類型，無好壞高低之分**，如：人格測驗。

十一、依結果解釋而分

測驗結果是與自己比較的稱為－標準參照測驗，測驗結果是與團體比較的稱為－常模參照測驗。

(一) **標準參照測驗：為考驗學生能力是否達到設定的標準，作為診斷與補救教學的參考。**

(二) **常模參照測驗：為瞭解學生能力位於團體的相對位置，作為安置編班的參考。**

第二節　智力測驗與性向測驗

(1)智力理論與常用測驗；(2)性向測驗與成就測驗的比較；(3)性向測驗的用途，是常考重點。

智力測驗與性向測驗是各類型考試出題頻率極高的單元，在心理與教育測驗的範疇經常使用，其重要性不言可喻。智力是影響一個人學業表現非常重要的因素，因此，智力測驗對在學的學生與家長來說，重視程度勝於其他測驗。而性向測驗對學生的升學與就業方向的導引，往往極具參考價值。以下分別詳述之。

壹、智力測驗

一、智力理論

對於智力，許多學者有著不同的看法，其概念性的定義有：特爾曼（L. M. Terman）與皮亞傑（J. Piaget）認為，智力是抽象思考和推理的能力；弗里曼（F. W. Freeman）指出，智力是環境適應的能力，也是一種學習能力；迦納（H. Gardner）認為，智力是問題解決的能力，是先天遺傳與後天環境交互作用形成。其操作型定義則為，智力是各種智力測驗所欲測量的能力。以下詳述最重要的幾種智力理論：

(一) **二因論**：智力二因論是由英國心理學家**斯皮爾曼**（C. Spearman）於1927年提出，認為智力分為兩種，包括任何心智因素所共同使用的**普通因素**（general factor），與個別特殊能力單獨使用的**特殊因素**（special facter）兩個要素。**普通因素又稱g因素，特殊因素又稱s因素。**

(二) **多因論**：**桑代克**（E. L. Thorndike）認為人類的智力包含三種不同的特殊能力：

抽象智力 abstract intelligence	代表個人運用符號、語言、數字形式抽象思考事理的能力。
機械性智力 mechanical intelligence	代表個人運用感官與肢體動作從事工具操作的能力。
社會智力 social intelligence	代表個人在社會活動情境與人相處的能力。

(三) **群因論**：智力群因論是由美國心理學家**瑟斯通**（L. L. Thurstone）於1938年提出，認為智力並不像斯皮爾曼所說具有共同的部分，智力是由一群主要的能力因素所構成，這一群因素**包括七項：數字運算、文字流暢、語文推理、空間關係、記憶、歸納、知覺速度**等。

(四) **智力形態論**：智力形態論由美國心理學家**卡特爾**（R. B. Cattell）於1963年提出，**認為g因素智力可分為流體智力和晶體智力**。流體智力是指個人的推理思考能力，與大腦的功能有關，它不受學習、經驗與個人文化及背景的影響。晶體智力是指經由個人的學習和經驗，逐漸累積而成的能力，為個人智識和專門性技能之總體，受生長環境或文化背景影響。**一般智力測驗所測量者以晶體智力為多。**

(五) **三維智力結構論**：三維智力結構論是由美國心理學家**基福特**（J. P. Guilford）於1956年提出，他採因素分析法將智力分成**思考運作、思考內容和思考成果**三維變項。思考運作即智力活動的過程，包括評價、聚歛思考、擴散思考、記憶、認知五種不同方式；思考內容包括圖形、符號、語意、行為四種材料；思考成果分成單位、類別、關係、系統、轉換、應用六種產物。如此，整個智力結構形成5（運作）×4（內容）×6（成果）共120個不同的組合。基福特於1982年又將內容中的圖形材料分成視覺與聽覺兩種，於是人類智力變成5（運作）×5（內容）×6（成果）共150個不同因素，如圖2-1所示。其中，基福特已識別的智力因素已多達70多個。

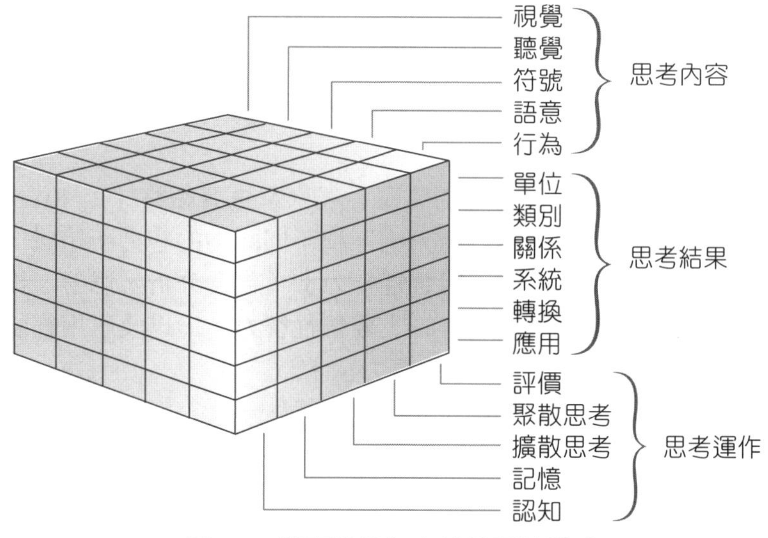

圖2-1　基福特的智力結構理論模式

(六) **智力階層論**：智力階層論是由美國心理學家**佛能**（R. Vernon）提出，如圖2-2所示。智力階層理論綜合了上述斯皮爾曼的g因素、瑟斯通的群因素以及基福特的結構理論，**將人類智力分成四個層次，最高階層是普通因素**（即是斯皮爾曼的g因素），其下層分別是**主群因素**（分成語文與實用兩部分）、**小群因素**及**獨特因素**。上層的智慧對下層的智慧具有指導的能力，且影響力及範圍越廣。

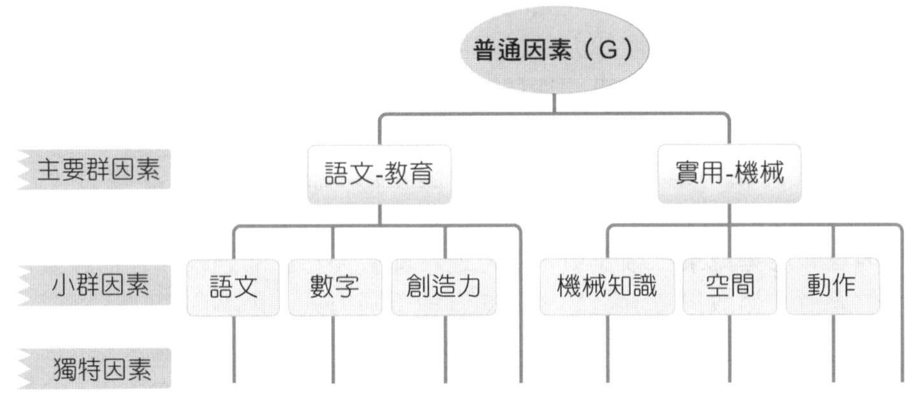

圖2-2　佛能（Vernon）的智力階層論

(七) **多元智力論**（MI）

多元智力論（theory of multiple intelligences，MI）是由美國哈佛大學**迦納**（H.Gardner）於1983年提出，此理論揚棄以往「以標準化智力測驗的得分來決定人類聰明程度」的作法，認為人類智力包括**「語文」、「邏輯數學」、「空間」、「音樂」、「身體運動」、「知己」**（intrapersonal）、**「知人」**（interpersonal）**七種能力，並於1995年再增加「知天」**（naturalistic）**，成為第八種能力。**

(八) **智力三元論**：智力三元論是由美國心理學家**史登柏格**（R. Sternberg）於1985年提出，此理論認為智力由三種不同能力的智力所組成，包含經由思考判斷後才做決定的**「組合性智力」**（包含分析、思考、推理、判斷）、藉由過去經驗累積所得的**「經驗性智力」**，以及應用經驗於處理日常事務以適應環境的**「實用性智力」**。

二、影響智力發展的因素

(一) **遺傳**：遺傳因素會表現在血緣關係上，一般而言，父母智商高，孩子的智商也不會低。但若父母親血源太近，恐會影響孩子的智商發展。

(二) **營養**：吃母乳長大的兒童比吃奶粉或其他代乳品長大的兒童智商較高，因母乳中含有多種兒童智力發展的重要物質。另外，飲食不均衡、不吃早餐、偏食等情況，都會造成兒童的腦力無法健全發展，連帶影響身體健康。

(三) **肥胖**：過多的脂肪進入腦內，會妨礙腦神經纖維發育。根據研究，體重超過正常值20%以上的孩子，在視覺、聽覺、學習能力的平均值較體重正常的兒童低。

(四) **環境**：生活在較少刺激、親子互動少、父母期望不高、外界回饋少、感受不到愛的環境裡，兒童智商會較低。根據研究調查，上述這些孩子3歲時平均智商僅61，反之，處於良好環境的3歲兒童智商平均為92，其差異甚大。

(五) **性別**：性別智商高低的個別差異已有許多研究加以驗證，在語文能力與記憶力方面，女生較男生優；在數理邏輯能力與空間、推理、機械能力方面，男生較女生優。

(六) **藥物**：某些藥物會影響兒童的智力，如長期服用抗癲癇藥物或是飲用含酒精類飲料及酒品，會使智商偏低。

三、常用的智力測驗

(一) **個別智力測驗**：每次施測一人，測驗內容大多為組合性的測驗，可同時測量受試者各種不同的能力，並評鑑其能力發展的優劣。測驗方式包括語文、非語文或操作等項目。

1. **比西量表**（105普考）

(1) **發展**：1905年法國比奈（A. Binet）與西蒙（T. Simon）發展出舉世聞名的比西量表（Binet-Simon Scale），是第一套測量智力高低的標準化測驗，並為許多國家使用。該量表中有30個題目，按照難度由淺而深排列，主要測量兒童的判斷、理解和推理的能力，並無客觀的計分方法，以通過的題數多寡，作為鑑定智力高低的標準。1916年美國史丹佛大學心理學家**特爾曼（L. M. Terman）修訂比西量表後，發表了斯比量表（standford revision of the Binet scale），以智力商數（intelligence quotient, IQ）為單位測量智力**。我國於民國八十年由台北市立教育大學完成第五次修訂，此測驗在我國運用甚廣，特別是智能不足及資賦優異兒童的主要鑑定工具。

(2)**內容**：國內的修訂本係以美國1986年新版斯比量表為藍本編訂而成。新版斯比量表的內容分為**四大領域，共十五個分測驗**。此四大領域為：

語文推理	包括詞彙、理解、謬誤及語文關係四個分測驗。
數量推理	包括數量、數列及等式三個分測驗。
抽象／視覺的推理	包括圖形分析、仿造仿繪、填圖及摺紙剪紙四個分測驗。
短期記憶	包括穿珠記憶、語句記憶、數字記憶及實物記憶四個分測驗。

(3)**實施方式**：適用五歲至十五歲的人員，測驗時間依個別差異約為七十五分鐘至一百分鐘。個別施測，可視為診斷的會談。

(4)**計分與常模**：本量表採積點記分法，各分測驗的原始分數，可按年齡組別換算成相等的單位量表分數（平均數M=50，標準差SD=8），各量表分數相加，查對照表可得各領域的標準年齡分數（各領域智商之M=100，SD=16），各領域標準年齡之分數和，查對照表可得全量表標準年齡分數（全量表智商之M=100，SD=16）。

2.**魏氏量表**（105普考）

(1)**發展**：1939年美國魏克斯勒（P. Wechsler）發展出有別於比西量表的魏氏量表，**運用適合於成人的常模、題目比給兒童施測的比西量表更具難度，以及揚棄採用傳統心理年齡智商的計分方式**，發展出此一測驗。魏氏量表有三種版本，包括1955年修訂後適用16歲以上受試者的**「魏氏成人智力量表」**，1949年根據魏氏量表架構新編成適用6至16歲的**「魏氏兒童智力量表」**，以及1967年編成適用4至6歲半受試者的**「魏氏學前及基本智力量表」**。

(2)**內容**：

常識測驗	個人於一般社會中所習得的知識。
類同測驗	語文概念與邏輯思考能力。
算術測驗	數量概念、計算及推理應用。

詞彙測驗	評量詞彙的了解程度。
理解測驗	具備了解問題情境並運用實務知識加以判斷。
記憶廣度測驗	數字順序背誦及逆序背誦兩項。
圖形補充測驗	把握圖畫結構的整體性，判斷其缺少的部分。
連環圖系測驗	測量受試的理解與辨識整體情境。
圖形設計測驗	視覺動作協調和組織、空間想像能力。
物型配置測驗	覺知部分與整體關係的能力。
符號替代測驗	視覺動作協調、心理運作速度及短暫記憶等能力。
迷津測驗	視覺動作的準確與速度。

(3)**實施方式**：三種魏氏量表適用於學前、兒童與成人，適用年齡範圍頗寬。

(4)**計分與常模**：魏氏量表是多種認知能力測驗的組合，記分方式採積點記分法，各分測驗的原始分數可按年齡組別換算成量表分數（M=10, SD=3）。各分測驗的量表分數相加，可得語文、作業及全量表分數，再查表換算得三項的離差智商（M=100, SD=15**的標準分數**），以測知並解釋受試整體認知能力的水準。這三種智商的解釋，通常係以瞭解受試者其智力水準在常模參照團體中的相對地位。魏氏量表智商的解釋分為常模參照、區間估計及智商分類等三方面來解釋智商的涵義。通常被用來作為甄選、鑑定上的參考指標。

A. **常模參照：魏氏智力量表**，以100為平均數，15為標準差。例如王五的智力在群體中是位於平均數以上的兩個標準差的位置，則張三的智力IQ＝100＋15×2＝130。若李四的智商在團體中的百分等級是63，則根據常態分配換算得全量表智商為105。

B. **區間估計**：測驗的結果必須考量到測量標準誤。例如，測驗的測量標準誤為10，那麼測驗結果智商是120的甲生，與智商是110的乙生，單看結果是甲生智商較高，但若考量測量標準誤的存在，則甲生的智商可信範圍是110～130，而乙生是100～120，兩者有重疊之處，可見甲生的智商未必真的高於乙生。

C. **智商分類**：魏氏量表的智商與受試者能力的對照如表2-1所示。

表2-1 魏氏智力量表智商與能力對照表

智力商數	分類	標準差
130以上	資賦優異	正2個標準差以上
120～129	優秀	—
110～119	中上	—
90～109	中等	—
80～89	中下	—
70～79	臨界智能不足	—
69以下	智能不足	—
55～69	輕度	負2～3個標準差
40～54	中度	負3～4個標準差
39以下	重度	負4個標準差以下

(二) **團體智力測驗**：可團體施測，形式多為紙筆測驗和電腦評分。在學校中團體智力測驗比個別智力測驗使用更普遍。

1. **文字測驗**

(1) **中學智慧測驗**：包括類推測驗40題、刪字測驗30題、算術測驗30題。適用對象為國、高中生，平均數100，標準差16。

(2) **國民中學智力測驗**：包括語文測驗與數學測驗兩部分。適用對象為國中學生，以百分等級為常模。

(3) **加州心理成熟測驗**（california test of mental maturity, CTMM）：包括語文測驗、算術測驗、分語文測驗（空間、推理、相似）。分成二、五兩式，二式適用於國小四、五、六年級；五式適用於國中以上至成人。可以平均數100，標準差16，以及百分等級、T分數為常模。

2. **非文字測驗**

(1) **瑞文氏非文字推理測驗**（Raven's standard progressive matrices test, SPM）

包括A、B、C、D、E五組測驗，每組12題。適用對象為5~12歲兒童，以百分等級為常模。**在測量受試者的推理能力，藉以推斷其智能的發展程度，可供鑑別特殊兒童及分班編組教學之用。**

(2)**羅桑二式非語文智力測驗**：適用範圍為小三至大一，測驗時間約40分鐘。本**測驗旨在測量受試者抽象思維的能力，以了解學生的智力水準**，便於教師或輔導人員去安排、計劃一個學習的情境，使每一個學生皆能獲得最適宜的學習機會。

(三) **文化公平智力測驗**

1. **意義**：同一份測驗施測於不同文化背景的受試者，其結果容易受到不同的文化、語言、種族、答題速度、測驗經驗等因素的影響，**文化公平智力測驗（culture-fair intelligence test）就是要避免這些文化差異，讓測驗內容對每一個來自不同文化的成員，都是適當且公平的**。例如：卡特爾所編之文化公平智力測驗。
2. **優缺**：主要以不同文化團體共同熟悉的材料，且以非語文內容為主、提供充足的測驗時間、簡化測驗的程度，如此作法可避免文化、語文、答題速度與測驗經驗的影響。然而，非語文測驗內容的解讀方式與過去生活經驗密切相關，因此難以完全做到文化公平性。

貳、性向測驗

一、性向的定義

一個人所具有的潛在能力，在某些活動或領域中發揮此潛在能力，可以獲致優良的表現。性向包含普通性向與特殊性向兩種，普通性向即是智力，傳統的智力測驗只是以一個智力商數代表一個人的智商；而數理、語文、空間、推理、美術、音樂等屬於特殊性向，就須以性向測驗來加以測量。

二、性向測驗的性質與發展 (109地三)

性向測驗為測量特殊能力或區分能力群而專門設計的測量工具，它可以用來取得個體在未來工作的特殊潛力，也可以預測個體在某些學科或職業上成功的可能性。**智力測驗是同時測量多種心理功能，最後求出智商來代表受試者的總體智力；性向測驗則是區分各種類別的性向並預測未來；而成就測驗則是對目前已具備能力或經驗的評估**，將在下一節詳述。

性向測驗的濫觴是1902年萊斯（J. M. Rice）發表的算術測驗，1923年史丹桂（Stonquist）發表的機械能力測驗以及1919年西索（C. E. Seashore）編製的音樂才能測驗，都是早期以單科為主的性向測驗。

三、性向測驗的分類（109地三）

(一) **綜合或多元性向測驗**：為一種測驗組合，在同一種測驗中同時包含幾種分測驗，每一個分測驗各自測量一種性向。由於各分測驗均以同一標準化樣本建立常模，因此可進行個體內與個體間的差異分析。

青年性向測驗	本測驗旨在以一種統整的、科學的、標準化的程序來測量受試者的各種性向與能力，供教育與職業輔導之參考。適用對象為國二到高三的學生。
學業性向測驗	分成國小、國中、高中、大學系列學業性向測驗，主要目的在測量各階段學生的學習潛能，以供教學或輔導之參考。另外，尚有柯費二氏學業性向測驗，可以測量學生之學業性向與實際成就之差異，藉以探知學生能力與學習影響因素，作為分班或改進教學、訂定適當教學目標、幫助學生增進自我了解之參考。
區分性向測驗	1947年出版的區分性向測驗（differential aptitude tests, DAT）是用來測量受試者的各種性向與能力，供教育與職業輔導之參考。適用對象為國二到成人。
通用性向測驗	通用性向測驗（general aptitude test battery, GATB）是修訂自美國普通性向測驗（GATE），適合國、高中畢業生的職業輔導與安置，也可以用於人員甄選以及職業諮詢。

(二) **特殊性向測驗**：測量某些特殊能力，多為單項測驗，只測量一種能力或性向。

1. **音樂性向測驗**：國內所使用的音樂性向測驗係以J. Kwalwasser及P. W. Dykema所編的K-D音樂性向測驗（Kwalwasser-Dykema music tests）為參考藍本所編製而成。旨在測量國民中小學學生之音樂性向，預測其音樂成就，供音樂班甄選的參考。本測驗包括八個分測驗為：
   (1)音調情境。 (2)強度辨別。 (3)音調動向。 (4)節奏辨別。
   (5)音高辨別。 (6)曲調欣賞。 (7)音調認識。 (8)節奏認識。
2. **托浪斯創造性思考測驗**：托浪斯創造性思考測驗（Torrance tests of creative thinking, TTCT）強調創造的流暢、變通與獨特性，以標準化的紙筆測驗評量一般人的創造潛力。分成圖形與語文測驗兩種，各級學生皆適用。

四、性向測驗的用途（109地三；101司三）

(一) 在個人方面

1. 分析各種能力的發展。
2. 瞭解個人長處和短處。
3. 提供升學給就業參考，包括選擇學校、修讀組別、修習科系。
4. 協助生涯抉擇與規劃，包括職業探索和選擇，生涯進路與規劃。

(二) 在團體方面

1. 輔助學校或科系甄選具有一般學習潛能（普通性向）或特殊潛能（特殊性向）的學生。
2. 協助企業機構甄選和安置員工。

第三節　成就測驗與人格測驗

考點提示

(1)成就測驗中的診斷性測驗、課程本位能力測驗；(2)標準化成就測驗與教師自編測驗的比較；(3)人格測驗中的自陳量表、情境測驗、投射技術，是必考重點。

壹、成就測驗

一、成就的定義

成就是指一個人在教育階段或職業訓練的過程中，所獲得的成果表現。成就測驗即是測量此成果表現的工具。

二、成就測驗的性質與發展（109地三）

成就測驗既然是測量學習成果與表現的工具。廣義而言，包括學校內的學科測驗、國中基測、大學聯考、高普考或職業訓練場所的各項升等測驗等。使用成就測驗可了解個人受教育或訓練之後的學習成果，或是在某一學科上所吸收的知識以及達到的水準，並將此結果與他人比較。

十九世紀以前的美國學校成績評量大多以口試為準，然而口試成績易受臨場反應與主觀判斷的影響，於是較客觀可靠的筆試逐漸盛行。第一個客觀的成就測驗始於1864年英國費舍（R. G. Fisher）的手寫量表（handwriting scale），接著1897年美國萊斯（J. M. Rice）編寫的拼字測驗，都是客觀測驗的創始，也是標準化測驗的先驅。1923年史丹佛成就測驗（Standford Achievement Test）以組合式的分測驗，開啟了常模參照測驗題組的新紀元。

三、成就測驗的種類（109地三）

(一) **以內容分類**：成就測驗可依學科、屬性、選才內容區分，如數學測驗、英文測驗，學測、指考或教育行政高考。這些測驗包括綜合成就測驗與單科成就測驗。這樣的成就測驗係針對學科的學習，偏向課程本位能力測驗（curriculum-based competency testing）。所謂課程本位，就是**測驗的內容根據科目或課程的教學目標、教材綱要進行命題，包含情意、認知、技能三方面的學習活動、學習情境，以及學生個人能力**。

(二) **以測驗的用途或功能分類**：成就測驗依功能可分成篩選性測驗和診斷性測驗。**篩選性測驗主要用於分出測驗結果的優劣，提供分班、分組或適性輔導的參考。診斷性測驗多半為單科測驗**，藉由不同學習單元的分測驗，將單元中的重要概念化成測驗題目，例如化學測驗中原子的組成、分子的種類、化學鍵結等單元編成測驗，藉由分析學生的作答情形，**診斷並了解各單元或概念的學習困難**，據以設計補救教材或調整教學目標與方式。因此，**實施診斷性測驗應注意下列事項：**

1. 僅提供學習困難部分，無法看出熟練程度。
2. 僅指出錯誤典型，無法得知錯誤原因。
3. 設計補救教學時，應考慮其他潛在因素，如：智力、身體因素。
4. 各分測驗題數少，信度較低。

(三) **以測驗編製過程分類**：成就測驗依編製過程的不同，可分為標準化測驗和教師自編測驗。說明如下：

1. **標準化成就測驗：標準化成就測驗首先必須確立測驗目標，根據雙向細目表選擇題型並進行試題的編擬，接著進行預試與試題分析，建立信度、效度與常模**。這種從開始到結束每個關卡都經過標準化程序進行的測驗，通常涵蓋面廣，可比較個人各項學科的差異、個體間差異以及學校、學區的差異。
2. **教師自編測驗**：多半是教師為測量學生是否到達教學目標所編的測驗，其實施程序不若標準化測驗嚴謹，題目形式較有彈性（如是非題、選擇題、填充題及問答題），也很少編製雙向細目表，且由於沒有預試，因此很難掌握題目的難度，信、效度與常模亦不會建立。因此，教師自編測驗的適用範圍較小，在班級內實施或評量小階段的學習成果較為實用。

(四) **以測驗原理分類**：成就測驗依測驗原理可分為常模參照測驗與標準（效標）參照測驗。說明如下：（表2-2比較此兩種測驗的異同）

1. **常模參照測驗**：常模參照測驗是以受試者的分數與測驗常模比較，以**決定其表現在團體中的相對位置而加以解釋，或與他人相較的高低**。如：大學聯考、國家高普考試、標準化成就測驗、智力測驗、性向測驗，以及教師自編測驗的段考、模擬考等。
2. **標準（效標）參照測驗**：標準參照測驗又稱效標參照測驗，**是根據教學前事先訂定的絕對性標準加以解釋，主要目的是決定受試者對教材內容學到多少**，因此，是將受試者的分數與事先設定之精熟標準比較，一般均以「通過或不通過」來判定。如：國家技師執照考試、汽車駕照考試，以及教師自編測驗中的隨堂測驗、平時考等。表2-2列出常模參照測驗與標準參照測驗的異同。

表2-2　常模參照測驗與標準參照測驗的異同點

	常模參照測驗	標準參照測驗
相同點	1. 均與學習工作的成就領域相關，且均具有甄別學生目的。 2. 皆需明確陳述教學目標作為編製測驗之原則。 3. 均參考應用同一套常見編擬有效試題原則。 4. 盡量控制影響誤差的各種因素。 5. 均使用各種不同測驗類型。 6. 均會重視有利於測驗結果解釋的各種因素。 7. 二者皆重視測驗結果的信度。	
量尺準點	中間、事後決定的	二端、事前決定的
變異性	分數變異性愈大愈好	分數變異性愈小愈好
計分方式與解釋	百分等級或標準分數	二分類數字
用途	分班編組 （安置性、總結性評量）	補救教學 （形成性、診斷性評量）
試題代表性	學習範圍較廣，每一範圍試題較少（強調試題的鑑別力）	學習範圍較窄，每一範圍試題較多（強調試題在學生學習工作表現）

	常模參照測驗	標準參照測驗
測驗計劃性質	使用雙向細目表	使用詳細的教材領域細目表
評量功能	鑑別	檢定
效度考驗	內容效度、建構效度、效標關聯效度	內容效度

資料來源：余民寧（1998）。

貳、人格測驗

一、人格的定義

個體在其生活歷程中，對人、對事、對己，以致於對整體環境適應時所顯示的需求、動機、興趣、能力、性向、態度、氣質、觀念、生活習慣以至行動的獨特個性，這種個人獨特的「行為模式」組成人格組織，具有統整性、持久性、複雜性與獨特性。

二、人格測驗的性質與發展

前述的**智力測驗、性向測驗與成就測驗都屬於認知型的測驗**，但測量人格特質或傾向的**人格測驗**卻不同於上述的認知型測驗，**是屬於情意型測驗**。以自由聯想技術來測量心理變態人格的柯雷培林（Kraepelin），首先提出第一個人格測驗。除此之外，自陳量表（self-report inventory）、表現或情境測驗（performance or situational test）以及投射技術（project technique），都是人格測驗的評量方式。

三、人格測驗的類別（108地三）

(一) **自陳量表**（100地三）：是由受試者在人格測驗題目中，選答最適合描述自己行為模式的答案工具，這種量表在人格測驗中，最常使用。題目就像：我喜歡別人的稱讚，對或錯？但是受試者在填答時，不一定坦誠作答，所以自陳量表式的人格測驗有時需要使用校正量表或效度量表，來避免失真。常用的自陳式人格測驗如下：

1. **明尼蘇達多項人格測驗**：明尼蘇達多項人格測驗（Minnesota multiphasic personality inventory, MMPI）是二十世紀40年代初期由美國明尼蘇達大學教授**哈撒韋**（S. R. Hathaway）和**麥金利**（J. C. Mckinley）所編製的。**主要側重於研究精神疾病，預測精神病人的心理活動。**
2. **加州人格量表**：加州人格量表（California psychology inventory, CPI）源於二十世紀40年代後期美國加利福尼亞大學心理學家**高夫**（H. G. Gough）博士的人格理論，是一種**包含18個人格向度的人格測驗**。該量表包括260個是非題，測驗內容包括人際關係與適應能力、責任心與價值觀、成就能力與智力、生活態度與傾向，適用於13歲以上的正常人，測試時間為30分鐘。

(二) **情境測驗：情境測驗又稱表現測驗**，是指**主試者預先布置一種日常生活的情境，要求受試者完成交代的任務**，但受試者並不知道測驗目的真正關心的行為，並由主試者觀察受試者在此情境中的行為表現，從而判定其人格或某些能力。情境測驗的發展與解釋相當主觀，因此，須由受過臨床訓練之專業心理人員進行。例如：日常情境測驗、情境壓力測驗、無領袖團體討論、角色扮演等。

(三) **投射技術**（projective techniques）（107地四；101司三；100原三）：**投射技術是指受試者在無拘束模糊情境（不確定性）中，不知不覺地投射出其心理上的需求**、個性、情緒、動機、內在衝突等對測驗刺激的主觀解釋和想法，這些方法包括沒有規則的線條、沒意義的圖片、有頭沒尾的句子，讓受試者自己透過無限地想像來編排過程與結果，於是通過不同的回答和反應，藉以瞭解不同人的個性。投射測驗的發展與解釋與情境測驗一樣，主觀性很強，因此，須由受過臨床訓練之專業心理人員進行。根據受試者的反應方式，投射技術可分成以下幾類：

1. **聯想法：聯想法又稱聯想技術**（association technique）**，係要求受測者根據主試者提供的圖畫、墨跡圖、字詞等刺激，說出自己聯想的內容。**例如：榮格文字聯想測試（Jung word association test）和羅夏克墨漬測驗（Rorschach inkblot test）（見圖2-3）等。

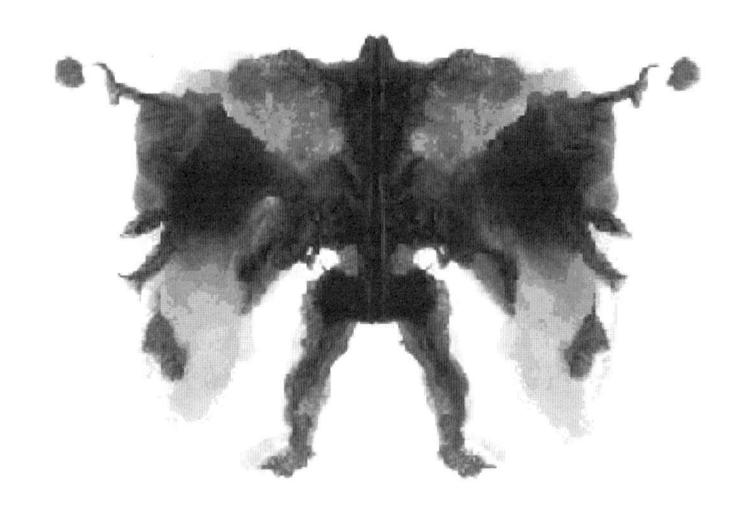

圖2-3 羅夏克墨跡測驗

2. **完成法：完成法又稱完成技術（completion technique），係要求受測者將一系列未完成的句子自由填寫，補充成完整的句子。**例如：當看到她時，我……，通過受測者的反應可以對受測者的人格進行解釋。常見的有羅特未完成語句測驗（Rotter incomplete sentences blank）。
3. **表達法：表達法又稱為表達技術（expression technique），係要求受測者通過書寫、談論、唱歌、繪畫等形式，自由地表露其個性特點，從中分析其人格。**常見的有畫人測驗（drew a person test, DAP）、玩玩具、房樹人遊戲、卡爾柯乞的畫樹測驗。
4. **編造法：編造法又稱編造技術（Construction Technique），係要求受測者依主試者給予的圖畫或文字來編造一個含有過去、現在、未來的故事，以測量其人格特點。**常用的有莫雷（Murray H. A.）的主題統覺測驗（thematic apperception test, TAT）（見圖2-4）和羅氏逆境圖畫測驗（Rosenzweig picture-frustration study, RPFS）。
5. **選擇或排列法：選擇或排列法（choice or ordering devices）係要求受測者依據特定的程序或原則對主試者提供的材料進行選擇或予以排列。**如：宋迪測驗（Szondi test）。

圖2-4 主題統覺測驗

第四節　其他常用的情意測驗

情意測驗中的軼事紀錄法、評定量表、社會計量法、猜是誰、Q技術、社會距離尺度法、李克特態度量表，是必考重點。

除了上述測驗之外，教育與心理測驗常用於情意測量的方法較認知測驗多元，所用的工具包括興趣量表、態度量表及以下幾類。

壹、情意測量方法

一、觀察法

(一) **軼事紀錄法：軼事紀錄法（anecdotal record）係採質性研究方法，將事件發生當時的人事物與反應加以詳實記錄，可提供真實細微的觀察線索**。其缺點是費時費事，且亦受教師主觀意識的影響，因此，進行軼事紀錄前必須經過良好的訓練，最好在事件發生後立刻記錄，且要正負面行為同時記下。

(二) **評定量表法：教師在觀察學生行為表現時，從事先擬好的評定表中勾選出符合的數字大小、圖示位置或文字描述，以評定行為表現的差異程度**，此種評定方式稱為評定量表（rating scales）法。此法較適合評定程序性知識（procedural knowledge）、作品、個人心理或社會發展，可採自評（自陳量表）、互評，或教師評定。其缺點是易受到評分者的偏見、填答習慣（過寬或過嚴）、月暈效應、邏輯謬誤的影響。

(三) **項目檢核法：項目檢核法又稱檢核表（check list），教師觀察學生行為，符合者打○，不符合者打×，是一種二分變項的計分法**，較評定量表容易計分，但較難進行推論。

二、社會計量法

1934年**莫瑞諾**（J. L. Moreno）首先提出社會計量法（sociometry），**它包含所有測量人際關係的技術，主要在評量友伴團體中的人際吸引或排斥關係的工具**。社會計量法是一種評定量表的變形，施測方式有提名式、量表式、混合式三種。

(一) **社會計量矩陣**：莫瑞諾社會計量性測驗，通常會要求學生寫出他們最喜歡或最不喜歡的同伴，回收答案後整理成「社會計量矩陣」，根據獲選數的多寡，可以瞭解學生的人緣好壞。

(二) **社會關係圖**：社會關係圖（sociofram），**是社會計量法其中一種，適用於班級組織的小團體，可瞭解團體關係結構並改善個別學生的社會適應**。實施方式是以不同的圖形代表不同的性別，習慣上用三角形代表男生，圓圈代表女生，讓團體成員互選，單向選擇用→，兩人互選用↔，依被選的次數多寡決定位置，被選越多的在越內圈，繪製社會關係圖。如圖2-5所示，1、8、10在最內圈，被選次數最多，人際關係最好；4、6、7、14、15在最外層，人際關係孤立，是教師最應幫助的對象。

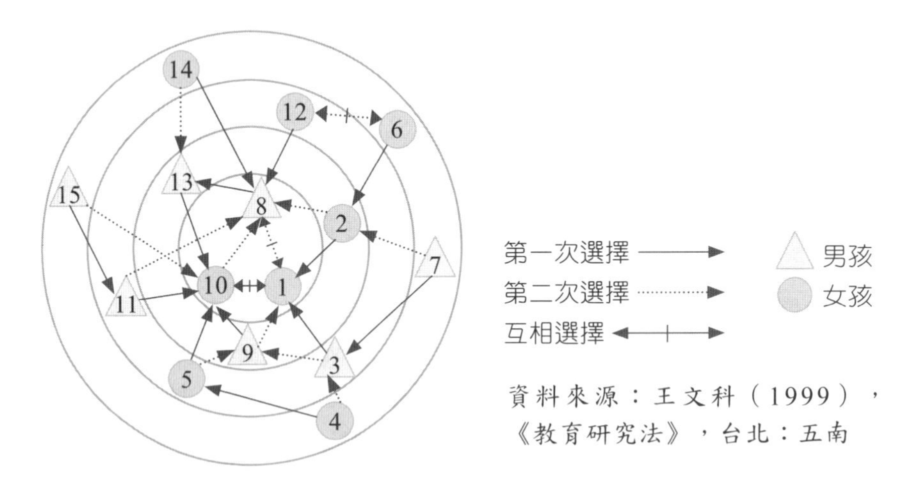

圖2-5　社會關係圖

(三) **猜是誰技術：猜是誰技術又稱為猜人測驗**（guess-who test），**是利用熟識的同班同學間相互評量，得知學生的各種人格特質**。其實施方式是請學生將符合題目特性的同學名字填入空格中。例如：（　）熱心／樂於助人↔自私／獨享其身（　）。

(四) **青少年社會行為評量表**：青少年社會行為評量表（Adolescent Social Behavior Scale，簡稱ASBS），分別從教師評、同儕評、學生自評，評定學生適應與不適應的正負向行為，達到多元評量中多種評量來源（multi-resource）與評量內容多樣性（multi-dimension）的兩種涵義。此評量表由洪儷瑜根據Martens和Elliot等學者，自行建議編製而成。其功能如下：

1. 利用多元評量的方式診斷青少年社會適應問題。
2. 引導對社會適應不良學生之介入，由不適應行為問題之焦點，擴大注意到適應行為的缺陷問題，以期調整學校對青少年社會適應問題之介入策略。
3. 提供學校發現與鑑定嚴重情緒障礙學生，由篩選到特殊教育資格的鑑定，以收及早介入之效。
4. 供社會技巧訓練課程之訓練前、後表現的評量。

三、語意分析技術

語意分析技術又稱「語意區分技術」、「語意差別技術」，由美國心理語言學家奧斯古德（C. E. Osgood）於1957年提出，是以一群含有兩個相反概念的形容詞讓受試者在七點或九點量表中選擇，包含評價、力量、行動因素，可用以瞭解個人或團體間對某一概念解讀意義的差別。語意區分量表主要運用在對一個主題、物品的態度調查，所以會給予許多的相對形容詞，要填答者針對主題或物品，選出最符合的程度。因為，語意區分量表主要運用在度量概念的意義，從填答的答案可發現受試者對事物或概念在各方面的意義及分量。

四、Q技術

Q技術又稱為Q**資料分類技術**，由**史蒂芬生**（Stephenson）於1953年所提出，主要根據研究目的設計一系列描述行為特質的敘述句如：「好學的」、「友善的」，並將每一敘述句寫於卡片上（卡片數以60～90張最好），請受試者就每一卡片上字句符合自己的程度進行分類，通常依標準九的常態分配百分比分成九等級，再按照符合程度高低分別給予9、8、7……1的分數。其優點是最後的分數可進行相關或變異數分析，其缺點是隨機取樣難、樣本小，不適合橫斷性研究。

貳、各種測量工具

一、興趣量表

(一) **意義**：興趣是指個體在日常生活中對各種活動或人事物的喜好程度。

(二) **測量方式**：常以效標計分與內部一致性為主進行量表編製，可以分為基本興趣量表與特殊興趣量表。興趣量表通常為自比性測驗格式（ipsative test format），**題目會提供兩個或兩個以上對於待測特質的敘述，由受**

試者選擇最符合自身情況的敘述，其目的主要在測量受試者本身各種興趣的相對強弱，無法進行不同受試者間的比較。

(三) **種類：**

霍倫生涯興趣量表	霍倫生涯興趣量表是由**霍倫**（J. Holland）於1973年編製。他認為個人的生涯選擇與環境適應會充分表現個人的興趣和價值，Holland將人和環境歸納為「實際型」、「研究型」、「藝術型」、「社會型」、「企業型」、「傳統型」六個類型。強調人與環境相互融合、彼此適配，才可能樂在工作。一般人約30分鐘可做完。
我喜歡做的事職業興趣量表	我喜歡做的事職業興趣量表是美國勞工部職業訓練局協助勞工職業選擇所編製的一份興趣測驗。此測驗共168個題目，涵蓋十二個興趣範圍，包括「藝術」、「科學」、「動植物」、「保全」、「機械」、「工業生產」、「企業事務」、「銷售」、「個人服務」、「社會福利」、「領導」及「體能表演」等，約20分鐘可以做完。

二、態度量表

(一) **意義：**態度是一個人對事物看法所表現出的認知、情感與行為，也是個人對事物堅持的信念。

(二) **測量方式：**態度是一種潛在心理特質，無法直接被觀察，僅能透過人的語言、行為與反應間接地進行測量。

1. **總加量表法：**總加量表法大約由20個問題組成，受試者只需對所提出的問題表示贊成或反對的程度進行選擇。最常用的評定等級是最贊成、比較贊成、無所謂、反對、最反對五個等級，分別給予5分、4分、3分、2分、1分。最後將分數加在一起，即可以代表受試者對待該問題的態度。
2. **社會距離尺度法：這種方法是通過測定人與人之間的社會距離，藉以反映人們的某種社會態度。**按從最近社會距離到最遠社會距離排列開來，例如：可以結親(1)、可以作朋友(2)、可以作鄰居(3)、可以共事(4)、只能作為公民共處(5)、只能作為外國移民(6)、應被驅逐出境(7)。括號內數值越大，表示社會距離越大。將幾次調查所得的結果加以綜合處理，繪製成曲線圖後，可以用來測量人群間的社會距離。

(三) 種類

瑟斯通態度量表	**瑟斯通態度量表是由瑟斯通（L. L. Thurstone）於1929年提出，這個方法首先搜集一系列有關所研究態度的陳述或項目，而後邀請一些評判者將這些陳述從最不贊同到最贊同方向分為11類。最後按此11類計分，可知其態度傾向。**
李克特態度量表	**李克特態度量表是由李克特（R. Likert）於1932年提出，稱之為相加測量法。他利用5點或7點量表讓受試者作出反應**，例如：5點量表是從強烈贊同(5)、贊同(4)、中性(3)、不贊同(2)、強烈不贊同(1)，**把每個項目的評定分數相加即可得總分數**。李克特為了使受試者一定要作出選擇，將中性點排除，把原7點量表改為6點量表，5點量表改為4點量表，是一種強迫選擇法，也是目前教育心理相關研究普遍使用的方法。

考題集錦

1. 一般學生學習結果應包括知識、技能與情意，然而一般人都重視前兩者的學習與評量，試：（103身四）
   (1)說明情意評量之困難處。
   (2)寫出兩種性質不相同的情意評量方法及其優缺點。
2. 名詞解釋：（102身三）
   (1)屋樹人測驗（House-Tree- Person Test）
   (2)語意分析技術（semantic differential technique）

[考題解析範例]

一、試述投射測驗的原理、測驗的方式及其使用上的限制。（100原三）

答 投射測驗是以弗洛伊德心理分析理論中的人格理論為依據。該理論強調人的行為其實受制於心靈深處無意識的內在驅力，此內在驅力壓抑於內心不被察覺，但透過投射測驗，可以窺知其貌。

(一)**投射測驗的原理**：由於人們內在的驅力難以通過直接的問題加以評定，因此，透過主試者提供受試者模棱兩可的刺激或問題（圖形、文字），請受試者天馬行空自由作答，讓內心的情感、慾望、動機、態度與性格透過測驗投射（Project）出來，然後由主試者將其反應加以分析，就可以推出若干人格特性。

(二)**測驗的方式與類型**：

1. 聯想法（associative technique）：受試者根據主試者提供的文字、圖形或墨漬，自由聯想，並說出所想所看，從反應中，探析受試者的人格特質。例如榮格（C. C. Jung）的文字聯想測驗和羅夏克墨漬測驗。
2. 編造法（construction procedures）：由受試者根據主試者提供的圖畫，編造一套含有過去、現在與將來的故事，從中探測受試者的人格特性，如莫雷（Murray, H. A.）之主題統覺測驗。
3. 完成法（completion tests）：由受試者根據主試者提供的不完整的文句、故事，進行自由補充，完成句子或故事，從中探測其人格特性。如羅特（Rotter, J. B.）之未完成語句測驗。
4. 選擇或排列法（choice or ordering devices）：要受試者根據一特定的準測，憑其自由意志來選擇或排列主試者提供的材料，從而顯露其人格特性。如宋迪測驗（Szondi test）。
5. 表達法（expressive method）：以書寫、歌唱、繪畫、戲劇等方式，請受試者自由表現，從中顯露其個性與人格。如卡爾柯乞的畫樹測驗。

(三)**使用上的限制**：投射測驗的優勢是既可免除受試者為滿足社會期望（social desirability）而作假，又可藉此測驗得知受試者內心深處的潛意識與人格特性；施測彈性大，受試者可以隨意發揮；多數測驗採圖片方式，便於不具閱讀能力的人進行測驗。即便如此，投射測驗仍有其缺點與限制：

1. 評分缺乏客觀標準。
2. 測驗結果難以解釋。
3. 測驗的信、效度不易建立。
4. 測驗原理深奧，主試者須經專門訓練。
5. 易受施測情境、個人情緒與生理狀況的影響。
6. 適合個別施測，因此必須耗費大量時間，不如問卷法。

二、百分等級和標準分數是解釋常模參照測驗結果最常使用的方式，試回答下列問題：（105地四）

(一) 百分等級用何種方式來解釋受試者的表現？試述百分等級的優點和缺點各一項。

(二) 標準分數用何種方式來解釋受試者的表現？試述標準分數的優點和缺點各一項。

破題分析 本題考百分等級與標準分數的優缺點與運用，是基本題，得分關鍵要正確寫出公式，尤其百分等級資料是否分組，各有不同的計算方式，一定要寫清楚。詳見本書第二篇第2章第3節。

答 (一) **百分等級（**Percentile Rank，**簡稱**PR**）：**

1. **定義**：將團體分數由小到大排列，並將其分成一百個等級，而某人可贏過多少個等級。它是個百分比例，係指原始分數低於某個分數的人數百分比，且只取整數值（四捨五入）。其公式如下：

   (1) 資料未分組

   PR＝100－（100R－50）／N　式中R為名次；N為總人數。

   (2) 資料已分組

   PR＝100／N [（X－d）f／h＋F]

   式中X為原始分數，其餘同百分位數的公式
2. **優點**：計算容易，理解容易。
3. **缺點**：PR值是次序變項，單位大小不相等，無法進行四則運算。

(二) **標準分數：**

1. **定義**：依據標準差單位來表示個人分數落在平均數之上或之下（幾個標準差）的距離。例如：Z分數就是把原始分數改成平均數為0，標準差為1的直線轉換。其公式為：

$$Z = \frac{X - \overline{X}}{SD}$$

2. **優點**：簡單好用，且標準分數是等距變項，可進行不同領域或單位的相互比較，也可以進行四則運算。
3. **缺點**：Z分數常出現小數或負數，解釋分數較不方便。必須轉換成T分數才可避免此缺點。

觀念延伸 T量表分數（T－scaled score）、標準九（stanine）、C量表分數（C－scaled score）、Sten分數、五等第制。

NOTE

第三章　測驗的編製與實施

依據出題頻率區分，屬：**A** 頻率高

開箱密碼

本章介紹測驗的編製程序與施測注意事項，其重點在於古典與現代測驗理論（尤其是IRT）、測驗編製與施測的標準化程序、測驗倫理、試題分析與校準猜測的方法。本章非常重要且出題機率極高，要特別注意IRT的內涵與運用，尤其試題分析中難度、鑑別度與誘答力的定義與計算是每年必考題，必須加以熟悉。本章出題形式多變，主要為名詞解釋、簡答題與計算題。

第一節　測驗理論與編製原則

古典測驗理論與現代測驗理論（尤其是IRT）的優缺與比較、試題特徵曲線、訊息函數、測驗編製原則等，是必考重點。

一、測驗理論

測驗編製的理論可分成古典測驗理論與現代測驗理論，而**現代測驗理論又包括概化理論、結構方程模式、多層次模式、潛在類別模式、項目反應理論**等當代最重要的測驗理論與方法。古典測驗理論較不嚴謹，但理論淺顯易懂，便於在實際測驗情境（尤其是小規模資料）中實施；當代測驗理論雖然嚴謹，但理論艱深難懂，較適用於大樣本測驗資料的分析。

(一) **古典測驗理論**：古典測驗理論的內涵，主要是以真實分數模式為理論架構，該理論的基本假設認為：**測得分數變異數=真實分數變異數+誤差分數變異數，亦即**$S_X^2=S_t^2+S_e^2$，公式簡單易懂，發展亦最久，適用於大多數的教育與心理測驗與社會科學研究資料，目前測驗學界使用最廣。然其缺失如下：

1. **測驗指標的樣本依賴**（sample dependent）：古典測驗理論會因接受測驗的受試者樣本不同而影響其難度（difficulty）、鑑別度（discrimination）和信度等各項指標，這是一種樣本依賴性，因此，同一份試卷很難獲得一致的難度、鑑別度，或信度。
2. **不合理的測量標準誤**（standard error of measurement）：古典測驗理論以一個相同的測量標準誤，作為每位受試者的測量誤差指標，忽略高、低兩極端組受試者能力的個別差異，極為不合理。
3. **不符邏輯的複本信度**（alternate forms reliability）：實際測驗情境中，主試者很難要求受試者不斷重覆接受同一份測驗，且每次測量都獨立不相關，況且真正的測驗也很少製作複本，因此，古典測驗理論的複本測量有其不合理之處。
4. **忽略受試者的試題反應組型**（item response pattern）：即便原始總分相同，若受試者每題的反應組型不同，其能力間應仍有差異。然而，古典測驗理論認為，原始總分相同的受試者，其能力必定相同，這是忽略受試者試題的反應組型所致。

(二) **現代測驗理論—項目反應理論**：社會科學將一般收集到可直接測量觀察的研究資料稱為觀察變項（observed variables），透過統計的方法可用觀察變數來衡量潛在的心理特質，這些心理特質稱為潛在變項（latent variables）。當代測驗理論是為改進古典測驗理論的缺失而來，發展最早的是觀察變項為連續變數且潛在變項也是連續變數的「因素分析」，也最為大家所熟知。若觀察變項為類別變數，潛在變項為連續變數的分析稱為「潛在特質分析」（latent trait analysis），由於**潛在特質分析大多應用於能力測驗的試題分析（題目不是答對就是答錯，為二分觀察變數），因此也被稱為「項目反應理論」**（item response theory, IRT）**或「試題作答理論」**。另外，觀察變項為連續變數，潛在變項為類別變數的分析，稱為潛在剖面分析（latent profile analysis, LPA）；觀察變項與潛在變項皆為類別變數的分析，稱為潛在類別分析（latent class analysis, LCA）。這些都是現代測驗理論的重點，其中又以IRT為代表。

當代測驗理論既是為彌補古典測驗理論的缺失而來，其特點自然可補古典測驗理論之不足，詳述如下：

1. **測驗指標的樣本獨立性**（sample independent）：當代測驗理論所採用的難度、鑑別度、信度等試題指標，在同一份測驗當中，具有樣本獨立性，不受樣本不同而不同的影響。
2. **提供個別的測量標準誤**：當代測驗理論可以提供每位受試者個別的測量標準誤，而非單一相同的測量標準誤，可以精確推估高、中、低各組受試者能力的個別差異。
3. **可比較受試者間的能力**：當代測驗理論對於不同受試者間的分數，可進行有意義的比較。也可用同質性測驗評估個人的能力，不受單一測驗的影響。
4. **考慮受試者的反應組型與試題參數**：當代測驗理論藉由受試者對試題的反應組型與試題參數的分析，提供個別能力的精確估計，受試者即使原始得分相同，其能力估計值也會不同。
5. **提供訊息函數**（information function）**進行選題**：當代測驗理論提供試題訊息函數，可供挑選出達成測量目標所需最有貢獻量的試題，組成一份精準度高的測驗。
6. **提供試題特徵曲線**（item characteristic curve, ICC）**進行試題分析**：當代測驗理論提供試題特徵曲線，以難度、鑑別度、猜測度三項指標參數，表示該題的答對機率與欲測心理特質間的函數關係。把各試題的試題特徵曲線加總起來，便構成所謂的「測驗特徵曲線」（test characteristic curve，簡稱TCC）。
7. **提供模式適合度考驗**（statistic of goodness-of-fit）：當代測驗理論可以考驗模式與資料間的適配程度，作為理論模式可否解釋觀察資料的參考指標。

二、測驗編製的原則

不論測驗的目的或種類如何，編製測驗大概不脫以下原則：

(一) 以單元目標為根據。

(二) 兼顧多重教學目標。

(三) 確定測驗的範圍與能力層次。

(四) 建立雙向細目表的細目以為命題的依據。

(五) 選擇適當的評量方式。

(六) 依據命題原則來編擬試題。
(七) 試題獨立且不互相牽涉。
(八) 適當的題數、難度與編排。
(九) 合理的解釋與運用評量結果。
(十) 兼重評量歷程與結果。

第二節 測驗的編製過程與實施

考點提示

(1)測驗編製過程、施測、計分解釋的標準化；(2)雙向細目表；(3)預試的實施與評鑑，是常考重點。

教育與心理測驗大多為標準化測驗，其目的乃在以系統化、科學化建立的測驗，測量個人的心理特質或能力，以及進行團體中相對能力的鑑識或比較。其**標準化的過程包括：編製過程的標準化、施測程序的標準化、計分解釋的標準化三方面**，以下詳述前兩項標準化的實施，至於計分與解釋標準化的部分則留待下一章討論。

一、測驗編製過程的標準化

(一) **擬訂計畫**：測驗編製者提出測驗編製計畫，包括：測驗的目的、測驗的架構；命題的內容細則、試題評鑑、計分程序及評分規程（rubrics）、修訂測驗及測驗出版等。測驗出版商評估測驗計畫的可行性後始簽約出版該測驗。

(二) **確立目標**：測驗的目標包括安置性、診斷性、形成性、總結性測驗等，根據測驗所要達成的目的與功能，才能精確地指出測驗題目編擬的方向。

(三) **設計雙向細目表**：雙向細目表是編擬成就測驗試題的設計藍圖，以教學目標為橫軸，教材內容為縱軸，畫出的一個二向度的分類表。如表3-1所示。

表3-1　雙向細目表示例

教材內容 ＼ 試題形式 ＼ 教學目標			記憶	了解	應用	高層次思考【分析、評鑑、創作】	合計
第一單元 最大公因數 與最小公倍數 共11節課	選擇題	第2,7,10題		4(2)		2(1)	6(3)
	圈圈看	第1題		6(1)			6(1)
	填充題	第2,6,7題		1(1)	8(2)		9(3)
	畫畫看						0(0)
	算算看						0(0)
	應用題	第2,6題				6(2)	6(2)
	小計（分）			11	8	8	27
第二單元 分數的乘法 共8節課	選擇題	第4,5題			4(2)		4(2)
	圈圈看						0(0)
	填充題	第1題		3(1)			3(1)
	畫畫看						0(0)
	算算看	第2題			2(1)		2(1)
	應用題	第1,5題		6(2)			6(2)
	小計（分）		0	9	6	0	15
第三單元 小數的乘法 共8節課	選擇題						0(0)
	圈圈看						0(0)
	填充題	第4題		1(1)			1(1)
	畫畫看						0(0)
	算算看	第1,3題			4(2)		4(2)
	應用題	第3題			3(1)		3(1)
	小計（分）		0	1	7	0	8
第四單元 面積 共9節課	選擇題	第3,6,9題		6(3)			6(3)
	圈圈看						0(0)
	填充題	第5,8,9題		12(3)			12(3)
	畫畫看	第1,2,3題		6(3)			6(3)
	算算看	第4,5題			4(2)		4(2)
	應用題						0(0)
	小計（分）		0	24	4	0	28

教材內容＼試題形式＼教學目標			記憶	了解	應用	高層次思考【分析、評鑑、創作】	合計
第五單元 比、比值與成正比 共12節課	選擇題	第1,8題		4(2)			4(2)
	圈圈看						0(0)
	填充題	第3題			4(1)		4(1)
	畫畫看						0(0)
	算算看	第6題			8(1)		8(1)
	應用題	第4,7題			6(2)		6(2)
	小計（分）		0	4	18	0	22
合計 共48節課	選擇題			14(7)	4(2)	2(1)	20(10)
	圈圈看			6(1)			6(1)
	填充題			17(6)	12(3)		29(9)
	畫畫看			6(3)			6(3)
	算算看				18(6)		18(6)
	應用題			6(2)	9(3)	6(2)	21(7)
	小計（分）		0	49	43	8	100

資料來源：許志誠（2007），西門國小九十五學年度第一學期期中評量六年級數學領域試題雙向細目分析表。

(四) **選擇題型**：選擇對的題型進行測驗編製，可以提高測驗的效度。可選擇的題型有客觀測驗（選擇題、是非題、配合題、填充題、簡答題、解釋題）或主觀測驗（作文題、申論題、限制反應題），或混合使用。

(五) **編擬試題**：使用各種測驗類型的命題技術（教師自編測驗的命題技術請見本書第五章）來發展題目。編擬試題時，取材應均勻分佈且要涵蓋教材的重要部分，文字應力求簡單扼要，說明清楚。還有題目間要互相獨立，不要互有牽連。

(六) **預試**（105地四）：**預試的目的在於未進行正式測驗之前，對測驗題目進行檢測的工作，用以確認測驗的信、效度，以及測驗內容或材料的適切性。**其注意事項如下：

1. 應設計比所預定要的題數多，從中擇優汰劣以便淘汰後有足夠的題數可使用。
2. 預試對象宜取自將來正式測驗欲施測的母群體，並注意代表性。
3. 預試的實施過程應與正式測驗時情況相似。
4. 預試時，應使受試者有足夠的作答時間。

(七) **試題分析與評鑑**：試題分析的功能在於瞭解題目的品質，經由試題的內容和形式、試題的難度、鑑別度、題項的誘答力等分析，改寫或刪除品質不佳的題目，進而提昇題目的品質。預試試題分析應包括內部一致性分析（包括：高低分組平均數差異分析、題目與量表總分相關分析）等項目分析，以進行刪除不適合的題目。再進行因素分析與Cronbach's α係數分析，以考驗測驗的建構效度與信度。同時，也需進行試題的難度、鑑別度分析，以為選題的參考。

(八) **編輯正式題目**：根據預試試題分析的結果，正式編排施測的題目。依測驗屬性的不同，成就測驗一般的題目安排是先易後難，速度測驗則是將難度相當的題目建置在一起。

(九) **正式施測**：包括施測時間的訂定、樣本數的選取、題本的印製、施測人員的訓練、測驗的回收與整理等。

(十) **考驗信、效度與常模**：以正式樣本為對象建立，施測後進行的信、效度分析或是建立測驗的常模。良好的信、效度是一份優質測驗的必要條件，常模可據以比較個人在團體中的相對位置。

(十一) **編寫指導手冊**：測驗指導手冊的內容通常包括：測驗類別、作者（或修訂者）、測驗來源、出版單位、出版時間、測驗功能、測驗內容、適用對象、測驗時間、實施方法、注意事項、計分解釋等。

(十二) **修訂測驗**：根據測驗施測過後的缺失，例如：標準化的過程不夠嚴謹、測驗題目排列不當、測驗難度或鑑別度不理想、施測程序不理想或計分解釋的不客觀等，加以改善。

（教師自編測驗省略(六)~(十)的過程，其餘均與標準化測驗的編製過程相同）

二、施測程序的標準化

影響施測結果的因素包括施測者與受試者等人的因素在內。這些因素包括施測者的性別、年齡、人格、動機、情緒、態度、意願、健康、專業訓驗、生活經驗等，以及受試者的能力差異、應試技巧、測驗經驗、測驗焦慮與情境因素等。

(一) **施測情境的控制**：測驗情境包括噪音、溫度、溼度、照明、座位、物品擺放等按照指導手冊加以控制，因為即使是測驗環境中微不足道的地方也可能改變表現。

(二) **施測流程的標準化**：測驗試題（如題數、取樣、難度、計分、解釋等）、指導語、時限、施測順序，都按照指導手冊的說明進行。表3-2與表3-3是某國小國語、英文、數學能力測驗的施測注意事項與指導語示例。

(三) **注意事項**：除了施測情境與流程標準化之外，施測過程中尚需注意以下幾點：

1. 施測前需獲得受試者本身或其監護人同意。
2. 施測時不談與測驗無關的內容或話題。
3. 不可故意引導或干擾學生作答。
4. 不能給予學生暗示或告知其解題線索。
5. 按照指導手冊妥善安排測驗情境。
6. 做好試前的所有準備工作。
7. 依照測驗目的正確使用測驗材料。
8. 維持施測者與受試者的良好關係。

融洽的施測者和受測者關係稱為投契關係（rapport），就像共舞的兩名舞者必須有和諧的互動關係，才能跳出美妙的舞步一般。施測者和受測者間和諧融洽的測驗氣氛，可幫助提升受試者參與測驗的動機，產生最佳反應，進而提升測驗結果的有效性。因此，主試者努力與受試者建立良好的投契關係，可以引起受測者的興趣及合作，促使他們產生符合測驗目標的適當反應。

表3-2 施測教師注意事項

施測流程	工作內容及注意事項	檢核（打V）
領取施測資料	於指定時間至「學校試務中心」領取測驗卷。	
	確認測驗卷及答案卡（國語文另有答案紙）數量內容是否相符。	
	完成試卷資料袋基本資料之填寫。	
分發施測資料	提醒學生準備好2B鉛筆、橡皮擦等。	
	發下「答案卡」（選擇題）、國語文另有開放題之「答案紙」（問答題），並指導核對：學校、年級、班級、座號、姓名等欄位。	
	發下測驗卷，並請學生檢查是否缺漏或印刷不清，並予以備份試卷更換之。 (1)**國語文： 張 面**。(2)**英文： 張 面**。(3)**數學： 張 面**。	
	提醒學生不得提前翻開測驗卷。	

施測流程	工作內容及注意事項	檢核（打V）
進行答題說明	依據各科【答題說明】，進行答題說明。 (1)指導學生於例題練習區練習畫記，教師巡視指導畫記方式是否正確。 (2)朗誦各科【答題說明】，並於唸畢後宣布開始作答。	
	答題時間： (1)**國語文：準備工作及說明10分鐘，施測60分鐘。** (2)**英文：準備工作及說明10分鐘，施測40分鐘。** (3)**數學：準備工作及說明10分鐘，施測50分鐘。**	
施測中巡視指導	巡視檢查學生是否將**選擇題**答案畫記於「答案卡」內、是否將國語文**問答題**答案書寫於「答案紙」作答區內，並給予提醒與說明。	
施測後回收工作	回收「答案卡」（按座號收回，正面第一張為1號，未使用之備品或更換品請放在最後，連同收回，放回原資料袋）【國語文】另需回收「**答案紙**」（按座號收回，正面第一張為1號，未使用之備品或更換品請放在最後，連同收回，放回原資料袋）	
	將答案卡、答案紙等放回答案卡（紙）資料袋，並交回「學校試務中心」	

資料來源：埔墘國小101學年度學生能力檢測工作流程及注意事項

表3-3　國語文答題說明與指導語（國語文施測教師使用）

指導語一	小朋友先檢查【答案卡】上的班級、座號、姓名是否正確，若有誤請告訴老師。
指導語二	小朋友再拿出【答案紙】，請用2B鉛筆寫上「班級」、「座號」及「姓名」。
注意事項： 每位學生均各有一張【答案卡】、【答案紙】及一份【測驗卷】。 若學生資料有誤，請直接在【答案卡】上修改，並於答案卡上【學生資料有誤請更正欄位】上畫記。	
指導語三	國語文測驗卷共有〇張〇頁，請小朋友先檢查測驗卷是否有缺頁、跳頁或印刷不清楚的情形，若有，請告訴老師。
指導語四	測驗時間總共是60分鐘，等老師宣布「開始作答」以後，小朋友才可以開始作答。 測驗時間結束前已經作答完畢的小朋友，不能提早交卷，並且請保持安靜。

<table>
<tr><td>指導語四</td><td>測驗時間結束時，不管是否完成作答，所有小朋友都必須立即停止作答，並安靜等待老師收回答案卡、答案紙及測驗卷後，才可以離開座位。</td></tr>
<tr><td>指導語五</td><td>這個測驗有選擇題○題，所有題目都是單一選擇題，請你將最適合或是正確的答案在答案卡的○塗滿。</td></tr>
<tr><td>指導語六</td><td>現在先做一個題目試畫，請拿出2B鉛筆準備畫記。
現在是什麼季節？ (A)春天 (B)夏天 (C)秋天 (D)冬天
請在卡片右下角【其它填答區】欄位試畫，將正確的答案號碼上用2B鉛筆塗滿。</td></tr>
<tr><td>指導語七</td><td>答案卡請保持乾淨，不要在答案卡上畫記與答案無關的其他符號。</td></tr>
<tr><td colspan="2">注意事項：
請學生備好2B鉛筆及橡皮擦，在答案卡上試畫。
老師進行行間巡視，並提醒畫記錯誤時的處理方式，務必擦拭乾淨，再重新塗滿選項。</td></tr>
<tr><td>指導語八</td><td>現在翻開測驗卷第　頁，這裡有2題問答題，小朋友作答的方式是：在閱讀故事及問答題之後，在【答案紙】的【作答區】寫出回答。</td></tr>
<tr><td colspan="2">注意事項：
核對學生是否翻對問答題頁面，並提示將答案寫在【答案紙】的【作答區】。</td></tr>
<tr><td>指導語九</td><td>現在翻開測驗卷第一頁，「開始作答」！</td></tr>
<tr><td>指導語十</td><td>測驗結束，停止書寫！請將【答案卡】、【答案紙】、【測驗卷】放在桌上，等老師全部收完資料後，才離開座位。</td></tr>
<tr><td colspan="2">注意事項：核對全班學生名冊及【答案卡】、【答案紙】、【測驗卷】的數量是否正確，未用卷亦須繳回。</td></tr>
</table>

註：教師請依「答題說明」指導順序說出指導語，並依注意事項，巡視檢查學生是否完成，並檢視資料正確與否。本「答題說明」完成時間為10分鐘，學生做測驗題及問答題時間共為60分鐘，合計總施測時間為70分鐘。

資料來源：埔墘國小101學年度學生能力檢測工作流程及注意事項

第三節　測驗的倫理與規範（109地四）

(1)測驗倫理守則；(2)測驗者的倫理責任；(3)測驗資料安全；(4)知後同意權，是重點所在。

教育與心理測驗使用的倫理問題是使用測驗時必須優先注意的，一旦違反測驗倫理，就算是再好的測驗工具或結果都是枉然。以下是必須遵照的**測驗倫理守則**：

一、施測者應具備適當的專業知能與訓練

擔任測驗的主試者應對該測驗及評量方法有適當的專業知能、合格訓練及經驗，並以科學的態度進行測驗解釋與應用，以提升當事人的福祉。這些專業知能與訓練包括：

(一) 基礎的心理評量知識與概念。
(二) 心理測驗的廣泛認識與運用。
(三) 施測方法與解釋技巧的全盤了解。
(四) 實作經驗與問題解決能力的培養。
(五) 單一測驗的進階研究與推廣能力。
(六) 多元評量與測驗相關知能的進修。
(七) 協助當事者選擇最適切的測驗。

二、測驗發行者和持有者應有的倫理責任

不論何種測驗，為防止測驗被濫用與誤用，測驗發行者與持有者必須堅持符合資格者才能購買。善用測驗者可充分發揮測驗的功能，不善用者的濫用與誤用，必招致有害的結果。目前政府並無對測驗專門人員加以考銓認定，以建立其專業地位的措施，殊為可惜。另外，對於測驗宣傳與測驗管制方面，發行者應保持謙遜誠實的態度，不誇大或欺騙測驗功用；測驗要定期修訂，以與時俱進；相關的研究報告要忠實、客觀、謹慎；測驗的版權歸屬或移轉必須合法。

三、測驗資料的安全性與保密性應受到適當的保障

測驗的題本、作答紙和操作物件等資料須被妥善保管，測驗結果的報告與資料，應有安全保管措施與相關保密規定，查閱時亦須依規定的閱覽程序進

行。台灣心理學會倫理守則：「心理學專業人員對他在研究或工作過程中所獲得的資料，必須嚴守秘密，未經當事人同意不得予以公開。當他獲得當事人同意，而在著作、演講、或研討會中引用當事人資料時，必須以適當方式隱藏當事人之識別資料。」因此，研究者必須對受試者的個人資料加以保密，以維護受試者的隱私權。

四、尊重受試者的隱私權與知後同意權

測驗結果如果要對外公開，應獲當事人的同意，並將訊息正確的轉達給其他相關者。研究者除了必須對受試者個人資料保密以尊重隱私權外，還須顧及受試者的「知後同意權」。所謂**知後同意權就是，受試者在受到解釋並對測驗的過程及其相關的冒險及效益獲致了解之後，同意參與研究，這是一種「全然自我決定」的概念。**

五、測驗結果的解釋應力求客觀正確

在撰寫施測報告與結果解釋時，應力求合乎客觀性與正確性，並審慎配合非測驗資料，提出有效的證據，做嚴謹而適度的邏輯推論，提出有助於受試者的建議，並正確轉達測驗訊息給當事人，避免誤導，造成不良的後果。在轉達施測結果時，應與當事人進行雙向溝通與充分討論，適切解答當事人有關的疑問，以利當事人對施測結果的應用。

第四節 傳統試題分析

考點提示 (1)傳統與現代（IRT）試題分析方法的不同；(2)難度、鑑別度、誘答力；(3)試題分析的功用；(4)常模參照與效標參照試題分析的異同；(5)鑑別度與難度的關係；(6)S-P問題表，是必考重點。

第一章時我們曾探討良好測驗的條件必須擁有良好的信、效度、常模、難度、鑑別度、標準化程序與實用、適切、客觀、參照，才能發揮測驗的功效，其中，信、效度、常模、難度、鑑別度等指標都屬於試題分析的範疇。信、效度前已敘明，常模留待下一章，本章針對試題分析中有關難度、鑑別度與誘答力的分析詳述之。

壹、試題分析的功用

一、對測驗而言

(一) 試題分析可以節省時間，縮短測驗程序。
(二) 試題分析可以提高測驗的信度與效度。
(三) 試題分析的資料有助於測驗結果的解釋。
(四) 試題分析可以增進測驗題庫運用的效能。

二、對施測者（或教師）而言

(一) 試題分析的資料可作為改進班級教學的依據。
(二) 試題分析的資料可作為實施補救教學的依據。
(三) 試題分析的程序可增進教師編製測驗的技能。
(四) 試題分析的程序可增進教師編製測驗的經驗。
(五) 試題分析的程序可作為教師修改課程的依據。

三、對受試者（或學生）而言

(一) 試題分析的資料可作為學生改進學習的參考。
(二) 試題分析的資料可作為學生診斷學習盲點的依據。

貳、試題分析的類型

在測驗編製過程中，試題分析（item analysis）是一件相當重要的工作。**試題分析可分為質的分析（qualitative analysis）與量的分析（quantitative analysis）兩部分**。所有試題均必須經過質和量兩方面的分析，最後才能以適當的試題編成一份可靠又有效的測驗。有時試題分析又稱「項目分析」或「題目分析」。

一、質的分析

質性的試題分析指的是就試題的內容和形式進行分析，包括內容效度（如：雙向細目表、能力指標、取材範圍是否適切……）、表面效度（如：試題的字體大小、編排、裝訂……），以及編擬試題的技術等。

二、量的分析

量的分析包括試題的難度（item difficulty）、鑑別度（item discrimination）、選項誘答力分析。測驗試題經過預試（try-out）之後，逐一分析其難度、鑑別度與受試者對各個選項（options）的反應情形，作為修改試題或選擇試題之依據。

(一) **難度分析**（106普考；106身四；105身三；105普考；102地三）：誠如字面的意義，**難度（difficulty index）就是試題困難的程度，試題越難，就越少人可以答對或通過**。因此，不管是常模參照測驗或是效標參照測驗，難度的定義都可用通過人數與總人數的比例表示之。

1. **常模參照測驗的難度分析**：常模參照測驗的難度分析有兩個分法：

(1) **答對百分比法**：試題難度（P）等於通過人數（R）除以總人數（N）所佔的百分比例，其計算公式如下：

$$P=\frac{R}{N}\times 100\%$$

另一種試題難度的求法，係先將受試者依照測驗總分的高低次序排列，再分別取得分最高的前百分之二十七定為高分組，與得分最低的後百分之二十七受試者定為低分組，再分別求出此兩組在某一試題上通過人數的百分比P_H與P_L，將其平均即為該題的難度，其計算公式如下：

$$P=\frac{P_H+P_L}{2}$$

P_H：上27%的答對率　　P_L：下27%的答對率

其實，在一般的成就測驗中，受試者人數不多的情況之下，亦可將通過人數分成高分群與低分群兩組，且兩群人數相等，高分群$R_H=R/2$人，低分群$R_L=R/2$人，則難度亦可表示為$P=(R_H+R_L)/N$的百分比。假設高分群的答對百分比為P_H，低分群的答對百分比為P_L，則$P_H=(R_H/N)\times 100\%$，$P_L=(R_L/N)\times 100\%$。將$R_H=R/2$與$R_L=R/2$代入$P=(R_H+R_L)/N$的百分比，也可得上式結果。

(2) **△難度指數**：由於上述的難度指標P值為次序量尺，單位不一定相等（$P_{0.7}-P_{0.6}\neq P_{0.6}-P_{0.5}$），不能運算。因此，美國教育測驗服務社（educational testing

> **小叮嚀**
> △與P值是相反的概念，通過的人數越少，難度越高，P值越小，△值反而越大。

service, ETS）另創一種難度指數，以△（音唸為delta）表示之。**此分析方法具有等距量尺的特性，可相互比較運算。**它是一種以十三為平均數、四為標準差、Z為標準化常態分配上的標準分數，因此△為一種下限為1、上限為25的標準分數。△值愈小，難度愈低；△值愈大，難度愈高。它不但可以表示試題難度的相對位置，而且可以指出不同難度之間的差異數值。

△=13+4Z

(3)**范氏試題分析表法**：此外，根據試題分析中求得的P_H和P_L，可從范氏試題分析表（Fan's item analysis table）中查得P值與△值以及試題反應與效標之間的雙列相關係數r值，分別表示試題的難度（P、△）與鑑別度（r）。

2. **效標參照的難度分析**：通過人數（R）與總人數（N）的比例，其計算公式如下：

$$P=\frac{R}{N}$$

最理想的難度，是要視學習結果或教學目標的難度而定。

3. **難度指標合理範圍**：難度指標的選擇通常依測驗的用途不同而有差異。例如：常模參照測驗一般採用0.5的難度；效標參照測驗一般採用較低的難度約0.8。

(二) **鑑別度分析**（106普考；106身四；105身三；105普考；102地三）：所謂**鑑別度就是可以區分高低分組能力表現的程度，越能區分高低分組程度不同的試題，鑑別度越好。**也就是說，若該題高分組答對的人數多於低分組，則鑑別度佳；該題低分組答對人數反而多於高分組，甚至高分組無人答對，則此題鑑別力差，甚至毫無鑑別度可言。

1. **常模參照的鑑別度分析**：常模參照試題的鑑別度分析可分為內部一致性分析（internal consistency）與外在效度（external validity）分析兩方面。

(1)**內部一致性分析法**：內部一致性分析在於檢查個別試題與整個測驗測量作用的一致性，即一般所謂的「諧度分析」，常用於大樣本時，如大學指考。其分析法有以下兩種：

A. 可應用二系列相關（biserial correlation）、點二系列相關（point-biserial correlation）或ϕ相關法（phi Correlation），求得相關係數r值，探求個別試題與測驗總分之間的關聯性，以表示測驗試題內部一致性的高低。

資優挑戰

☑ 點二系列相關值

$$r = \frac{\overline{X_p} - \overline{X_q}}{s_t} \cdot \sqrt{pq}$$

其中$\overline{X_p}$為答對學生的平均得分，$\overline{X_q}$為答錯學生的平均得分，p為答對人數百分比，q為答錯人數百分比，s_t為全部學生得分的標準差，相關值愈高代表鑑別功能愈強

☑ 二系列相關值

$$r = \frac{\overline{X_p} - \overline{X_q}}{s_t} \cdot \frac{pq}{y}$$

其中$\overline{X_p}$為答對學生的平均得分，$\overline{X_q}$為答錯學生的平均得分，p為答對人數百分比，q為答錯人數百分比，s_t為全部學生得分的標準差，y為常態分配下答對人數百分比，相關值愈高代表鑑別功能愈強

☑ ϕ相關值

	答錯	答對
處理一	A	B
處理二	C	D

$$\phi = \frac{BC - AD}{\sqrt{(A+B)(C+D)(A+C)(B+D)}}$$

B. 在個別試題上，求出高分組和低分組通過人數百分比的差值，即為鑑別度。其計算公式如下：

$$D = P_H - P_L$$

D的值域在－1到1之間，越大越好；D值愈大，表示該試題鑑別度越大，與測驗總分的一致性愈高。

D或r值接近0，表示無鑑別度，無法區別個別差異；D或r值為負，表示題目混淆測驗之區別功能。

(2)**外在效度分析法**：外在效度分析法與內部一致性分析法相似，不同的是參照標準。外在效度通常選定一個外在的效標，如學業成績、工作表現，依效標分數，計算個別試題反應高、低分組通過人數百分比的差值，可求得鑑別度。鑑別度指標與試題評鑑的關係大致如表3-4所示。

表3-4　鑑別度指標與試題評鑑的關係

鑑別度指標	試題評鑑
0.40以上	極優
0.30-0.39	優良
0.20-0.29	尚可，須修改
0.19以下	不佳，應予淘汰

2.**效標參照的鑑別度分析**

效標參照測驗的鑑別度分析常用：

(1)**教學敏感指數**（S）

$$S=\frac{R_A-R_B}{T}$$

R_A：教學前答對該題的人數

R_B：教學後答對的人數

T：答題人數

(2)**教學前後差異指標**PPDI（pre-to-post difference index）

$$D=P_{post}-P_{pretest}$$

D：鑑別指數

P_{post}：教學後答對的比率

$P_{pretest}$：教學前答對的比率

(3)**精熟與非精熟組差異指標**

$$D=P_p-P_i$$

D：鑑別指數

P_p：精熟組答對的比率

P_i：非精熟組答對的比率

3. **難度與鑑別度的關係**

(1)試題的**難度是鑑別度的必要條件**，兩者密切相關，**難度適中，才可能發揮鑑別力的最大作用**。若題目太簡單，高分組和低分組大部分人都答對，則鑑別度不高；或題目太難，高分組和低分組大部分人都答錯，那鑑別度也不高。

(2)難度與鑑別度關係呈菱形分布，如圖3-1所示。

A. 若難度值趨向兩極端（0或1），表高分組與低分組（或教學前後）的試題皆傾向於答對或答錯，則鑑別度將趨於0。

B. 若難度值接近0.5，表示高分組（或教學後）的試題傾向於答對，及低分組（或教學前）的試題傾向於答錯，則鑑別度將趨於最大（＋1, －1）。

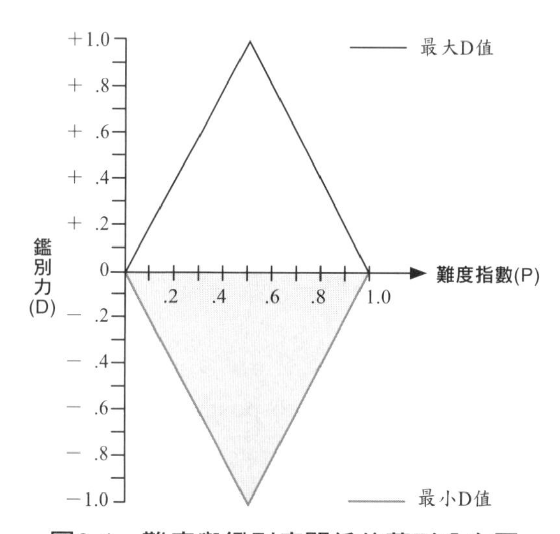

圖3-1 難度與鑑別度關係的菱形分布圖

(三) **誘答力分析**（106普考、身四；102地三）：常模參照的選項誘答力分析與效標參照的選項誘答力分析皆同。其判斷原則為**至少有一位低分組學生選擇任何一個不正確的選項，選擇各不正確選項者低分組學生人數多於高分組學生人數**。以下提供選擇題選項誘答力分析參考。

1. 正確答案選項是否出現高分組及低分組選答人數皆高，表示題目太簡單。（如題號2）

2. 正確答案選項是否出現高分組人數低於低分組人數，表示選項混淆測驗之區別功能，需了解原因。（如題號4）

3. 正確答案選項是否出現高分組人數與低分組人數差不多，表示題目鑑別度低。（如題號5）
4. 正確答案選項是否出現高分組人數及低分組選答人數皆高，表示題目太難。（如題號7）
5. 誘答選項低分組人數低，表示無誘答力。（如題號2、4）

表3-5　每個題目作答情況的分析

題號＼組別＼選項		1	2	3	4	5
2	高分組	0	0	0	(20)	0
	低分組	2	0	1	(16)	1
4	高分組	0	(10)	9	0	1
	低分組	2	(16)	2	0	0
5	高分組	2	3	2	(11)	2
	低分組	1	3	3	(11)	2
7	高分組	(6)	3	5	4	3
	低分組	(0)	5	8	3	4

參、挑選優良試題之原則

一、先挑出鑑別度指標較高的試題

常模參照測驗的鑑別度指標0.4以上（越接近1越好），效標參照測驗的鑑別度指標介於0.1-0.6之間（越接近0.6越好）。

二、再從中挑出難度指標較為適中的

常模參照測驗的難度指標以接近0.5（難易適中），效標參照測驗的難度指標應與教學前預定的精熟標準一致（趨近於1,如0.8,0.9）。

三、考慮選出試題的比例是否與雙向細目表一致

四、輔以S-P問題表（S-P chart）挑選試題（107地三；105地三）

S-P問題表關心的課題在將學生試題作答的反應組型，依指標化的數據作為研判反應組型應作何種處理的測驗分析方法。透過對學生作答反應組型的分析，辨別異常反應組型資料，從中獲得有用的診斷訊息，提供教師教學、命題與實施輔導策略之改進。

(一) S-P表使用之試題分析步驟：

1. 批改試卷。
2. 將批閱後的試題反應矩陣改為二元化計分矩陣。
3. 依序排列學生得分的高低。
4. 依序排列試題答對人數的多寡。
5. 畫出S曲線及P曲線。如圖3-2所示。

(二) S-P表基本涵義：

1. S曲線：學生得分的累加分佈曲線，此曲線以左的範圍，代表學生大都答對了試題。
2. P曲線：試題答對人數的累加分佈曲線，此曲線以上的範圍，代表試題大都被學生答對了。
3. S曲線的位置可以看出學生學習成就達成的程度。
4. P曲線的位置可以看出班級學生達成與未達成教學目標的程度。
5. S曲線以左的部分，或P曲線以上的部分，對整個S-P表所佔的比例，表示該次測驗的平均答對率。

(三) S-P表分析指標（105地特三）

S-P表可用來診斷學生的作答反應組型，並以差異係數（disparity coefficient）、同質性係數（homogeneity coefficient）、試題注意係數（item caution index），以及學生注意係數（student caution index）等指標，來診斷學生學習或試題命題有無產生不尋常作答反應組型的狀況，並藉此提供診斷訊息供命題者或教師的參考。

1. 第一個是差異係數D*，值會介於0－1間。當D*>0.5表示試題具有相當多的異質成份。
2. 第二個是注意係數，包括學生注意係數CS和題目注意係數CP，這是S-P表資料中的實際反應組型與完美反應組型間的差異，占完美反應組型最大差異的比值，注意係數愈小愈好。

S-P 表在學習上的診斷分析

學生得分的百分比

	0～0.50	0.50～1.00
100%～75%	A 學習穩定型	A' 粗心大意型
75%～50%	B 努力不足型	B' 欠缺充分型
50%～0	C 學力不足型	C' 學習異常型

學生注意係數

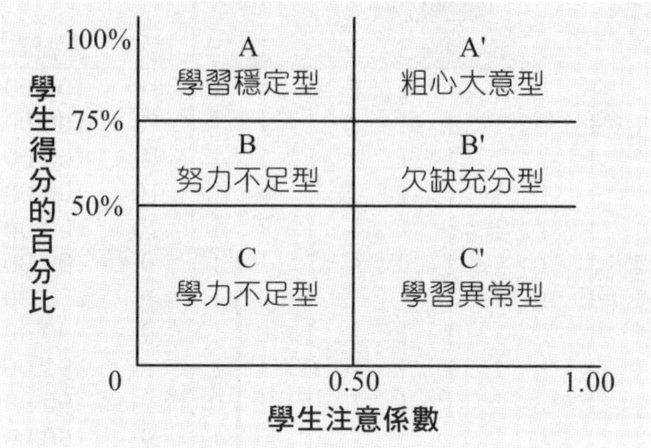

資料來源：余民寧，2002。

舉例 1	判斷學生答題有無異常	表3-6中表示40位學生答題結果的S-P表，其中編號008學生答對率高（90%），但卻把大家普遍都應答對的第5題答錯了，表示此時出現「異常作答」組型，難怪乎其「學生注意係數」指標1.02**有兩顆星，且組型類別歸為A'，從上圖S-P表在學習上的診斷分析可知，編號008同學屬於「粗心大意型」。
舉例 2	判斷學生答題有無異常	表3-6編號228學生答對率很低（20%），但卻能把大家普遍都應答錯的第4、7兩題答對了，表示此時出現「異常作答」組型，可能是猜對的成份居多，難怪乎其「學生注意係數」指標1.11**也有兩顆星，且組型類別歸為C'，從上圖S-P表在學習上的診斷分析可知，編號228同學屬於「學習異常型」。
舉例 3	判斷試題命題優劣	我們可以將表3-6的十個題目拿來進行試題分析，結果得到如下表3-7所示。其中題號2的試題注意係數0.65較0.5高，而答對學生百分比僅45%，從下圖的診斷分析可知是屬於B'的拙劣試題，應刪除。其次，題號5與題號9經診斷分析得知均為A'的異質試題，表示此兩題必然有瑕疵，建議修改。

表3-6　S-P問題表

學生編號	試題號碼										總分	答對率	指標	類別
	9	10	3	6	4	5	7	8	1	2				
005	1	1	1	1	1	1	1	1	1	1	10	100.00	0.00	A
115	1	1	1	1	1	1	1	1	1	1	10	100.00	0.00	A
222	1	1	1	1	1	1	1	1	1	1	10	100.00	0.00	A
223	1	1	1	1	1	1	1	1	1	1	10	100.00	0.00	A
332	1	1	1	1	1	1	1	1	1	1	10	100.00	0.00	A
008	1	1	1	1	1	0	1	1	1	1	9	90.00	1.02**	A'
117	1	1	1	1	1	1	1	1	0	1	9	90.00	0.23	A
225	1	1	1	1	1	1	1	1	0	1	9	90.00	0.23	A
333	1	1	1	1	1	1	1	0	1	1	9	90.00	0.34	A
334	1	1	1	1	1	1	1	1	1	0	9	90.00	0.00	A
336	1	1	1	1	1	1	1	1	0	1	9	90.00	0.23	A
114	1	0	1	1	1	1	1	1	1	0	8	80.00	0.83**	A'
118	1	1	1	1	1	0	1	1	1	0	8	80.00	0.45	A
220	1	1	1	1	0	1	1	1	0	1	8	80.00	0.64**	A'
337	1	1	1	1	1	1	1	0	0	1	8	80.00	0.19	A
440	1	1	1	1	1	1	1	0	1	0	8	80.00	0.06	A
001	1	1	1	1	0	1	1	0	1	1	7	70.00	0.47	B
110	1	1	1	0	0	1	1	1	1	1	7	70.00	0.79**	B'
112	1	1	1	1	1	1	0	0	1	0	7	70.00	0.19	B
224	1	1	1	1	1	1	1	0	0	0	7	70.00	0.00	B
229	1	1	0	1	1	1	1	1	0	0	7	70.00	0.51*	B'
331	1	1	1	1	1	1	0	0	1	0	7	70.00	0.19	B
338	1	1	1	1	1	1	0	1	0	0	7	70.00	0.14	B
339	1	1	1	1	0	1	1	0	1	0	7	70.00	0.37	B
004	1	1	1	0	1	0	0	0	1	1	6	60.00	0.79**	B'
006	1	0	1	1	1	1	1	0	0	0	6	60.00	0.37	B
007	1	0	1	1	0	0	0	1	1	1	6	60.00	1.20**	B'
009	1	1	1	1	1	0	0	0	1	0	6	60.00	0.29	B
113	1	1	1	0	0	1	0	1	0	1	6	60.00	0.79**	B'
330	0	1	1	1	1	1	0	0	0	1	6	60.00	0.70*	B'
003	1	1	0	0	0	0	0	1	1	1	5	50.00	1.29**	B'
116	1	1	1	0	1	1	0	0	0	0	5	50.00	0.12	B
221	1	0	0	1	1	0	1	1	0	0	5	50.00	0.83**	B'
227	1	1	1	0	0	0	0	1	0	0	4	40.00	0.39	C
002	0	0	0	0	1	1	0	0	1	0	3	30.00	1.28**	C'
119	1	1	0	1	0	0	0	0	0	0	3	30.00	0.10	C
226	1	1	0	1	0	0	0	0	0	0	3	30.00	0.10	C
228	0	0	0	0	1	0	1	0	0	0	2	20.00	1.11**	C'
111	0	1	0	0	0	0	0	0	0	0	1	10.00	0.24	C
335	0	0	1	0	0	0	0	0	0	0	1	10.00	0.37	C
答對人數	35	33	32	30	28	27	24	21	20	18				

（註：深線為S、淺線為P，差異係數0.62）

資料來源：曾淑惠（2010），試題測驗分析。

表3-7　上表示試題分析結果

題號	試題注意係數（指標）	答對學生百分比	判定類別
1	0.42	50%	A
2	0.65	45%	B'
3	0.38	80%	A
4	0.41	70%	A
5	0.54	67.5%	A'
6	0.47	75%	A
7	0.21	60%	A
8	0.36	52.5%	A
9	0.62	87.5%	A'
10	0.45	82.5%	A

S-P 表在試題上的診斷分析

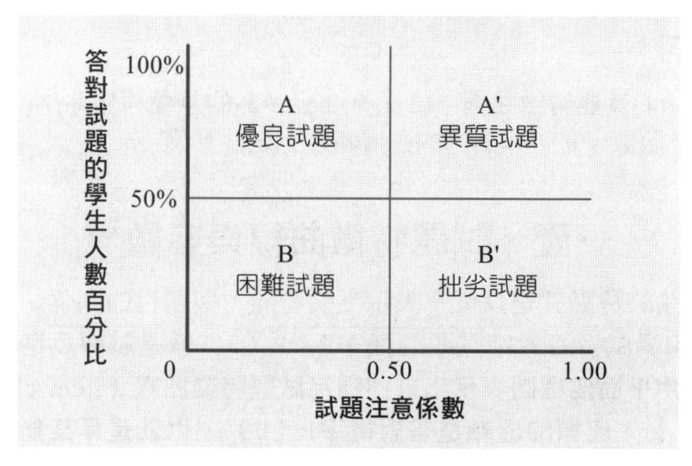

資料來源：余民寧，2002。

肆、試題分析舉例

實務上計算試題的難度、鑑別度並沒有想像中困難，以下以一個實際的國中數學題目分析進行說明：假設考試人數共40人，選項1打星號代表正確答案。

( ) 假設蘋果一個x元，且蘋果的單價比橘子貴10元，若小君共買了4個蘋果與3個橘子，再加一個1元的塑膠袋，那麼她應付多少錢？

(A)(7x－29)元　(B)(7x－30)元

(C)(7x－27)元　(D)(7x＋29)元

選項	1*	2	3	4	未作答	備註
高分組	20	0	0	0	0	
低分組	4	6	4	6	0	

本題答對人數高低分組共（20+4）=24人，因此，難度值=24/40=0.6；本題高低分組答對人數百分率的差值為20/20－4/20=0.8，是為鑑別度；另外，低分組比高分組有更多的人數選擇不正確的選項，因此，本題第2、3、4三個選項均具有極佳的誘答力。

第五節 IRT試題分析原理

考點提示

(1)試題特徵曲線；(2)a, b, c三參數的意義與關係；(3)試題訊息函數，是近年熱門的必考題，一定要熟悉。

壹、試題特徵曲線與參數

現代測驗理論的特點就是以概率表示受試者能力與題目的關係。其中P（θ）表示能力θ的受試者答對某試題的機率P。**P（θ）就是試題反應函數，將試題反應函數用平面座標圖表示出來即稱為試題特徵曲線**（item characteristic curve，ICC）。**座標的縱軸是答對機率P（θ），也就是具某能力θ的受試答對某題的機率**。機率介於0.00至1.00之間。橫軸代表能力或潛在特質。潛在特質為一連續體，由左而右表最低的無限小－∞至最高的無限大＋∞。常用的試題反應模式都僅適用於二元化的反應資料（亦即，正確反應者登錄為1，錯誤反應者為0的資料）。有下列三種：

一、一個參數的對數型模式（one-parameter logistic model）

如圖3-2所示為一個參數的試題特徵曲線。圖中b**點稱為試題難度參數（difficulty parameter），其位置正好落在正確反應機率為0.5時能力量尺（ability scale）上對應的點**，以圖中試題1而言，正好落在能力值為1的位置。**試題越難，b參數能力值的落點就越偏向右邊，能力值越大，因此，參數b有時也稱為落點參數**。至於難度參數、能力與答對機率的關係如下：當$\theta - b = 0$或$\theta = b$時，答對機率$P(\theta) = 0.5$，也就是能力與難度相等時，答對機率為一半；當$\theta > b$時，答對機率超過一半；當$\theta < b$時，答對機率低於一半。

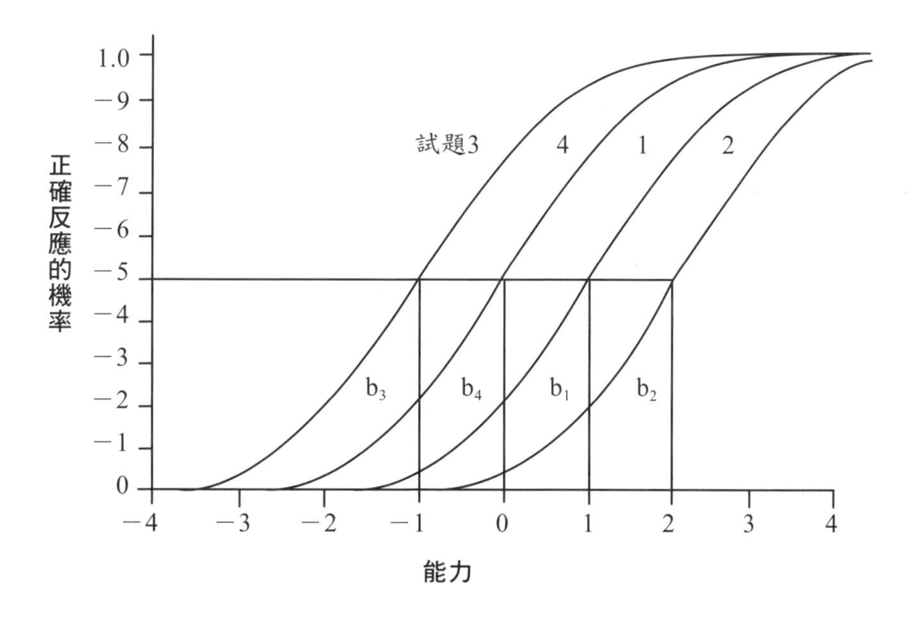

圖3-2　四條典型的一個參數試題特徵曲線

資料來源：余民寧（2013）。

二、兩個參數對數形模式（two-parameter logistic model）

試題難度參數加上鑑別度參數（discrimination parameter）即是兩個參數對數形模式，鑑別度參數以a參數代表之。試題特徵曲線中，a參數表示曲線陡峭的程度，剛好就是曲線在b點的斜率（slope），代表能力θ變化時，答對機率變化的程度。**曲線越陡，a值越大，試題鑑別度越高**，如圖3-3，試題3的鑑別度最高，反之亦成立。理論上，a參數介於$-\infty$與$+\infty$之間；一般以0至2之間為多，但以0.8與1.25之間最為有效。

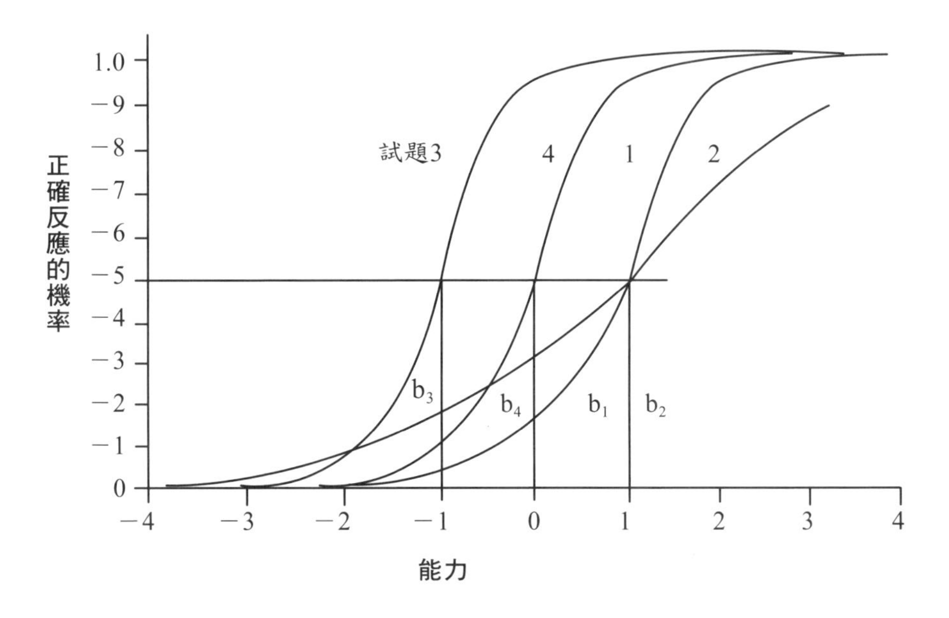

圖3-3　四條典型的二個參數試題特徵曲線

資料來源：余民寧（2013）。

三、三個參數對數形模式（three-parameter logistic model）

前述兩個參數的對數模式再加入c參數，即成三個參數的對數形模式。c參數就是猜測參數，是指試題特徵曲線的左下漸進線，為能力極低時仍有的答對機率，c值愈小題目愈有效，一般均以0.3為選題重點，c值超過0.3的項目不是理想的項目。從圖3-4中可以發現，試題1的c值最小，接近0；試題3的c值最大，約為0.25。c參數只出現在三參數或四參數對數模式中，單參數和雙參數模式將其假定為0或近於0。

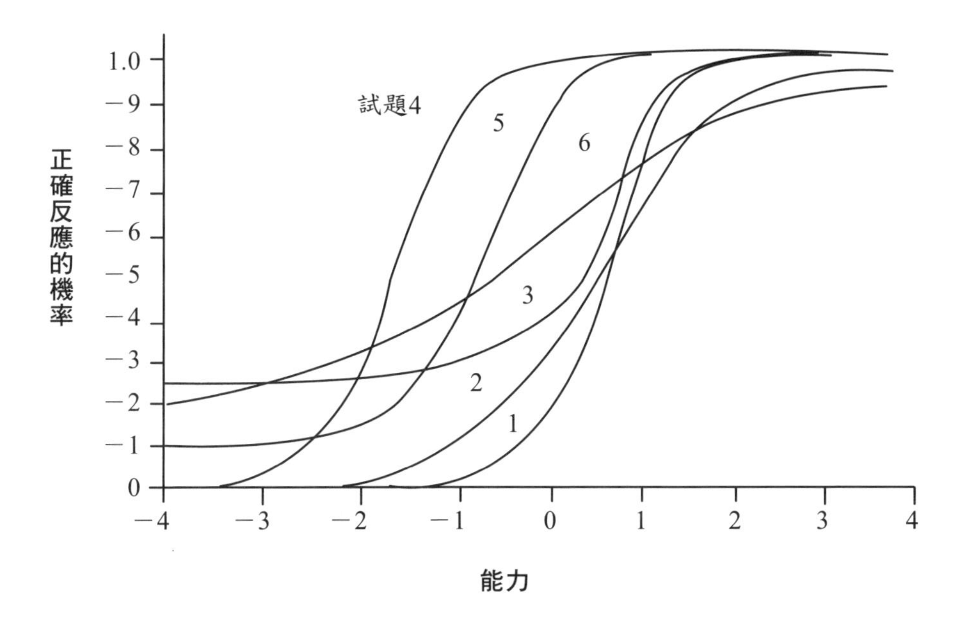

圖3-4　六條典型的三個參數試題特徵曲線

資料來源：余民寧（2013）。

貳、試題訊息函數

試題反應理論提供一個比較試題相對效能的實用方法，稱為試題訊息函數（item information function），作為分析與診斷試題的主要參考依據。其公式如下：

$$I(\theta)=\frac{a^2(1-C)}{[C+e^{a(\theta-b)}][1+e^{-a(\theta-b)}]^2}$$

訊息量$I(\theta)$愈大，能力估計的標準誤愈小，信賴區間愈小，能力的估計愈精準。從公式中我們不難發現：

(一) **當b值愈接近θ時，訊息量較大；反之，b值愈遠離θ時，訊息量則較小。**

(二) **當a參數較高時，訊息量也會較大。**

(三) **當c參數接近0時，訊息量則增加。**

換句話說，試題難度越符合受試者能力（b＝θ），試題鑑別度越高（a越大），越少猜測（c接近0），就越能獲得較大的訊息量。以下舉一例說明，表3-7是六個試題的試題參數值，其試題訊息量如圖3-5所示（資料來源：余民寧，1997）。對能力較高的受試者而言，試題1試題訊息量最高，是最適合的題目；對能力較低的受試者而言，試題4的試題訊息量最高，是最適合的題目；對中等能力的受試者而言，第5題反而是最適合的題目。

表3-7　六個試題的試題參數值

測驗試題	試題參數		
	b_i	a_i	c_i
1	1.00	1.80	0.00
2	1.00	0.80	0.00
3	1.00	1.80	0.25
4	-1.50	1.80	0.00
5	-0.50	1.20	0.10
6	0.50	0.40	0.15

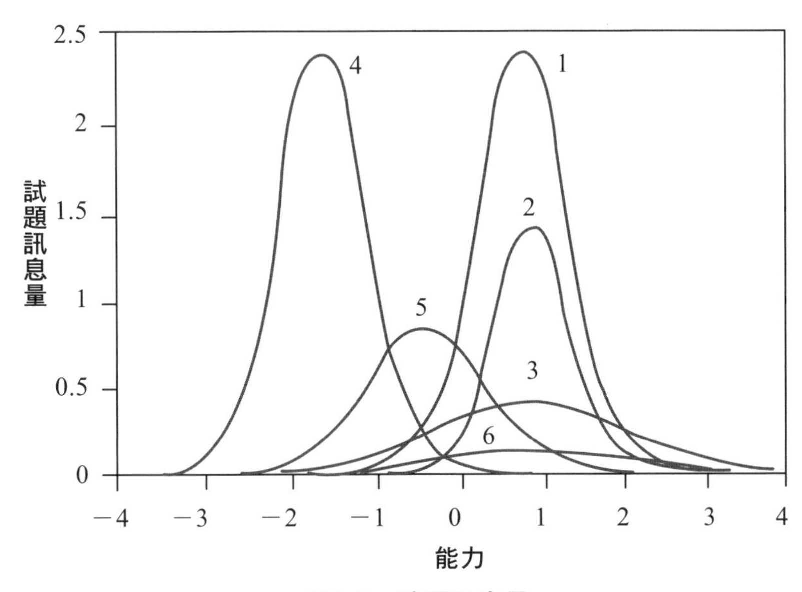

圖3-5　試題訊息量

資料來源：余民寧（2013）。

參、電腦化適性測驗（108身三；106身四）

電腦化適性測驗（computerized adaptive testing，簡稱CAT）主要理論依據是試題反應理論（IRT），係根據受試者的答題反應，由電腦估計其能力並選出適合於受試者能力的題目，以聲光、影音、動畫、互動、操作等多媒體測驗環境來進行施測，提高測驗的真實性與生動感。CAT的測驗題數只要傳統非適性測驗的1/2~1/3就能達到測量的精準度，兼具經濟、效用且可讓受試者能力相互比較的測驗特性。要進行CAT必須經過：(一)建立題庫（item bank）；(二)估計試題參數；(三)能力估計與選題等三個步驟。

電腦化適應測驗是從傳統電腦化測驗（computer-based testing，CBT）演變而來。傳統電腦化測驗又稱電腦輔助測驗，它僅將傳統的考試工具及考題轉移到電腦之中，讓學生藉由電腦螢幕閱讀考題、利用鍵盤或滑鼠來移動游標並點選答案。答題的過程之中，電腦輔助測驗在程式的設計之上，通常允許學生重複複查、修正答案。

然而，當電腦輔助測驗，與現有的全球資訊網進行結合，就成了網路測驗（web-based test, WBT），它不但具備有CBT的優點，更能兼具網際網路的各項特色，亦稱為全球資訊網電腦輔助測驗（WWW computer-assisted testing，W3CAT）。顧名思義，W3CAT即是在全球資訊網（WWW）的環境中，進行電腦輔助測驗。測驗是評量學生成就的一種工具，也是評量學習成果的有效方法。利用電腦來進行測驗，可以藉電腦強大的計算能力，讓出題、施測、及閱卷更具有效率。隨著網路的蓬勃發展，以及網路教學的快速成長，網路測驗更顯其重要（李佳儀，2019）。

肆、最新學習評量介紹

一、教育會考（110普考）

配合十二年國民基本教育的實施，教育部規劃103年75%的學生能免試入學，另0～25%的學生透過特色招生之甄選入學（術科測驗）及考試分發入學（學科測驗）進入高中職及五專。在這樣的升學機制下，若缺乏一個普及性的學力檢定機制，則難以追蹤及瞭解103年後國中畢業生學力狀況，因此有必要辦理國中教育會考，作為我國國中畢業生學力檢定之機制。無論從國家的教育責任、學生和家長瞭解學習成效的權利、高中職端瞭解學生先備知能之需求、強化十二年國民基本教育免試入學的措施，乃至緩解學生分分計較的競爭壓力等面向來看，國中教育會考--作為我國學力檢定之機制，將能發揮實質的功能。同時，國中教育會考國文、英語、數學等工具學科成績為「待加強」之學生，教育部將協助轉銜至高中、高職或五專進行補救教學。

二、特色招生

在實施十二年國民基本教育後，僅有25%以下的學生會經由特色招生的方式進入高中職就讀，特色招生係指「經認證為優質的公私立高中及高職，為落實因材施教與開展學生多元智能，依據十二年國民基本教育適性發展之精神與學校特色課程教學之需要及報經主管機關核定之特色招生計畫，透過公開甄選的方式，遴選符合其性向、興趣與能力之學生，以接受學校適性化教學與輔導」。

具有特色課程之學校始得申請特色招生，而特色課程是指「學校能夠以創新思維，在十二年國民基本教育與課程綱要之架構下，考量其校史、內外部優勢條件、願景目標及社會需求，為全體學生所規劃有助於提升學習成效之課程內容或實施方式。」各校特色招生課程之實施對象為特色招生入學之全體學生，惟學校得依據學生實際需求，擴及全部或部分免試入學學生。

三、PISA評量

PISA（program for international student assessment）是一種國際性的學生能力評量計畫，從2000年開始每三年施測一次，評量學生適應現代生活的基本能力，評量內容包括數學、科學、閱讀三項能力，題目偏重情境化、非常貼近生活，施測對象為各國接受義務教育後的15歲學生，我國於2006年首次參加評比。

四、數位閱讀與評量（PIRLS）

目前學習評量有四大趨勢：(1)靜態評量→動態評量；(2)機構化評量→個人化評量；(3)單一評量→多元評量；(4)虛假評量→真實評量。其中，數位閱讀（digital reading）評量是一種個人化評量，它已成為學生學習閱讀的重要評量管道之一。

近年許多國家（例如：英國、芬蘭、香港、俄羅斯、新加坡、美國……等）重視發展線上閱讀能力（online reading competencies）的課程，促進國際閱讀素養研究（progress in international reading literacy study，簡稱PIRLS）於是以國際觀來探討各國小學四年級兒童的閱讀能力。

PIRLS是五年循環一次的國際評比，測量兒童閱讀素養成就以及與讀寫能力有關之政策、實務的發展趨勢。參與PIRLS 2011可以和PIRLS 2006的資料比較，以便瞭解我國學童閱讀素養的變化情形。也可以收集到閱讀教學與閱讀教學政策上與學生閱讀成就相關的重要訊息。鑒於數位閱讀倍受重視，PIRLS 2016的範圍延伸至評量數位閱讀能力，此評量稱為ePIRLS（extension of PIRLS）。

「國際學生能力評量計畫」（programme for international student assessment，簡稱PISA）2012年評量以數學素養為主，科學素養及閱讀素養為輔，共有65個國家及經濟體參與，其中32個國家及經濟體同時選考數位化的數學和閱讀素養評量，臺灣也同時參與。

PISA評量結果，其中數位評量方面，在32個參與數位評量的國家及經濟體中，臺灣學生數位數學素養排名第7名；數位閱讀素養排名第10名，成績尚可。面對數位學習的趨勢，提升教師有關教學素養的研習活動辦理，刻不容緩。

2015年是台灣第四次連續參加這項國際PISA調查計畫。在2015年的PISA評量的學科領域以「科學素養」為主，「閱讀素養」與「數學素養」為輔。不同於往年PISA的評量方式，PISA 2015的評量是全面電腦化測驗，更加測了學生的線上「合作問題解決能力（collaborative problem solving skills）」，評量亦關注學生的科學認識論知識（knowledge of scientific epistemology）。PISA 2015著重於數位學習與人際合作的能力，「社交技巧」與「認知能力」也是評量的要項之一。

我國教育研究和實務社群，宜共同省思如何協助學生發展面對未來生活、學習或工作職場上挑戰的能力，以有效培養具備關鍵核心能力的全球化現代公民。

考題集錦

1. 某一位研究員在針對某次測驗後進行試題分析時，獲得下表有關某一試題的各選項選答資料。

組別	選項				
	*A	B	C	D	未答
高分組	20	10	50	20	0
低分組	10	25	25	40	0

註：細格中的數字表示「人數」，*表示「正確答案的選項」。

請參考上表，逐一回答下列問題：（102地三）
(1)請計算該試題的難度指標值？
(2)請計算該試題的鑑別度指標值？
(3)請評估該試題是否具有理想的選項誘答力？
(4)請評鑑該試題的優劣，並說明你的結論。
(5)假如該名研究員發現該試題的答案可能是錯誤的。基於該測驗中每一試題都具有優良試題特質的前提下，請問該試題的正確答案應該是那一個選項才較為合理？請說明你的理由。

2. 試回答下列有關測驗選用的問題：（102高考）
(1)某教育局先後編製兩套（甲和乙）閱讀成就測驗。甲的折半信度為.90，乙的重測信度為.75。乙有其教學目標的內容效度。甲與某閱讀測驗有同時效度，但甲有一些測量的內容並未被老師教到。若老師擬評量其閱讀教學的效果，其前、後測宜用那一套測驗較適合？請說明你的理由。

(2)有一測驗機構發行兩套（A 和 B）閱讀準備度測驗。此兩測驗國小一年級新生適用。測驗 A 的內部一致性信度為.92，測驗 B 的重測信度為.76。兩者皆未提供有關效度的資料。如果校長向你請教測驗的選用，你會推薦那一套？請說明你推薦的理由。

3. 有一題選擇題經測驗後，各選項的答題反應分布情形如下表所示（此題正確答案為B，以＊表示）。（101原四）

(1)計算這試題的難度值（要列出計算式，且計算至小數點第二位），並判讀其好壞。

(2)計算這試題的鑑別度值（要列出計算式，且計算至小數點第二位），並判讀其好壞。

(3)分析各錯誤選項的誘答力，以建議修題方向。

選項	A	B*	C	D
高分組	0	15	3	2
低分組	3	6	11	0

4. (1)如果想要計算非對即錯試題的難度，可使用那些指數？請說明這些指數的意義。

(2)如果想要計算非對即錯試題的鑑別度，可使用那些指數？請說明這些指數的意義。（101地四）

[考題解析範例]

一、古典測驗理論以真實分數模式為主，其理論模式的發展為時已久。試從試題反應理論的觀點，申論其缺點。（104地三）

破題分析 本題考的是古典測驗理論的缺失，也因這些缺失才有試題反應理論的出現。算是簡單題。

答 古典測驗理論的內涵，主要是以真實分數模式為理論架構，該理論的基本假設認為：測得分數變異數=真實分數變異數+誤差分數變異數，亦即 $S_X^2=S_t^2+S_e^2$，公式簡單易懂，發展亦最久，適用於大多數的教育與心理測驗與社會科學研究資料，目前測驗學界使用最廣。然其缺失如下：

(一)測驗指標的樣本依賴（sample dependent）：古典測驗理論會因接受測驗的受試者樣本不同而影響其難度（difficulty）、鑑別度（discrimination）、和信度等各項指標，這是一種樣本依賴性，因此，同一份試卷很難獲得一致的難度、鑑別度、或信度。

(二)不合理的測量標準誤（standard error of measurement）：古典測驗理論以一個相同的測量標準誤，作為每位受試者的測量誤差指標，忽略高、低兩極端組受試者能力的個別差異，極為不合理。

(三)不符邏輯的的複本信度（alternate forms reliability）：實際測驗情境中，主試者很難要求受試者不斷重覆接受同一份測驗，且每次測量都獨立不相關，況且真正的測驗也很少製作複本，因此，古典測驗理論的複本測量有其不合理之處。

(四)忽略受試者的試題反應組型（item response pattern）：即便原始總分相同，若受試者每題的反應組型不同，其能力間應仍有差異。然而，古典測驗理論認為，原始總分相同的受試者，其能力必定相同，這是忽略受試者試題的反應組型所致。

二、如果教育部撥一筆充裕的經費，請你編製一份適用於國中學生的數學能力測驗，預定測驗內容包括20題選擇題（四選一）和3題非選擇題（測量應用與問題解決能力）。試回答下列問題：

(一) 擬一預試實施計畫，項目至少須包括資料的收集、分析與分析結果的運用。

(二) 你將如何進行信度分析？舉兩種信度類型為例說明。

(三) 你將如何進行效度研究？舉一類效度證據為例說明。（105地四）

破題分析 預試實施計畫是進行測驗試題分析前的施測規劃之一，考生必須寫出其程序，包括活動主旨、辦理方式（時間、地點、對象、流程）、試題分析與評鑑。至於信效度分析的舉例與類型，則必須正確寫出選擇題與非選擇題適用的分析方式，如此才能得高分。詳見第一篇第三章第二節。

答 (一) **預試實施計畫**

1. **活動主旨**：為了解國中學生的數學能力水準，特編製「國中學生數學能力測驗」，並進行測驗試題預試分析，以檢驗試題的適用性。
2. **辦理方式**
   (1) 考試時間：預試預計於106年6月6日早上9：00開始，預試時間為50分鐘。隨後進行試題分析與題目修正，並於106年8月6日前進行第二次預試，若信效度檢驗通過，即成為正式測驗試題。
   (2) 施測地點：臺北市立龍山國民中學資訊科學教室。
   (3) 預試對象：參與預試之每位受試者，係採分層隨機抽樣，從受試母群體中抽取100位學生進行施測。
   (4) 預試流程
   9:00～9:10　計畫及考試規則說明
   9:10～10：00　預試測驗
   10：10~　預試測驗試題分析
3. **試題分析與評鑑**：預試試題分析應包括內部一致性分析（包括：高低分組平均數差異分析、題目與量表總分相關分析）等項目分析，以進行刪除不適合的題目。再進行因素分析與Cronbach's α係數分析，以考驗測驗的建構效度與信度。同時，也需進行試題的難度、鑑別度分析，以為選題的參考。

(二) **信度分析**：本測驗包括選擇題與非選擇題，可用下列兩種信度分析方式：

1. Cronbach's α**係數分析**：是內部一致性信度分析的一種方式，考慮的誤差來源是內容取樣誤差、內容異質性誤差，關心受試者在各個評量題目上表現一致的程度。不論本測驗德選擇題或是非選擇題，都可採用此分析方式，過關的標準為信度係數需大於0.7。
2. **折半信度分析**：也是內部一致性信度分析的一種方式，考慮的誤差來源是內容取樣的誤差，其做法是將本測驗選擇題拆成兩半（依單雙數題或隨機方式）進行施測，求其相關。惟折半信度通常偏低，必須以斯布公式（Spearman－Brown formula）、福樂蘭根（Flanagan）或盧隆（Rulon）等校正公式加以矯正。

(三) **效度分析**：數學能力測驗屬於成就測驗，適合運用內容效度（content validity）加以分析。內容效度是指測驗反應測驗目標與測驗內容的程度。本測驗可以教學目標與教學內容兩構面形成的雙向細目表進行分析，如果該測驗具有教學內容取樣的代表性且符合教學目標，則稱該測驗具有效度。

觀念延伸 再測信度、複本信度、內部一致性信度、評分者信度、內容效度、效標關聯效度、建構效度。

第四章　測驗的計分與解釋

依據出題頻率區分，屬：A 頻率高

開箱密碼

本章為測驗的結果與解釋，介紹測驗的計分過程與類型、猜測的校正、效標與常模參照測驗的解釋與應用、測驗常用的常模與常模評鑑，以及測驗分數的解釋原則。本章的出題形式主要以簡答題與解釋名詞為主，常模的類型與計算，近年有增加的趨勢。

第一節　測驗計分與校正猜測

(1)測驗的計分方式；(2)衍生分數的意義；(3)校正猜測的原理與方法，都是重要概念，出題機率高。

現以目前國內應用較多的魏氏成人智力測驗為例，討論在分析和解釋心理測驗結果時應遵循的共同原則。

一、分析和解釋的基礎

要分析和解釋好測驗結果，應具備下列幾方面的知識：

(一) **對測量對象的知識**：評估者應具備測量對象，如智力、記憶、人格和心理等方面的相關知識。

(二) **對測驗工具的知識**：採用任何一種測驗工具都應充分掌握它的功能、特點、目的和有關的文獻資料。

因此，必須使用測驗手冊，了解它的編製目的。**手冊不僅提供了實施方法和各種用表，在解釋結果時更要利用手冊中的標準化樣本、常模和效度中提供的訊息**。此外，還要累積自己的經驗。

二、測驗的計分方式

(一) **計算原始分數**：施測時獲得之第一個分數即為原始分數。多數測驗原始分數為答對之題數，但仍有例外。測驗的原始分數必須依照每種不同測驗的測驗指導手冊加以計分。計分方式可分成客觀計分法和主觀計分法兩種。

1. **客觀計分法**

(1)二元計分法：**一般所謂的二元計分，指的是「非對即錯」的反應，**最常見的就是「是非題」、「選擇題（單選）」，還有滿分1分的簡答題，這種計分不需要根據反應的完整程度或正確程度給予部分的分數，所以即使你的選項有三個或三個以上，仍然是二元計分。

(2)多元計分法：**多元計分是指受試者在題目上的答題結果不只有一種，而是有很多種可能性**，例如：在成就測驗中，經常有計算題、簡答題或申論題等開放式反應的題型，根據受試者回答題目的完整性，分別給予不同的分數或等級。

(3)計時加分法。

(4)信心加權計分法。

(5)選項加權計分法。

(6)挑錯答案計分法。

(7)比例計分法。

2. **主觀計分法**

(1)分項計分法：因每個項目配分不同，將每個分項加總。

(2)整體計分法。

(二) **獲得衍生分數：原始總分計算出來後，必須再以原始分數對照常模表以獲得一個衍生分數。如百分等級、年級等值、平均數100或50之標準分數，或其他標準分數（Z分數或T分數）**。魏氏成人智力測驗第三版語文量表、實作量表以及總量表的計分皆採平均數100、標準差15的標準化分數即是一例。智力測驗給的分數，和基測量尺分數一樣都是轉化為常態分佈後的分數，差別只在於給的最高與最低分不一樣，但是智力測驗有經過預試、嚴格抽樣、信效度檢驗、常模化等的發展過程。最低、最高分數，都是人為的決定（例如專家討論後決定），沒有固定的，可以視需要與目的而變動。基測不是從原來最高給60改變為80嗎？智力測驗的最低、高分如下：比西智商量表：52～148；魏氏智商量表：55～145（二者的平均數分數都是100，就是百分等級五十的得100分）。常用的標準分數計算分法將留待本書第二篇教育統計學第一章討論。

三、校正猜測

測驗的過程，考生對陌生的題目難免猜測答案。為了減少猜測獲致答案，影響能力評估的影響，必須進行校正猜測，以確認受試者的答題結果確係其真實能力所為。**猜測的原因大致如下：**

(一) 測驗的命題方式有利於猜測。

(二) 測驗計分的方式有利於猜測。

(三) 測驗指導語鼓勵猜測。

(四) 題目太難或受試能力偏低，導致猜測。

(五) 題目本身為另一題提供線索，違反局部獨立假定，誘發猜測。

(六) 選項或誘答選項配置不當，有利於猜測。

為了預防猜測，最常用的方式即俗稱「倒扣」。應考人對於不會作答的測驗試題，除填充題之外，都可用猜測方式作答。如果是四個選項的選擇題，即有4分之1答對的機會。因此，選擇題的猜測校正公式如下：

$$S = R - \frac{W}{N-1}$$

S：校正後之原始分數　　R：答對題數

W：答錯題數，但不包括未作答之題數　　N：試題選項數

有一派學者認為，以認知理論來說，正誤答案皆具回饋價值，所以**答案錯誤不代表學生沒學習，而有可能產生迷思或者其中的概念尚未完全釐清所致**，因此建議學校考試不需要「倒扣」，因為考試目的在於協助學生的學習。況且太多的倒扣分數，容易引致成績過低，斲傷成就感，使學生失去信心。因此，校正猜測用於成就測驗必須相當謹慎。

第二節 效標與常模參照的解釋與應用

(1)教學評鑑的四種類型、使用時機與應用；(2)效標參照與常模參照的比較，是必考重點，須加以詳讀。

一、教學評鑑的類型

教學評鑑的分類繁多，例如用對象來分，就有教師的教學效率評量、學生的學習成就評量、課程的設計與實施之評量等三類。若用價值標準區分，教學評鑑的種類就有絕對評量、相對評量和自我評量。每一種評量法都有優缺點或適用時機，教學者應詳加比較，選擇最佳的評量工具或評鑑方法。在此，選擇三種較常見的分類方法來做介紹：

(一) **依嚴謹程度而分**：依嚴謹程度而言，分為正式評鑑與非正式評鑑。

1. **正式評鑑**（formal evaluation）：受評對象在相同的情況下接受相同的評鑑，且所採用的評鑑工具亦較為客觀，如測驗、問卷、檢核表等。
2. **非正式評鑑**（informal evaluation）：指教師在教學過程中以觀察的方式了解學生之行為表現，可補正式評鑑之不足（朱敬先，民89）。
   但若以近年多元化、適性化的觀點來看，如觀察紀錄等之所謂「非正式評鑑」卻是相當重要的參考資料，因為有許多諸如情意、技能的能力非「正式評鑑」所能測得的，所以現在多不以此分類。

(二) **依評鑑目的而分：依評鑑目的而言，分為準備性評鑑**（preparative evaluation）、**形成性評鑑**（formative evaluation）、**診斷性評鑑**（diagnostic evaluation）**與總結性評鑑**（summative evaluation）**等四種**。為便於了解，將上述四種評鑑類型之適用時機、主要目的及其應用整理列於表4-1：

表4-1 準備性、形成性、診斷性、總結性評鑑之適用時機、主要目的及應用

類型	適用時機	主要目的	應用
準備性評鑑	教學前	1. 擬定教學目標 2. 確定學生起點行為	1. 實施分組參考 2. 選擇教學方法 3. 擬定補救教學計劃 4. 決定是否調整原先計劃 5. 是否加入補充教材

<table>
<tr><th>類型</th><th>適用時機</th><th>主要目的</th><th>應用</th></tr>
<tr><td>形成性評鑑</td><td rowspan="2">教學中</td><td rowspan="2">1. 使教師及學生了解學習進展情形
2. 診斷學習困難之所在</td><td rowspan="2">1. 了解教材、教法上的得失
2. 控制與檢查教學的品質
3. 考查學生的進步情形
4. 提供學習的回饋
5. 作為實施再教學、個別輔導或調整教學計劃之參考</td></tr>
<tr><td>診斷性評鑑</td></tr>
<tr><td>總結性評鑑</td><td>教學後</td><td>1. 考核學生的學習效果
2. 考核教學目標的達成程度</td><td>1. 評定成績
2. 決定各科教材教法的得失
3. 用以考量學生學習方法是否正確
4. 提供學生學習增強
5. 指導學生未來努力的方向
6. 作為教師下次教學前準備性評鑑之參考</td></tr>
</table>

資料來源：何英奇（1991）。

(三) **依評鑑結果解釋方式而分：依評鑑結果解釋方式或是參照標準而言，分為常模參照評鑑（norm-referenced evaluation）與效標參照評鑑（criterion-referenced evaluation）二類。**

1. **常模參照評鑑**：指個人表現與團體相較，係採用常模作為標準，意即將學生分數與班上或所屬團體得分之平均數相比較，以求得該生在常模上的地位。如某生之百分等級（PR）為80，則表示該生贏過該團體80%的學生。
2. **效標參照評鑑**：指個人行為與行為效標相較，意即將學生成績與教師預先定下的標準相比較，如達到標準則通過，未達標準時，即使該生是班上成績最高者，亦不通過，通常在個別化學習及精熟學習中常用之。為助於理解，茲將二者之比較分析表列如下表4-2：

表4-2　常模參照評鑑與效標參照評鑑一般特性之比較

比較的項目	常模參照評鑑	效標參照評鑑
功能	在確定學生在一個團體中的相對地位	評估學生是否達到特定效標或行為表現標準
主要目的	鑑別學生、學習成就的相互比較	測量事先設定的熟練程度
評鑑內容	包含廣泛的領域成就	針對界定的學習項目

比較的項目	常模參照評鑑	效標參照評鑑
量尺定準點	中間，事後決定	兩端，事前決定
參照點性質	相對的、實際的	絕對的、理想的
陳述教學目標時	詳述一般概念的結果或精確目標	詳述完整的教學目標
評鑑結果的呈現	百分等級、標準分數、甲乙丙丁	及格或不及格（滿意或不滿意）
計分制	常態等第制	傳統百分制
主要用途	安置：分班、分組	診斷：補救教學
適用情形	教材非累進、不必達到特殊能力水準（如：社會）；或測驗結果屬比較性質的（如升學考試）。	學習結果是累進的，進度越來越複雜的學科（如：語文、數學）。

資料來源：朱敬先（2000）；黃光雄編譯（1987）；簡茂發（1992）。

第三節 常模與常模的評鑑

考點提示

(1)常模的意義、類型的計算；(2)各種常模的原理與計算方式；(3)常模評鑑與選用原則，每年幾乎必考。

壹、常模的意義

常模（norm）係標準化的樣本接受測驗後實際表現的平均水準，受試者的測驗分數（或稱原始分數）（raw score）對照常模表加以比較，可以指出個人在團體中的相對地位，說明受試者間的個別差異，以及提供個人在不同測驗相互比較的功能。原始分數不具意義，必須將原始分數轉換成另一套數值，才能加以比較及運算，並顯示出測驗分數的意義，這一套數值稱為**衍生分數（derived score）或量尺分數（scale score），其作法是將受試者在該項測驗答對的題數，依據測驗原理訂定數學公式，並依據此數學公式轉換成可以在測驗之間、考生之間相互比較的分數。**

一、常模的類型

(一) **發展性常模：人類的心理特質會隨著個體不斷發展而變化，若將個體心理特質成熟程度與相同發展階段的一般個體相互比較，是為發展性常模（developmental norms）**。其中包含年齡常模（age norm）與年級常模（grade norm）。比西智力量表即為發展性常模的一種。

年齡常模	年齡常模的建立是將各年齡層在測驗上的得分轉換成心理年齡（mental age），在其標準化樣本內計算各組年齡層兒童原始分數的平均數，即得年齡常模。由於年齡常模的單位並不一定相等，隨著年紀的增長，改變幅度變小，漸不具意義，因此僅適用於兒童。另外，年齡常模比較適用於具有穩定成長的特質，例如智力、身高、體重等。
年級常模	年級常模又稱年級等值（grade equivalents），是以各年級的標準化樣本測驗分數的平均數建立。年級常模具有年齡常模的特性，較常應用於隨著年級而增加某特質的教育成就測驗，例如學生在校的學科成就。由於學科性質不同，個體成長的速率亦不同，個體在各科的年級常模表現也未必相同。例如：小明的國文能力較差，低於三年級常模，但數學能力極佳，卻可能超越四年級常模或更好。

(二) **團體內常模：將個人的測驗結果與具有相同背景的團體成員分數對照並相互比較，稱為團體內常模（within-group norms）。其中包含百分等級常模（percentile norm）、標準分數常模（standard score norm）、常態化標準分數常模（normalized standard score norm）和離差智商（deviation IQ）**。因此，魏氏智力量表即為團體內常模的一種。

1. **百分等級常模**：百分等級常模常用於一般的成就測驗或能力測驗。利用原始分數與百分等級的常模對照表，即可得知受試者勝過多少人。例如：$PR_{90}=88$，表示原始得分88分在團體中的百分等級為90，亦即100人中勝過90人。其優點為簡易好解釋，其缺點為單位不等（$PR_{50}-PR_{40}\neq PR_{90}-PR_{80}$），中間部分的單位小，兩端單位大，不適合運算或各種統計分析。
2. **標準分數常模**：為彌補百分等級單位不等的缺點，於是以平均數為參考點，計算個別測驗分數在團體中的相對位置，這種衍生分數常模，稱為標準分數常模。最常用的是Z分數，它是用離均差（原始分數－平均分數）除以標準差求得。因此，即便離均差相同，對應不同的標準差，其Z分數的結果也會不同。其優點為Z分配為常態分配，可以由常態分配表查得各數值出現的機率，可以運算，也適用於各種統計分析。其缺點是Z分數有小數且有負數，為改正此缺點，於是由Z分數直線轉換成T分數、AGCT分數、CEEB分數等標準分數。這些標準分數的公式與運用留待第二篇教育統計學再詳述。

3. **常態化標準分數常模**：前述Z分數、T分數、AGCT分數、CEEB分數等標準分數都是原始分數的直線轉換，其原始分數均為常態分配。如果遇到原始分數並非常態分配的情形，就必須轉化為常態分配，才能相互比較，如此轉化後的分數所建立的常模，稱為常態化標準分數常模。最常用的常態化標準分數有：T量表分數（T-scaled score）、標準九（stanine）與C量表分數（C-scaled score），留待第二篇教育統計學詳述。

4. **離差智商**：離差智商是為彌補早期智力衡量所用的比率智商所設計，比率智商（$IQ=\frac{MA}{CA}\times 100$）的缺點是分母生理年齡（CA）越增加，比率智商越小。因此，離差智商採用相等單位，以100為平均數，15為標準差，讓智商可以相互比較。

(三) **校準常模：測驗專家若要發展一套新測驗，就必須以一套與新測驗性質或功能相當接近的舊測驗當校準測驗（anchor test），才能建立新測驗的常模。**其實施方式是將新舊測驗對同一群受試者（校準樣本）進行施測後，將其對照相同百分等級的位置進行校正。例如：某人在舊測驗得分60分，百分等級50，在新測驗得分為75分，則新測驗百分等級50的分數為75分，亦即$PR_{50}=75$。

(四) **其他常模類型**

全國性常模	以全國地區研究對象為母群體，經隨機抽樣取得常模樣本所建立的常模，稱為全國性常模（national norm）。
區域性常模	以同一地區相同屬性的研究對象為母群體，經隨機抽樣取得常模樣本所建立的常模，稱為區域性常模（local norm）。
學校常模	以學校同一年級為研究對象母群體，經隨機抽樣取得常模樣本所建立的常模，稱為學校常模（school norm）。
特殊團體常模	以某種特殊特性的研究對象為母群體，所建立的常模，如：視障生、聽障人士、特殊職業團體等。

二、常模樣本與常模評鑑（108地三）

(一) **意義：常模樣本是教育與心理測驗標準化過程所使用的樣本團體，因此，又稱為標準化樣本（standardization sample）**。針對常模樣本測量的結果，再透過統計方法推論於母群體。

(二) **常模評鑑（選用原則）：常模評鑑的原則是以樣本有無代表性（representativeness）、是否適切（relevance）、是否新近（recency）來判斷，稱為3R原則。**

1. **樣本代表性**：樣本的大小與特性是否能代表母群體，是為樣本代表性。樣本的大小原則上是越大越好，較不會受到誤差的影響；樣本的特性，包括年齡、性別、地區、家庭背景等，都應跟母群體的特性相同。另外，隨機抽樣的樣本最具代表性。
2. **樣本適切性**：常模樣本的性質必須和測驗對象相似，亦必須符合測驗本身的目的。例如：拿智力測驗的常模用於性向測驗，或是特殊團體常模用於全國性測驗研究，都不適切。
3. **樣本新近性**：常模會隨著時間改變而漸不適用，因此，不能拿舊常模應付新測驗，如此的測驗解釋必然天差地遠，甚至錯誤連篇。測驗常模必須與時俱進，經常建立最新的常模資料。

第四節　測驗分數的解釋

(1)測驗分數解釋的類型；(2)分數解釋的原則與注意事項，是必考重點。

一、測驗分數解釋的類型（100司三）

高德門（Goldman, 1971）曾提出以三個向度做為測驗分數解釋的模式。**三向度分別為：解釋的類型、資料的處理方法、資料的種類（來源）**。其中，「解釋的類型」有四種：敘述的解釋，溯因的解釋、預測的解釋、評斷的解釋；「資料的處理方法」有兩種：機械的處理、非機械的處理；「資料的來源」也有兩種：測驗資料、非測驗資料。將此三個向度加以組合，可有

4×2×2=16種不同的解釋方式。例如：某生做完性向測驗後，以「預測的—機械的—測驗資料」的解釋方式，可以將測驗結果解釋為「從性向測驗的側面圖分析中，可看出某生在數學科未來的發展比語文科成功。」

上述「資料的來源」中測驗的資料（test data）指的是，由各種標準化測驗所得到的分數：非測驗資料（nontest data）指的是，由非正式標準化測驗蒐集到分數，如學校在校成績、模擬考、段考、訪談、觀察所得資料。「資料處理方法」中機械處理（mechanical treatment）是指常模表、側面圖、預期表、相關、差異分析、迴歸預測等統計分析處理；非機械處理（nonmechanical treatment）是指主觀直覺的臨床診斷處理，資料較不易量化比較。至於分數的解釋類型以下詳述之：

敘述解釋 descriptive interpretation	**敘述解釋是描述個體的心理特徵狀態**，如聰明程度、語文性向是否高於數理性向、內向學生等。
溯因解釋 genetic interpretation	**溯因解釋是回溯個體過去的原因，以解釋個體目前的發展狀況。**如學生的學業成績低落是否因用功不夠造成？其閱讀能力低落是否與家庭環境有關？
預測解釋 predictive interpretation	**預測解釋即預測或推估未來個體可能發展情形。**如學生上大學的數理成績會怎樣？學生未來的數理成績是否會優於語文成績？學生繼續升學可能性多大？
評斷解釋 Evaluative Interpretation	**評斷解釋依據分數做價值判斷或做決定。**通常此種判斷是綜合以上各種解釋類型判斷的結果加以研判。如學生應該升學高中或高職？學生未來可以從事哪一種職業？評斷解釋通常須有相當的證據，因此，若沒有充分資料當做解釋分數的依據，最好避免做評斷解釋，以免過於主觀。

二、測驗分數解釋的原則（106身三）

(一) 測驗前應瞭解受試者的需求為何，選擇最合適的測驗。
(二) 測驗後解釋分數時，應由專業人員進行測驗分數解釋的工作。
(三) 測驗解釋過程應鼓勵學生的參與，並與學生進行雙向溝通。
(四) 瞭解測驗的目的、功能與性質，測驗結果在測驗架構下解釋才具意義。
(五) 測驗的解釋應參考其他有關的資料。如受試者狀況、身心發展、家庭文化背景、測驗內容、教育經驗、習慣態度、興趣、動機等。

(六) 解釋時應以一段分數取代點分數，避免只給數字而不加以解釋。最好當面說明數字的意義並加以文字的解說。

(七) 最好以圖形代替分數，如性向測驗以側面圖取代總分。

(八) 應進行多元評量，如此分數較為客觀。

(九) 測驗資料與分數應加以保密。

(十) 測驗分數解釋時應質量並重。

(十一) 解釋分數只做建議，不做決定也不妄下斷語。

(十二) 對低分者的解釋要特別小心，避免貼標籤。

(十三) 瞭解學生感受，避免過度比較。

(十四) 適度的評量進步分數，並重視學生的成長。

(十五) 要依測驗目度選擇適合的測驗形式，常模參照較適合比較，標準參照較適合精熟與診斷測驗。

(十六) 測驗分數的解釋要考量受試者練習因素的影響。

(十七) 測驗分數的解釋要考量受試者動機與焦慮因素的影響。

(十八) 測驗分數的解釋要考量受試者的作答心態。例如：寬大誤差、嚴格誤差。評定分數應避免評量者的評分偏失。包括：「嚴格偏失」（severity error）（常將學生的表現一律評定在較低等級）、「寬容偏失」（generosity error）（常將學生的表現一律評定在較高等級）。

(十九) 解釋分數應避免主試者的月暈效應或稱光環效應（halo effect），導致高估結果；也應避免尖角效應（horn effect），導致低估結果。

(二十) 解釋分數應避免主試者的個人偏誤（personal bias fallacy）或偏見（bias），以及邏輯謬誤（logical fallacy）。

(二一) 要謹記任何的測量都有誤差。因此，測驗解釋切勿誇大，應以一般可信賴範圍加以解釋分數。例如：某生智力測驗得分105，該測驗的測量標準誤為10，則他的智力落在95~115之間的機率有68%。

(二二) 測驗解釋後應實施補救教學或教育輔導。

小叮嚀

月暈效應是指評分者無法區別相同受試者內之所有特質，教師根據單一好印象擴散至整體都好；而邏輯謬誤則是由於評分者無法區別欲測量的主要特質和無關的特質。

第五節 性向測驗結果的解釋舉例

(1)性向測驗的意義與用途；(2)側面圖的意義與運用；(3)結果解釋，都是考試重點。

在第二章第二節我們曾提過，**性向測驗乃在提供訊息，了解有關自己的各種能力，幫助個人進行生涯規畫**。能力有兩個層次：

(一) **先天層次**：指的是個人天生潛在的各項智能，也就是一般人所稱的天賦、資質、或性向。

(二) **後天層次**：指的是人經過教育或反覆訓練後所表現出知識的應用、技巧的純熟等方面的能力，我們通常會以專業能力來形容這種後天層次的智能。

以下以性向測驗結果的解釋為例，表4-3列出性向測驗的分測驗名稱、相關潛能、應用領域與適合的工作。

表4-3 性向測驗結果的解釋

分測驗名稱	相關潛能	應用領域	擁有該潛能可能勝任之工作或職業
語文詞義	測量對文字的了解與運用能力	適合從事有關溝通、文書、商業服務或決策性的專業工作	文書、廣告、編輯、寫作、記者、教育、工商管理、諮商輔導、行銷、觀光、接待、醫療、照護、校對、廣播、法律、公務員等需要溝通表達能力的工作
數學能力	測量數目推理、運用數目與明確處理數量的能力	對於有關數學、化學、物理、工程以及商業、文書工作都很重要。	科學實驗與研究、土木、建築、化工、電資、機械、生技、醫療、管理、程式設計、會計、財稅、金融等工作，以及法官、檢察官等工作。
語文推理	測量語文推理及了解語文概念的能力	對需要書面、溝通、專業性的科學，以及涉及決策性的高專業工作都重要。	可運用於每一領域之工作。
機械推理	測量了解機械裝置及物理定律的能力	對工藝及科學技術類的工作特別重要。	各類工程、製造、研發、維修、工業管理、工業設計等工作，以及系統分析、系統整合、程式設計、制定執行方案、交通物流等工作。

分測驗名稱	相關潛能	應用領域	擁有該潛能可能勝任之工作或職業
空間關係	測量設想三度空間及依圖解想像物體位置的能力	對於工藝、科學技術、美術、建築設計和藝術類的工作十分重要。	測量、繪圖、製圖、廣告、建築、土木、景觀、園藝、服裝、室內裝潢、媒體設計、美術、工藝、雕塑、模具、觀光、交通、環保、大氣、河海、地質鑽探、商船、都市計畫等工作

資料來源：大考中心（2013）。

一、檢視測驗分數的結果

(一) 百分等級（PR）：由原始分數換算得來，指每一百個人當中，你可以贏過多少人，前已敘明。

(二) 百分等級高於30即表示具有中等程度的能力。

(三) 分測驗百分等級成績相差15以上才表示這兩種能力有顯著差異存在。

二、由側面圖了解分化情形

(一) **多才多藝型**：若個人在各項分測驗的百分等級均超過85者，在任何大學或所選的課程或將來從事任何一種有關的行業幾乎都有成功的可能，如下圖。

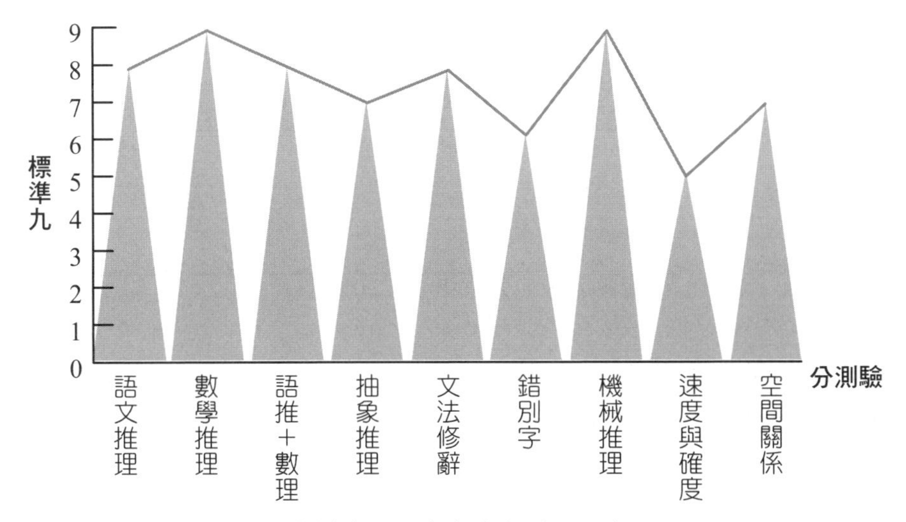

資料來源：大考中心（2013）

(二) **明顯分化型**：部分項目分數突出，其他平平，這是最普遍正常的現象，此表示百分等級超過85的性向，是未來較容易成功的方向，如下圖。

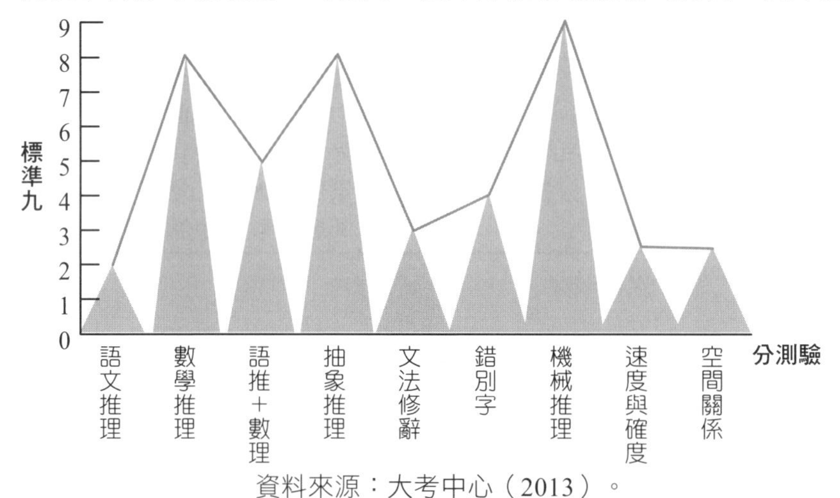

資料來源：大考中心（2013）。

(三) **未分化型**：若測驗分數均在百分等級45～55之間，則表示學生能力尚未明顯分化，此時宜多參照個人興趣與價值取向，以利生涯發展。

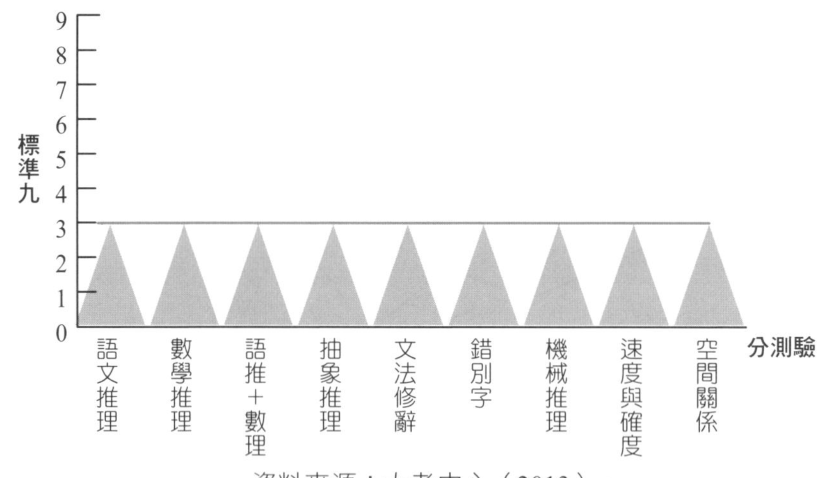

資料來源：大考中心（2013）。

三、解讀性向測驗的注意事項

(一) 百分等級高不代表學科成就高。

(二) 別急著因性向測驗結果而自我設限。

(三) 性向測驗結果不能作為選擇職業的唯一指標。

(四) 限制：僅測得五個分測驗的能力，還有許多尚未透過測驗得知的潛能。

考題集錦

1. 一個良好的測驗，除了要看其信效度資料外，對其常模之建立也應詳加判斷。某研究者明年將為臺北市高一學生編製一份國文科成就測驗，請您從良好常模應具備特性的角度提出具體建議，讓他在建立常模前可以參考。（103身四）
2. 常模參照測驗與效標參照測驗有何不同？當一個老師說要當掉最差的10%的學生，是那一種測驗的概念？（103普考）
3. 美國學者金森（A. Jensen）根據其研究提出「黑人之平均 IQ 比白人的平均 IQ 低 15分」的論點，因而引發黑人憤怒。請你對金森的研究提出評論。此外，為了避免智力測驗之使用造成族群間的不公平，請提出改善方法。（103原三）
4. 請比較「門檻檢定測驗」（絕對比較）與「鑑別檢定測驗」（相對比較）之差異為何？今年的十二年國教高中職入學方式中有那些措施違反此二種測驗的原理，因而引起很大紛爭，請詳述之。（103原三）
5. 當我們解釋一個重要的測驗結果（例如：智力測驗得分）時，應注意那些事項？（103地四）
6. 何為常模？常模有何功用？常模使用錯誤的可能情形為何？（102身四）
7. 「常模」（norm）與「標準」（standard）有何不同？為何測驗常模不能當作良好表現的標準？請至少指出三項判斷常模適切性的要素，並分別舉例說明常模與標準的適用時機或情境。（101身四）
8. 有一心理測驗的平均數為 100，標準差為 15，小明在此測驗的得分為 105。但由於測驗分數都可能有誤差，解釋小明的測驗結果宜採何種方式？（101原四）
9. 在推薦甄試時，5 位口試委員針對考生的專業背景與研究潛能兩項加以評審，評分結果顯示這 5 位委員給考生的專業背景評分都很高，但對研究潛能評分都很低。請分析這個評分結果中專業背景與研究潛能兩項分數之間的可能關係（相關）？必要時可舉例（數字）說明。（101原四）

[考題解析範例]

一、「常模」(norm)與「標準」(standard)有何不同?為何測驗常模不能當作良好表現的標準?請至少指出三項判斷常模適切性的要素,並分別舉例說明常模與標準的適用時機或情境。(101身四)

答 (一)常模(norm)與標準(standard)的不同:常模並非標準。常模(norm)係標準化的樣本接受測驗後實際表現的平均水準,受試者的測驗分數(或稱原始分數)(raw score)對照常模表加以比較,可以指出個人在團體中的相對地位,說明受試者間的個別差異,以及提供個人在不同測驗相互比較的功能。而標準(standard)是評量者事先就受試者的能力水平與學習狀況加以設定一個分數標準,測驗結果達到標準以上的就可通過。

(二)為何測驗常模不能當作良好表現的標準

1. 因為常模過分強調相對地位高低,且相對地位間的單位不一定相等,同樣相差一個等級,其分數的差別不一定相等。
2. 常模無法指出學生真正成就,單從常模參照測驗分數,僅能比較其團體相對位置,並無法瞭解學生達到教學目標的程度,也無法實質反應學生學業成就,因此,並不適合診斷學生學習困難,或評鑑某項教材和教法的優點。
3. 若參照不同的參照團體,其測驗分數就有所差異。例如:同樣百分等級,資優班學生的實際成就往往比普通班高。

(三)常模判斷標準:測驗編製者所提供常模是否恰當,可由三方面判斷,亦即樣本有無代表性(representativeness)、是否適切(relevance)、是否新近(recency)來判斷,稱為3R原則。

1. 樣本代表性:樣本的大小與特性是否能代表母群體,是為樣本代表性。樣本的大小原則上是越大越好,較不會受到誤差的影響;樣本的特性,包括年齡、性別、地區、家庭背景等,都應跟母群體的特性相同。另外,隨機抽樣的樣本最具代表性。

2. 樣本適切性：常模樣本的性質必須和測驗對象相似，亦必須符合測驗本身的目的。例如：拿智力測驗的常模用於性向測驗，或是特殊團體常模用於全國性測驗研究，都不適切。

3. 樣本新近性：常模會隨著時間改變而漸不適用，因此，不能拿舊常模應付新測驗，如此的測驗解釋必然天差地遠，甚至錯誤連篇。測驗常模必須與時俱進，經常建立最新的常模資料。

二、(一) 某測驗分數為常態分配，其百分等級50～60之間的原始分數差距，比百分等級80～90之間的差距，是大還是小？換句話說，接近平均數處的分數若稍作改變，較遠離平均數之分數稍作改變，其相對的百分等級之改變會較大或較小？這是什麼原因？請用次序量尺或等距量尺的觀念來說明。

(二) 當某位學生之PR值為84時，請問其贏過多少%（percent）的人？（101身四）

答 (一)

1. 百分等級兩端差距大，中間差距小，因此，百分等級50-60之間的原始分數差距，比百分等級80-90之間的差距小。

2. 接近平均數處的分數因原本差距小，故若稍作改變，其相對百分等級的改變會較遠離平均數之分數改變較大。

3. 有上述情況的原因乃是百分等級的單位並不相等，它是一種次序量尺，靠近常態分配中央原始分數單位小，二端單位大。

(二) PR＝84時，表示在團體中贏過多少84%的人。

第五章　教師自編測驗與評量

依據出題頻率區分，屬：A 頻率高

開箱密碼

本章主要談教師自編測驗與評量，介紹教學評量的規劃原則與注意事項、教學目標與學習成果的分類及其與學習評量方式的連結、自編測驗的步驟與命題原則、另類評量，以及測驗未來的發展原則與趨勢。本章的出題形式主要以解釋名詞以及概念問答為主，對於自編測驗的步驟與基本要求，以及各種另類評量方式的意義、具體做法與優缺點分析，都要加以熟讀，尤其出題機率最高的實作評量、動態評量與檔案評量，更是出題的焦點所在，必須用心體會。

第一節　教學評量的規劃

考點提示

本節在近年來雖無考題出現，但評量的規劃關係評量成效甚鉅，必須加以注意。考題重點有(1)教學評量的基本原則；(2)教學前、中、後的評量方式；(3)評量方式與教學內容及學習成果結合，都是重要的考題方向。

新世紀的教學不再只是強調知識的傳遞和考題的不斷演練，為了達到成功的教學與有效的學習，教學評量方式的求新、求變應是關鍵所在。近年推薦甄試與申請入學的實施，越來越重視學生多元的學習表現，除了傳統紙筆測驗下的學業表現之外，同時評量申請者的活動紀錄與學習歷程，尤其**十二年國教免試入學超額比序項目中，各招生區普遍重視獎懲紀錄、服務學習、社團活動等非紙筆測驗，這個趨勢凸顯了多元評量的重要**，以及教師因應時勢規劃適切評量方式的必要性。教師進行教學評量的規劃，必須注意以下幾點：

一、教學評量的基本原則（106身四）

(一) **發展評量計畫**：有助於教師思考整個評量歷程，包括評量方式的選定、試題類型、結果的解釋與運用，可以提升評量的效益。

(二) **事先告知評量內容與範圍**：可供受試者進行準備或於評量前提出問題，將受試者身心狀況及能力水準列入參考。

(三) **依據教學目標**：教師應依據教學目標訂定學習教材，並考量學生能力與教學資源，採用適當的教學方法及評量方式，以達成預期目標。

(四) **兼顧多重目的**：評量方式除了要符應教育宗旨與教學目標之外，更要兼顧認知、情意、技能三種不同領域的評量。

(五) **採用多元方法**：除了傳統的紙筆測驗之外，評量還應採用實作、歷程檔案、觀察、訪談、活動紀錄等多元並行的方式。

(六) **進行多次評量**：評量宜在不同時間、不同場合針對同一施測對象進行多次評量，以正確反應受試者各方面的能力水準，達成長監控（progress monitoring）的功能。

(七) **尋求合作並改進評量技術**：所謂獨木難以成舟，教師應組織教學團隊，分享共同的教學成果與評量心得，將評量嵌入課程（curriculumembedded）中實施。

(八) **評量過程要重視歷程與結果**：可以兼顧形成性評量與總結性評量，真實呈現更多元的學習成果。

(九) **力求評量的客觀與精確**：例如：試題的內容取樣要公平且具代表性、試題要能切中能力指標的評鑑。

(十) **施測前後要尊重學生隱私權**：評量方式應顧及學生的人權與隱私權，讓學生學習自律與自重。尤其施測後未取得學生同意，不能公開結果。

(十一) **提供師生立即回饋**：評量的規劃要能讓教師從中瞭解學生需求，作為教學改進參考，讓學生瞭解學習盲點所在，進行充實與補救。

(十二) **善用評量結果**：可以提供改進教學策略或課程設計的參考，以縮短學生學習成就落差（achievement gap）。

二、教學前的評量

教師針對自己選定的教學單元，進行教案編寫、教材分析、技法示範、準備工作、熟練媒體操作等工作，並規劃教學前的評量。其特點為：

(一) 以區別學生能力高低為目的。

(二) 通常由學科或測驗專家主導。

(三) 實施過程強調公平及效率。

(四) 重視測驗結果的預測效度。

(五) 通常供診斷學生起點行為或安置編班之用。

三、教學中的評量

教師必須熟悉教學目標，評估學生起點行為，規劃引導階段之形成性評量、發展階段之形成性評量，以及綜合階段之總結性評量。其特點為：

(一) 以改進學生的學習行為為目的。

(二) 由授課教師主導。

(三) 與學科性質及班級文化密切配合。

(四) 提供豐富回饋，兼重教學相長。

四、教學後的評量

教師於教學後實施的評量，其主要的目的為學生學習成果的展現，包括學習盲點的診斷，可以提供教師瞭解學習概況與教材修正的參考。包含學生作品或展演之評量、學習遷移、總結性評量及補救教學評量等。其特點為：

(一) 以教師對教學成效之檢討為目的。

(二) 以診斷學生學習盲點為重點。

(三) 提供教師教材修正的參考依據。

(四) 其方式除了紙筆測驗亦包括作品展演等多元評量。

(五) 提供教師進行補救教學或充實學習的參考。

五、評量應與教學目標連結

評量既然是教學與學習的診斷工作，自然應與教學目標相互連結，才能瞭解學生的學習表現與學習目標的契合度，同時提供教學回饋線索供教師參考。

六、評量應與教學階段連結

不論是安置、診斷、監控或成就測驗，其目的都在不同的教學階段進行學習檢測，以確保學生達成教學目標。

七、評量方式與教學成果的結合

教師應將評量規劃與教學成果相互結合，除了可以瞭解教師教學及學生學習的成果，並可透過評量內容的設計，促使學生以更新的方式思考所學與運用所學於學習成果的展現，並設法和他們已知經驗與知識進行結合。如此，評量可以更真實地反應學生的學習成效。

八、建立課堂測驗的明細

試題產生的程序必須包括**確定測驗的目的、確定測驗所要測量的範圍和能力層次、確認學習成果、建立雙向細目表的細目，以雙向細目表為命題的依據並依命題原則、依學習材料的重要性、困難度多寡分配占分比重，最後編擬試題**，每個步驟缺一不可。

第二節　連結教學與成果的評量

考點提示

本節於近年雖未有考題出現，但(1)布魯姆教學目標的分類及修訂版所提的事實知識、概念知識、程序知識與後設認知知識；(2)學習成果的分類及合適的評量方式，是必考重點，須加以詳讀。

教學評量規劃中最重要的是發展評量計畫，而發展評量計畫最首要考量的就是評量如何連結教師的教學目標與學生的學習成果。如此一來，教師方能選擇最好的評量方式與決定最適用的試題類型，評量才會有效。

一、教學目標的分類

根據布魯姆（Bloom, 1956）的分類，完整的教學目標應該兼顧認知、情意與技能三種不同的領域。其中認知的評量，包括記憶、理解、應用、分析、綜合、評鑑等；情意的評量，包括接受、反應、價值判斷、價值的組織與價值體系的形成等發展歷程；技能的評量，包括知覺、心向、反應、模仿、機械反應、適應與創新等歷程。這些教學目標最好能配合「行為目標」來決定評量的方式和工具。圖5-1表示布魯姆的教學目標分類及其後的修正版本。

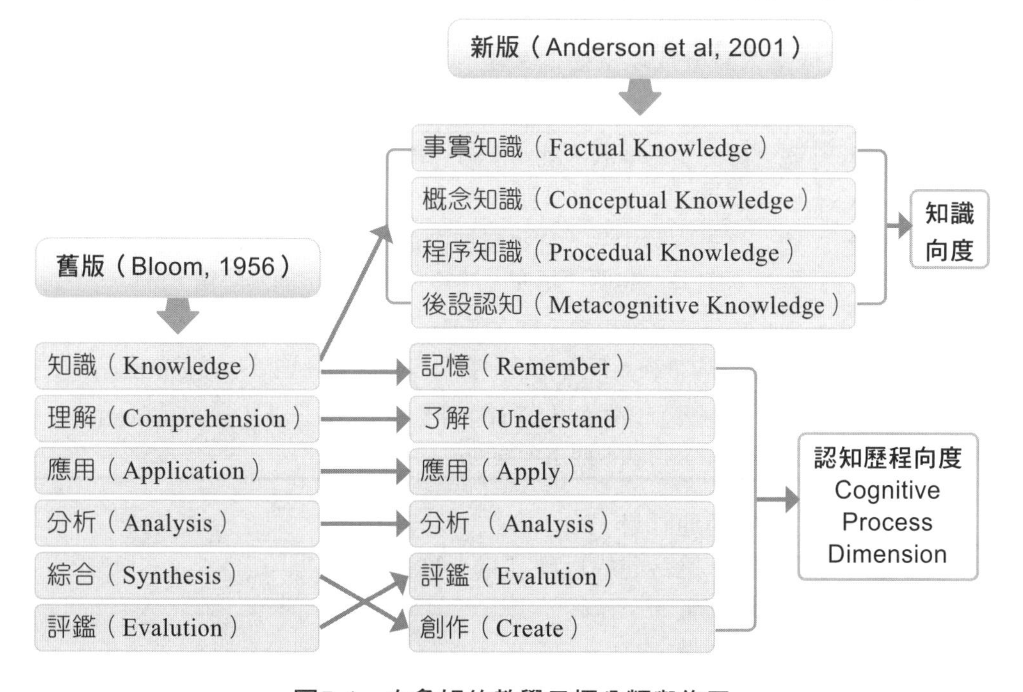

圖5-1　布魯姆的教學目標分類與修正

資料來源：Anderson et al（2001），p268。

修訂版的布魯姆教育目標分類，其中知識的面向再細分成：事實知識、概念知識、程序知識與後設認知知識。事實知識是指有關事實性或陳述性的知識，例如：化學元素符號、人名、地名、年代；**概念知識（conceptual knowledge）是指基本知識與其上層知識的相關、連結或組合**，例如：元素的金屬性與非金屬性、某一年某人發生某一歷史事件；**程序知識（procedual knowledge）是指按一定程序理解操作從而獲致結果的知識，例如：駕駛汽車**、利用九九乘法表進行運算、進行理化實驗；**後設認知知識（metacognitive knowledge）是指可用於控制或處理認知過程的知識、經驗與技能**，例如：閱讀書本時，遇到不了解的段落會運用認知策略，重讀一遍，或是尋找其他線索，像是圖畫、圖解，以幫助自己理解等。

二、學習成果的分類

(一) **學習成果與評量方式**：設計考題必須依照學生的學習成果來出題，才能瞭解學生理解與吸收的程度，避免因為老師題目出的不好或是出錯題型而無法充分表現其學習成果，因此，學生考試表現不好可能因為受到評量的類型影響，老師出考題時應該要仔細思考評量的目的為何，該如何選擇適當的題型以及測驗方式。

學生學習成果大致分成以下幾個類型，也各分別有其適合的評量方式：

1. **知識：**

片段知識	適合紙筆測驗中的「挑選反應評量」（selected response）題型，如：選擇、是非、配合題。
統整知識	適合紙筆測驗中的「建構反應評量」（constructed response）題型， 如計算、證明、填充、問答、簡答、申論、解釋。
程序性知識	適合非紙筆測驗中的「實作評量」（performance）方式，如：操作儀器、 誦詩詞、英文會話、製作陶器等，評量活動過程或產品。
學習障礙	適合非紙筆測驗中的人際溝通評量（interpersonal communication）方式，如：晤談、觀察、詢問。

2. **情意**：適合人際溝通評量。
3. **推理與問題解決**：適合建構反應評量、實作評量。
4. **技能**：適合實作評量。
5. **產品**：適合實作評量。

(二) 選擇評量方式的考慮要素

1. 學生表現受評量類型和難度的影響。
2. 評量方法、評量內容與試題品質同等重要。
3. 評量結果不一定反應學生的真實認知概況。
4. 盡量減輕學生的測驗焦慮。
5. 瞭解學生面對評量的態度。
6. 評量對教學與學習的影響。
7. 評量所及的認知結構與知識。
8. 測驗中的認知處理過程。

(三) 認知目標的命題原則（107地四）

認知目標的命題重視概念的理解，近年流行的概念構圖（concept mapping）就是一種以概念為中心的新式的學習、評量與研究方法，同時也是構成有意義學習的一種評量工具。概念圖是一種以圖示的方式來表示概念及表示概念與概念之間的關係的表徵方式，也有人稱之為語意圖（semantic mapping）、圖解組織（graphic organizer）或網路圖（networking）。

概念構圖最先由Novak和Gowin（1984）提出，概念圖係以視覺排列的方式來安置「概念」；概念間彼此的「關係」也被記錄在概念與概念之間。完整的概念圖是「概念」及「關係」的陳列，並顯示各單獨概念彼此的關係型態。概念圖的種類有蜿蛛圖、鏈狀圖和階層圖三種。蜘蛛圖是由一核心概念和周圍概念所組成；鏈狀圖是由一單向度的序列概念所組成；而階層圖則由上下階層從屬的概念所組成（劉威德，2019）。

認知目標的命題原則如下：

1. 掌握教學目標，緊扣學習核心。
2. 把握測量重要觀念，非著重枝梢末節的記憶。
3. 以概念為中心命題，題型應多與生活結合。
4. 難易度適中，題目類型多變。
5. 注重思考及融會貫通的能力，活用各種評量方式。
6. 運算試題不要太多繁雜的計算，應重視概念的理解與應用。

第三節　自編測驗的步驟與命題原則

本節年年必考重點：(1)教師編輯測驗評量的基本步驟；(2)各類型試題的命題原則與注意事項。

一、教師進行班級測驗與評量的基本步驟（100原三；101身四）

教師進行班級測驗與評量設計的步驟，**主要有四大部分八個步驟**，分別為：

1. 決定評量的目的和目標。
2. 編製評量所需的雙向細目表（two-way specification table）。
3. 選擇適當的題型與評量方法。
4. 編輯測驗（命題工具、軟硬體、評量的原則）。
5. 組卷與印刷。
6. 施測與計分。
7. 審查及評鑑（含建立題庫）。
8. 善用結果（含試題分析、改進教學）。

前1~3項為設計評量的計畫，第4、5項為編印，第6項為評量的實施，而最後的第7、8項為評量的檢討與回饋部分，用以改進學生學習和老師的教學。詳述如下：

(一) 計畫

1. **決定評量的目的和目標**：教學目的不同則評量方式就應不同，一份測驗評量要能測量學生學習成果，教師必須事先確立所要測量的教學目標為何，並根據Bloom所提認知、情意、動作技能領域三大教學目標進行評量的設計。
2. **編製評量所需的雙向細目表**：雙向細目表設計原則有以下幾點：
   (1)依據教學目標、教材內容重點、課程內容難易與重要性，決定表中的試題數目與比重。
   (2)視情況增減表中教學目標與教材內容，以及試題數目與比重。

(3)教材內容可以課、章、節、概念、單元等方式填寫。

(4)應歸類出每一試題所屬的認知層次，如知識、理解、應用、分析、綜合、評鑑。

(5)未教過的教材範圍，不應有試題出現。

(6)試題比重避免為零（表示無適當試題代表）。

(7)針對教師自己的命題及評分習慣，選定表中測驗題型，增減試題數目。

3. **選擇適當的測驗題型或評量方法**：教師應根據教學目標與學生學習成果的表現方式，選擇不同的評量與測驗，並依據不同測驗類型獨特的編製原則與方法，瞭解其特性與技術，編製最適合的試題，才能發揮評量的功能。試題題型依評分方式不同可分為二大類：

客觀測驗（選擇型試題）	包括選擇題、是非題、配合題、填充題、簡答題、解釋性試題。
主觀測驗（補充型試題）	包括申論題、問答題（延伸反應題與限制反應題）。

(二) 編印

1. 編輯測驗（命題工具、軟硬體、命題或評量的原則）

(1)**測驗題數**：測驗題數多寡無絕對標準，應依測驗目的、題目類型、信度高低、學生年齡、學生能力，而有不同題數標準。如高信度測驗，題數應增加；常模參照測驗題數應比標準參照測驗多；年齡愈長，題數應愈多；能力較低，學生題數應較少；速度測驗題數應較難度測驗多。

(2)**測驗難度**：測驗難度決定於測驗目的，如標準參照測驗是教學後，評量學生精熟學習內容的程度預期均會得滿分，題目難度較低，其鑑別力低；常模參照測驗目的在確定個人分數在團體中的相對位置，題目難易適中為主，其鑑別力高。

2. **組卷及印刷**：編輯正式測驗試題的過程包括試題編排、實施指導語與答案設計：

(1)**試題編排**：可依據試題類型、配分考量、試題難易度或教材內容加以編排。

(2)**實施指導語**：說明測驗實施過程須注意的事項，包括測驗目的、填答方法、計分方式、時間限制、有無倒扣分等。

(3)**答案設計**：最好設計作答的答案紙，與題目紙分開，方便計分。

(三) **實施**

施測及計分：施測過程應盡量避免非系統誤差的出現，施測環境的建置與過程的標準化，以及計分、解釋與應用，都必須加以注意。

(四) **檢討與回饋**

1. 審查及評鑑（包含建立題庫）。
2. 善用結果（包含試題分析，用以改進學生學習和老師教學）。

二、試題類型與命題原則

(一) **選擇題**（110普考；107原四；107身三）：題幹與題項兩個部分組成，題幹是問題的敘述，題項是幾個可能的答案供選擇。**其選項的答案形式有最佳答案型與唯一答案型**。

1. **優點**
   (1)命題與計分較申論題客觀。
   (2)考試範圍比申論題更廣，內容取樣更具代表性。
   (3)可以適用於六個認知層次的知識評量。
   (4)可以避免申論題、簡答題題意不清或答題範圍太廣的缺點。
   (5)最佳答案式可以避免如是非題全對或全錯的難以判斷。
   (6)比是非題可少受猜測因素的影響，信度較高。
   (7)比是非題容易避免反應心向的干擾。
   (8)誘答選項具有教學診斷的價值。
2. **缺點與限制**
   (1)比申論題等建構反應題型不易評量學生高層次能力。
   (2)比申論題等建構反應題型不易編寫，尤其是誘答選項的設計。
   (3)偏重語文能力的評量，較不適合實作與科學能力的評量。
3. **命題原則**
   (1)每個題目只針對一個問題。
   (2)問題的描述必須適合學生的程度。
   (3)問題的敘述應簡單明確。
   (4)題數要適中，避免過多造成猜測。
   (5)難度要適中。
   (6)避免過於弔詭或刁鑽的題目。
   (7)將題項的共同用字放於題幹中。
   (8)題目盡可能正向敘述。

(9)避免提供正確答案的線索。

(10)應設計優良似真的誘答選項。

A. 以學生常犯的迷思概念、錯誤類型、誤解、粗心當誘答選項。

B. 引用或改寫課本中的字詞。

C. 利用題幹中的關鍵字詞。

D. 選項應盡量同質敘述。

(11)避免使用以上皆非或以上皆是。

(12)避免出現兩個意義相同的選項。

(二) **是非題**：乃非對即錯的對立反應（alternative response），**有是非式、訂正式、組合式幾種類型。**

1. **優點**

(1)適用於問題事實僅有對錯之分的測量。

(2)適合用於一般學生容易犯的錯誤概念。

(3)作答快速，相同時間內能測得較多概念。

(4)適合較低語文能力的族群，如：兒童。

2. **缺點與限制**

(1)較不適用於該問題事實有所爭論的題目。

(2)容易受猜測因素的影響。

(3)抽象籠統的教材不適合是非題。

3. **命題原則**

(1)每個題目只測量一個概念。

(2)盡可能正面敘述問題。

(3)問題的描述要簡單明確。

(4)避免枝梢末節的記憶。

(5)題目中避免暗示性的線索。

(6)對錯答案隨機出現且題數相當。

(7)文句避免直接抄襲課文內容。

(8)避免出現雙重否定的陳述句。

(三) **配合題**：選擇題的變形，題目在左，選項在右，並配有作答說明。

1. **優點**

(1)製作簡便。

(2)可以測量多個概念。

(3)內容取樣較具代表性，信度較高。

(4)計分客觀且容易。

2. **缺點與限制**

(1)較適用記憶型的教材。

(2)尋找同質性的題目較不易。

3. **命題原則**

(1)題目與選項都須為同質性。

(2)題目與選項應簡潔扼要。

(3)作答的方式要明確敘述。

(4)應按邏輯順序排列選項。

(5)同一組題目與選項應編在同一頁。

(6)問題項目與反應項目數量應不等。

(7)問題項目與反應項目不宜過多或過少，以五項左右為佳。

(四) **簡答題與填充題**：簡答題一般用完全敘述語句來問，填充題則是用不完全敘述語句請做答人填入答案，兩者皆屬選擇題的應用試題。

1. **優點**

(1)填充題必須填入答案以完成語句，較難猜測。

(2)填充題題目編製容易。

(3)簡答法較適合數理學科，可列出運算過程。

(4)簡答法長度較長，可測出較長較多的記憶量。

(5)較難測出高階層的認知能力。

2. **缺點與限制**

(1)填充題僅能考出片段記憶，難以測出其他高階層的能力。

(2)評分容易受字體美醜、版面配置等因素影響評分客觀性，信度較低。

3. **命題原則**

(1)填充題一個問題只能有一個非常明確的答案。

(2)填充題所要填寫的部分避免零碎知識，最好是重要概念。

(3)填充題同一題空格不宜太多，以1~3格較適宜。

(4)填充題空格盡量置於末端，避免置於最前端。

(5)填充題答案應精簡，每個字數應接近，避免考生以格子長短猜測答案。

(6)簡答題題目應精簡，答案最好是幾個字就能答出重要概念。

(7)簡答題應盡量衡量高層次的思考能力，且每題只問一個概念。

(8)簡答題應以回答範圍的廣度與深度決定配分多少，才不會造成評分不公。

(五) **解釋性試題**（102地四；100地三）：解釋性試題（interpretive exercise）的出現，是為改進前述幾種試題較無法測出學生高層次思考能力與認知能力的缺點。**其命題方式主要提供受試者一些導讀性材料**（introductory material），**諸如：文章、圖表、實驗過程、照片、資料或情境等，其後伴隨著試題。受試者從導讀性材料中發現隱含的意義或知識，經思考、推理或研判用以找出試題的答案。**

1. **優點**

(1)可以培養學生對閱讀材料的理解、詮釋與判斷。

(2)更能測出多項目、高層次、較複雜的學習結果。

(3)可以搭配其他形式的試題，出題多元而彈性。

(4)導論性材料內容結合最新時事，有趣且意義豐富，可吸引學生作答。

(5)導論性材料可以提供評分與作答時共同標準。

2. **缺點與限制**

(1)不容易編製。

(2)材料必須符合教育目標。

(3)材料必須兼顧新穎性與正確性。

(4)需要相當的閱讀能力，較不適合用於閱讀能力較低的成人或兒童。

(5)此類型考題較容易提供學生額外線索答案。

(6)無法測量學生創造、組織和表達觀點的全部能力。

(7)較容易產生文化偏差問題，必須考慮不同性別或社經背景學生對於所選資料的熟悉程度。

3. **命題原則**

(1)導論性材料必須符合教育目標與學生程度。

(2)導論性文章應精簡有意義，圖表為主，文字為輔。

(3)導論性材料必須新穎有趣，最好與生活相關。

(4)導論性材料必須印刷清楚，題目與導論材料長度成正比。

(5)無論導論性題目用何種形式出題，都要符合出題原則。

(六) **申論題或問答題**（109普考；107身三）：前述幾種試題的類型都稱為客觀式測驗，主要精神在於評分較客觀。而問答題與申論題則是主觀式測驗，評分較主觀。**其形式分成兩種：**

延伸反應題 extended response	答案範圍較廣、較深、較開放，答案長度亦較長，適合報告、小論文或家庭作業，可以測量學生綜合、批判等高層次思考能力。
限制反應題 restricted response	題目中已限定特殊的答案範圍與情境，答題範圍較窄，是一般測驗問答題常用的形式。

1. **優點**

(1)比較能測出高層次、較複雜的學習能力。

(2)對學習知識的整合與運用最有幫助。

2. **缺點與限制**

(1)要編製有效且優質的申論題相當不容易。

(2)閱卷較費時。

(3)評分較不客觀。

(4)評分容易受到月暈效應、偏見、字跡等因素的影響。

3. **命題原則**

(1)精確地使用行為動詞，使題意更清楚。

(2)應清楚告知答題的方向。

(3)避免從幾題申論題中擇題回答，養成學生僥倖心理。

(4)每題申論題的答案長短應盡量接近。

(5)每題申論題的配分可依答案的長短以及高層次思考能力運用的難度加以分配，且必須明確寫出配分比重。

(七) **建構性的題目**（110普考）

建構性的題目（supplynitems; constructed response item; constructed item; extended response items）是指受測者必須以自己的方式表達與建構出答案。

1. **優點：**

(1)出題的使用時間較短：在60分鐘或90分鐘的考試中，僅需要幾個題目便可。

(2)建構是題目較可測量高層次的認知能力。

2. **限制：**

計分費時	無法藉助電腦計分，需要很多時間人工計分，以致增加閱卷時間。
計分困難	對於不同學生，老師評分標準也很難維持同一水準，除了概念正確與否外，文字表達能力與文字工整度是否列入計分也需要事先決定。
取樣較少	由於考試時間限制，一次考試僅出少數題目，所能涵蓋的學習範圍可能有限，造成取樣偏差。

第四節　另類（多元；變通；替代）評量

本節幾乎年年必考，其重點包括(1)真實評量或實作評量；(2)動態評量；(3)檔案評量或卷宗評量，必須非常熟悉。

升高中大學的推薦甄選、申請入學，以及十二年國教免試入學超額比序項目比教育會考成績，在這樣的需求下，多元化的評量方式，開始受到重視，由於學習成果所強調的是學生在真實情境下運用所學得的能力，因此**新的評量取向即以有別於傳統性評量以外的評量，強調教學與評量應密切配合，並以真實性的變通評量方式提升學生思考及問題解決能力為趨勢，其中真實評量、動態評量和學習歷程檔案評量更鼓勵了這一波新型態評量的潮流。**

一、真實評量

真實評量（authentic assessment）**主張教學即評量，評量即教學，教師透過觀察、對談，以及學生的作品，直接測量學生的實際操作表現，使教學與評量密切配合，稱為「真實評量」，有時也稱為「實作評量」**（performance assessment）**或「直接評量」**（direct assessment）。

(一) **目的**

1. 彌補傳統紙筆測驗等方式的不足。
2. 提供教師教學更明確的方向。
3. 對學生的學習成效更能精確地掌握。

(二) **具體作法**：其評量方法可以包括以下的技術：書寫能力測驗、問題解決能力、實驗操作技巧、表演、展示、作品、教師觀察、訪談與口試、檢核表、評定量表、問卷……，其形式可包括形成性評量、總結性評量或特殊教學計畫。

(三) **優缺點**

1. **優點**

(1)與生活經驗較能結合，增進學習遷移的可能。

(2)能同時評量認知與技能方面的能力。

(3)真實直接的測量，可排除語文能力高低的干擾。

(4)多元多樣的評量，可提供豐富的訊息。

2. **缺點**

(1)設計與實施較耗時費力。

(2)以人為主的判斷，評分較不易客觀，易產生月暈效應、溜滑梯效應、天花板效應、效標混淆效應、個人偏誤、邏輯謬誤等「評分者誤差」。因實作評量以觀察為主，因此身為觀察者的教師，先前對被觀察者（學生）就有既定印象存在，就很容易被此印象誘導，以致影響他的觀察結果，這稱為「混淆」或「實驗者偏見」。混淆的產生與評定誤差不同，所謂的「評量（定）誤差」是指如果採用評定量表觀察時，容易產生誤差的問題，包括：寬大的誤差、嚴格的誤差、集中的誤差及月暈效應等。(100普考)

(3)測驗情境較難控制，信度較低。

(4)難覓合格專業的評分人員，影響評分結果。

應考急救箱

溜滑梯效應（slippery slope）

又稱為連鎖反應、滑坡（斜坡）理論。指一件事情發生後會產生同樣的事情，會一再的發生而導致極端的效應，當我們的立場不夠堅定謹慎時，就如同行走在弧形的山坡地般，終究會抵擋不過地心引力而快速墜落。

效標混淆（criterion contamination）

效標混淆的主要來源，是觀察者預先知道被觀察者正在研究諸變項中某一項的表現，而影響其所要觀察變項的結果。簡言之，當效標分數的評定受到測驗分數的影響，即可稱之效標混淆，又叫做效標污染。例如：教師先看過學生的智力測驗分數後，對高智力學生的學業成就表現也易評定為高等第，此種現象稱為：效標污染效應。

月暈效應（halo effect）

社會心理學中有一個理論叫做「月暈效應」（halo effect），也稱為「暈輪效應」、「光環效應」、「光圈效應」。就是一個人表現好時，大家對他的評價遠遠高於他實際的表現，就像我們看月亮的大小，不是實際月亮的大小，而是包含月亮的暈光。反之，稱為「尖角效應」（horns effect），一個人表現不好的時候，別人眼中所認為的差勁程度，也會遠大於他真正差勁的表現。

(四) **實作評量評分規準的發展**（100身四；100普考）

評分規準（scoring rubric）亦可稱為評分標準（scoring criteria）或評分方案（scoring scheme）。它是由評分者事先設計的評分規則、指引或標準。實作評量依據教師對學生作品的觀察評定方式，可以分成整體式（global rating）評分規準與分析式（analytic rating）評分規準兩大類。其功能對評分者而言，可以引導評分公平客觀，並有助於評量信效度的提高。評分規準的要素、步驟與種類如下敘述：

1. **使用評分規準的要素**：評分規準的設定至少應包括下列要素：
   (1)評量應區分不同層面的特質，以評量學生不同的反應結果。
   (2)每一個特質的表現內涵須清楚加以界定，並以連續量尺分數加以區分成就高低。
   (3)對特殊實作水準必須提供範例，讓學生有所遵循。
   (4)完整的評分規準應包含等第、評分項目和評分指標。
2. **建立評分規準的步驟**：
   (1)查看優劣樣本的特質，作為評分的高低標準。
   ↓
   (2)列出評量項目。
   ↓
   (3)排列重要性：依邏輯、學習順序或重要性將評分項目加以排列。
   ↓
   (4)界定評分指標：針對每一項目寫出評分高低的標準。
   ↓
   (5)決定量尺等級的劃分：具體描述各量尺等級的換算與表現程度的對照。
   ↓
   (6)收集範本：收集優良作品，可協助學生楷模學習。
   ↓
   (7)不斷修正。
3. **評分規準的種類**（110高考）
   (1)**整體式評分規準**：將作品視為一個整體加以評分或比較，而不對作品細項表現進行分析。適用於大規模作品評分、作品細項單純、必須快速計分、總結性評量或作品不易細分項目時使用，例如：國中基本學力測驗的寫作測驗是以滿分六級分的量尺分數來評定學生的作文分數，由於考生人數眾多且必須快速計分，因此，閱卷老師必須客觀地考慮學生在「立意取材」、「結構組織」、「遣詞造句」、「錯別字、格式與標點符號」四項能力上的整體表現，而不能單憑某項能力來評分。因此，國中基本學力測驗的寫作測驗就是一種整體式評定法的運用。整體式評分規準常用的方式有作品等第量表、等第排列法與心像比較法三種。

(2)**分析式的評分規準**：分析式的評分規是針對作品的細項表現進行分析並加以評分後，加總計分成為作品的總分。適用於診斷學生的學習長處或弱點、測量較複雜的特質、形成性評量或提供教師明確的學生學習訊息，例如：教師於教學過程中使用的精熟評量或診斷性測驗。分析式評分規準常用的方式有檢核表（checklists）、評定量表（rating scales）和評分規程法三種。其中，檢核表用於是、否的二分法評定，而評定量表則用於多等第的評定。

應考急救箱

心像比較法

當作品無法排列比較時，也沒過去留下的參考或示範作品，評分者只能用以前的作品心像來比較進行評分，例如作文就常用此法評分。

評分規程

規程是一種雙向的表格，可讓老師跟學生說明對作業所期待的標準，學生亦可依此修改自己的作業，以增進實作評量的效率，並避免評分時太過主觀。

4. **實作評量與客觀式評量的比較**

	實作評量	客觀式評量
意義	實作評量（performance assessment）是指呈現工作（tasks）給學生，並要求學生以口頭、寫作完成作品表現的一種評量方式。	所謂客觀評量(objective assessment)，在測驗上意指「非開放式作很多說明」或「非主觀的」，此類題目之計分較申論題之計分直接，其答案較申論題答案明確。
題型	書面報告、作文、演說、操作、實驗、作品展示、案卷評量……等。	配對題（matching exercises）、多重選擇題（multiple-choice questions）、是非題（true-false statements）、簡答題（short answer）及填充題（fill-false items）等。
優點	1. 提供評量歷程與結果方式。 2. 評量實作與統整能力。 3. 符合近代學習理論。 4. 有助於改進教學。	1. 省時省力的一種評量方式。 2. 較能夠測驗到所有的學習目標。 3. 評量信度較高。

5. **實作評量常用的類型**（106高考）

實作評量（performance assessment）的特性是學生建構答案而非選擇答案；直接觀察學生的操作行為，在情境中進行對學生學習與思考方式的檢測；實作評量所提的問題幾乎無正確而客觀的答案，正如一般較複雜的問題，往往沒有一個可用來解決問題的唯一答案，而是許多可能的答案會受背景環境的左右而有所差異。

因此，針對動手操作的教學，可行的評量方式包括：評量學生寫的報告，口頭報告、作圖、操作流程或模式等。將其歸類，大致可以分成以下四種實作評量方式：（林青蓉，2017）

(1)**紙筆表現**（paper and pencil performance）

紙筆表現有別於傳統所使用的紙筆測驗，它強調在模擬情境中應用知識與技能的能力。這種紙筆評量方式可作為動手操作前的初步評量，例如要求學生寫出科學實驗的步驟、啟動儀器的安全程序等。

(2)**辨認表現**（identification）

是指以實物作為標的，要求學生以紙筆或口頭方式反應問題，而不要求學生實際去操作。例如：外文課時學生需要去辨認正確的發音；化學實驗時請學生辨認各種物質和儀器；汽車修護課程時教師操作一輛故障的汽車，要求學生指出最可能故障的部分，並說出應採取的檢查步驟及所需用到的工具。

(3)**結構化表現**（structured performance）

此評量係要求學生在標準化的情境下（例如：儀器設備、材料、時間……都相同）完成實作作業，測驗情境的結構性甚高，並要求每位學生都能表現出相同的反應動作。例如：物理課測量氣溫（精確到小數點以下第二位）；生物課找出5種豆子的胚芽（一分鐘內）；生物課操作顯微鏡的適當步驟和順序（如：依據適當的步驟順序，調整一部顯微鏡到理想的位置）或表現的速度（如：在三分鐘內找出一部電器發生故障的部位）。

(4)**模擬表現**（simulated performance）

模擬表現即為配合或替代真實情境中的表現，局部或全部模擬真實情境而設立的一種評量方式。例如，在化學課程中，請學生模擬酒精燈爆炸時應採取的滅火步驟；在體育課程中，針對一個假想的球練習揮棒與一位假想選手模擬拳擊對打；在社會科學課程中，學生角色扮演法庭審判、市政會議的進行等都是一種模擬表現。

模擬表現在學校的應用很廣，例如，輔導教師以角色扮演方式幫助畢業學生演練就業晤談的能力；也適合用來檢驗各種災變因應計畫的效能，並同時訓練相關人員應變的能力，例如舉行消防演習、防震演習等。

(5)**工作範本**（work sample）

工作樣本算是真實性程度最高的一種實作評量方式，它需要學生在實際作業上，表現出所要測量的全部真實技能。例如：給學生重力加速度實驗的所有設備與器材，請學生親自操作實驗流程；在模擬道路的標準場地裡進行駕駛執照的路考；要求學生速記一段口述資料、打一封商業書信或操作電腦分析一份商業資料等。

二、動態評量（108地三）

動態評量（dynamic assessment）主要是相對於傳統評量的靜態測量形式所提出，其意義是指：教師以「前測－介入－後測」的形式，對學生的學習歷程進行互動性與持續性的評量。用以診斷學生學習錯誤的原因，提供教師教學改進的訊息，以進行適當的補救教學。

(一) 目的

1. 評估學生的潛能而非目前的表現。
2. 透過師生互動，提供學習訊息。

(二) 具體作法

動態評量的實施方式有：

1. **學習潛能評量計畫模式**（learning potential assessment device, LPAD）：以「前測➡訓練➡後測」方式，評量學生經訓練後的潛能表現。
2. **極限評量模式**（testing-the-limits）：運用「測驗中訓練」的標準化介入模式，評估個體能力的上限。
3. **連續評量模式**（continuous assessment）：以數學、閱讀為材料，採取「前測➡訓練➡再測➡訓練➡後測」的程序，實施漸進提示或中介學習訓練。
4. **漸進提示評量模式**（graduated prompting assessment, GPA）（108地三）：根據「可能發展區」概念，採用「前測➡學習➡遷移➡後測」漸進提示，瞭解學生的學習能力和學習遷移效率。

(三) 優缺點

1. **優點**

(1)較能評量文化不足與身心障礙學生的認知潛能。

(2)重視學生的潛能表現與認知歷程。

(3)評量歷程連續且互動，效果較能持續。

2. **缺點**

(1)設計與實施較耗時費力且成本太高。

(2)研究題材仍有待開發。

(3)執行不易，信效度較低。

(4)測驗結果較難解釋。

三、檔案評量（109普考）

檔案評量（portfolio assessment），有時稱為卷宗評量，是實作評量的一部分。攝影家、畫家通常保有個人的成果檔案，透過檔案的資料，可以了解其創作成長歷程。同樣地，**教師透過學生的檔案資料，可以了解學習歷程的特色與發展、優缺點及其成果，客觀評量整體表現，以協助其學習。**

(一) 目的

1. 重視學生個別差異的評量。
2. 讓學生主動參與、收集，能更瞭解其學習歷程。

(二) 具體作法與檔案類型（101高考）

其評量方法可以包括：

1. **成果檔案**：用以展現學生個人獨特本質與能力。
2. **過程檔案**：著重呈現學生學習歷程進步的觀察和紀錄，有助於深入了解與診斷學生的學習過程。
3. **評量檔案**：將檔案內涵與評量標準化，可引導學生有系統檢視、反省作品，更可提高評量的效度，方便與他班或他校的學生比較。

(三) 優缺點

1. **優點**

(1)兼顧歷程與結果的評量。

(2)獲得更真實的評量學習結果。

(3)呈現多元資料，激發學習動機與創意。

(4)培養主動積極、自我負責的學習精神。

2. **缺點**

(1)批閱耗時費力，評分容易不客觀。

(2)檔案評量的製作經費負擔較高，且須用去學生不少時間。

(3)易受月暈效應、語文表達能力等影響，降低信效度。

四、生態評量

(一) **定義**：依生態學的觀點，個體的行為是個體與所處環境交互作用的產物。生態評量便是透過各種方法，對學生在各種生態環境中的能力需求及必備能力進行分析，以利於教師為學生設計功能性的學習目標，並進行教學。

(二) **特徵**：生態評量的最終目的在於教導個體適當的社會性行為，協助個體達成社會化。茲將生態評量的特徵歸納如下：

1. 以學生目前及未來可能接觸的環境為評量範圍：以學生所生活的自然生態系統為主，包括學校、家庭、社區、工作場所和休閒娛樂。
2. 個別化的評量過程：隨學生的生活時間和環境而改變內容和結果。
3. 強調協助學生成功的適應：調整教學結構、提供支援系統，以增進學生的適應行為能力，促成學生的行為與生態環境達成平衡。
4. 發揮學生的潛能：無論學生的優劣程度為何，只要給予學生適當的協助。學生在其生態中均能有適當的行為表現。

(三) **步驟**

1. **決定教學領域**：例如，居家生活、休閒活動、社區生活與職業生活等。
2. **詳列主要環境**：例如，學生之家庭、學校及社區等。
3. **次要環境**：例如，學校又可細分為國語等教室內課程、體育課等室外活動或是資源班。
4. **評估在該環境中，一般學生主要的活動**：例如，學生在體育課時，主要活動為團體活動及各項運動等。
5. **決定優先活動**：例如，能安靜的排隊或是能和同學一起跑操場。
6. **分析該活動所需的技能與成分**：例如，要能夠安靜排隊，所需技能為聽懂教師指令、保持安靜、與同學對齊、熟記自己的位置等。
7. **進行差異分析**：確定學生已具備及未具備之能力。

(四) **限制**：生態評量固然有其使用上的優點，但相關配合條件仍要十分充分，否則不易執行，包括：

1. 教師須要花費較多的時間評估環境，制定教學目標。
2. 常須戶外教學，須行政及社區資源。
3. 教師要有創造力。
4. 需用較多的輔具。
5. 因為主要透過觀察來獲得，易流於主觀，易產生信效度問題。

第五節　測驗發展的原則與趨勢

考點提示

本節雖未有考題出現，但未來應是重要的考點。尤其(1)當代測驗理論的立論根據與用途；(2)電腦科技與測驗分析的結合，都是考試重點。

當代測驗發展的原則與趨勢乃在以當代測驗理論解決真實測驗資料所遇到的問題，有別於古典測驗理論的使用有其瓶頸。其主要論點有下列諸項：

(一) 當代測驗理論建立在理論假設嚴謹的數理統計學機率模式。

(二) 電腦科技的快速發展，加上電腦套裝軟體程式的即時配合，方便當代測驗理論中對模式參數的估計。

(三) 當代測驗理論的基本假設嚴苛，適用於大樣本的資料，對推論統計的應用貢獻卓著。

(四) 當代測驗理論以試題反應理論為其中心架構，整合過去的「潛在特質理論」（latent trait theory）、「因素分析」（factor analysis）、「多元度量法」（multidimensional scaling）與「潛在結構分析」（latent structure analysis）等測驗方法論。

隨著近年來人類在電腦科技上的突飛猛進，各種適用於試題反應理論的電腦軟體程式如：BILOG和LOGIST等，相繼誕生與再版修訂，因此，未來測驗理論的使用者必須同時具備數學與電腦方面的專才或良好訓練，才能對試題反應理論的瞭解與應用駕輕就熟，對測驗理論的發展方有助益。

考題集錦

1. 課堂上經常會使用形成性評量（formative assessment），請分別回答下列問題：（103身三）
   (1)何謂形成性評量？
   (2)形成性評量的主要功能為何？
   (3)試說明教學過程中常用的「教學中之提問」與「教師自編的小考與測驗」兩種形成性評量的優缺點及改進之道。
2. 試說明使用「學習成長與進步檔案評量」與「最佳作品檔案評量」之優缺點及使用時應注意之事項。（103身三）

3. 各級學校經常會使用總結性評量（summative assessment），請回答下面問題：（103身四）
   (1)何謂總結性評量？
   (2)總結性評量之功能為何？
   (3)請分別說明教學過程中常用總結性評量中的「標準化成就測驗」及「最佳作品資料檔案」之優缺點及如何改進？
4. 編製選擇題時，學者們會建議謹慎使用「以上皆非」與「以上皆是」兩個選項，試分別說明其可使用之時機，及其使用時可能出現的缺點。（103身四）
5. (1)什麼時候適合使用配合題？其主要的限制為何？
   (2)配合題的命題應注意那些事項？（103高考）
6. 隨著教育評量的改革趨勢，建構式反應（constructed-response）題型／實作評量已普遍出現於各種考試，但部分學者、教師、家長、學生質疑此種題型的評分過於主觀，可能造成偏誤，因而對此種形式的試題持保留態度或反對立場。請就你對這類評量的瞭解，及它在班級評量的應用情形，至少舉出三種措施使此種題型或評量的偏誤最小化。（103地三）
7. 何謂檔案評量（portfolio assessment）？檔案評量的特質為何？檔案評量的實施程序為何？（102身三）
8. PISA（Programme for International Student Assessment，中譯為國際學生能力評量計畫）係一種國際性評量計畫，我國各界對於此評量也頗為重視，並於 2006 年首次參與國際評比。試就有關 PISA 回答下列問題：（102高考）
   (1) PISA 係那一個組織所籌劃？其目的為何？包含那些內容？施測的對象為何？
   (2) PISA 何以採素養（literacy）而非學習成就（achievement）的觀點設計題目？
9. 教師在編製教學評量時，為呼應課程綱領的能力指標並提昇評量的信、效度，應遵循那些步驟？（101身四）
10. 實作評量評分時常發生數種缺失，包括個人偏誤（personal bias errors）、月暈效應（halo effect）和邏輯謬誤（logical error）。請就此三者之定義加以說明，並簡單區分其差別。（101身四）
11. 檔案評量（portfolio assessment）的意義為何？有關檔案評量中對於檔案的類型，根據一般說法，可分成那幾種，請加以說明。（101高考）

12. 請闡述實作評量的特性。（101普考）
13. 請比較客觀式評量與多元評量兩者在評量理念、評量方式、信度與效度考量之異同。（101原三）
14. 隨著教育改革浪潮與評量方式多元化的需求，實作評量／真實評量（performance/authentic assessment）已成為一種重要的評量方式，但有學者認為（Wiggins, G.），測驗要有較高的真實性（authenticity）並非是新近的論點。請以一個實作評量／真實評量的設計來說明如何達成認知目標中「應用」與「綜合」之評量。（101身三）
15. 實作評量評分時常發生數種缺失，包括個人偏誤（personal bias errors）、月暈效應（halo effect）和邏輯謬誤（logical error）。請就此三者之定義加以說明，並簡單區分其差別。（101身四）
16. 教師在編製教學評量時，為呼應課程綱領的能力指標並提昇評量的信、效度，應遵循那些步驟？（101身四）
17. 檔案評量（portfolio assessment）的意義為何？有關檔案評量中對於檔案的類型，根據一般說法，可分成那幾種，請加以說明。（101高考）
18. 請闡述實作評量的特性。（101普考）
19. 請比較客觀式評量與多元評量兩者在評量理念、評量方式、信度與效度考量之異同。（101原三）

[考題解析範例]

一、依據一般命題的基本原則，「每個試題必須獨立，不宜相互牽涉」，但有時問題的 激材料可能是照片、表格、圖形、圖表等，也可能是一段短文或 音帶或 影帶，學生必須依據這類 激材料回答一系列問題，這類問題稱之為「情境依賴」（content-dependent）試題，最常見的為解釋型作業（interpretive exercise）。試說明解釋型作業有何勝於選擇題的優點？指出一種最適用解釋型作業的情境。解釋型作業的限制或缺點為何？（100地三）

答 傳統紙筆測驗的試題較無法測出學生高層次思考能力與認知能力。Ebel（1951）乃提出以情境依賴的題組（context-dependent item set），來彌補此缺憾。解釋型作業（interpretive exercise）即是一種情境依賴的題組，教師提供受試者一些導讀性材料（introductory material），諸如：文章、圖表、實驗過程、照片、資料或情境等，其後伴隨著試題。

受試者從導讀性材料中發現隱含的意義或知識，經思考、推理或研判用以找出試題的答案，評量其應用分析思考和問題解決能力。

(一)優點

1. 可以培養學生對閱讀材料的理解、詮釋與判斷。
2. 更能測出多項目、高層次、較複雜的學習結果。
3. 可以搭配其他形式的試題，出題多元而彈性。
4. 導論性文章內容符合潮流與最新時事，具有趣味性、豐富意義、簡短，以吸引學生作答。
5. 導論性文章可以提供評分與作答時共同標準。

(二)缺點與限制

1. 不容易編製。
2. 材料必須符合教育目標。
3. 材料必須兼顧新穎性與正確性。
4. 需要相當的閱讀能力，較不適合用於閱讀能力較低的成人或兒童。
5. 此類型考題較容易提供學生額外線索答案。
6. 無法測量學生創造、組織和表達觀點的全部能力。
7. 較容易產生文化偏差問題，必須考慮不同性別或社經背景學生對於所選資料的熟悉程度。

(三)試用的情境舉例

例如：國內國中基本學力測驗、高中升大學的學科能力測驗，以及國際學生評量計畫（Programm for International Student Assessment，PISA）等大型評量都採用此種命題方式。例如：大學學科能力測驗時以週期表要學生回答有關元素或化合物的相關問題，此種題型即是解釋性習題。

二、B.S.Bloom（布盧姆）認知教育目標分類不但指引教學內容的層次，也指引著編寫測驗與試題的層次，後人依據B.S.Bloom認知教育目標分類，提出2001年修訂版，請先分別說明兩個版本的內容要項，再闡述兩個版本間內涵的異同處。（105身三）

破題分析 本題考Bloom認知教育目標層次，新舊版本有些差異，考生可以先說明其內涵的不同，再進行比較。本題本書百分百命中，兩年前就提醒考生，此為將來必考題，果然應驗。答題內容與Bloom新舊版認知目標分類與修正比較圖，請詳見本書第一篇第五章第二節。

答 布魯姆（B.S.Bloom）認知教育目標層次，由低至高分別為知識、理解、應用、分析、綜合、評鑑。而後人提出2001年修訂版認知教學目標層次，由低至高分別為：記憶、瞭解、應用、分析、評鑑、創作。

(一) 舊版布魯姆認知教育目標層次

布魯姆（Bloom）等人於1960年提出認知領域（cognitive：domain）的教育目標分類表，將認知領域的教學目標的類別，由最簡單到最複雜，由具體到抽象，排成六個層次，依序為知識（knowledge）、理解（comprehension）、應用（application）、分析（analysis）、綜合（synthesis）與評鑑（evaluation）。

(二) 新版的分類

新版先依知識向度和認知歷程向度，形成一個二維矩陣後，再進行教育目標的分析。

1. **知識向度（knowledge：dimension）**

認知領域教育目標分類法修訂版將舊版的知識層次獨立出來，是一個名詞，自成一個向度。將知識區分成四類：(1)事實知識（factual：knowledge）；(2)概念知識（conceptual：knowledge）；(3)程序知識（procedural：knowledge）；(4)後設認知知識（metacognitive：knowledge）。

2. **認知歷程向度（cognitive：process：dimension）**

認知歷程向度由原來單一向度的分類表轉化而來，除了另立知識向度，原有類別名稱的名詞特性也轉換成動詞，以強調認知歷程的漸增複雜性階層概念，目的促進學生保留和遷移所得的知識。此向度分成六大類：(1)記憶（remember）；(2)了解（understand）；(3)應用（apply）；(4)分析（analyze）；(5)評鑑（evaluate）；(6)創造（create）。其中記憶與學習保留（retention）有關，其餘五者和學習遷移（transfer）有關。

觀念延伸 學習成果的分類、學習成果的評量方式、教學目標、學習目標、精熟目標導向、表現目標導向。

第六章 新興的測驗理論與方法

依據出題頻率區分，屬：A 頻率高

開箱密碼

本章特別針對近年新興流行的測驗理論、方法與議題進行整理，並詳加說明。尤其近年許多題目與測驗領域的相關性愈來愈小，考生必須擴大學習的範圍。

考點提示
(1)TIMSS。
(2)NAEP。
(3)TASA等大型測驗是本章重要的考點。

第一節 國外大型教育與心理測驗

一、NAEP

美國教育研究社（educational testing service, ETS）是個教育測驗與評量機構，亦協助個人、教育組織或國家進行教育研究，提供有關國際性測驗的相關訊息，例如：TOEFL、TOEIC、GRE 等（Allen, Donoghue, & Schoeps, 2001），而美國教育進展評量（national assessment of educational progress，簡稱NAEP）亦是由ETS主辦的測驗。NAEP數學能力分類主要評量學生的程序性知識、概念性了解、應用解題能力。

程序性知識	程序性知識包含數學上各種的計算算則，此算則是作為一種工具，創造有效率的需求。在臺北市數學檢測中，將閱讀與製作圖表，幾何作圖，及執行一些非計算技 能，如四捨五入法、排序也都被認為是程序性知識。學生要能選擇及應用適當的正確程序，驗證與判斷程序的正確性，來展示他們的程序性知識。
概念性了解	概念性了解為有意義執行程序上所不可缺少且與解題有密切的連結。學生展示概念性了解有許多不同的方式，包含產生一般的範例及反例，使用模式、圖形與符號，辨認與使用原理，知道與應用事實及定義，建立不同表徵模式的連結，比較、對照、及統整概念，解釋與應用符號去表示概念。

應用解題	應用解題包含在新情境中使用已累積的數學知識的能力。學生展示解題技能有辨認及形成數學問題，決定是否充分與一致性的資料，使用策略、數據、模式、及相關的數學，使用推理（空間、歸納、演繹、統計、比例）及判斷答案的合理性與正確性。

二、TIMSS

國際數學與科學教育成就趨勢調查（the trends in international mathematics and science study，簡稱TIMSS）為國際教育學習成就調查委員會（IEA）所舉辦，旨在評量各國四年級與八年級（國中二年級）之學生數學與科學領域上學習成就的發展趨勢、了解各國學生數學及科學學習成就及其與各國文化背景、教育制度的差異等影響因子之相關性。TIMSS自1995年開始舉辦，以八年級學生為對象，每4年舉辦一次。1999年針對國二學生進行第三次國際數學與科學教育成就研究後續調查（TIMSS-R）參與國家為38個，2003年49個，2007年60個，2011年為63個，其中部份以地區方式參與且參與國數逐年增長。自2003年起，開始四年級的評量。基本的評量內 容為認知、應用以及推理。相對於PISA評量強調實際問題解題能力的能力本位評量，TIMSS的評量比較接近課程本位的成就評量。TIMSS 2015之試題內容分項如下表：

科目	數學	科學
四年級試題內容	數、幾何圖形與測量、資料呈現	生活科學、自然科學、地球科學
八年級試題內容	數、代數、幾何、資料與機率	生物、化學、物理、地球科學

第二節　國內大型教育與心理測驗

一、TASA

我國《教育基本法》第9條明定中央政府之教育權限，該條第6項為：「教育統計、評鑑與政策研究」。因此，透過評量來瞭解學生在各學習領域（科目）的表現，以評鑑學生的學習優劣，乃中央政府之教育權限之一。教育部於93年5月19日請本院針對「國民中小學學生學習成就建立常態性之資料庫」，進行臺灣學生學習成就評量資料庫（taiwan assessment of student achievement，簡稱TASA）之建置規劃，俾為本部研訂課程與教學政策之重要參據。

此計畫自93年起由本院提出建置計畫報部後試行，93年至95年期間，委託各大學進行相關試題研發，並於95年起由本院接手相關試題研發及調查工作。自97年起年起確認並調整「臺灣學生學習成就評量資料庫」施測週期為國小、國中、高中職，每年段3年一輪循環。

二、TEPS

「台灣教育長期追蹤資料庫」（taiwan education panel survey，簡稱TEPS）是一項由中央研究院、教育部、國立教育研究院籌備處（2004～2007）和國科會（2000～2008）共同資助，並由中央研究院、社會學研究所和歐美研究所共同負責規劃與執行的一項全國性長期的資料庫計畫。這個資料庫從2001年開始，對當年為國中一年級以及高中、高職和五專二年級之學生、學生家長、老師、和學校，進行二至四次的收集資料。目前資料庫已經完成調查與資料釋出，並委託「中央研究院人文社會科學研究中心調查研究專題中心」管理資料釋出事宜；而後續調查有關教育和勞力市場的連結，由國立政治大學團隊持續進行。

第三節 最新重要測驗理論與應用

一、次序型多重選擇題

Briggs、Alonzo、Schwab與Wilson（2006）開發的一種新式題型，這種題型稱為次序型選擇題（orderedmultiple choice items，簡稱OMC）。此題型剛好介於傳統選擇題及二階段試題之間，既有傳統選擇題的方便性及優點也保有二階段試題的優點，可以直接透過選項看到學生的發展階層，因為每個選項的背後都代表著一個層級，且經由學生在選擇選項時來診斷學生的能力是屬於哪一個層級。

OMC選項反應了學生在開放式問題的回答，且這些答案已明確連接到學習的級別（層次）。OMC試題並不會只診斷學生選擇正確的答案這個選項，也會藉此診斷學生選擇答案的原因，看學生是符合哪個學習層級。簡單來說，OMC試題每個選項的背後，都代表著一個層級，可以經由學生在選擇選項時來診斷學生的能力是屬於哪一個層級。在編製OMC試題前，必須先訂定學習的發展層級。

OMC題型可將信息進行有效溝通，使學生更理解，且每個答案皆可發展學生的認知層級，也可將此信息提供給學校老師、學生，既快速又可靠（陳緯誠、施淑娟，2014）。

二、有序分區模型

有序分區模型（ordered partition model, OPM）是由Wilson（1992）所提出的部分計分模式的延伸模式，有序分區模型是指作答反應資料格式，是以次序分區為基礎，是一個擴展的部分計分模式。

這種類型的次序分區模型對於不同類型的反應可給定層級後進行給分。OPM理論常出現於心理研究或者是教育研究。像是皮爾傑的學習層次或者是Van Hiele的幾何論。然而，OPM是由部分計分模型（partial credit model, PCM）推導來的，所以OPM和PCM有些地方會很相近。當試題如果是二元計分，即有得分或沒得分時，則OPM和PCM是相同的，但如果是部分計分時，則OPM可以多個類別選項對應到同一個分數或層級（試題某一層級的反應可以有2個以上），而PCM則只能一類別對應一分數或層級（試題某一層級的反應只能有一個）。

因此，OPM相當於部分計分模式，但在對錯計分反應上，將相對地失去原本層級的選項，因為在某些程度上，每個層級的答案在不同的處境可描述學生的錯誤觀念（陳緯誠、施淑娟，2014）。

三、學習歷程檔案

108課綱大學申請入學所需的學習歷程檔案，內容共有六個面向，包括學生學籍資料、修課紀錄、自傳與學習計畫、課程學習成果、多元表現、其他相關資料。其中前兩項由學校人員每學期進行上傳至教育部平台，較無問題；第三項自傳與學習計畫，由學生於申請入學前上傳教育部平台，再轉給目標校系即可；第四項課程學習成果，每學期經教師認證後，由學生進行上傳給學校，學年結束學校再上傳教育部平台，每學期至多3件，每學年共6件；第五項多元表現，由學生每學年進行上傳給學校，學年結束學校再上傳教育部平台，至多10項。

學習歷程檔案中所謂的「課程學習成果」與「多元表現」，就是同學們自己在課堂上產出的作業、作品、小論文、專題研究或報告，或是彈性學習時間、團體活動、課外活動、校外競賽、營隊等的多元表現學習成果。學習歷程檔案是學生高中三年的履歷，是高中職學生在學期間，定期記錄、整理自己的學習表現，可以幫助學生生涯探索，也可作為升大學個人申請第二階段的「備審資料」。學習歷程檔案的特色與優缺點，至少有以下五點：

(一) 學習歷程檔案可以讓教師了解學生成長與特色

檔案評量（portfolio assessment）有時稱為卷宗評量，是實作評量的一部分。教師透過學生的檔案資料，可以了解學習歷程的特色與發展、優缺點及其成果，客觀評量整體表現，以協助其學習。

(二) 學習歷程檔案可以呈現考試以外的學習成果

「學習成果」是課堂上的作業或作品，是為了呈現考試分數以外的表現，以及從「不會」到「學會」的學習過程，重質不重量。學習歷程檔案鼓勵學生定期記錄並整理自己的學習表現，展現個人特色和適性學習軌跡，尊重個別差異，呈現考試成績以外的學習表現。

(三) 學習歷程檔案可以協助生涯探索和定向參考

學校學習內容應以尊重學生生命主體為起點，透過適性教育，激發學生生命的喜悅與生活的自信。因此，學生透過整理學習歷程檔案的過程中，可以及早思索自我興趣性向，逐步釐清生涯定向。

(四) 學習歷程檔案各科都要製作，恐造成負擔沉重的反效果

目前學習歷程檔案儼然成為學生申請入學的新顯學，各科目的老師無不絞盡腦汁幫助學生製作吸睛的特色檔案，有的當成平時作業，有的作為寒暑假的功課，讓原本功課繁重的高中生平添不少壓力，加上老師必須不斷幫助學生修改與認證，如果任教學生多，不免曠日費時。

(五) 學習歷程檔案必須克服電子化易失誤，以及評分標準不一等問題

作為新課綱指標的學習歷程檔案，竟然發生因更新系統導致硬碟設定嚴重失誤，導致資料遺失的嚴重意外，此現象顯示我國數位落差的嚴重，以及建立資安機制的重要。另外，因為「學習歷程檔案」的成績幾乎可以全盤扭轉學測成績的排序，如果沒有清楚的評分標準，公信力便會備受質疑。

四、素養命題導向的題組題（109地四）

素養命題導向題組題（或綜合題型）的主要目標為高品質的「情境題」，結合生活情境與經驗在問題的解決之中。110年學測社會科就以客家桐花季為題，出了一題跨歷史、地理、 公民三科的題組，是一題符合108課綱素養命題跨科跨域的超精彩題，如下考題範例。

(一) 題組命題舉例

傳統選擇題型大多只能測量考生較低層次的認知能力，因此經常受到批評。108年課綱及素養評量發展出一種新式的選擇題型稱作「題組題」，可以用來測量考生較複雜的學習結果或較高層次的認知能力。以110學測社會科的考題舉例如下：

1~3為題組（110學測社會科第70~72題）

◎研究指出：臺灣客籍居民主要從閩粵內陸的丘陵、盆地和河谷平原區移來，分布於北部和南部的丘陵、台地或近山平原地帶，空間分布有向內陸集中的趨勢。行政院客家委員會自2002年起，每年4、5月間在部分客籍居民分布區辦理「客家桐花祭」活動，由「中央籌劃、企業加盟、地方執行、社區營造」的公私協力夥伴關係，達到一定的政策成效，不僅為客庄地區帶來經濟效益，也強化客家族群的在地認同。請問：

1.依上文判斷，清代臺灣客籍居民空間分布有向內陸集中的趨勢，和下列何者的關係最密切？

(A)原鄉生活方式　(B)分類械鬥結果

(C)水圳設施分布　(D)保甲制度影響。

2.文中客委會辦理的「客家桐花祭」活動最可能是下列何種概念的具體實踐？

(A)地方自治　(B)地方治理

(C)地方分權化　(D)全球在地化。

3.舉辦桐花祭時，主辦單位最擔心可能出現下列何種天氣圖代表的天氣情況而影響活動？

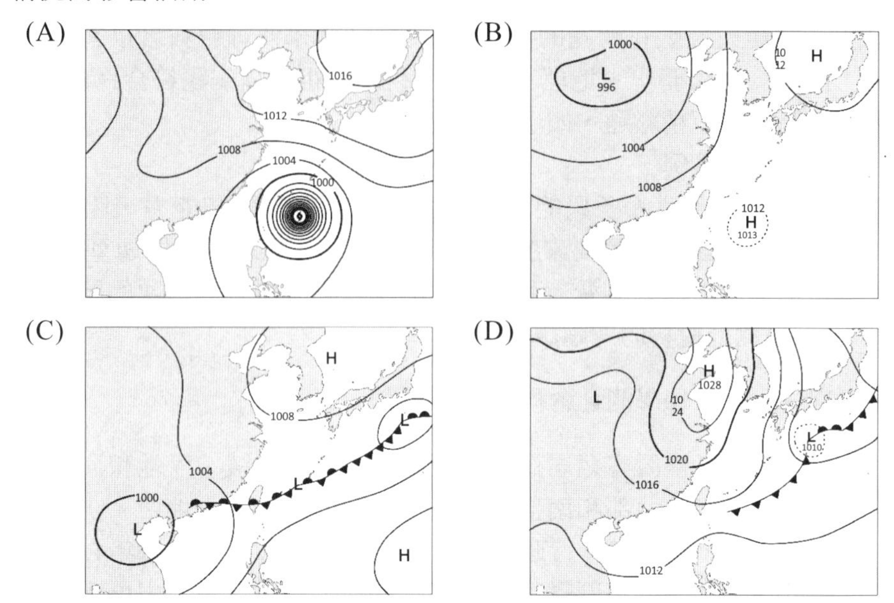

答案：1. (A)。2. (B)。3. (C)。

(二) 題組型命題原則

坊間常見的試題通常只是將內容相關的選擇題集中在一起，然後在選項前面加上一段共同的敘述當作題幹，便稱之為題組，這完全是對題組試題的誤解。從以上舉例可以發現，題組試題至少有以下命題原則：

1.題組最重要的意義，是測驗學生閱讀、分析及運用資料的能力。

2.題組正確的呈現方式，是先提供學生一段資料，再引導學生從中尋找答案。

3.引導資料應與教學目標有關，避免抄自課文，且適合學生閱讀。

4.引導資料應簡短有意義，測量學生分析、解釋、推理、綜合等能力。

5.若是選擇題，選項應盡量長度一致，且具有錯誤選項的高誘答力。

6.題組可以搭配其他問答、申論等高層次思考組織能力的考題類型。

第二篇　教育統計

第一章　教育統計基本概念

依據出題頻率區分，屬：**A** 頻率高

本章為教育統計的基本概念，但考試出現機率極高。內容包括統計學的分類、變數的種類、統計符號瞭解、資料分析的統計方法如何選擇，以及次數分配與圖表。另外，教育統計的概念必須佐以例題與練習，才能徹底瞭解其用法，因此，本書第二篇會加重例題與練習的篇幅，各位考生須將每題演練熟悉，方可熟能生巧。

本章的出題形式多元，有解釋名詞、圖表解釋、定義分析、資料填表或繪圖，其中以描述統計與推論統計、變數的分類、次數分配與統計圖表是考試焦點。

第一節　統計學的分類

樣本與母數、有母數統計與無母數統計、描述統計與推論統計，此三者為本節必考焦點。

統計學是透過科學的程序將資料進行整理、比較、分析等量化測量，得知各種統計量數之間的大小、關係，以瞭解群體屬性的一門學問。統計學若以資料型態不同而分，可分成有母數統計學（parametric statistics）與無母數統計學（nonparametric statistics），**研究者所欲研究的全部對象稱為「母群」**（population），**從母群中抽出的部分代表性個體稱為「樣本」**（sample），**描述樣本特徵的量數稱為「統計量」**（statistic），**描述母群特徵的量數稱為「母數」**（parameter）。統計學若以應用方式不同而分，可分成理論統計學（theoretical statistics）與應用統計學（applied statistics），其中應用統計學又可分成描述統計學與推論統計學兩類。以下分述之：

一、有母數統計學

有母數統計學是以「機率觀念」為基礎的統計方法，將大多為連續變數（continuous variable）的資料求出其平均數、標準差與常態分佈資料，並發展出機率分配與抽樣分配，再以抽樣分配的原理來解決統計上估計、檢定、迴歸等應用問題。因其資料有一定的分佈，因此稱為有母數統計。

二、無母數統計學

無母數統計學主要是以「誤差概念」為基礎來處理問題的統計方法。無母數統計方法無須事先假設母體具某一特定分配，因此在母體分配未知、非常態母體或小樣本的條件下，利用樣本資料進行統計推論之方法，且其推論對象不限於任何母體。因無法找到參數決定分配的結果，所以稱為無母數統計。其中，母數指的就是參數。

三、理論統計學

理論統計學注重統計推論背後的邏輯證明，包括統計定理、公式創造以及數理統計學。其中數理統計學是理論統計學的重心，其主要目的在推導估測推論法的機率分佈。

四、應用統計學

(一) 描述統計學

描述統計（descriptive statistics）是樣本資料的簡易描述，係使用簡短的文字、圖表、方程式或各類型統計量來描述樣本資料的特性，例如：**統計量數（集中量數、離散量數、相對地位量數）、統計圖表、次數分配**等，以總結敘述從樣本收集得來的數據，稱之為描述統計學。

(二) 推論統計學

推論統計（inferential statistics）是由樣本推論母群體的特徵，包括**抽樣、估計、機率分佈、面積、假設檢定、變異數分析**等。由樣本得到的統計量，利用機率分佈預測做出對於母群體的性質進行推論，並計算它的機率與誤差，稱之為推論統計學。

第二節 變數的種類

(1)Stevens對數字的尺度分類；(2)連續變項與間斷變項，是必考重點，須加以詳讀。

要學好統計，必須先瞭解統計學上各種變項的意義。統計學上「變項」的分類，依其面向不同而有以下幾種分類方式：

一、自變項與依變項

在一個研究設計之中，實驗者所操弄並加以變化的變項，稱為自變項（independent variable），而因自變項的變化而發生改變的變項，稱為依變項（dependent variable）。

二、連續變項與間斷變項

有許多心理特質可以用一個**連續不斷的數值**加以描述，這類的特質或屬性謂之**連續變項**（continuous variable）。例如：時間、身高、體重、智商、焦慮分數等均屬之。另外的**變項一個值代表一個點，而不是一段距離，稱為間斷變項**（discrete variable），又名非連續變項（discontinuous variable）。例如：每家的孩子數、學生的性別、選舉的票數等均屬之。

三、名義變項、次序變項、等距變項與比率變項（100身三；100地四）

根據Stevens（1951）對數字的尺度分類，統計學一共有四種測量的尺度或是四種測量的方式，這四種測量尺度包括名義、次序、等距、比例變項。**名義尺度（nominal measurements）的測量值僅有質性的敘述，並不具有量的意義；順序尺度（ordinal measurements）的值僅代表其順序；等距尺度（interval measurements）資料間的距離相等，但是無絕對的零值；比率尺度（ratio measurements）擁有絕對的零值，其資料間的距離相等，且可加以比例運算**。此四種變項的詳細敘述，請見本書第一篇第一章。

四、質的變項與量的變項

質的變項（qualitative variable）包括名義變項和次序變項。量的變項（quantitative variable）包括等距變項和比例變項。量的變項又可分為連續變項和間斷變項。

第三節 認識統計符號

本節雖未有考題出現，但卻是統計學缺之不可的一環，須加以熟悉。

統計學與數學、化學等科學一樣，為方便統計紀錄，於是有許多的代表符號出現，這些符號大都是羅馬字母或希臘字母。例如：**平均數為M；標準差為SD；自由度為df（t分配）或v（卡方分配）**；H_0**為虛無假設**（null hopothesis），H_1**為對立假設**（alternative hopothesis）；E**為誤差**；IQR**為四分位差**（interquartile range）；R^2**為決定係數**（cofficient of determination）；p**為顯著水準機率值**……。另外，尚有許多以希臘字母寫成的統計符號如下表1-1所示。

表1-1 希臘字母中的統計符號

大寫	小寫	念法	統計意義
Α	α	alpha	迴歸常數項、顯著水準、型I誤差
Β	β	beta	迴歸係數
Γ	γ	gamma	樣本相關係數
Δ	δ	delta	結構方程式測量誤差
Ε	ε	epsilon	迴歸方程式誤差
Ζ	ζ	zeta	結構方程式測量誤差
Η	η	eta	中位數，結構方程式內因變項
Θ	θ	theta	母體參數
Ι	ι	iota	
Κ	κ	kappa	
Λ	λ	lambda	因素負荷（因素分析）
Μ	μ	mu	母體平均數
Ν	ν	nu	自由度
Ξ	ξ	xi	結構方程式外因變項
Ο	ο	omicron	
Π	π	pi	母體比率

大寫	小寫	念法	統計意義
Ρ	ρ	rho	母體相關係數
Σ	σ	sigma	母體標準差
Τ	τ	tau	完全隨機設計ＣＲＤ處理效應
Υ	υ	upsilon	
Φ	ϕ	phi	外生因素間估計相關
Χ	χ	chi	卡方
Ψ	ψ	psi	內生因素間估計相關
Ω	ω	omega	樣本空間

第四節 統計方法的選擇

考點提示

本節考試焦點為：(1)自變項、依變項資料類型的判斷；(2)獨立樣本、相依樣本、重複量數的意義。

依照研究的程序，當研究者蒐集好資料後，接著就是進行統計分析。但統計方法的種類相當多，常造成研究者的困難，不知如何選用最適當的統計方法。其實，**當實際選擇適當的統計方法時，研究者須先確定自變項及依變項是屬於何種資料類別，然後再確定自變項和依變項的數目，根據這兩項資料可選擇適當統計分析方法**。其中，比率或等距資料適用於母數統計考驗方法，而類別和次序資料則適用於無母數統計考驗法。 以下列出五種常用的統計方法及其使用時機與範例，其餘更高階的統計方法留待下面各章節再詳述之：

一、簡單相關或積差相關（simple or product-moment correlation）

(一) **使用目的**：了解兩個變項之間關係密切的程度。

(二) **使用時機**：適用於自變項與依變項皆為等距或比例類型的連續變項。

(三) **舉例**：同一群學生內讀書時間和學業成績之間的相關。

二、獨立樣本 t 考驗（independent samples t-test）

(一) **使用目的**：兩個不同群體得分平均數的差異考驗。

(二) **使用時機**：用在兩個互為獨立（相關=0）的母群得分平均數的差異比較。自變項（分組變項）為二分名義變項，如：性別；依變項（檢定變項）為等距或比例類型的連續變項，如：學習焦慮、學業成績。

(三) **舉例**：比較男、女學生學習焦慮得分平均數的差異。

三、重複量數t考驗（又稱相依樣本t考驗）（repeated measures or correlated samples t-test）

(一) **使用目的**：兩個相依群體得分平均數的差異考驗。

(二) **使用時機**：用在同一個母群中兩次得分平均數的差異比較。此同一個母群包括同一組人重複測量，或配對組、雙胞胎、相同IQ、相同學業成績等相依樣本的測量，均可視為同一母群。另外，兩次測量值均必須為連續變數。

(三) **舉例**：同一群學生接受閱讀訓練前（前測）與訓練後（後測）其閱讀理解能力得分的差異比較。

四、獨立樣本單因子變異數分析（independent samples one-way ANOVA）

(一) **使用目的**：比較三個（含）群體以上得分平均數的差異。

(二) **使用時機**：用在三個（含）互為獨立的母群得分平均數的差異比較。依變項（檢定變項）為連續變數，自變項（因子）為間斷變項且分成三組獨立的群體。

(三) **舉例**：比較單親家庭、雙親家庭與他人照顧家庭的學生在學業成績上的差異。

五、重複量數單因子變異數分析（repeated measures one-way ANOVA）

(一) **使用目的**：比較同一個群體三個（含）以上的平均數的差異。

(二) **使用時機**：同一個群體，每個受試者都有三次（含）以上的得分，且均必須為連續變數。

(三) **舉例**：同一群學生（重複）接受閱讀訓練（單因子）一週、一個月、半年、一年（共有三個以上的水準）其閱讀理解能力（量數）得分的差異比較。

第五節 次數分配與統計圖表

考點提示

(1)離散型資料的次數分配與圖形；(2)連續型資料的次數分配與圖形；(3)莖葉圖、盒鬚圖、累積次數分配曲線，每年幾乎必考。

當樣本的資料數量較多，非用單一數值可以描述樣本性質時，我們通常會將資料加以整理，將數值分類，並將相同數值出現的次數累計，稱為次數分配（frequency distribution）。然後用表格表示出次數分佈的狀況，這種表格稱為**次數分配表**。將次數分配表以圖表示，稱為統計圖表。

壹、次數分配的實作

一、離散型資料

若資料為名義變項、次序變項等類別或非連續的資料時，次數分配按以下作法為之：

Step1	分類別（例如：年齡分佈的人數）
Step2	畫記
Step3	計算次數
Step4	圖形畫法最常用的是長條圖（bar chart）、莖葉圖（stem and leaf plot）和圓形圖（circle diagram）。

(一) **長條圖**

例如：右圖1-1為小明、小英、小美、大目、小林、中惠六位同學的段考平均分數分配圖。

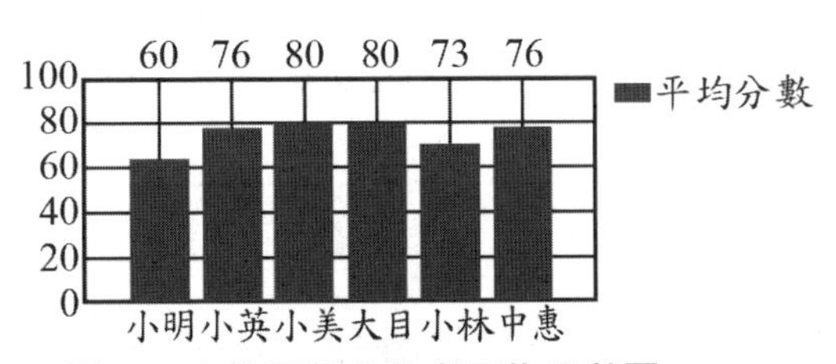

圖1-1 六位同學的段考平均分數圖

(二) **莖葉圖**（108高考）

例如：將某公司上個月30個工作天的營業額（萬元）紀錄如下：21、29、60、1、27、35、77、23、8、38、31、45、53、66、68、61、62、93、69、28、67、72、76、91、42、63、3、10、49、56，要畫成莖葉圖，首先將原始資料排序成1、3、8、10、21、23、27、28、29、31、35、38、42、45、49、53、56、60、61、62、63、66、67、68、69、72、76、77、91、93，其次將十位數（高位數）當莖，將個位

數（低位數）當葉，畫成如下圖1-2。可知，莖葉圖適合筆數較少的資料，且能從中讀出原始資料的訊息。

莖	葉
0	1 3 8
1	0
2	1 3 7 8 9
3	1 5 8
4	2 5 9
5	3 6
6	0 1 2 3 6 7 8 9
7	2 6 7
8	
9	1 3 5

圖1-2 30個工作天的營業額（萬元）莖葉圖

(三) **圓形圖（圓餅圖；圓形比例圖）**

例如：小鍾每個月的花費為20000元，其中各種項目花費的百分比以圖1-3表示之。

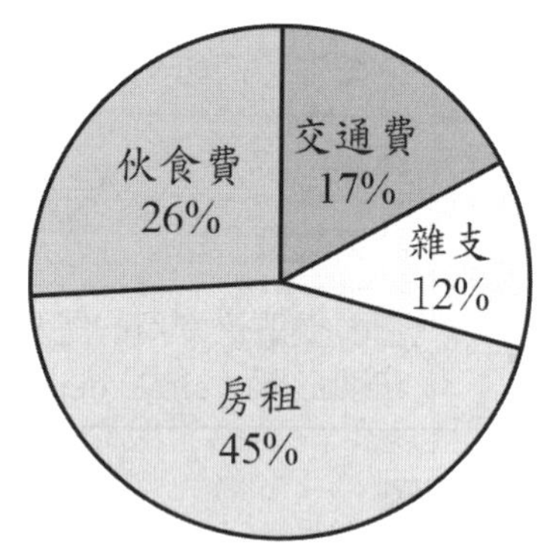

圖1-3 小鍾每月花費項目百分比圖

二、連續型資料

若資料為等距變項、比率變項等連續的資料時，應製作分組次數分配表，並按以下作法為之：

Step1	求全距：資料中最大值與最小值之差，叫做全距。
Step2	定組數：將統計資料進行分組，以7～15組較適宜。
Step3	求組距：每一組的區間長度，稱為組距。
Step4	定組限：每一組距中最大的數值與最小的數值，分別稱為上、下限。
Step5	歸類畫記：將每一筆資料在對應的組內畫上一劃，五劃為一小束，常以正字表之。

Step6	計算次數：畫記完所有資料後，計算各組次數，如例題1.1所示。
Step7	統計圖形畫法最常用的是直方圖（histogram）、折線圖（line chart）、圓餅圖、累積次數分配曲線圖、常態分佈圖（normal distribution）。

例題1.1

佩雯全班30位同學英文聽力的成績如下表：

座號	1	2	3	4	5	6	7	8	9	10
成績	66	82	40	48	54	72	90	83	68	54
座號	11	12	13	14	15	16	17	18	19	20
成績	35	92	23	68	82	77	51	87	80	72
座號	21	22	23	24	25	26	27	28	29	30
成績	78	77	58	69	70	65	85	35	64	40

請根據上述資料，依每組組距為10分，製作成績的次數分配表。

答 英文聽力成績的次數分配表

成績（分）	計數符號欄	次數（人）
20～30	/	1
30～40	//	2
40～50	///	3
50～60	////	4
60～70	𝍸 /	6
70～80	𝍸 /	6
80～90	𝍸 /	6
90～100	//	2
合計		30

(一) 直方圖

直方圖又稱為柱狀圖（histogram），與長條圖不同的是直方圖的寬度是有意義的，代表的是組距的大小，99年就曾出現一題兩者的比較，見例題1.2。例如：圖1-4表示20～22歲的人數4人，22～24歲4人，24～26歲11人，26～28歲1人。圖的寬度即代表組距為2歲。然而，長條圖的寬度並無意義，見圖1-1。

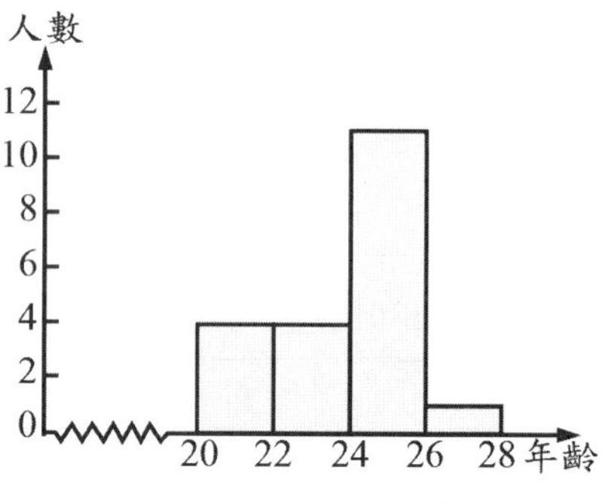

圖1-4　20～28歲年齡人數直方圖

例題1.2

一位主管要向來訪者簡報其員工之基本資料，其中之一為其員工在企圖心量表（分數範圍為0～20）得分，其助理為其繪製了兩種分佈圖，請依量表分數及統計圖的性質，回答下列問題：

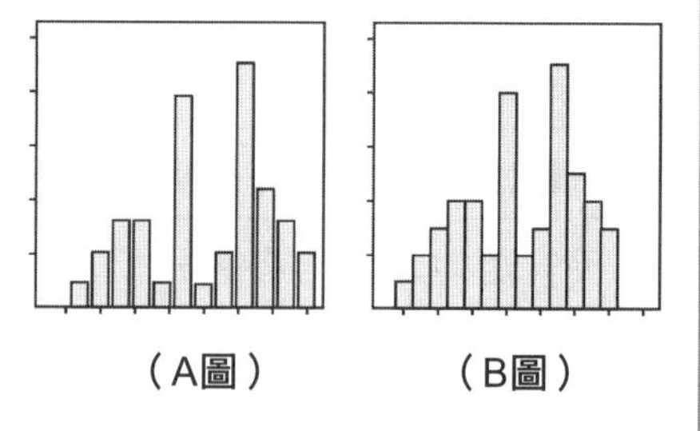

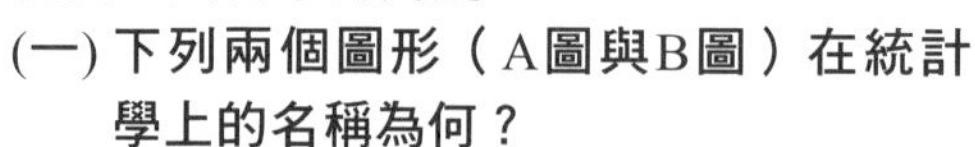

(一) 下列兩個圖形（A圖與B圖）在統計學上的名稱為何？

(二) 依量表分數的性質，要以那一種統計圖來呈現較適合？

(三) 試說明你選此種統計圖的理由。

答　(一)A長條圖，B為直方圖。

(二)直方圖。

(三)因量表得分範圍0～20屬連續變數，較適合直方圖。各長方面積表縱軸所代表的數量多寡，高度代表相對次數，底邊代表組距，各長方型要連接。

(二) **折線圖**：折線圖一般用於橫軸（X軸）是時間的變化（時間序列）的統計圖。

例如：圖1-5是某城市去年每月雨量的變化圖。

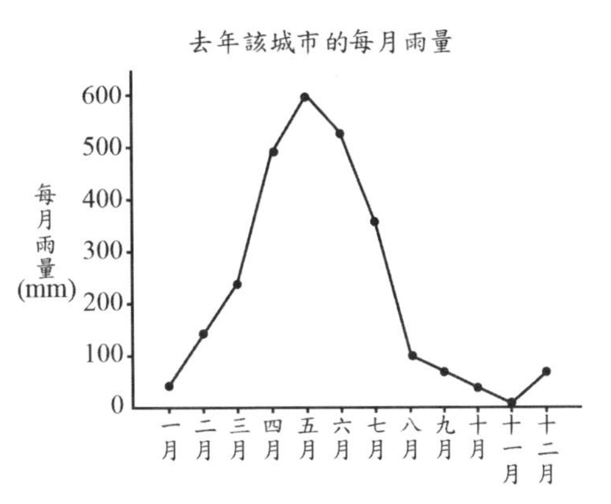

圖1-5 某城市去年的每月雨量折線圖

(三) **圓餅圖（圓形圖；圓形比例圖）**

與圖1-3作法相同。

(四) **累積次數分配曲線圖**

1. 自橫軸數量（如例題1-3的科系數）較小一組，逐次向數量較大一組累積，稱為以下累積次數。
2. 自橫軸數量較大一組，逐次向數量較小一組累積，稱為以上累積次數。

例題1.3

下表是高三某班大學聯考後選填大學科系數目的統計，請畫出以下累積次數分配曲線圖。

科系數	人數	以下累積（人數）	以上累積（人數）
0～10	4	4	50
10～20	2	6	46
20～30	16	22	44
30～40	16	38	28
40～50	7	45	12
50～60	5	50	5
合計	50		

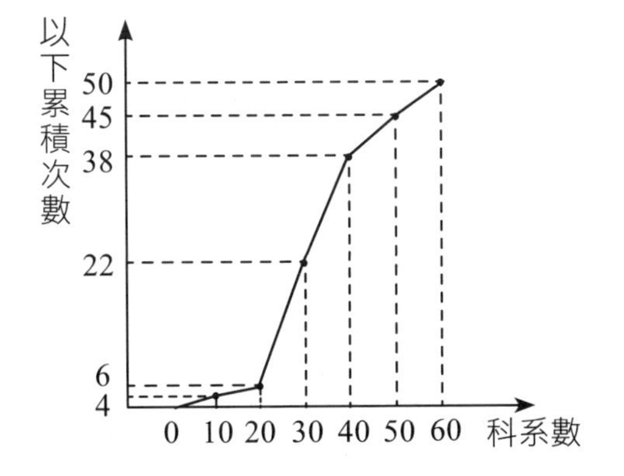

(五) 其他

1. 常態分佈圖

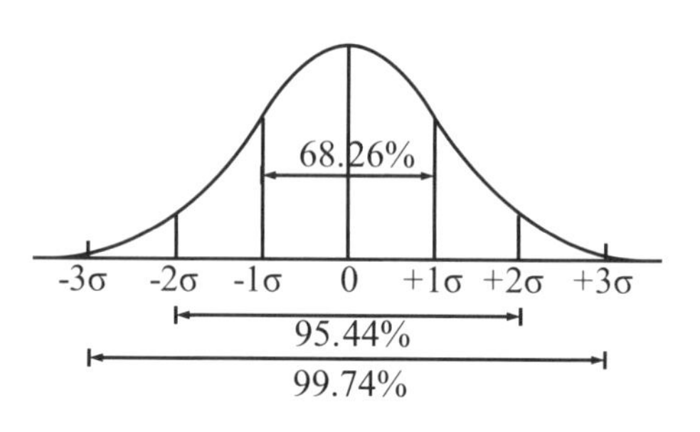

當數值資料組夠多時，直方圖中各長方形的中點用平滑曲線相連，就形成次數分佈曲線圖，又稱高斯分佈（Gaussian distribution）。例如：圖1-6的直方圖，若將成績組別無限增加，亦即組距無限減少，則學生的跳高成績就成常態分佈，如圖1-7，此時平均值、中位數（median）、眾數（mode）之數值均相同。

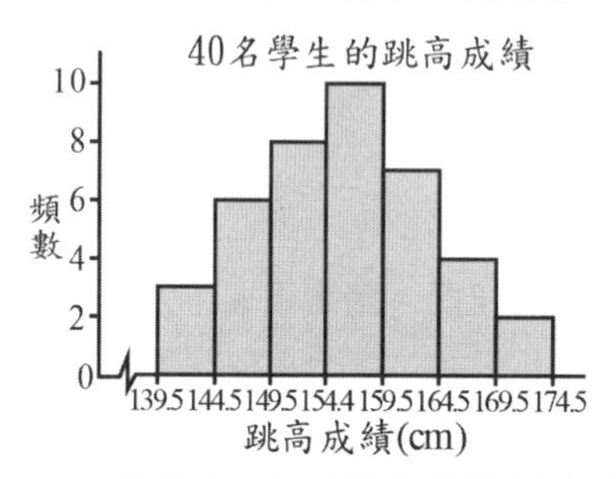

圖1-6　40名學生的跳高成績

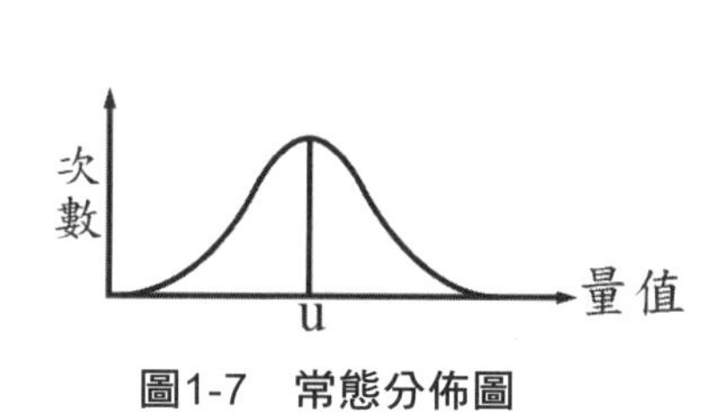

圖1-7　常態分佈圖

2. 盒鬚圖（107原四）

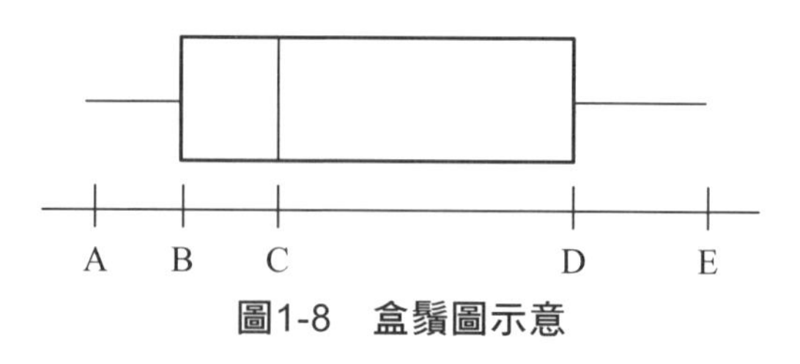

圖1-8　盒鬚圖示意

盒鬚圖（box-and-whisker plot, 簡稱box plot），也稱長鬚圖或「五個量數彙整圖」，由統計學者Tukey提出。盒鬚圖並不繪製實際的觀察值，而顯示分配的統計量。如圖1-8，A點是資料的最小值，E為最大值，B與D則分別為資料的下四分位數（第25的百分位數，25%，Q_1，即下四分位數）及上四分位數（第75的百分位數，75%，Q_3，即上四分位數），盒子的長度即是代表內四分位數的範圍（interquatile range），亦即是第75的百分位數與第25的百分位數之差值（$IQR=Q_3-Q_1$），因此，圖中盒子包含資料中間的50%部分。另外，C為資料的中位數。盒鬚圖包含一個盒子，及二條凸出來的鬚，這就是此圖命名的由來。盒鬚圖最大的用途是可以用來檢驗資料的極端量數（如最大值E，最小值A與盒長的比例，認定方法請見本章考題解析範例第二題）及分配的型態（中位數偏左，是為右偏分配，如圖1-9）。

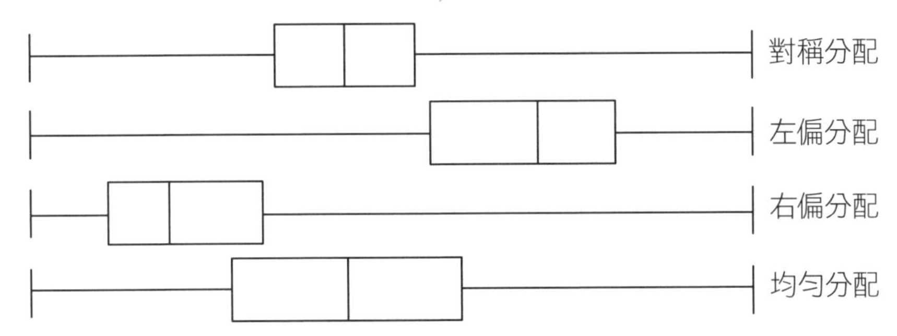

圖1-9 不同分配型態的盒鬚圖

資料來源：南臺科大My數位學習（2013）

考題集錦

1. 在計算積差相關係數或建立迴歸模型之前，通常先要繪製散佈圖（scatter plot），何謂散佈圖？繪製散佈圖之目的為何？（103身四）
2. 請以圖說明「莖葉圖（stem-and-leaf plot）」的主要成分為何？並說明莖葉圖的特色。（103高考）
3. 如果你手中有某單位員工的出生地點、在家中的排行與年齡的資料：
   (1)請分別說明這三者分別屬於何種層次的變數？
   (2)有什麼集中量數與離散量數可以用來描述這三個變數？
   (3)這三個變數中有那些可以進行四則運算？（103普考）
4. 名詞解釋：比率變數（ratio variable）（102身三）
5. 在教育統計學中，某研究員若想檢定「數學考試焦慮是否存在著性別差異」的假設，他該怎麼做，才比較恰當？請說明你的檢定步驟。（102地三）
6. 解釋下列名詞，並指出其使用時機：（101高考）
   (1)長條圖（bar chart）
   (2)直方圖（Histograms）
   (3)莖葉圖（Stem-and-Leaf displays）
   (4)盒鬚圖（box-and-whisker plot）
7. 學生的學業成績可能與父母關心程度及家庭社經地位有關。今若對100名高中生以量表測量他們父母的關心程度（X1，分數介於0到10分），家庭社經地位（X2，區分為高中低三組），由學生勾選，學業成績（Y）則是前學期的總平均分數（分數介於0到100分）。請問X1對Y，X2對Y，以及X1與X2合起來對Y的影響，分別要以什麼統計方法來分析？檢驗的重點在那裡？（101高考）

[考題解析範例]

一、試述實驗設計中對於重複測量的資料處理有那些常見的統計方法？(104地三)

破題分析 本題較偏向於教育研究法的研究設計，考生對於研究法與教育測驗及統計相關的內容也應有所涉獵，畢竟研究設計的主要目的就是希望透過研究分析與統計結果，得到研究假設的驗證。

答 (一)實驗研究設計中的重複測量：實驗研究法是所有實證研究中內部效度最高，外部效度較低的。為了提高研究設計之外部效度，可用(1)同組人當實驗群，也當控制組；(2)樣本隨機分派至實驗組及控制組；(3)改用多因子實驗設計；(4)共同紀錄外生變數的共變數分析法，來控制外生變數。其中，用同組人當實驗組，也當控制組的實驗設計，就稱為「重複測量」（repeated measure）。其特性如下：

1. 重複測量的樣本分派是一種「受試者內設計」型態。
   重複測量亦稱為重複量數設計（repeated measure design），是實驗選定的每一個受試者都經歷每一種實驗狀況的研究設計，稱為「受試者內設計」（within-subjects design）。也就是說，同一批受試者重複的接受不同的實驗處理，參與獨立變項當中的每一個實驗水準的情境。
2. 教育研究常用的時間序列設計，即是重複測量的「準實驗設計」。
   實驗設計中有些變數能加以控制，卻無法隨機分派的實驗設計，稱為準實驗設計。時間序列設計，就是在實驗處理前後，對一組或多組的群體重複測量，然後依據實驗前後一系列數據的變動趨勢，來衡量實驗處理的效果，此方法適用於縱斷面研究。但其缺點是只能推論到重複測量的群體。
3. 重複量數的實驗研究有其優缺點，但因其高效率，較「受試者間設計」常用。
   (1)優點：受試者內設計使用較少的受試者，操作上相對簡單，也較經濟。受試者內設計因為受試者人數較少，而且每一個實驗情境的實驗效果，都是由同一組人測得的，因此在統計上可以排除較多的測量誤差，同樣的實驗強度下，因為誤差較小而較容易得到顯著的統計結果，統計檢定力（statistical power）較受試者間設計為高。

(2)缺點：受試者內設計則是一個較為複雜、不安全的實驗設計。因為獨變項的每一個水準下的受試者都是同一組人，不同的實驗處理後產生的依變項的變化，除了實驗效果的作用之外，都同時伴隨著同一個人參與多次實驗情境的混淆。

(二)重複測量的資料處理統計方式：重複測量的資料處理方法，與研究的變項數目及水準數（K）有關。重複量數設計，實驗採用的是受試者內設計，兩組受試者是同一群人。以自變項「學習動機」為例，其強度有高、中、低三種實驗組處理，則研究變項數為1；水準數K＝4（實驗組有高、中、低3種強度加上控制組1）。

1. 自變項1個（單因子），依變項1個：

(1)當水準數K＝2

此時，統計技術應選用相依樣本t 檢定，來檢驗實驗效果的顯著性。

(2)當水準數K≧3

此時，統計技術應選用單因子變異數分析（one-way ANOVA），來檢驗實驗效果的顯著性。

2. 自變項2個（雙因子），依變項1個：此時，統計技術應選用雙因子變異數分析（two-way ANOVA），來檢驗實驗效果的顯著性，最後還要檢驗2個獨立自變項之主要效果及交互作用。

3. 自變項≧3個（多因子），依變項1個：此時，統計技術應選用多因子變異數分析（factorial ANOVA），來檢驗實驗效果的顯著性，最後還要檢驗多個獨立自變項之主要效果及交互作用。

4. 依變項≧2：如果有多個依變項，傳統的單變量變異數分析即不敷使用。多個依變項的實驗設計，必須使用多變量變異數分析（multivariate analysis of variance, MANOVA）來檢驗實驗效果。

5. 存在干擾實驗結果的自變項：足以干擾實驗結果的自變數，就是所謂共變數(外生變數)。將外生變數亦納入研究分析中，利用統計的手段把可能影響實驗正確性的誤差加以排除，此時，統計技術應選用共變數分析（Analysis of Covariance, ANCOVA），來檢驗實驗效果的顯著性。

二、請詳細說明「盒鬚圖（box-and-whisker plot）」的各主要部分的組成為何？有何功能？並請以圖示說明。（100地三）

答 (一)意義：

盒鬚圖（box-whisker plot）是由統計學者Tukey提出，其繪製方法非常簡單，如下圖，該圖形中箱子包含次數分配最中間50%的次數，箱子二端分別為第一（B點）與第三（D點）四分位數（即Q_1與Q_3），箱子二側則以最大值（E點）與最小值（A點）表示。

(二)功能：

盒鬚圖可以用來顯示下列資料的性質：1.四分位差；2.中位數；3.全距；4.分配範圍；5.分散程度：長方盒長度越長與外延垂直線越長，代表資料越分散；6.極端值（外圍）：分數離開長方盒上、下緣達長方盒長的3倍以上；7.偏離值（內圍）：分數離開長方盒上、下緣達長方盒長的1.5倍以上；8.分配型態：當中位數上下兩側延伸線越不相等，表示偏態越明顯。盒鬚圖與對應資料的內、外圍如下圖。

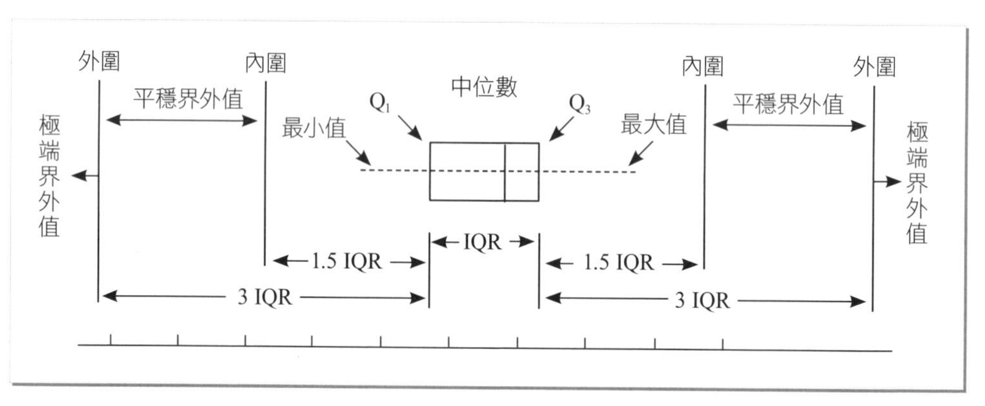

資料來源：南臺科大My數位學習（2013）

第二章　基本統計量數

依據出題頻率區分，屬：**A** 頻率高

開箱密碼

本章為教育統計量數的介紹，包括集中量數、變異量數、相對地位量數、標準分數、常態分配及各項分配、偏態與峰度，是教育統計學極為重要的基礎概念。本章的出題形式主要以各項統計量數的計算為主，對於統計量數的意涵、特色、使用時機、實務應用等都要加以熟練，尤其原始分數與標準分數的轉換，以及常態分配概念的運用等更是出題的焦點所在。本章是各項考試的必考之處。

第一節　集中量數

考點提示

(1)集中量數的意義；(2)集中量數的種類與比較；(3)各種集中量數的計算、使用時機與應用，幾乎必考。

統計學上描述資料共同趨勢的統計量數（statistical measures）**，稱為「集中量數」或「集中趨勢量數」**（measures of central tendency）(101高考)。**由於集中量數可以指出資料的集中趨勢與中間值位置，因此也稱為「位置量數」**（measures of location）。其種類如下：

一、平均數（108普考；107身四；101原四；100身四；100原三）

(一) **意義**：最常用的集中量數是算術平均數，簡稱「平均數」（mean, 簡稱M）。

樣本平均數：$\overline{X}=\dfrac{X_1+X_2+\cdots+X_n}{n}=\dfrac{\sum_{i=1}^{n}X_i}{n}$

母體平均數：$\mu=\dfrac{X_1+X_2+\cdots+X_N}{N}=\dfrac{\sum_{i=1}^{N}X_i}{N}$

(二) **特性**

1. 任一組資料中，各觀察值與平均數差之總和等於零。
2. 任一組資料中，各觀察值與平均數差之平方和為最小。
3. 資料的總和等於平均數的n倍。

(三) **優缺**

1. 優點是計算簡單易於瞭解。
2. 缺點是容易受到極端值（extreme value）的影響，削減其代表性。

(四) **加權平均數（weighted mean）**（106身三）

從算術平均數發展而來，在計算一組資料的平均數時，根據資料的重要性給予不同的權重數，所計算出來的結果即稱之為「加權平均數」。

例如：你的數學平時考成績是80分，期末考成績是90分，老師要計算學期總平均成績時，就按照平時考占40%、期末考占60%的加權比例來算，所以你的學期總平均成績是：80×40%＋90×60%＝86。

例題2.1

甲、乙、丙三班的學生人數分別為32、38、41人，高考教育統計學的平均分數分別為56、52、43分，求此三個班級的平均分數？

答 （32×56+38×52+41×43）÷（32+38+41）=49.83

二、中位數（108普考；107身四；100原三；100地四）

(一) 資料依大小排列，位於中間的值，即為中位數（Median, 簡稱M_e）。若n為資料個數，當n為奇數時，第$\frac{n+1}{2}$位置的數值為其中位數；當n為偶數時，第$\frac{n}{2}$或$\frac{n}{2}$+1位置之二數值的平均為其中位數。

(二) 中位數較不易受極端值的影響。

例題2.2

求下列二組資料之中位數：(1)13, 20,8,15,7；(2)5,10,19,23,11,15。

答 (一)13, 20,8,15,7 經排序為7,8,13,15,20 因此M_e=13

(二)5,10,19,23,11,15 經排序為5.10,11,15,19,23 因此M_e=13

三、眾數（Mode, 簡稱M_o）（108普考）

(一) 資料中出現最多次的數值，可能一個，可能多個，也可能不存在。

(二) 依皮爾森（Pearson）的經驗法則：近似眾數（M_o）$\approx M-3(M-M_e)$
其中，M為平均數，M_e為中位數。

例題2.3

試求下列三組資料之眾數：(一)15, 18, 20, 15, 18, 20, 25, 18；(二)10, 14, 10, 10, 8, 12, 14, 14；(三)2, 3, 5, 9, 16, 19, 8, 13。

答 (一)M_o=18；(二)M_o=10,14；(三)M_o不存在。

四、三種集中量數的適用時機

集中量數	類別資料	順序資料	等距資料	比率資料
平均數	不適用	不適用	適用	適用
中位數	不適用	適用	適用	適用
眾數	適用	適用	適用	適用

第二節　變異（離散）量數

考點提示

(1)變異量數的意義；(2)變異量數的種類與比較；(3)各種變異量數的計算、使用時機與應用，是必考重點，須加以詳讀。

統計學上描述資料分散情形的統計量數，稱為「離散量數」、「變異量數」或「差異量數」（dispersion measures）。變異量數可以指出資料的分散範圍，也可以反應平均數對資料的代表性強弱。**兩個樣本的分配可能有同樣的集中量數，但卻有不同的變異量數**（101高考）。其種類如下：

一、全距（107身四；100地四）

(一) 數值最大者與最小者之差稱為全距（range, 簡稱R）。

(二) 全距易受極端值影響。

例題2.4

設有二組資料如下：

A：2, 4, 5, 6, 8, 9, 8, 13, 12, 15

B：2, 6, 8, 9, 9, 11, 10, 15

試求出其全距、平均數與中位數，並做比較。

答 A組：全距=15－2=13、平均數=8.2與中位數=8。

B組：全距=15－2=13、平均數=8.75與中位數=9。

A組與B組的全距雖然相同，但A組較分散，B組大部分的數值集中於中央。由此可知，僅由全距來測度變異量數，易受極端值影響，較不可靠。

二、平均差（106身三）

(一) 各資料值與中位數或平均數的差異絕對值的算術平均數，即為平均差（mean of average deviation, 簡稱MAD）。

(二) MAD越大，表示資料越分散。

(三) 公式 $\frac{\Sigma\left|X_i - \overline{X}\right|}{N}$

(四) 公式中的 $X_i - \overline{X}$ 稱為離均差（deviations），是各資料值偏離平均數的距離。

(五) 若有極端分數則常用平均差。

例題2.5

求3, 6, 7, 10, 34**與**5, 8, 9, 10**兩組資料之平均差。**

答 第一組的平均數為12，平均差＝$\frac{1}{5}$（9+6+5+2+22）=8.8。

第二組的平均數為8，平均差$\frac{1}{4}$（3+0+1+2）=1.5

由此可見，第一組較分散，因其有一極端值34。

三、四分位差（107身四；100原三）

(一) **四分位數**：將各個資料由小而大排列，分成四等分，則會有三個分割點。從小的一邊算起，第一個分割點，稱為第一四分位數，以 Q_1 表示；第二個分割點，稱為第二四分位數，即是中位數，以Q_2表示；第三個分割點，稱為第三四分位數，以Q_3表示。

(二) **四分位差（quartile deviation，簡稱QD）**：是指團體中間50%的人全距的一半，可以反映中間50%數據的離散程度，其數值越大，分散越嚴重。其公式為$QD=\frac{Q_3-Q_1}{2}$

(三) 較不受極端值的影響。

(四) 若以中位數為集中量數時，應以四分差為變異量數。

已知下圖資料的最小值為5，最大值為90，第一四分位數為45，第三四分位數80，平均數為65，求此資料的四分位差。

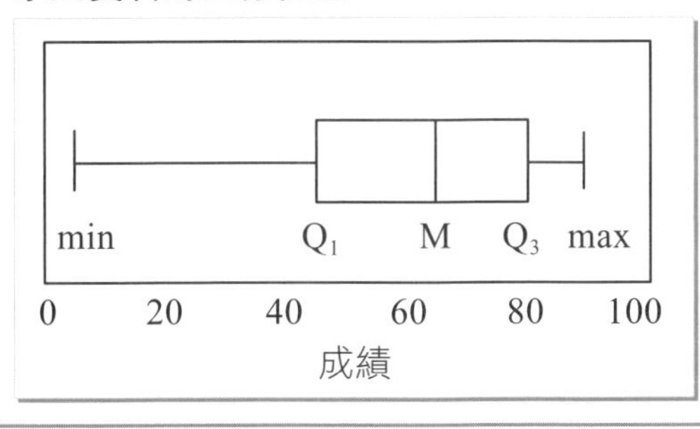

答 $\frac{(80-45)}{2}=17.5$

四、變異數（109地四；100地三）與標準差（107地三；107身四；100身四；100原三）

四分位差雖然簡單明瞭，但是其缺點，就是只用到資料的兩個數值來表示資料的變異程度，而未能利用所有的資料，來呈現所有分數間的變化情況，也沒有告訴我們資料中之平均變化或代表性程度為何。這個缺失可以用變異數和標準差彌補：

(一) **各組資料的離均差平方和（sum of square of deviation from the mean），簡寫為SS，除以N（資料數），即為「變異數」（variance），以S_X^2表示。變異數的開平方，就是標準差（standard deviation, 簡稱SD）**。公式為：

1. 計算母群體的變異量與標準差時，其公式是：

$$\sigma^2=\frac{\sum(X_i-\mu)^2}{N} \qquad \sigma=\sqrt{\frac{\sum(X_i-\mu)^2}{N}}$$

2.計算樣本的變異量與標準差時，則公式為：

$$s^2 = \frac{\sum(X_i - \overline{X})^2}{N-1} \qquad s = \sqrt{\frac{\sum(X_i - \overline{X})}{N-1}}$$

(二) **特性：**

1.若一資料分配之標準差很小，表示大部分的數值皆集中於平均數的附近，此時平均數的代表性高，反之，平均數的代表性低。

2.標準差恆大於等於零，所有數值皆相等，則標準差=0。

3.易受極端值影響，反應靈敏。

4.因其所有資料均使用，故較其他變異量數具有母體代表性，推論統計常用到標準差。

5.**若以算術平均數為集中量數時，則應以標準差為變異量數。**

例題2.7

10人之分數分別為5, 5, 6, 7, 8, 8, 8, 9, 14, 20，求：標準差＝？

答 本題平均數為9，N=10

故離均差平方和$=2(5-9)^2+(6-9)^2+(7-9)^2+3(8-9)^2+(14-9)^2+(20-9)^2=194$

除以N－1得變異數=21.556

因此，標準差$\sqrt{\frac{\sum(X_i - \overline{X})}{N-1}} = 4.643$

例題2.8

某公司以20題的「工作滿意度量表」測量約300名員工的工作滿意度，每一題有「非常不滿意」到「非常滿意」5個選項可勾選，5個選項分別計為1-5分，20題的總分即為個人的工作滿意程度。結果整體員工工作滿意分數的全距為79，平均數為73.6，標準差為7.8，中位數為77，四分差為6。請問如果數據正確的話，你會以那一種集中量數指標與離散量數指標，來向總經理報告公司員工工作滿意的情形呢？簡述理由為何？（101高考）

答 依題目所給的統計量值，集中量數平均數（73.6）小於中位數（77），合理推斷，眾數可能大於中位數，形成負偏分配。300名員工數目不少，為有助於公司整體發展，集中量數的部分應報告數值稍低的平均數，讓總經理審慎思考提供員工滿意度之措施以增進員工福祉及提昇公司績效。至於離散量數的部分，建議採用7.8分的標準差向總經理報告，較具母體代表性。

例題2.9

從教育理論觀點而言，我們期望在班級團體的學科成績與大型升學考試科目成績上之兩種變異數的比較：
(一) 何者變異數越大越好，其理由為何？
(二) 何者變異數越小越好，其理由為何？（101地三）

答 (一)大型升學考試科目成績的測驗目標乃在鑑別與分發程度不同的學生，考生人數眾多，因此，變異數越大越好。
(二)班級團體的學科成績則變異越小越好，代表班級學習成就越接近。

五、變異係數（相對差異係數）（109高考；105地四、身四）

(一) 標準差相對於平均數的百分比稱為變異係數（coefficient of variation, 簡稱CV）。公式為$CV=\left(\frac{SD}{\overline{X}}\right)\times 100$（也可以化成百分比%）
(二) 變異係數是一種比例關係，故無單位。
(三) 變異係數越大，資料越不整齊（越分散）。
(四) 單位相同但兩組平均數差異過大或單位不同比較其分散情形時使用。

例題2.10

承例題2.7中10人之分數分別為5, 5, 6, 7, 8, 8, 8, 9, 14, 20，求：
(一) 變異係數＝？
(二) 若調整分數，每人各加10分，則平均數、中位數、眾數、全距、變異數、標準差、變異係數如何變化？
(三) 承(二)將調整分數的方法改為同乘5倍，則各量數如何變化？

答 (一)該題標準差為4.643，平均數為9，因此

$$變異係數CV=\frac{4.643\times 100}{9}=51.58$$

(二)和(三)

原始分數	同加10分	同乘5倍
平均數	增加10	變為5倍
中位數	增加10	變為5倍
眾數	增加10	變為5倍

全距	不變	變為5倍
變異數	不變	變為25倍
標準差	不變	變為5倍
變異係數	變小	不變

第三節 相對地位量數與常態分配

(1)常態分配的意義與特性；(2)標準常態分配的意義與特性；(3)矩形分配、二項分配的意義與舉例；(3)各種相對地位量數與標準分數的意義、使用時機、計算與互換，是必考重點，須加以詳讀。

壹、常態分配

當樣本分數的次數分配圖形呈左右對稱的鐘型（bell-shaped）曲線時，此曲線稱為常態曲線（normal curve），這樣的次數分配稱為常態分配（normal distribution），又稱高斯分佈（Gaussian distribution）。常態分配的期望值E（X）=μ，變異數V（X）=σ^2。其特性如下：

一、常態分配曲線呈鐘型分佈，以平均數μ為中心最高處，逐漸向兩側遞減，兩尾與X軸接近，但不相交。

二、因是對稱分配，故平均數=中位數=眾數，三者合而為一。

三、任何點與間$\overline{X}$在常態曲線下之面積是一定的，且因左右對稱，如圖：

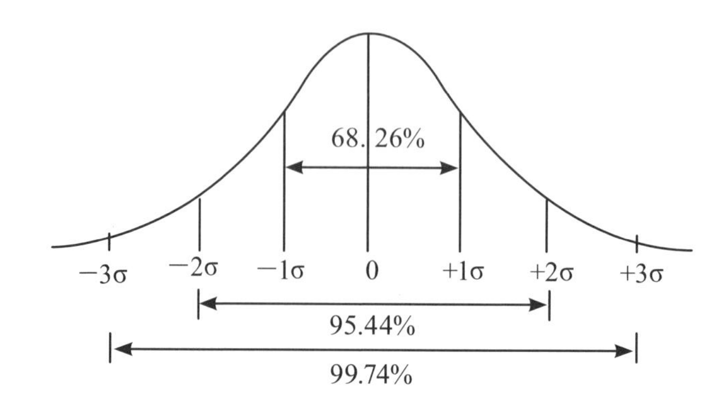

$\mu \pm 1\sigma$含有整個樣本群之68.26% 的個體。

$\mu \pm 2\sigma$含有整個樣本群之95.44% 的個體。

$\mu \pm 3\sigma$含有整個樣本群之99.74% 的個體。

95% 個體落在$\mu \pm 1.96\sigma$之間。

99% 的個體落在$\mu \pm 2.58\sigma$之間。

貳、標準化常態分配

如果實際分配不是接近常態分配時，**將原始分數轉化成平均數=0，標準差=1，構成的常態分配便成了標準化常態分配**（standard normal distribution）。如此一來，不同之樣本分配經標準化後就可相互比較。當然，標準化常態分配也具有前述常態分配所有的特性，如右圖。

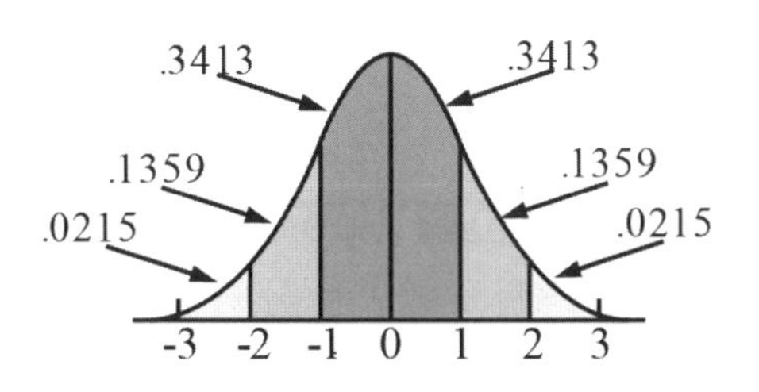

參、矩形分配（101地四）

矩形分配（rectangular distribution）指的是在X的值域範圍內，其機率皆相等，因分配均勻，因此又稱「均勻分配」（uniform distribution）。若資料點落於a～b區間範圍內的機率為1，而在該範圍外的機率為零且呈現對稱於中心點的分佈時，就是矩形或均勻分配。例如：等公車的時間令為X，若公車平均每二十分鐘來一班，則等待公車時間X的機率為1/（20－0）=1/20，0<X<20。

肆、二項分配（101地四）

二項式分配（binomial distributiion）係由伯努利試驗（Bernoulli Trial）得出，其特色為每一次試驗不是成功（S），就是失敗（F），僅有兩種結果。因此，若成功機率為p，則失敗機率必為1－p。當進行非常多次的試驗之後，所得結果試驗成功的機率分配就稱為二項機率分配。另外，二項式分配母群的平均數與標準差分別為np及np（1－p）的平方根。例如，資優鑑定以性向測驗測試學生是否達資優標準，鑑定結果不是通過，就是不通過。已知通過的機率為0.3，則在已經隨機抽出的100位參加資優鑑定的學生中，平均只有100（0.3）=30位同學可以通過，而通過人數的標準差為$\sqrt{100\times0.3\times0.7}=4.583$人。

伍、相對地位量數

統計學上描述個體在團體中所佔位置的統計量數，稱為「相對地位量數」（measures of relative position）。其種類如下：

一、百分位數（percentile，P）（108普考；102原三）

(一) 是一個分數，此分數乃利用1%、2%、3%、……、99%將資料小到大均分成相等的一百個等份，則中間的99個切割點所在的分數即為第1、第2，……及第99個百分位數。例如：P_{60}=52表示第60個百分位數等於52分，亦即有60%的人成績不到52分，只有40%的人成績超過52分。因此，P_{50}所對應的分數即為中位數。

(二) 公式：$P=d+\frac{(PR\times N-F)}{100}\times\frac{h}{f}$

上式中P：百分位數

d：百分位數所在組下限

PR：百分位數所對應的百分等級

N：總人數

F：d分數以下累積的總人數

h：百分位數所在組的組距（若資料未分組，則h=1）

f：百分位數所在組的人數

二、百分等級（105地四；105普考；101普考；101高考；100身四；100原三；100高考）

(一) 是個百分比例，百分等級（percentile rank，簡稱PR），係指原始分數低於某個分數的人數百分比，**且只取整數值**（四捨五入）。

(二) 公式

1. **資料未分組**

$PR=100-\frac{100R-50}{N}$式中R為名次；N為總人數。

2.**資料已分組**

$PR=\frac{100}{N}[\frac{(X-d)f}{h}+F]$，式中X為原始分數，其餘同百分位數的公式。

三、標準分數

原始分數標準化的目的，是要將原始分數轉換為統一的標準單位，經轉換後近似常態分配而分屬不同變數的原始分數，便**可進行不同領域或單位的相互比較**。然而，**變數的實際分配應接近常態分配，標準化才有意義。**（101地三）

(一) **標準分數為原始分數的直線轉換，其定義是原始分數（X）與平均數（$\overline{X}$）的差距除以標準差（SD），通常以Z表示，所以又稱Z分數。**

(二) **公式：** $Z=\frac{X-\overline{X}}{SD}$（106身三；105地四；101原三；101高考；100身四）

(三) Z分數的平均數為0，變異數、標準差均為1。

(四) **Z分數的直線轉換：因為Z分數有小數且有負值，若轉換成T分數則可避免此缺點**，且較容易判讀與運算。T分數的缺點為：若樣本（母群）非常態分配，則直線轉換為T分數後，其分數亦非常態分配。

T分數：平均數50，標準差10，T=50+10Z（105身四）。

(五) **其他標準分數：**

美國陸軍普通分類測驗分數（AGCT）	平均數100，標準差20，AGCT=100+20Z（105身四）。
魏氏智力量表（WISC）	平均數100，標準差15，WISC=100+15Z。
比西量表（BSS）	平均數100，標準差16，BSS=100+16Z。
美國大學入學考試委員會（CEEB）	平均數500，標準差100，CEEB=100Z+500。（105身四）

(六) **其他常態化標準分數：常態化標準分數（normalized standard score）的轉換係事先依據常態分配的原則，以中間最多、往兩端遞減、左右對稱的方式將每一個等第應佔人數的百分比設定好，然後依分數高低填入各等第，每一等第填滿就換填下一個。**這種轉換方式有下列幾種：（108普考；105地四；101普考）

1. **T量表分數（T-scaled score）**：與T分數同為平均數50、標準差10，兩者均為麥柯爾（McCall）所創，但T量表分數經過二次轉換，是一種非直線轉換（面積轉換）的常態化標準分數，T分數則不是。其求法乃先將原始分數轉換為百分等級，查常態分配表對照出Z值，再轉換成T量表分數：T=50+10Z。常態化標準分數的轉換都是如此（101身四）。
2. **標準九（stanine）**：由美國空軍發展，是一種等級範圍從1至9的常態化標準分數，其平均數為5，標準差為2，因此每個等級單位是0.5個標準差。標準九分數9、8、7表示表現高於一般水準，6、5、4表示表現是為一般水準，3、2、1表示表現低於一般水準。其公式為：Stanine=5+2Z。

等第	1	2	3	4	5	6	7	8	9
百分比	4%	7%	12%	17%	20%	17%	12%	7%	4%
累積百分比	4%	11%	23%	40%	60%	77%	89%	96%	100%

3. **C量表分數（C-scaled score）**：由吉爾福特（Guilford）發展，與標準九類似，是一種常態化標準分數，由標準九兩端的1和9分別向下、向上延伸一單位至0與10，構成0～10，共十一個單位的分數。

等第	0	1	2	3	4	5	6	7	8	9	10
百分比	1%	3%	7%	12%	17%	20%	17%	12%	7%	3%	1%
累積百分比	1%	4%	11%	23%	40%	60%	77%	89%	96%	99%	100%

4. **Sten分數**：與標準九類似，是從平均數5的左右兩邊各分成五個單位（1～10）的常態化標準分數。

等第	1	2	3	4	5	6	7	8	9	10
百分比	2%	5%	9%	15%	19%	19%	15%	9%	5%	2%
累積百分比	2%	7%	16%	31%	50%	69%	84%	93%	98%	100%

5. **五等第制**：學校成績常用的常態標準化分數，但因不夠精細，運用不廣。

等第	1	2	3	4	5
百分比	7%	24%	38%	24%	7%
累積百分比	7%	31%	69%	93%	100%

例題2.11

某市教育局想檢測該市國小六年級學生的國語文程度，發展出甲、乙兩套複本測驗，測驗題型包含選擇題和多點計分的建構題型。從該市六年級學生中隨機選取兩個班級共70名學生，先做甲測驗，隔一週後，再做乙測驗。兩次測驗得分之相關為0.73。甲、乙兩測驗的量尺分數以250為平均數，50為標準差。若全體考生的分數呈常態分配，小玲在這個考試上得到300分，請計算小玲的標準分數並估計其可能的百分等級。（101高考）

答　小玲在該測驗得分的標準分數可以計算得：

$Z=\frac{(300-250)}{50}=1$，查常態分配表得概率為0.3413

∴其百分等級為$P(Z\leq 1)=0.5+0.3413=0.8413$，PR為84。

例題2.12

T分數是常態化的標準分數，其平均數是50，標準差是10。若現在欲將一份非常態化的成就測驗分數資料轉換成常態化T分數，應該如何進行？請詳細說明轉換步驟。（100身四）

答　常態化標準分數適用時機為比較兩個非常態分配且分配形狀明顯不同的分數，為使其可以直接比較，因此將原始分數經二次轉換（面積轉換）為符合常態分配的標準分數。轉換步驟如下：

(一)將原始分數轉換為百分等級

1. 計算已歸類次數之平均數與標準差。
2. 求出各組中點的分數。
3. 求出各組累積次數。
4. 求出各組累積次數的累積百分比。

(二)**百分等級轉為Z值**

1. 將各個值當成百分等級，查標準常態分配表，將最接近的各概率對照化為Z值。
2. 將常態化後的Z分數直線轉成各種常態化標準分數。

例題2.13

百分等級運用在常模參照測驗的解釋是非常普遍重要的，若某群體原始分數分配接近常態分配，則將原始分數化為百分等級後，試回答下列各問題：

(一) 中間百分等級的差異（如PR=41到PR=50）及兩極端百分等級的差異（如PR=1到PR=10或PR=90到PR=99），何者較能精確反應原始分數間之真正差異？請簡單說明原因。

(二) 若將每個人的原始分數化為標準分數z，試問每個受試所對應的百分等級有何變化？

(三) 若將(二)中的z乘以10再加上50，試問群體的平均數與標準差變成何值？如此得到的量尺分數其名稱為何？每位受試的相對地位有何改變？（100身四）

答 (一)百分等級量尺是一種次序量尺，其單位大小並不相等，越靠近常態分配中央的原始分數單位小，越靠近二端的單位大；亦即，越靠近中間部分的百分等級較能反應出原始分數的實際差距。

(二)若將每個人的原始分數化為標準分數Z，則每個受試者所對應的百分等級不會變化，因為相對地位量數不變，不會影響團體中贏過的百分比。

(三)即將Z分數直線轉換成平均數＝50、標準差＝10的T分數。每位受試者的相對位置不會改變。因為直線轉換並未改變原始分數之分配情形，原量表與新量表分配型態相同均為常態分配。

例題2.14

甲、乙兩人在各科成績如下表所示，依據全部考生在各科的平均數（X）與標準差（SD）：

	國文	英文	數學	理化	史地	總分
全部	X=78 SD=10	X=70 SD=16	X=40 SD=25	X=65 SD=20	X=80 SD=12	
甲	80	82	55	70	92	379
乙	68	54	90	90	80	382

(一) 請計算甲、乙兩人在各科的標準分數。

(二) 若要在甲、乙兩人中擇一錄取，請問應該錄取誰？因應不同的選才需求或特殊考量而可能有不同的選擇結果，請依各種可能的考量或選才需求，分別陳述錄取的理由為何？（101原三）

答 (一)以甲生國文為例 $Z=\frac{x-\bar{x}}{SD}=\frac{80-78}{10}=0.2$，依此方式可以計算甲、乙各科的Z值。

(二)計算結果甲生英、數、理、史各科Z值分別為0.75、0.60、.25、1，因此，甲生各科總Z值加總為2.8。乙生國、英、數、理、史各科Z值分別為－1、－1、2、1.25、0，各科總Z值加總為1.25。

1. (1)若以原始分數比較，則錄取乙生。因為乙生總分382分大於甲生379分。

(2)原始分數的優點是以答對題數呈以各題配分直接計算，簡單易懂，但其缺點是沒有考量測驗試題的難度影響加以不同的配分，結果不易看出學生真正的實力。因此，若以原始分數測驗結果遴選資優班學生，恐失之偏頗。

2. (1)若以標準分數比較，則錄取甲生。因為甲生Z＝2.8分大於乙生Z＝1.25分。

(2)標準分數不具有單位，優點即是可以顯示每位受試者在團體中的相對地位，但其缺點即是容易受到極端分數而有過度放大或過度縮小的影響。以標準分數測驗結果遴選資優班學生，可錄取每一科目分數均為相對地位量數較高的學生，精確性較高。

第四節　偏態與峰度

考點提示　(1)正偏態與負偏態的意義、特性與圖形判讀；(2)高狹峰、低闊峰的意義、特性與圖形判讀；(3)動差的意義及偏態指標g_1、峰度指標g_2，是必考重點，須加以詳讀。

壹、偏態（106身三）

資料的分佈型態若不是常態分配，則分配曲線的最高峰就不會出現在正中央，而是會偏左或偏右，此種情形稱為資料分配的「偏態」（skewness）。常態分配的偏態值為0。

一、正偏態（107身三；106高考；101地四）

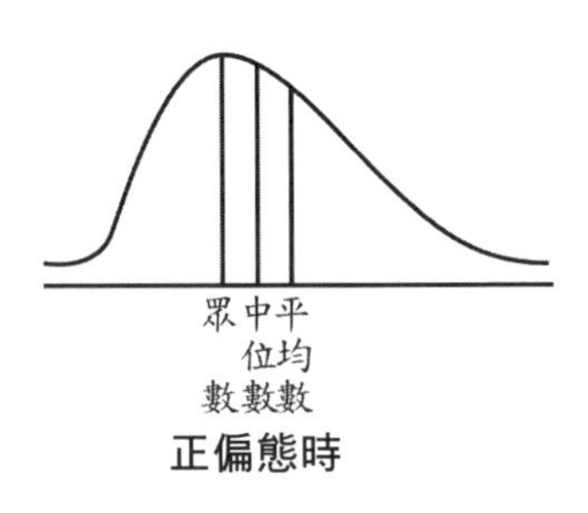

正偏態時

正偏態（positive skewness）是指數據小的資料遠多於數據大者，其分配曲線的最高峰偏向左邊，尾部拖向右邊，又稱「右偏分佈」（skew to right）。若依三個集中量數的大小關係來說，資料或分數呈現偏態時，平均數移動的最少，眾數移動的最快，則正偏態具有平均數最大，中位數居中，眾數最小的情形，如圖。例如：100位資源班學生的數學測驗成績，多數偏低分，極少數高分，其所呈現的分配即為正偏態。

二、負偏態（106高考；105普考）

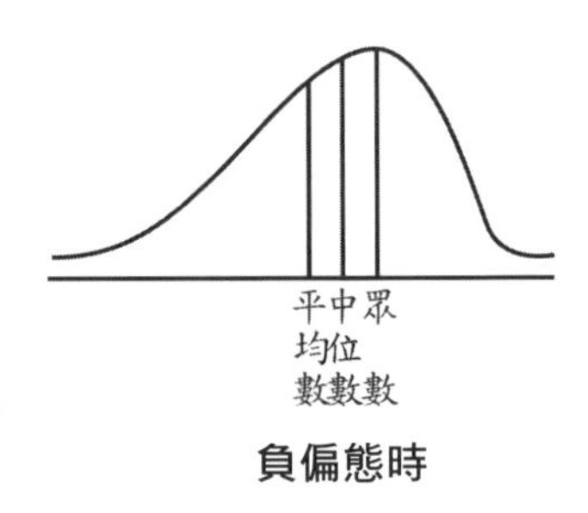

負偏態時

負偏態（negative skewness）是指數據大的資料遠多於數據小者，其分配曲線的最高峰偏向右邊，尾部拖向左邊，又稱「左偏分佈」（skew to left）。若依三個集中量數的大小關係來說，則負偏態具有眾數最大，中位數居中，平均數最小的情形，如圖。例如：100位資優班學生的數學測驗成績，多數偏高分，極少數低分，其所呈現的分配即為負偏態。

上述內容整理如下：

(一) **常態分配時**：眾數＝中位數＝平均數

(二) **負偏態（左偏分布）時**：眾數＞中位數＞平均數（因為它較大的數值較多）

(三) **正偏態（右偏分布）時**：眾數＜中位數＜平均數（因為它較小的數值較多）

另外，若將常態分配下各種相對地位量數的轉換比較整理為圖，可如圖。

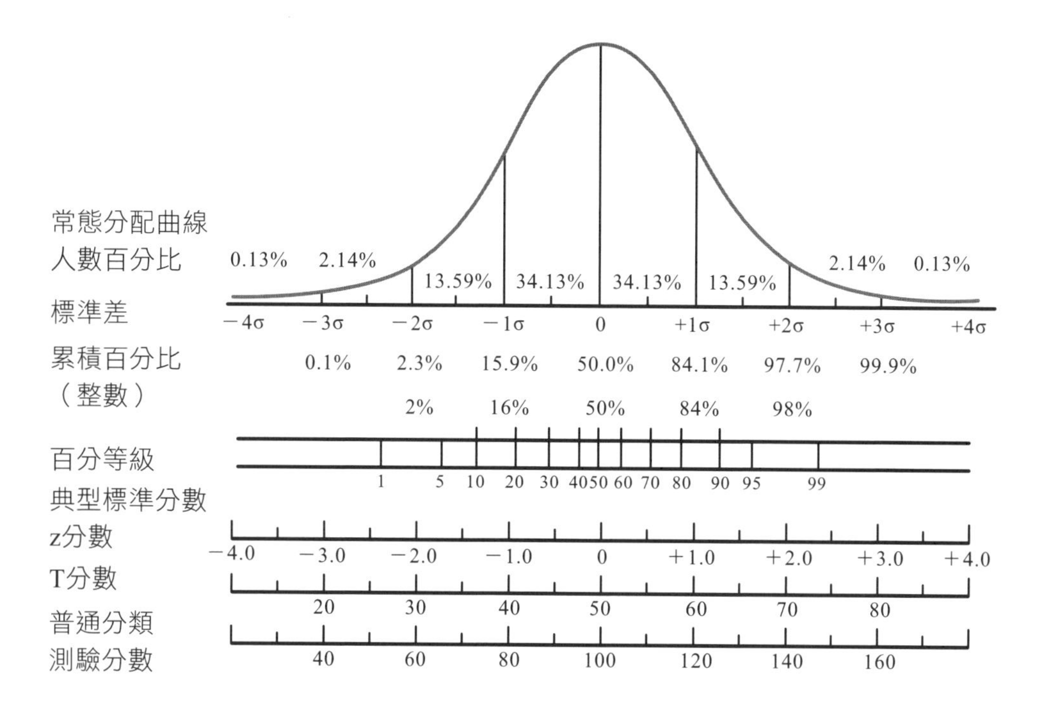

貳、峰度

峰度（Kurtosis）是資料的集中程度，資料越同質越形成高狹峰（leptokurtic），資料越異質卻會形成低闊峰（platykurtic）。常態分配的峰度值為0。

一、高狹峰

次數分配曲線較常態峰為尖瘦，表示中間人數較常態峰多，腰部較常態峰少，而尾部較常態峰多，見右圖。

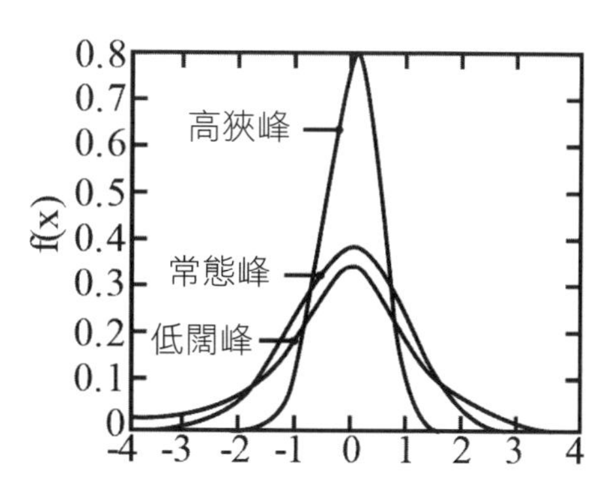

二、低闊峰

次數分配曲線較常態峰為矮胖，表示中間人數較常態峰少，腰部較常態峰多，而尾部較常態峰少，見右圖。

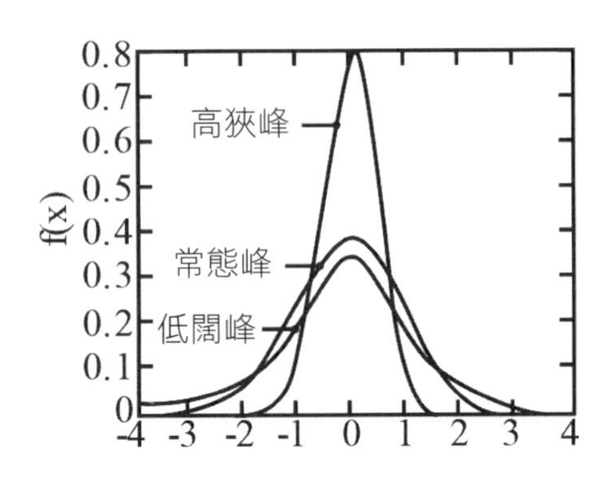

參、動差

動差（moment）是指資料內各數值對於某特定值差異r次方的平均數，即r級動差。二級動差為變異數，三級動差是偏態指標，四級動差是峰度指標。

一級動差：$m_1=\frac{\sum(x-\bar{x})}{N}=0$　　二級動差：$m_2=\frac{\sum(x-\bar{x})^2}{N}$

三級動差：$m_3=\frac{\sum(x-\bar{x})^3}{N}$　　四級動差：$m_4=\frac{\sum(x-\bar{x})^4}{N}$

(一) **偏態指標** $g_1=\frac{m_3}{s_3}$

1. $g_1=0$為常態分配
2. $g_1>0$為正偏分配（因平均數右邊的X離平均數較遠，$m_3>0$）
3. $g_1<0$為負偏分配（因平均數左邊的X離平均數較遠，$m_3<0$）

(二) **峰度指標** $g_2=\frac{m_4}{s_4}-3$

1. $g_2=0$為常態分配（$g_2=3$）
2. $g_2>0$為高狹峰（$g_2>3$）
3. $g_2<0$為低闊峰（$g_2<3$）

考題集錦

1. (一)某測驗分數為常態分配，其百分等級 50-60 之間的原始分數差距，比百分等級80-90 之間的差距，是大還是小？換句話說，接近平均數處的分數若稍作改變，較遠離平均數之分數稍作改變，其相對的百分等級之改變會較大或較小？這是什麼原因？請用次序量尺或等距量尺的觀念來說明。

   (二)當某位學生之 PR 值為 84 時，請問其贏過多少%（percent）的人？（104身四）

2. 在某些甄選的考試中，經常會考好幾個科目，並以其總分之高低錄取考生。測驗學者或統計學者不贊成使用原始分數之總分或平均數，而建議使用標準分數（或直線轉換後的分數）之總分或平均數，這是因為標準分數具有那四個優點（或特性）所使然，請詳細說明之。（103身三）

3. 請試述下列名詞之意涵：（103普考）

   (1)標準化測驗（standardized tests）

   (2)T 分數（T-score）

   (3)常態化標準分數（normalized standard scores）

4. 某房屋仲介公司的網站，定期公告每個經紀人售出房價的集中量數，一般來說，每個房屋經紀人所賣出的房屋中，會有少數特別昂貴，不過每個人所賣出的房屋數相差無幾。網站上也呈現該地區兩個地段 A 與 B 的房價標準差，這個月 A 地段售出的房子有 20 戶，標準差為 12 萬元/坪，B 地段售出的房子有 30 戶，標準差為 8 萬元/坪。（103地三）

   (1)若房屋經紀人的佣金為賣出總房價的 5%，請問那個集中量數與房屋經紀人的收入最相關？為什麼？

   (2)王先生想利用該網站粗估一下該地區的房屋售價散布情形，請問將兩個地段資料合併後，該地區的房價標準差是多少？

   (3)若該仲介公司改變佣金制度，將佣金從 5%減少為 4%，請逐一說明房屋經紀人的收入之變異量數分別有何影響？(1)全距(2)四分差(3)變異數。

5. 王老師目前任教小學三年級，他想瞭解班上同學的體重會不會有過重的情形。在全班所有 30 名小朋友量過體重後，王老師想找個數據來描述小朋友體重資料的集中情形而來請教你。請問你如何向王老師說明平均數、眾數、中位數三種集中量數指標的意義？（103地三）

6. 學生能力程度類似的甲、乙兩班，因為授課教師不同，所用試卷亦不同，學期末的數學期末考試成績之描述資料如下：甲班平均數為 80 分，中位數 84 分，標準差 5分；乙班的平均數 65 分，中位數 60 分，標準差 4 分。請根據這些數據回答下列問題：（103地四）
   (1) 甲班林生得 85 分，乙班李生得 73 分，如果將林、李兩生的成績化為 T 分數，則誰的 T 分數較高？兩班平均數差異如此大，不以原始分數比較而以 T 分數來比較，主要是建立在何種前提之下？
   (2) 若乙班張生實際得分為 66 分，後來老師發現誤將張生的成績登錄為 61 分，試問修正過後乙班的平均數與中位數受何影響？
   (3) 若甲班老師將每位同學的分數加 5 分，則平均數與中位數有何種變化？
   (4) 若甲班林生（得分 85 分）原本的百分等級為 63，則加 5 分之後，其百分等級有何變化？
   (5) 由所提供的數據來判斷，甲班和乙班分數之偏態有何差異？
7. 名詞解釋：變異係數（coefficient of variation）（102身三）
8. 何謂標準分數？原始分數轉化為標準分數的目的為何？請舉出三種常用之標準分數並說明其公式為何？（102身四）
9. 以下為 34 位學生數學成績的資料：45、50、25、36、70、68、90、100、68、72、82、91、34、80、78、60、74、82、94、92、56、78、90、94、27、39、48、70、95、89、66、100、83、79請求出第15、25、50、75、90 百分位數。（102原三）
10. 某一特定數群，其算術平均數 = 20，標準差 = 5，請寫出原始分數30、15、20 及17.5 的 Z 分數。（102原三）
11. 某公司以 20 題的「工作滿意度量表」測量約 300 名員工的工作滿意度，每一題有「非常不滿意」到「非常滿意」5 個選項可勾選，5 個選項分別計為 1-5 分，20 題的總分即為個人的工作滿意程度。結果整體員工工作滿意分數的全距為 79，平均數為 73.6，標準差為 7.8，中位數為 77，四分差為 6。請問如果數據正確的話，你會以那一種集中量數指標與離散量數指標，來向總經理報告公司員工工作滿意的情形呢？簡述理由為何？（101高考）
12. 某市教育局想檢測該市國小六年級學生的國語文程度，發展出甲、乙兩套複本測驗，測驗題型包含選擇題和多點計分的建構題型。從該市六年級學生中隨機選取兩個班級共 70 名學生，先做甲測驗，隔一週後，再做乙測驗。兩次測驗得分之相關為0.73。甲、乙兩測驗的量尺分數以 250 為平均數，50 為標準差。

(1) 請問根據上述所蒐集的測驗資料，教育局可以估計此國語文測驗的那幾類信度？前述信度所關心的誤差種類為何？

(2) 如果教育局在同一時間內，同時對那 70 名學生施測甲、乙兩測驗，請比較隔週施測與同時施測誤差分數變異占觀察分數變異百分比的差異，並陳述理由。

(3)若全體考生的分數呈常態分配，小玲在這個考試上得到 300 分，請計算小玲的標準分數並估計其可能的百分等級。

(4)根據題目所給的數據，計算此一測驗的測量標準誤。（101高考）

13.甲、乙兩人在各科成績如下表所示，依據全部考生在各科的平均數（ $\bar{X}$ ）與標準差（SD）：

(1)請計算甲、乙兩人在各科的標準分數。

(2)若要在甲、乙兩人中擇一錄取，請問應該錄取誰？因應不同的選才需求或特殊考量而可能有不同的選擇結果，請依各種可能的考量或選才需求，分別陳述錄取的理由為何？（101原三）

	國文		英文		數學		理化		史地		總分
全部考生	$\bar{X}$	SD	$\bar{X}$	SD	$\bar{X}$	SD	$\bar{X}$	SD	$\bar{X}$	SD	
	78	10	70	16	40	25	65	20	80	12	
甲	80		82		55		70		92		379
乙	68		54		90		90		80		382

14.下面左表為學生在數學推理及語文推理上的成績，右表為數學推理的部分成績。請根據數據回答問題，列出算式並解釋結果（未列出算式者，不予計分）。

	數學推理	語文推理
人數	100	100
平均數	48	60
標準差	8	10
中數	49	58
眾數	50	56

數學推理部分成績

原始分數	次數	累積次數
…		
55	3	80
(54)	4	77
53	2	74
…		

(1)A 生的數學推理與語文推理成績同為 54 分，A 生在那一個測驗上的表現較好？

(2)承上題，A 生數學推理的 PR 值是多少？請解釋其表現。

(3)若 B、C、D、E 四人在數學推理測驗上的 PR 值分別為 10、20、50、60，則 B、C 原始分數的差異是否與 D、E 原始分數的差異相同？

(4)教師將數學推理測驗的原始分數做常態化轉換，形成 L 量尺分數，設定其分配之平均數為 80、標準差為 10。A 生的數學推理 L 量尺分數是多少？

(5)數學推理測驗分數最低 10%的學生需要補救教學。教師該設定補救教學的 L 量尺截點分數是多少？

(6)數學資優生在數學推理測驗上的最低標準是 L 量尺分數 100 分。全校 1000 名學生中有多少位是資優生？（101普考）

15.請問下列 A、B、C 三個分配，何者的平均數最小？（101原四）

分數	A分配次數	B分配次數	C分配次數
210	3	3	1
211	12	5	2
212	14	10	5
213	4	10	10
214	2	5	14
215	1	3	4
合計次數	36	36	36

16.(1)何謂標準分數？其公式為何？(2)將原始分數標準化之目的為何？(3)舉例說明將偏態分布的分數加以常態化之目的為何？（101地三）

17.(1)何謂變異數？其公式為何？(2)從教育理論觀點而言，我們期望在班級團體的學科成績與大型升學考試科目成績上之兩種變異數的比較：何者變異數越大越好，其理由為何？何者變異數越小越好，其理由為何？（101地三）

18.回答下列各題：（101地四）

(1)請舉例說明矩形分配（rectangular distribution）的意義。

(2)請舉例說明二項式分配（binomial distribution）的意義。

(3)請舉例說明二項式分配母群（population）的平均數與標準差分別為何？

19.請舉例說明正偏態（positively skewed）的意義。（101地四）

[考題解析範例]

一、某研究隨機抽取全國1250名學生接受一份標準化智力測驗，小明的排名是第200名。
(一)請問小明的PR值是多少？請列出算式。
(二)請問這份測驗如果是魏氏兒童智力量表（WISC-IV），則小明的智商是多少？如果是斯比量表第5次修訂版（SB-5）則小明的智商應是多少？請說明你是如何計算出來的。（105普考）

破題分析 本題考的是PR的算法，IQ的計算掌握基本公式，小心計算，應不難。相關內容詳見本書第二篇第二章第三節。

答 (一)由名次A求PR值，則$PR=\frac{N-A}{B}\times 100\%$

$\therefore PR=\frac{1250-200}{1250}\times 100\%=84\%$

$\therefore PR=84$

(二)魏氏智力量表$W=15Z+100=15\times 1+100=115$

（$\because PR=84$，經查表Z值=1）

SB-5智力量表，$SB\text{-}5=16Z+100=16\times 1+100=116$

觀念延伸 百分位數、百分等級、標準分數。

二、某國中七年級新生在兩種測驗的原始分數平均數、中位數、標準差如下：語文能力（M＝35.8、Md＝37、SD＝10.2）、數學能力（M＝26.5，Md＝25，SD＝8.6），語文和數學的積差相關係數為0.80。試回答下列問題（請寫出計算過程或說明理由）：
(一) 該校新生那一種能力的個別變異較大？
(二) 「小華在語文能力和數學能力的測驗分數分別是36分和30分，所以他的語文表現優於數學表現。」試問此一說法是否適當？
(三) 將兩種測驗分數都經線性轉換成T分數，試問該校七年級生語文和數學之T分數的相關係數和共變數分別為多少？
(四) 小美的數學能力分數對應的百分等級為50，試問其線性轉換的T分數是多少分？
(五) 將語文測驗分數換成常態化的標準分數W，已知W的平均數是100分，標準差是15分。小明在語文能力測驗的得分是37分，試問其W分數是多少？（105地四）

破題分析 本題涉及不同測驗分數的轉換運算，以及各種統計量數的計算，包括變異量數、標準分數、相關分析等，是屬於難度較高的一題，也是上榜的關鍵。考生必須正確運用相關公式並仔細計算與解釋，才能穩定得分。但要特別注意的是，本題兩科成績的中位數與平均數不相等，並非常態分配，絕不可用常態化轉換方式計算。詳見本書第二篇第二章。

答 本題的語文與數學分數的平均數≠中位數，∴並非常態分配。

(一)數學的變異較大。

語文能力的變異係數$CV=\frac{SD}{M}\times 100\%=\frac{10.2}{35.5}\times 100\%=28.5\%$

數學能力的變異係數$CV=\frac{SD}{M}\times 100\%=\frac{8.6}{26.5}\times 100\%=32.5\%$

(二)不適當，因為小華的數學Z分數大於語文。

語文的Z分數$=\frac{X-\overline{X}}{SD}=\frac{36-35.8}{10.2}=0.02$

數學的Z分數$=\frac{X-\overline{X}}{SD}=\frac{30-26.5}{8.6}=0.41$

(三)相關係數具有單位不變性，所以仍是0.80。而共變數$S_{XY}=r\cdot S_XS_Y=0.8\times 10\times 10=80$。

(四)百分等級50，亦即對應中位數25分。

$\therefore Z=\frac{X-\overline{X}}{SD}=\frac{25-26.5}{8.6}=-0.17$

$\Rightarrow T=50+10Z=50+10(-0.17)=48.3$

（數學中位數＜平均數∴是右偏態）

(五)小明語文能力得分37分，即為中位數，若為常態分配資料，則Z＝0，但此題為非常態化資料。

$\therefore Z=\frac{37-35.8}{10.2}=0.12$

$\therefore W=100+15Z=100+15(0.12)=101.8$

（語文成績中位數＞平均數　∴是左偏態）

觀念延伸 平均差、四分位差、變異數、標準差、各種相對地位量數。

第三章　抽樣理論與分配

依據出題頻率區分，屬：C 頻率低

開箱密碼

本章介紹抽樣的理論與各種抽樣分配，包括抽樣的原理與方法、各種抽樣方法的使用時機、各種抽樣分配（Z、χ^2、F、t分配）的理論、特性、使用時機與計算，以及抽樣的原則、步驟與抽樣誤差。本章的出題形式主要以解釋名詞為主，偶有簡單的計算題出現。近年較少出現，但亦不可加以忽略。

第一節　抽樣的原理與方法

考點提示

(1)隨機抽樣與非隨機抽樣的意義與運用；(2)隨機抽樣的種類與使用時機；(3)非隨機抽樣的種類與使用時機，尤其隨機抽樣的理論與概念，幾乎必考。

在前面的章節我們曾討論母群與樣本的關係，若研究的母群體過大或不易取得，研究者往往需要從母群中抽取一部分的樣本進行研究，此過程稱為「抽樣」（sampling）。**樣本的抽取必須適當且具母群代表性**，未來進行統計推論時才不會發生太大的誤差，影響研究結果。因此，正確的抽樣方法便相形重要。統計學者發展出可以確保**樣本代表性的抽樣方法大致分成隨機抽樣（random sampling）與非隨機抽樣（nonrandom sampling）兩大類。**

壹、隨機抽樣

一、簡單隨機抽樣

簡單隨機抽樣（simple random sampling）是指抽取樣本時，視母群每一個個體獨立，被抽到的機會相等，是最基礎的抽樣方法。

二、系統抽樣

系統抽樣（systematic sampling）的原理與簡單隨機抽樣類似，將母群中的每一個體依序排列，然後每隔若干個抽取一個，又稱為「等間隔抽樣法」或「等距抽樣法」。例如下表，從3抽起，每隔6人抽出一人。

1	2	3	4	5	6	7	8	9	10	11	12	13	…
○	○	●	○	○	○	○	○	●	○	○	○	○	…

三、分層隨機抽樣（110高考）

分層隨機抽樣（stratified random sampling）簡稱「分層抽樣」。係在隨機抽樣之前先將母群依某種特定的標準分類後，再進行各類組的隨機抽樣。

四、叢集抽樣

叢集抽樣（cluster sampling）又稱「部落抽樣」，在抽樣過程中每次抽出一個子群體為樣本。例如：教育研究中，經常以班級為單位進行叢集抽樣。

五、多段抽樣

多段抽樣（multi-stages sampling）是將選擇樣本的過程分成兩個或兩個以上的階段，採隨機抽樣的方式來完成。

貳、非隨機抽樣

母體中每個個體被抽到的機會並非相等，乃依實際狀況抽出，稱為非隨機抽樣（nonrandom sampling）。非隨機抽樣由於無法估計抽樣的精確度，樣本偏差較大，因此，難以評斷樣本代表性，不宜據以進行統計推論。

一、便利抽樣

便利抽樣（convenience sampling）是隨研究者認為如何做較方便，即進行抽樣，因此，又稱為偶然抽樣或稱隨便抽樣。例如：研究者在路上攔下行人進行訪問，即是一種便利抽樣。

二、立意抽樣

立意抽樣（purposive sampling）是按照研究者主觀的判斷，從母群中選出少數特殊的個體進行研究，因此，又稱為判斷抽樣（judgment sampling），屬於非機率抽樣（nonprobability sampling）的一種。

三、配額抽樣

配額抽樣（quota sampling）為保證樣本的代表性，其樣本比例係根據母體中具有此種特徵的比例抽取而得。譬如某大學共有10000名學生，一、二、三、四年級的學生人數比例為27：24：26：23，若研究樣本需要200名，則須抽許的樣本人數一～四年級分別為54、48、52、46人。

四、滾雪球抽樣（106身三）

滾雪球抽樣（snowball sampling）是研究者利用人際關係，以朋友介紹朋友的方式，如滾雪球一般輻射擴大，以達到抽樣的目的。例如：研究者想要研究色情工作者的狀況，透過朋友介紹其中一位，一段時間後再請其介紹認識其他同行，不須親自下海。

第二節　各種抽樣方法的使用時機

考點提示

(1)各種抽樣方法的使用時機與應用；(2)各種抽樣方法的抽樣步驟與優缺，是必考重點，須加以詳讀。

各種抽樣方法有其優缺點與適用時機，不可隨意選用。以下介紹上述各種抽樣方法的適用時機、使用步驟與優缺點：

一、簡單隨機抽樣

(一) 方法

1. **抽籤**：將母群中的每一個體編號並做成籤，充分混合後抽取所要的樣本數。
2. **亂數表**：將母群中的每一個體從1開始依序編號，從亂數表中任意一個數字往下數，抽取所要的樣本數。

(二) 優點

1. 方法簡單，每一個體抽中的機會相等。
2. 最符合隨機原則，抽樣誤差小且分析容易。

(三) 缺點

1. 母群過大時，每一個體均要編號，費時費力，有其困難。
2. 母群中不同特質的個體有明顯差異時，很難保證均能抽中，例如：希望抽出的樣本包含男生與女生，但實際上隨機抽樣的結果，很可能出現全部抽到男生或全部是女生，造成樣本代表性不佳。此時可用「系統抽樣」代替。

(四) **適用時機**：適合小樣本的抽樣使用。

二、系統抽樣

(一) **方法**

1. 設母群為N，每間隔k個分為一小群，可分成N/k小群。
2. 從每一小群中抽取一個樣本，則可抽出N/k個，即為樣本數。

(二) **優點**

1. 可均勻地抽中母群中各種特質的個體，樣本代表性較簡單隨機抽樣佳。
2. 與簡單隨機抽樣一般簡單易行。

(三) **缺點**：若母群中個體訊息呈周期性變化，不適用系統抽樣。例如：奇數是男生，偶數是女生，若從5號開始抽，且每隔10號抽一個，則抽中5、15、25、35…，全部是男生而沒有女生。

(四) **適用時機**：適合大樣本抽樣使用。

三、分層隨機抽樣（102原三）

(一) **方法**

1. 依研究需要將母群分層，層內變異越小越好，層與層間變異越大越好。例如母群為某校國三的全體學生共1000人，將其分成雙親、單親、無三層。
2. 計算各層內個體數目。例如：雙親800人，單親100人，無100人。
3. 按各層內的人數比例計算樣本抽取人數。例如：欲抽取樣本50人，則依比例在三層中進行隨機抽樣，分別須抽出雙親40人、單親5人、無5人。

(二) **優點**

1. 分層使「層內差異小，層間差異大」，讓各層均有樣本抽中，可有效增加樣本的代表性及推論的精確性。
2. 樣本數相同時，標準誤較簡單隨機抽樣小。
3. 較為經濟，花費較少。

(三) **缺點**

1. 對特殊母群的分層較困難。
2. 分層的標準與層數較難以擇定。

(四) **適用時機**：適合母群中的各子群數量比率有明顯不同時使用。

四、叢集抽樣

(一) **方法**

1. 將母群分成數個子群。
2. 子群體內的差異越大越好，子群間的差異越小越好，與分層隨機抽樣的做法正好相反。

(二) **優點**

1. 子群體較母群小，可以有效降低抽樣成本。
2. 可維持子群體的完整性，效率較高。

(三) **缺點**

1. 群集的大小難以決定。　　2. 較不具樣本代表性。

(四) **適用時機**：適用於個體抽樣不可行，群體抽樣比個體抽樣有效率，且群內變異大、群間變異小時使用。

五、多段抽樣

多段抽樣的適用時機為母體龐大且散佈甚廣，採一段抽樣費時費錢時使用。

例如：研究者想調查某縣市國中三年級學生的身高狀況，採分段抽樣的步驟為：

步驟	內容	例
步驟 1	**決定分幾段抽樣，每階段的抽樣單位為何**	**如** 決定分兩階段進行，第一階段的抽樣單位為縣市內的所有國中；第二階段的抽樣單位為第一階段抽中各國中的三年級學生。
步驟 2	**決定各階段的抽樣方法與樣本大小**	**如** 第一階段採簡單隨機抽樣，抽出十個國中。第二階段採集群抽樣，在每一抽中的國中中抽出四個三年級的班級。

六、便利抽樣

(一) **方法**：不拘形式，研究者視本身方便即可。

(二) **優點**

1. 快速、便利。
2. 不須母體名冊。

(三) **缺點**

1. 受主觀意識影響，樣本代表性差。
2. 無法估計正確性與偏差，不宜進行統計推論。

(四) **適用時機**：限於人力、物力、財力等因素無法克服時使用。

七、立意抽樣

(一) **方法**：依研究者判斷，選擇最適合研究的樣本。

(二) **優點**：省時省力，減少成本。

(三) **缺點**

1. 如果研究者對母體不了解，就很容易發生抽樣偏差。
2. 樣本代表性差，不宜進行統計推論。

(四) **適用時機**：適合研究者非常瞭解母群特性，且母群組成元素同質性很低，樣本數較少時。

八、配額抽樣

(一) **方法**

1. 選擇抽樣特徵，如：年齡、性別等。
2. 依子母體比例決定樣本大小。

(二) **優點**

1. 具有分層抽樣的效果。
2. 成本較分層抽樣低。

(三) **缺點**

1. 母群依抽樣特徵分類時可能產生偏誤。
2. 因非隨機抽樣，故代表性仍差。

(四) **適用時機**：樣本必須依照母群的比例分配抽取時使用。

九、滾雪球抽樣

(一) **方法**

1. 先收集母群中的少數樣本。
2. 由這些少數樣本引出其他更多的樣本。

(二) **優點**：母群難以尋找時，可幫助突破取樣的困境。

(三) **缺點**

1. 非隨機抽樣，樣本代表性不足。
2. 樣本偏差大，不適合進行母群推論。

(四) **適用時機**：少數難以尋覓的母群。

第三節　抽樣分配（Z、χ^2、F、t分配）

(1)抽樣分配的類型與使用時機；(2)各種抽樣分配的理論與計算，是必考重點。

推論統計的重點是如何從已知的樣本特性推論一無所知的母群特性，其關鍵就在於抽樣分配（sampling distribution）。例如：若實際由某校學生樣本得到數學段考成績的分配形狀，這些分數的分佈稱為「樣本分配」（sample distribution），僅能描述樣本的特性。樣本分配能否推論至母群，甚或接近母群分配（population distribution），端賴抽樣分配而定。

壹、抽樣分配

如果我們想要知道母群某一個樣本特質（例如：數學成績）統計量（算術平均數、變異數、標準差、相關係數等）中的標準差，那麼我們可以從母群中抽取樣本大小為N的樣本，計算其數學成績的標準差，並將此N人放回母群中，如此反覆進行，每抽一次便計算其標準差後，可以得到無數個標準差，這些標準差會構成另一個新的次數分配，稱為樣本標準差的抽樣分配（100地三）。因此，端看研究者欲知的樣本統計量而定，依此法可得樣本平均數抽樣分配、樣本變異數抽樣分配、樣本相關係數抽樣分配等。若抽樣分配的次數夠多且樣本數夠大，則會成常態分配，稱為中央極限定理，我們留待下一章詳述。

抽樣分配是依據機率的定律所得且已知其特性的一種理論性的分配，並非實證研究的結果。推論統計就是運用可知的樣本分配，透過已知但為理論性的抽樣分配，來推估未知的母群分配。

貳、常見的抽樣分配

一、樣本平均數的抽樣分配—Z分配（100地三）

根據中央極限定理，當抽樣次數夠多且樣本N夠大時，不論原來母群分配如何，其樣本平均數的抽樣分配將呈常態分配，又稱為Z分配。而這些樣本平均數的平均數將等於μ；樣本平均數的變異數$\sigma_{\bar{x}}^2$將等於$\frac{\sigma^2}{x}$；樣本平均數的標準差$\sigma_{\bar{x}}$將等於$\frac{\sigma}{\sqrt{N}}$。因此，Z分配的$Z=\frac{\bar{x}-\mu}{\sigma_{\bar{x}}}=\frac{\bar{x}-\mu}{\sigma/\sqrt{N}}$，分配曲線為常態曲線，其特性與前述的常態分配完全相同。Z分配通常用於母群變異數已知時的樣本平均數差異考驗。

二、樣本變異數的抽樣分配—卡方χ^2分配

卡方分配（chi square distribution）是以小樣本的「變異數或標準差」推論母群的抽樣分配。通常以樣本變異數來推論母群變異數。

(一) **意義**：如果我們從常態分配的母群中，隨機抽取n個分數X_1、$X_2 \cdots X_n$，並將其平方得X_1^2、$X_2^2 \cdots X_n^2$，則此n個分數的平方和 $\sum_{i=1}^{n} X_i^2$ 形成的分配，即是χ^2分配。但是，變異數S^2抽樣分配的特性與樣本平均數$\overline{X}$的抽樣分配不同，無法直接推導，並且計算複雜。因此，我們必須將S^2抽樣分配適當轉換成標準Z分數，即 $Z=\frac{x-\mu}{\sigma}$，平方和為 $\sum_{i=1}^{n} Z^2=\frac{\sum(x-\mu)^2}{\sigma^2}$，使其容易計算，而轉換成之標準Z分數的平方和分配，稱為卡方分配。如果常態母群的平均數未知，此時必須以樣本平均數推估母群平均數μ，

則 $\chi^2=\frac{\sum(x-\mu)^2}{\sigma^2}=\frac{(n-1)s^2}{\sigma^2}$

稱為自由度（degrees of freedom, df）等於n－1的χ^2分配。其中的自由度是指任何變量中可以獨立變化的量。

(二) **特性**

1. 一般卡方分配表示法可以查表而得，請參考本書附表F。

   例如：自由度df=10時，卡方分配值大於4.87的概率α查表得0.900，此結果表示：df=10時，卡方分配的值有90%的可能會大於4.87，有10%的可能小於4.87，其結果可以 $\chi_{\alpha}^2(\text{df})=\chi_{0.9}^2(10)$ 表示。α稱為顯著水準。

2. 卡方分配為一個正偏態分配圖形，如右圖。但是當自由度df愈大，卡方的偏態會減小，而漸趨於常態分配，當自由度df趨近於無限大時，卡方分配即是常態分配。

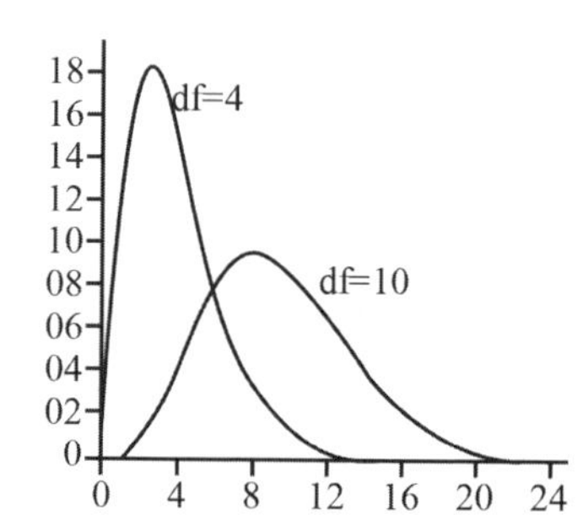

3. 當df>2：

   (1)卡方分配的期望值（平均數）等於自由度。

   (2)卡方分配的變異數等於自由度的2倍。

三、Z分配與卡方分配比值的抽樣分配—t分配

t分配是1908年化學家高塞特（William Gosset）以Student的筆名發表其發現的統計量。

(一) **意義：**有鑑於常態分配的機率值不易求得，統計學家因此將其標準化，轉換為標準常態分配，即平均數0、標準差1的Z分配。然而，抽樣分配要轉換成Z分配的條件必須是母群是常態分配或符合中央極限定理。正常情況之下，母群的變異數σ^2不可知，但可經由抽樣所得的樣本變異數S^2推論母群變異數，此時將Z分配的σ改為S，即成為t分配。

$Z=\dfrac{\bar{x}-\mu}{\sigma/\sqrt{N}}$ 變成 $t=\dfrac{\bar{x}-\mu}{S/\sqrt{N-1}}$

在常態分配的母群變異數已知的情況下，樣本變異數亦為常態分配。但**當母群變異數為未知，且樣本數n<30時，樣本變異數不會呈常態分配，而是左右對稱的高狹峰分配，此分配稱為自由度n－1的「t分配」或稱「student t分配」**（t or student t distribution）。這個統計方法非常適用於小樣本的推論，並且改善推論的可信度。

t分配的做法是假設有兩個分配，一個是標準Z的常態分配，另一個是自由度df的卡方分配，然後從兩個分配中各隨機抽取一變量，將此兩變量相除即得t。公式如下：

$$t=\frac{\bar{x}-\mu}{S/\sqrt{N-1}}$$

(二) **特性**

1. t分配的平均值為0。
2. t分配左右對稱，左方t值為負，右方t值為正。
3. 當樣本數n趨近於無限大時，t分配為常態分配，當n>30時，t分配接近常態分配，但是當n<30時，t分配與常態分配差異大，n越小，變異程度越大，分配曲線呈現中間低而兩尾高的現象，如右圖。因此，當自由度夠大時，t分配近似於標準常態分配，此時的t值可以用標準常態值Z代替。但n<30，仍以t值較妥當。

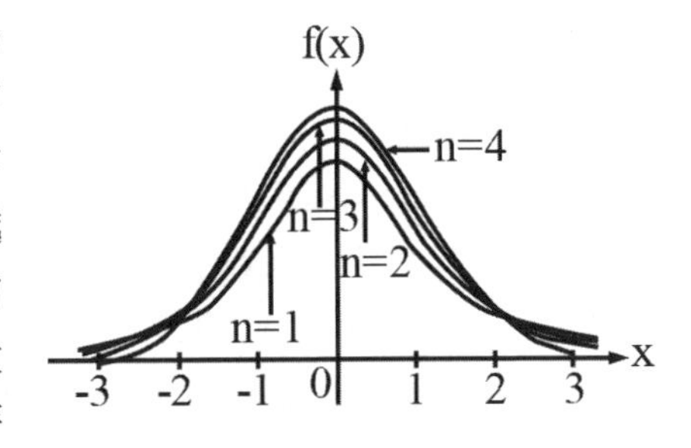

4. t-分配的機率表提供的是右尾的機率值，請見本書附表D，以t_{α}（df）表之，例如：左欄df=2，右欄α=0.025，所對應表格裡的值為$t_{0.025}(2)=4.30265$（約4.303），這表示自由度2的t分配圖形中，面積大於4.303的機率值等於0.025，如右圖。

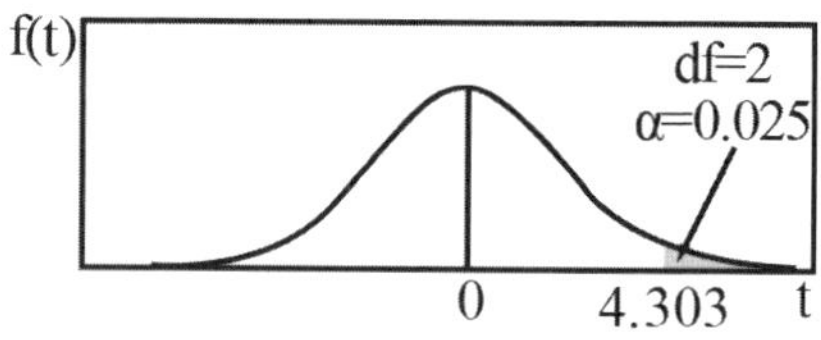

四、兩個樣本變異數（卡方除以自由度）比值的抽樣分配—F分配

F分配（F distribution）是由英國的統計學家費雪（Fisher）於1924年發明，故以他的名字命名以茲紀念。

(一) **意義**：F分配主要在檢驗來自同一個常態母群的兩個樣本變異數是否同質，若是同質，我們就可確定此兩個樣本來自同一個母群。其作法為**兩個樣本變異數的比率分配，亦即以兩個獨立樣本的卡方分配，分別除以個別之自由度，所得到兩個獨立變異之比值的隨機變數即為F分配**。故公式為：

$$F=\frac{\chi_1^2/df_1}{\chi_2^2/df_2} \qquad \chi^2_{(n-1)}=\frac{\hat{S}^2\cdot(n-1)}{\sigma^2} \qquad F=\frac{S_1^2/\sigma_1^2}{S_2^2/\sigma_2^2}$$

(二) **特性**

1. 一般而言，F分配是右偏分配，且範圍是由0至無窮大。但當自由度df_1、df_2接近無限大時，F分配會趨近常態分配，如右圖。

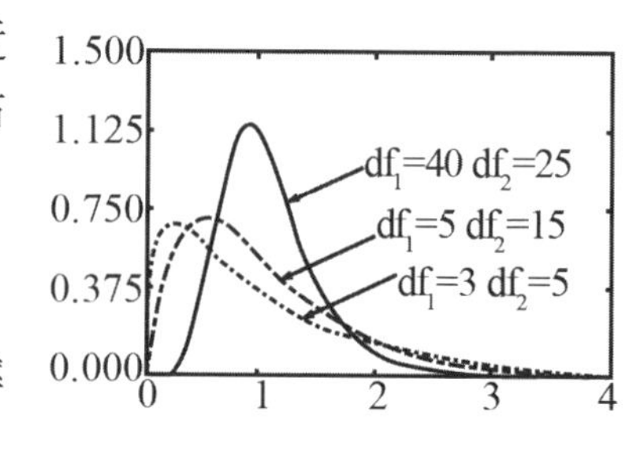

2. F分配值會隨α、自由度之組合而不同，但因是變異數的比率，故為正值。
3. 在F分配的機率表中提供的是右尾的機率值，請見本書附表E。

   以F_{α}（df_1,df_2）表之，例如：在概率為.05的F表中，左欄$df_2=6$為分母自由度，右欄$df_1=10$為分子自由度，所對應表格裡的值為4.06，這表示$F_{0.95\,(10,6)}=4.06$，也就是說F分配曲線下，分子自由度10，分母自由度6的樣本，有95%的可能面積比4.06大，比4.06小的可能性只有5%。

4. F分配之左尾臨界值必須運用F分配的倒數性質求算之。

例如：$F_{0.05(6,10)}=\frac{1}{F_{0.95(10,6)}}=\frac{1}{4.06}=0.246$。

第四節　抽樣原則、步驟與抽樣誤差

考點提示

(1)抽樣原則；(2)抽樣步驟；(3)抽樣誤差的來源，是考題重點。

一、抽樣原則

抽樣的過程必須確保樣本有代表性，也就是機率抽樣的基本原則必須**符合「均等機率之選取方式」**（equal probability of selection method，**簡稱**EPSEM），則如此得到之樣本極可能有代表性。

二、抽樣步驟

(一) **定義目標母群**：研究目標和範圍對定義研究的主題佔有關鍵性的地位，目標母群定義正確，研究方向才不致偏頗。

(二) **決定抽樣架構**：目標母體選定後就需要由抽樣架構執行了。抽樣架構包含了所有重要要素的列表，抽樣架構要非常的精確，最好是完整的包含了目標母體中的所有要素，以及樣本的代表性。

(三) **選定抽樣方法**：在一個研究調查中，考慮研究本身的性質、目標及可利用的時間與預算，選擇適當的抽樣方法使用。

(四) **決定樣本大小**：樣本大小的決定必須考慮目標母群的變異性、樣本的類型、所需時間、預算、估計的精確度及信賴度。根據統計理論的公式決定統計考驗的信賴空間、顯著水準、母群變異數同質性等，以及考量先前類似的研究與經驗，則可以計算出樣本大小，以保障有足夠的樣本量和品質來確保研究結果的可靠性。

(五) **執行抽樣計畫**：研究人員在所有抽樣設計細節被同意後執行並完成抽樣計畫。

三、抽樣誤差

抽樣誤差（sampling error）是指抽樣時樣本可能會偏離母群體，其間的差距稱為抽樣誤差，可用統計方法估計其大小。**樣本資料所推估母群的值稱為「估計值」，母群真正的特性稱為「參數」，不當的抽樣方法所造成的誤差稱為「方法偏差」**，而**抽樣對象不同所造成的誤差則稱為「抽樣誤差」**。他們之間的關係可以右式表示：估計值=參數+方法偏差+抽樣誤差。

考題集錦

1. 何謂抽樣誤差？抽樣誤差會受到那些因素的影響？（103高考）
2. 如何判斷平均數的抽樣分配為 Z 分配或 t 分配？（102身三）
3. 教育部為瞭解高中生吸菸的比率（P），乃從母群體中隨機抽取樣本 100 人，其中有 20 人吸菸，試求：
   (1)抽樣分配的型態為何種分配？
   (2)抽樣分配的標準誤為何？
   (3)P 值在 95% 信賴水準的範圍？（102身三）
4. 請比較抽樣分配的標準誤、測量標準誤、估計標準誤三者在使用時機、計算公式、實際應用上的差異。（102身四）
5. 某研究的抽樣結果如下表，請問該調查樣本是否適合？有何補救的做法？請說明之。（102原三）

變項	類別	調查樣本		母群體		χ2
		次數	百分比	次數	百分比	
性別	男	320	54.79	1,165,347	48.51	9.230**
	女	264	45.21	1,236,873	51.49	
		584		2,402,220	總和	

6. 有一位體育系教授擬對某體育專業學校的學生調查其對「身體形象與運動價值觀」的研究。該校學生人數為 3,850 人，學生來自臺灣北中南東各區，學校提供的人數資料如表一：（102高考）

表一：體育專業學校學生人數分配

性別	地區				和
	北區	中區	南區	東區	
男生	570	581	555	313	2019
女生	518	523	501	289	1831
和	1088	1104	1056	602	3850

研究者因經費、時間及人力的關係，僅能抽取十分之一（也即 385 人）的學生為受試者。同時為了考慮樣本代表性，於是以分層隨機抽樣（stratified random sampling）的方式抽取樣本。試根據以上敘述及表一中的資料，回答下列問題：

(1)試以分層隨機抽樣的方法，計算出表二之「？」，以完成此研究者的抽樣工作。

表二：體育專業學校學生人數抽樣結果分配

性別	地區				和
	北區	中區	南區	東區	
男生	?	?	?	?	?
女生	?	?	?	?	?
和	?	?	?	?	385

(2)有關學生的變項很多（如社經地位、體型、智商等），何以研究者要以性別及地區為其抽樣的「層」（strata）？

7. (3)分層隨機抽樣方法雖較能確保樣本的代表性，但要採用此方法時母群體要顯示出何種基本資料？此方法才可進行。請簡要說明「簡單隨機取樣（simple random sampling）」的執行過程為何？優點為何？缺點為何？（101身三）

8. 已知一變數 X 成偏態分配，其平均數為 20，標準差為 5。（附常態分配表）(1)從此分配抽取 8 個分數並計算其平均數，若重複此步驟無限多次，則這些樣本平均數所形成的分配之平均數為何？(2)從此分配只抽取 5 個分數並計算其平均數，再重複此步驟無限多次之後，這些樣本平均數所形成的分配之變異誤為何？(3)若從同一個分配抽取 100 個分數並計算其平均數，重複此步驟無限多次之後，可以得到一個由樣

本平均數所形成的分配。在這個分配中，樣本平均數小於20.98的概率為何？（101普考）

9. (1)請舉例說明正偏態（positively skewed）的意義。
   (2)請舉例說明矩形分配（rectangular distribution）的意義。
   (3)請舉例說明二項式分配（binomial distribution）的意義。
   (4)請舉例說明二項式分配母群（population）的平均數與標準差分別為何？
   (5)變異數分析的結果若達到統計的顯著性，可接著做事後比較，事後比較包含簡單比較與複雜比較，請解釋何謂簡單比較？（101地四）

[考題解析範例]

一、假設某位教育研究學者發展出一項測量學童成就動機的工具，並依學童成就做如下的歸類與數值分派：高成就者：x=1；平成就者：x=0；低成就者：x=－1，該名學者的理論是約有1/4學童為高成就者，1/4學童為低成就者，剩餘學童為平成就者。（100地三）

(一) 請找出隨機變數X母群分配及其平均數與變異數。

(二) 假設學者隨機選取二名學童，並計算他們的平均數，$\bar{x}=\frac{x_1+x_2}{2}$，試依據(一)的結果，找出$\bar{x}$之抽樣分配及其平均數與標準誤。

(三) 假設學者改隨機獨立選取四名學童，並重新計算他們的平均數$\bar{x}$，請寫出此種情境下抽樣分配的平均數與標準誤。

(四) 比較以上這三個分配之變化。

答 (一)若隨機抽取2個樣本，依題意高低成就的學童各有$\frac{1}{4}$，∴平成就者有$\frac{2}{4}=\frac{1}{2}$，因此，抽樣2樣本的出現情況，平均數與機率如下表：

出現情況	平均數（$\bar{X}$）	機率（f（x））
（1,1）	1	$\frac{1}{4}\times\frac{1}{4}=\frac{1}{16}$
（1,0）=（0,1）	$\frac{1}{2}$	$2\times\frac{1}{4}\times\frac{2}{4}=\frac{1}{4}$

出現情況	平均數（$\overline{X}$）	機率（f（x））
（1,−1）=（−1,1）	0	$2\times\frac{1}{4}\times\frac{1}{4}=\frac{1}{8}$
（−1, −1）	−1	$\frac{1}{4}\times\frac{1}{4}=\frac{1}{16}$
（0,0）	0	$\frac{2}{4}\times\frac{2}{4}=\frac{1}{4}$
（0, −1）=（−1,0）	$-\frac{1}{2}$	$2\times\frac{1}{4}\times\frac{2}{4}=\frac{1}{4}$

由上表可知，樣本平均數的抽樣分配，如下表：

$\overline{X}$	−1	$-\frac{1}{2}$	0	$\frac{1}{2}$	1
機率f（x）	$\frac{1}{16}$	$\frac{1}{4}$	$\frac{3}{8}$	$\frac{1}{4}$	$\frac{1}{16}$

(二) ∴$\overline{X}$的平均數=Σ（$\overline{X}$×f（$\overline{X}$））

$$=(-1)\times\frac{1}{16}+\left(-\frac{1}{2}\right)\times\frac{1}{4}+0\times\frac{3}{8}+\frac{1}{2}\times\frac{1}{4}+1\times\frac{1}{16}=0$$

$\overline{X}$的標準誤 $\sigma_{\overline{X}}=\sqrt{\Sigma f\left(\overline{X}\right)\bullet\left(\overline{X}-\overline{\overline{X}}\right)^2}$

$$=\sqrt{\frac{1}{16}(-1-0)^2+\frac{1}{4}\left(-\frac{1}{2}-0\right)^2+\frac{3}{8}(0-0)^2+\frac{1}{4}\left(\frac{1}{2}-0\right)^2+\frac{1}{16}(1-0)^2}=\sqrt{\frac{1}{4}}=0.5$$

(三)隨機獨立抽取4人，則

1. $\overline{X}$的平均數仍為0

2. $\overline{X}$的標準誤 $\sigma_{\overline{X}}=\frac{\sigma_x}{\sqrt{n}}$，其中$\sigma_X$=$\sqrt{\frac{\Sigma\left(X-\overline{X}\right)^2}{N}}$

$$=\sqrt{\frac{(-1-0)^2+(0-0)^2+(0-0)^2+(1-0)^2}{4}}=\sqrt{\frac{1}{2}}$$

$$\therefore\ \sigma_{\overline{X}}=\frac{\sigma_x}{\sqrt{n}}=\frac{\sqrt{\frac{1}{2}}}{\sqrt{4}}\fallingdotseq 0.3536$$

(四)當n=2增加至n=4，樣本平均數抽樣分配的標準誤會隨著人數增加而減少。若母群分配為常態分配，則樣本平均數的平均數會等於母群平均數，不論樣本人數多少。

二、何謂樣本平均數次數分配？請說明其定義與依據的理論或定理。(103身三類題)

答 如果我們想要知道母群數學成績統計量平均數抽樣分配的平均數，那麼我們可以從母群中抽取樣本大小為N的樣本，計算其數學成績的平均數，並將此N人放回母群中，如此反覆進行，每抽一次便計算其平均數後，可以得到無數個平均數，這些平均數會構成另一個新的次數分配，稱為樣本平均數的抽樣分配。

根據中央極限定理，當抽樣次數夠多且樣本N夠大時，不論原來母群分配如何，其樣本平均數的抽樣分配將呈常態分配，又稱為Z分配。而這些樣本平均數的平均數將等於μ；樣本平均數的變異數 $\sigma_{\bar{x}}^2$ 將等於 $\frac{\sigma^2}{N}$；樣本平均數的標準差 $\sigma_{\bar{x}}$ 將等於 $\frac{\sigma}{\sqrt{N}}$。

NOTE

第四章　推論統計基本概念

依據出題頻率區分，屬：**B** 頻率中

開箱密碼

本章為推論統計的基本概念，為日後推論統計探討的基本工具。內容包括中央極限定理、大數法則、母數估計與假設考驗，以及統計上常犯的型I與型II錯誤、統計考驗力的大小等。本章的出題形式主要以計算題為主，也零星出現幾題解釋名詞，出題焦點集中於母數估計與假設考驗、型I與型II錯誤與統計考驗力，必須加以熟讀且熟練其計算方式。

第一節　中央極限定理

考點提示

(1)中央極限定理、大數法則的意義與運用；(2)標準誤的意義與公式；(3)樣本平均數的抽樣分配型態與適用的分配公式，都是考試焦點。

一、中央極限定理

在前一章第一節我們提到抽樣分配是自母群中抽取樣本N，計算其平均數，每抽一次便計算其平均數，**若滿足(一)反覆進行無限次，且(二)樣本抽取夠大（$N \geq 30$）兩個條件，則不管其母群是否為常態分配，此樣本平均數的抽樣分配將成常態分配**。這些樣本平均數的平均數會等於母群平均數μ，而樣本平均數的變異由於比樣本的變異小，因此**樣本平均數的變異數（為區別起見，稱為變異誤）會縮小變成 $\frac{\sigma^2}{N}$ ，樣本平均數的標準差（為區別起見，稱為標準誤）則等於 $\frac{\sigma}{\sqrt{N}}$** （100地四）。**此稱為中央極限定理（central limit theory）**。因此，母體的分配不見得為常態分配，但是我們可以依據中央極限定理來推論樣本分配是常態分配。

二、樣本平均數的抽樣分配型態（101普考）

(一) 母群常態

1. **大樣本**：樣本平均數為常態分配。
2. **小樣本**：
   (1)母群σ已知，樣本平均數為常態Z分配。
   (2)母群σ未知，樣本平均數為t分配。

(二) 母群非常態

1. **大樣本**：根據中央極限定理，樣本平均數接近常態分配。
2. **小樣本**：須運用無母數統計方法加以處理。

三、不同分配特性之代表符號

		算術平均數（Mean）	標準差（standard deviation）	比例（proportion）
樣本		$\overline{X}$	S	P_S
母群		μ	σ	P_u
抽樣分配	樣本平均數之抽樣分配	$\mu_{\bar{x}}$	$\sigma_{\bar{x}}$	
	樣本比例之抽樣分配	μ_p	σ_p	

註：$\mu_{\bar{x}}=\mu$，$\sigma_{\bar{x}}=\dfrac{\sigma}{\sqrt{N}}$，$\mu_p=P_u$，$\sigma_p=\sqrt{\dfrac{p_\upsilon(1-p_\upsilon)}{N}}$

四、大數法則

統計中的**大數法則**（law of large numbers）**是指一件事重覆發生的次數很多時，其發生的機率就會接近真實的情形**。以擲骰子來說明，骰子擲1、2、3、4、5、6點的機率各是六分之一，但實際上擲六次骰子的結果卻很難得到1、2、3、4、5、6點各出現一次，那這個機率到底是如何得來的呢？根據大數法則，將骰子擲了五萬次……十萬次，甚至百萬次或無限多次，就可以發現得到1、2、3、4、5、6點的機率愈來愈平均，且接近六分之一。

第二節　母數估計

考點提示

(1)點估計與區間估計的意義與運用；(2)信賴區間、信賴上下界、信賴係數、顯著水準的意義；(3)母群平均數的估計步驟與計算，是必考重點，須加以詳讀。

透過抽樣分配與中央極限定理的概念，我們即可進行推論統計，經由樣本得到的統計量（statistic）來推估母群參數或**母數**（parameters）。用樣本推估母群的方式稱為母數估計，其作法有二：(一)點估計（point estimation）；(二)區間估計（interval estimation）。

一、點估計與區間估計（106身三）

根據中央極限定理「當樣本數n很大時，其樣本平均減掉平均數，再除以標準差 $\sigma/\sqrt{n}$ ，將會趨近於平均數為0，標準差為1的常態分佈」（即Z分配），用樣本平均數$\overline{X}$來估計母群的平均數μ稱為點估計。由於點估計命中目標的機會很低，所以我們要用區間估計，可以求得的母數估計值落於哪個區間，以及落於此區間的機率。**根據中央極限定理和常態分佈的特性我們知道 $\overline{X}\pm\sigma/\sqrt{n}$ 這個區間包含著全體平均數μ的機會有68.26%，$\overline{X}\pm 2\sigma/\sqrt{n}$ 的機會有95.44%，而 $\overline{X}\pm 3\sigma/\sqrt{n}$ 的機會有99.74%！**

小叮嚀
口訣：
6826 留疤惡瘤
9544 救我叔叔
9974 舅舅去試，多麼感人的親情相挺啊！

(一) **點估計：點估計用以推估母數的估計值只有一個，其必須具有不偏、有效、一致、充分四個條件，才是最佳的估計數。**

不偏性 unbiasedness	當點估計數的期望值等於對應的母數，則該樣本統計量稱為母數的不偏估計數，亦即點估計數抽樣分配的平均數和母數相等；$\overline{\overline{X}}$和P_s兩者具有此特性。$\overline{X}$（樣本平均數）之抽樣分配的平均數（$\overline{\overline{X}}$或$\mu_{\bar{x}}$）即為μ（母群體之平均數）；樣本比例（proportion）P_s之抽樣分配的平均數μ_p，等於母群體之比例P_μ。
有效性 efficiency	若母數出現兩個或兩個以上的不偏估計數（例如：樣本平均數與樣本中位數兩個統計量均為母數的不偏估計數），則其中抽樣分配的變異數（變異誤）較小者，即是最有效的不偏估計數。

一致性 consistency	樣本接近無限大時，其估計數等於母數，稱為一致性估計數。
充分性 sufficiency	若某母數估計數恰等於樣本統計量，此估計數來自所有樣本，稱為具充分性的估計數。

(二) **區間估計**（108普考）：樣本統計量以點估計命中母數的機率不高，且其機率無法算出，因此，採用點估計以彌補其不足。區間估計由費雪（R. A. Fisher）於1922年提出，可提供研究者判斷樣本統計量抽樣分配的平均數落於某區間的決策，以及其機率，以便於進行研究假設考驗。因此，**母數估計與假設考驗的決策，有時稱為決策理論**（decision theory）。

區間估計的結果，若樣本統計量抽樣分配的平均數所推估的母數小於d**而大於**c**，則樣本統計量抽樣分配的平均數若落於**c、d**之間的區域（如下圖），則可成功推估母數，此區域稱為信賴區間**（confidence interval, **簡稱**CI）（104地四；101地三），其中最靠分配曲線右邊的d**稱為信賴界限**（confidence limits）**的信賴上界**（upper limits, U），最靠分配曲線左邊的c**稱為信賴界限**（confidence limits）**的信賴下界**（lower limits, L），而信賴區間cd**間的面積稱為信賴係數**（confidence coefficient），**以**（1－α）**表示**，其中α**稱為信賴水準或顯著水準**（significant level）（100地四）。例如：α=0.05的信賴係數1－α=0.95，表示母數落在0.95可信賴區間的機率是95%，而錯誤的機率是5%。

信賴係數1－α是研究結果拒絕正確的虛無假設之機率，也是統計學上所稱犯第一類型錯誤的機率，我們將在本章第三節詳述。

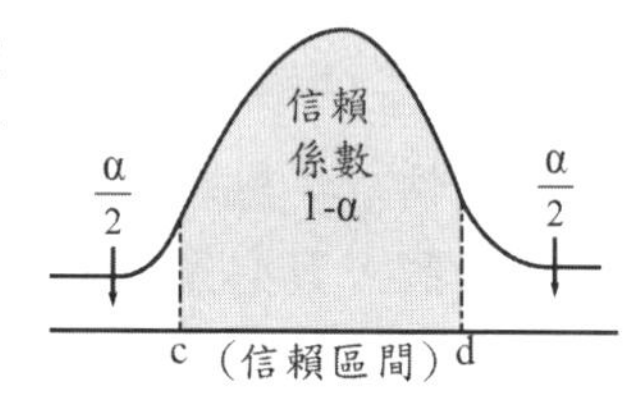

二、母群平均數的估計步驟

母群平均數的最佳估計數為樣本平均數抽樣分配的平均數$\overline{X}$其區間估計的步驟如下：

(一) **計算樣本平均數抽樣分配的標準差（標準誤）**$\sigma_{\bar{x}}$。

1. 母群σ已知，則不需估計σ，不必抽樣，可假定樣本數N無限大，依中央極限定理$\sigma_{\bar{x}}=\dfrac{\sigma}{\sqrt{N}}$。
2. 母群σ未知，則需估計σ，須對母群進行抽樣估計，對母群σ的不偏估計數為$\hat{S}=\sqrt{\dfrac{\Sigma(X-\overline{X})^2}{N-1}}$。

(二) **決定顯著水準α值**：一般統計考驗所用的α值有0.05、0.01、0.001三種，雙尾考驗時兩邊各取α/2。

(三) **決定採用何種抽樣分配的統計表。**

1. 母群σ已知，則不論樣本數多少，統計考驗時可查Z分配表。
2. 母群σ未知或樣本數N<30，統計考驗時可查t分配表。
3. 母群σ未知但樣本數N≥30，則Z分配與t分配均可採用。

(四) **計算信賴區間。**

1. 母群σ已知，如以下例題說明：

例題4.1

某校三年級學生36名進行魏氏智力測驗，測得平均智商為95，求該校三年級學生智商平均數的95%可信賴區間。

答 (一)∵魏氏智力測驗的平均數μ=100，標準差σ=15，σ已知，且該校三年級36人≥30，∴採Z分配

(二)樣本平均數抽樣分配的標準差

$$\frac{\sigma}{\sqrt{n}}=\frac{15}{\sqrt{36}}=2.5\text{，Z分數}\ \frac{\overline{X}-\mu}{\frac{\sigma}{\sqrt{n}}}=\frac{95-\mu}{2.5}$$

(三)根據Z分配表查得，Z從－1.96到+1.96間機率為0.95，因此

$$-1.96\le\frac{95-\mu}{2.5}\le1.96\Rightarrow95-1.96\,(2.5)\le\mu\le95+1.96\,(2.5)$$

$$\Rightarrow90.1\le\mu\le99.9$$

2. 母群σ未知，如以下例題說明：

例題4.2

某校一年級學生17名進行數學能力測驗，測得平均智商為105，標準差為12，求該校一年級學生智商平均數的99%可信賴區間。

答 (一)此數學能力測驗的σ未知且n<30，∴用t分配

(二)母群σ的不偏估計數 $\hat{S}=\frac{S}{\sqrt{n-1}}=\frac{12}{\sqrt{17-1}}=3$

(三)根據t分配查表得99%信賴區間，自由度df=17－1=16的t值為2.921
∵t分配為對稱分配，面積要99%，故兩側各49.5%，∴t值出現在（50%+49.5%）處，亦即查df=16，百分點99.5，交會點為2.921，

故 $t_{0.01/2}=2.921$，因此，此題99%的可信賴區間為

$$-2.921\le\frac{\overline{X}-\mu}{\hat{S}}\le+2.921$$

$$\Rightarrow\hat{S}(-2.921)\le\overline{X}-\mu\le\hat{S}(2.921)$$

$$\Rightarrow-3(-2.921)\le105-\mu\le3(2.921)$$

$$\underset{\text{同加}105}{\overset{\text{同乘}-1}{\Rightarrow}}105-3(2.921)\le\mu\le105+3(2.921)$$

$$\Rightarrow96.24\le\mu\le113.76$$

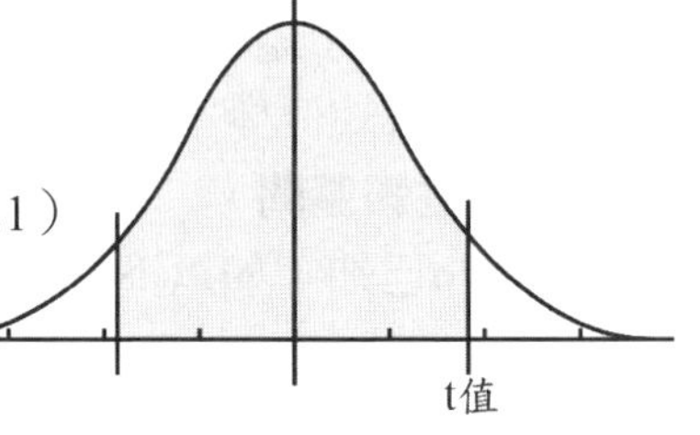

第三節 假設考驗（109高考；109普考；107身三）

(1)虛無假設與對立假設的意義與寫法；(2)考驗方向（單側或雙側）的意義；(3)接受區與拒絕區，是必考重點。

推論統計的精神在於運用樣本統計量推論母群，**研究者必須針對收集的樣本特性與研究問題，對母群特性建立假設性的敘述，透過統計分析，驗證其真偽，此過程稱為「假設考驗」**（hypothesis testing）。研究者從樣本統計量與母群進行差異性分析時，若發現差異的程度不大，則可歸因於抽樣誤差，但若差異達顯著水準，則表示母群間確實存在差異，因此，假設考驗**又稱為「顯著性考驗」**（significance testing）。

一、假設的種類（109地三）

假設依其敘述方式的不同可分成研究假設（research hypothesis）**與統計假設**（statistical hypothesis）。研究假設較為抽象籠統，例如：男生成績與女生成績是否有差異？但是統計假設的語氣就更為堅定且具操作型定義，可以觀察並加以測量。例如：男生成績比女生成績高，其差異達顯著水準。在量化統計的分析中，統計假設較常使用。

一般而言，**統計假設又分成兩種，其中研究者想要否定或放棄的假設稱為「虛無假設」**（null hypothesis）**，以H_0代表；而研究者真正想要的結果，稱為「對立假設」**（alternative hypothesis）**，以H_1表示**（100高考）。例如：研究者欲探討男生成績與女生成績的關係，研究的結果希望得到兩者間有差異，因

此，虛無假設寫成「男生成績等於女生成績」，而對立假設寫成「男生成績不等於女生成績」，以統計符號表示，虛無假設為「H_0：$\mu_1=\mu_2$」，對立假設為「H_1：$\mu_1 \neq \mu_2$」。

二、考驗的方向（109地三）

像上述的假設，研究者的對立假設乃在強調男女生成績有差異存在，並沒有定出是男生>女生或男生<女生，因此，要**拒絕虛無假設（指計算出來的統計量落入拒絕區），接受對立假設的可能性是兩側皆可，這樣的考驗方式稱為「雙側考驗」**（double-tailed test）。

研究者建立的**對立假設若強調某種大小關係，則此種單一方向的考驗稱為「單側考驗」**（one-tailed test）。以前述男生成績與女生成績關係為例，若對立假設寫為「H_1：$\mu_1>\mu_2$」，則**拒絕區在右側，稱為「右尾考驗」**；若對立假設寫為「H_1：$\mu_1<\mu_2$」，則**拒絕區在左側，稱為「左尾考驗」**。

(一) 雙側考驗

例如：男生魏氏智力測驗成績與女生成績是否有差異？（樣本數N=200）；H_0：$\mu_1=\mu_2$；H_1：$\mu_1 \neq \mu_2$。

設統計考驗α值為0.05，雙側考驗時兩側各取一半 $\frac{\alpha}{2}$，魏氏智力測驗為標準化測驗且樣本數200，視為常態分配，查Z分配表得拒絕區的關鍵值（或稱臨界值）為1.96，樣本統計量Z值計算的結果若大於1.96或小於－1.96，則落入統計考驗的拒絕區（100地四），也就是拒絕H_0，接受H_1。也就是說，H_1是對的機率有95%，如圖4-1。若樣本統計量Z值計算的結果界於－1.96與1.96之間，則落入統計考驗的接受區，也就是接受H_0，拒絕H_1。

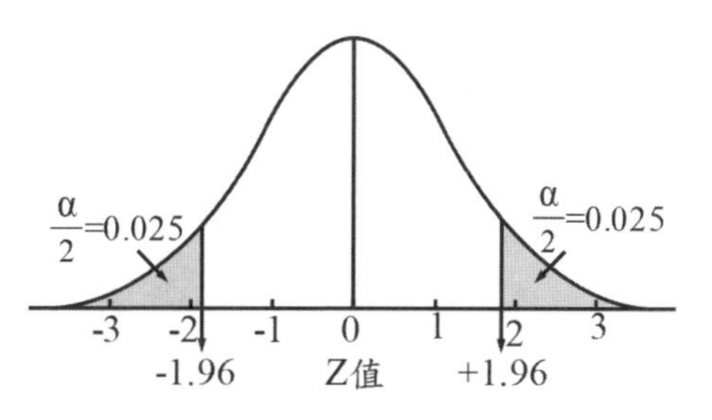

雙側考驗時的拒絕區要拆成左右兩部份

圖4-1　雙側考驗

(二) 單側考驗之右尾考驗

例如：男生成績是否大於女生成績？（N=26）

H_0：$\mu_1 \leqq \mu_2$；H_1：$\mu_1 > \mu_2$

設統計考驗α值為0.05，右尾考驗時右側取α，因樣本數小於30或母群標準差σ未知，則須查t分配表，得拒絕區的關鍵值為1.708，樣本統計量t

值計算的結果若大於1.708，則落入拒絕區，也就是拒絕H_0，接受H_1。也就是說，H_1是對的機率有95%，如圖4-2(A)。

(三) **單側考驗之左尾考驗**

例如：男生成績是否小於女生成績？（N=26）

H_0：$\mu_1 \geqq \mu_2$；H_1：$\mu_1 < \mu_2$

設統計考驗α值為0.05，左尾考驗時左側取α，查t分配表得拒絕區的關鍵值為－1.708，樣本統計量t值計算的結果若小於－1.708，則落入拒絕區，也就是拒絕H_0，接受H_1。也就是說，H_1是對的機率有95%，如圖4-2(B)。由三個圖我們可以發現，單側考驗比雙側考驗容易拒絕H_0。

(A)H：$\mu_1 > \mu_2$時

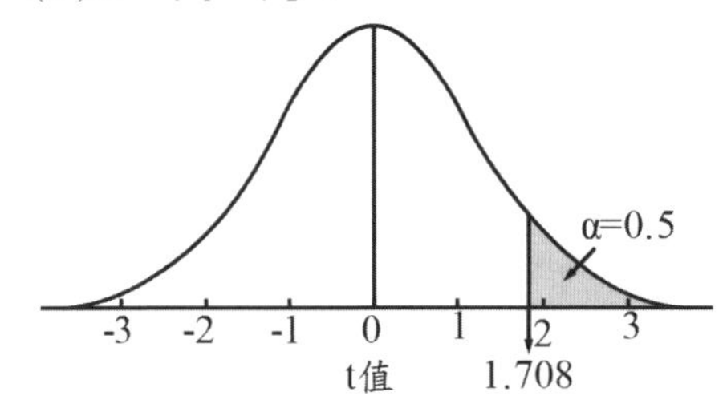

N=26，df=25，α=0.05

t值為1.708圖中可看出臨界區集中在曲線右端，以t值1.708為界限

(B)H：$\mu_1 < \mu_2$時

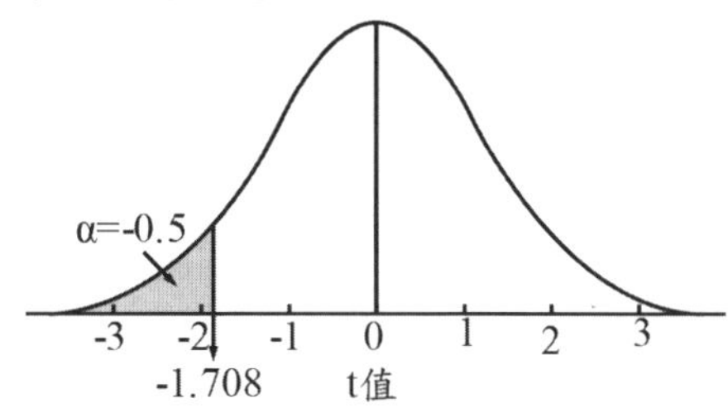

N=26，df=25，α=0.05

t值為－1.708，圖中可看出臨界區集中在曲線左端，以t值－1.708為界限

圖4-2 單側考驗

第四節 型I錯誤與型II錯誤

考點提示

(1)型I錯誤與型II錯誤的意義與計算；(2)造成型I錯誤與型II錯誤的原因與對研究結果的影響，每年幾乎必考。

統計研究結果，不論是拒絕或接受研究假設，都無法百分之一百斷定研究假設是真或假，只能得知其機率高低。例如：前述的雙側考驗結果（α=0.05），若樣本統計量落入拒絕區，則我們只能說H_1為真的機率只有95%，雖然機率很高，但仍有可能犯錯。

統計上的錯誤類型有兩種，第一種是針對虛無假設H_0而言，當虛無假設事實上為假時，研究結果拒絕了H_0，則表示決策正確；但**若虛無假設事實上是真的**

時，研究結果卻拒絕了它，則決策錯誤，這種錯誤稱為第一類型的錯誤，簡稱「型I錯誤」（type I error）**，其發生的機率大小為統計考驗的α值，因此又稱為α型錯誤**。（109地三；108地四；101原三；100身四）

第二種類型的錯誤是**當虛無假設事實上為假時，研究結果卻錯誤地接受了H_0，表示決策錯誤，這種錯誤稱為第二類型的錯誤，簡稱「型II錯誤」**（type II error）**，其發生的機率大小為統計考驗的β值，因此又稱為β型錯誤**。（101原三；100身四）

> **小叮嚀**
> 型 I：拒絕真虛
> 型 II：接受假虛

研究過程犯第I、II類型錯誤的原因大都是因為實驗不夠嚴謹、系統或非系統誤差的產生、偏見、取樣誤差等。

例題4.3

常使用的統計考驗的顯著性水準（α）有0.05與0.01，α值的設定將影響統計考驗的後果（consequence）**。試以「新款藥品欲推廣上市前，進行人體實驗，收集成效數據」為例，以第一類型錯誤和第二類型錯誤分別分析α值設定為0.05或0.01的可能不同後果與考量。**（101原三）

答 在心理與教育統計中，習慣上採用α=0.05或α=0.01作為假設檢定的顯著水準，犯型 I 錯誤機率愈小，即α愈小，研究結果顯著水準愈高；犯型 I 錯誤機率愈大，即α愈大，研究結果顯著水準愈低。以新藥上市有效性的假設考驗為例：H_0：新款藥品無效；H_1：新款藥品有效

(一)型I錯誤：「新款藥品無效是真的，卻因統計考驗結果，認為新款藥品有效」。

(二)型II錯誤：「新款藥品無效是假的，卻因統計考驗結果，認為新款藥品無效」。

(三)當其他條件不變情況下，α與β具有反向關係，如α值增加，則β值減少，統計考驗力也會增加；α值降低，β值增加，相對統計考驗力會減少。二者間的取捨由研究者決定，以求其最佳研究結果。

(四)研究者犯型I錯誤通常是比較嚴重且不可原諒的，因此，多數研究者寧願選擇犯型II錯誤而不願犯型I錯誤。例如：製藥廠推出的新藥號稱可治癒糖尿病，若犯型I錯誤，則表示新款藥品根本無效，卻因統計考驗結果，認為新款藥品有效，於是上市，那麼服用該藥品100人中，卻有治死1～5人的可能性，此結果相當嚴重。因此，我們寧願

宣稱此藥無效，犯錯誤並不嚴重的型II錯誤，因為頂多只是該藥無法上市的錯誤而已。

第五節　統計考驗力

(1)統計考驗力的意義與計算；(2)α、β的關係對統計考驗力的影響，每年幾乎必考。

統計考驗力（statistical power）是指虛無假設為假，在統計上正確拒絕H_0的機率。由上節犯型II錯誤的機率，也就是接受假的虛無假設的機率為β可知，虛無假設為假，**在統計上正確拒絕H_0的機率則為**$1-\beta$（108地四；105高考；100地四；100身四）。我們希望所選用的統計考驗，其統計考驗力的值愈大愈好。

α與β的關係可以下表示之：

	若H_0為真	若H_0為假
拒絕H_0	型I錯誤（α）	統計考驗力（$1-\beta$）
接受H_0	信賴係數（$1-\alpha$）	型II錯誤（β）

由上表可知，若α越大，則β越小，統計考驗力$1-\beta$越大；因此，將顯著水準α定得寬鬆一些，可增加統計考驗力；另外，樣本人數越多，減少變異數，統計考驗力越大；最後，使用單側考驗（較容易拒絕H_0）會比雙側考驗統計考驗力大。

考題集錦

1. 請分別利用期望值證明與利用中央極限定理說明以 X 估計 μ 具有不偏性。（103身三）
2. 請說明統計顯著（statistical significance）之後，研究者仍需進一步瞭解研究是否有實際意義（practical significance）之理由。（103身三）
3. 試以單一樣本 t 檢定為例，回答下列問題：（103身四）
   (1)寫出檢定統計量之公式。
   (2)寫出影響統計檢定力之因素。
   (3)說明第一類型錯誤率、第二類型錯誤率、檢定力三者之關係。

4. 什麼是統計檢驗力（power）？什麼因素會影響統計檢驗力？（103高考）
5. 如何判斷統計考驗要用單側或雙側考驗？（102身三）
6. 常使用的統計考驗的顯著性水準（α）有 0.05 與 0.01，α值的設定將影響統計考驗的後果（consequence）。試以「新款藥品欲推廣上市前，進行人體實驗，收集成效數據」為例，以第一類型錯誤和第二類型錯誤分別分析α值設定為 0.05 或 0.01 的可能不同後果與考量。（101原三）
7. 某人要在甲乙丙丁四種智力測驗中選一種較穩定者來使用，他檢查四個測驗的Mean, SD 與信度如下表。

	Mean	信度	SD
甲	100	.91	15
乙	100	.84	10
丙	100	.75	10
丁	100	.61	5

請問：
(1)那一個測驗在解釋個人分數時變動最小？理由為何？
(2)某生在上述變動最小的測驗上之 IQ 如為 110，試問在 95%信賴水準下，其 IQ 之範圍為何？（101地三）
8. 某研究者想瞭解A、B兩班的變異程度是否不同，而A班共有 13 人，A班的標準差是20，B班共有 20 人，標準差是 10。請使用假設考驗的步驟，考驗A、B兩班的變異程度不同的假設，並解釋研究結果。（$F_{.975}(12, 19) = 2.72$）（101地四）
9. 已知一變數X呈偏態分配，其平均數為20，標準差為5。（101普考）
(1) 從此分配抽取8個分數並計算其平均數，若重複此步驟無限多次，則這些樣本平均數所形成的分配之平均數為何？
(2) 從此分配只抽取5個分數並計算其平均數，再重複此步驟無限多次之後，這些樣本平均數所形成的分配之變異誤為何？
(3) 若從同一個分配抽取100個分數並計算其平均數，重複此步驟無限多次之後，可以得到一個由樣本平均數所形成的分配。在這個分配中，樣本平均數小於20.98的概率為何？

[考題解析範例]

一、有一個研究者其研究所得平均值為103，N=36，已知σ＝12當H_0：μ＝96（附常態分配表）

(一) 當其設定α=.05，統計考驗力為何？

(二) 當N增加至64人，在α=.05的情形下，統計考驗力為何？

常態分配表

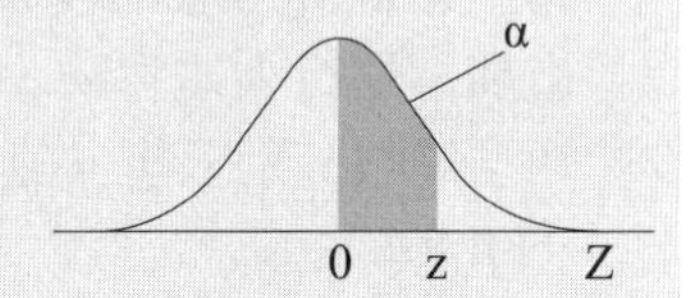

P（0<Z<z）=α

z	0.00	0.01	0.02	0.03	0.04	0.05	0.06	0.07	0.08	0.09
0.1	0.0398	0.0438	0.0478	0.0517	0.0557	0.0596	0.0636	0.0675	0.0714	0.0753
0.2	0.0793	0.0832	0.0871	0.0910	0.0948	0.0987	0.1026	0.1064	0.1103	0.1141
0.3	0.1179	0.1217	0.1255	0.1293	0.1331	0.1368	0.1406	0.1443	0.1480	0.1517
0.4	0.1554	0.1591	0.1628	0.1664	0.1700	0.1736	0.1772	0.1808	0.1844	0.1879
0.5	0.1915	0.1950	0.1985	0.2019	0.2054	0.2088	0.2123	0.2157	0.2190	0.2224
0.6	0.2257	0.2291	0.2324	0.2357	0.2389	0.2422	0.2454	0.2486	0.2517	0.2549
0.7	0.2580	0.2611	0.2642	0.2673	0.2704	0.2734	0.2764	0.2794	0.2823	0.2852
0.8	0.2881	0.2910	0.2939	0.2967	0.2995	0.3023	0.3051	0.3078	0.3106	0.3133
0.9	0.3159	0.3186	0.3212	0.3238	0.3264	0.3289	0.3315	0.3340	0.3365	0.3389
1	0.3413	0.3438	0.3461	0.3485	0.3508	0.3531	0.3554	0.3577	0.3599	0.3621
1.1	0.3643	0.3665	0.3686	0.3708	0.3729	0.3749	0.3770	0.3790	0.3810	0.3830
1.2	0.3849	0.3869	0.3888	0.3907	0.3925	0.3944	0.3962	0.3980	0.3997	0.4015
1.3	0.4032	0.4049	0.4066	0.4082	0.4099	0.4115	0.4131	0.4147	0.4162	0.4177
1.4	0.4192	0.4207	0.4222	0.4236	0.4251	0.4265	0.4279	0.4292	0.4306	0.4319
1.5	0.4332	0.4345	0.4357	0.4370	0.4382	0.4394	0.4406	0.4418	0.4429	0.4441
1.6	0.4452	0.4463	0.4474	0.4484	0.4495	0.4505	0.4515	0.4525	0.4535	0.4545
1.7	0.4554	0.4564	0.4573	0.4582	0.4591	0.4599	0.4608	0.4616	0.4625	0.4633
1.8	0.4641	0.4649	0.4656	0.4664	0.4671	0.4678	0.4686	0.4693	0.4699	0.4706
1.9	0.4713	0.4719	0.4726	0.4732	0.4738	0.4744	0.4750	0.4756	0.4761	0.4767
2	0.4772	0.4778	0.4783	0.4788	0.4793	0.4798	0.4803	0.4808	0.4812	0.4817
2.1	0.4821	0.4826	0.4830	0.4834	0.4838	0.4842	0.4846	0.4850	0.4854	0.4857
2.2	0.4861	0.4864	0.4868	0.4871	0.4875	0.4878	0.4881	0.4884	0.4887	0.4890
2.3	0.4893	0.4896	0.4898	0.4901	0.4904	0.4906	0.4909	0.4911	0.4913	0.4916
2.4	0.4918	0.4920	0.4922	0.4925	0.4927	0.4929	0.4931	0.4932	0.4934	0.4936
2.5	0.4938	0.4940	0.4941	0.4943	0.4945	0.4946	0.4948	0.4949	0.4951	0.4952
2.6	0.4953	0.4955	0.4956	0.4957	0.4959	0.4960	0.4961	0.4962	0.4963	0.4964
2.7	0.4965	0.4966	0.4967	0.4968	0.4969	0.4970	0.4971	0.4972	0.4973	0.4974
2.8	0.4974	0.4975	0.4976	0.4977	0.4977	0.4978	0.4979	0.4979	0.4980	0.4981
2.9	0.4981	0.4982	0.4982	0.4983	0.4984	0.4984	0.4985	0.4985	0.4986	0.4986
3	0.49865	0.49869	0.49874	0.49878	0.49882	0.49886	0.49889	0.49893	0.49897	0.499
3.1	0.49903	0.49906	0.4991	0.49913	0.49916	0.49918	0.49921	0.49924	0.49926	0.49929
3.2	0.49931	0.49934	0.49936	0.49938	0.4994	0.49942	0.49944	0.49946	0.49948	0.4995
3.3	0.49952	0.49953	0.49955	0.49967	0.49958	0.4996	0.49961	0.49962	0.49964	0.49965
3.4	0.49966	0.49968	0.49969	0.4997	0.49971	0.49972	0.49973	0.49974	0.49975	0.49976

z	0.00	0.01	0.02	0.03	0.04	0.05	0.06	0.07	0.08	0.09
3.5	0.49977	0.49978	0.49978	0.49979	0.4998	0.49981	0.49981	0.49982	0.49983	0.49983
3.6	0.49984	0.49985	0.49985	0.49986	0.49986	0.49987	0.49987	0.49988	0.49988	0.49989
3.7	0.49989	0.4999	0.4999	0.4999	0.49991	0.49991	0.49992	0.49992	0.49992	0.49992
3.8	0.49993	0.49993	0.49993	0.49994	0.49994	0.49994	0.49994	0.49995	0.49995	0.49995
3.9	0.49995	0.49995	0.49996	0.49996	0.49996	0.49996	0.49996	0.49996	0.49997	0.49997
4	0.499968									

破題分析 本題考的是統計考驗力1-β，考生必須從題目所給條件算出真正Z-test的值再由圖形求解，較為容易。

答 (一)統計檢定 $\begin{cases} H_0: \mu = 96 \\ H_1: \mu \neq 96 \end{cases}$

∵母群σ=12（已知），∴採用Z-test

當設定α=0.5時，Z=±1.96（查表得）

∴正確拒絕H_0的統計考驗力（1-β）機率大小。

$$=P(\overline{X} > 96 + 1.96 \times \frac{12}{\sqrt{36}}) + P(\overline{X} < 96 - 1.96 \times \frac{12}{\sqrt{36}})$$

$$=P(\overline{X} > 99.92) + P(\overline{X} < 92.08)$$

$$P(\overline{X} > 99.92)\text{ 得 } Z = \frac{99.92 - 103}{12/\sqrt{36}} = -1.54$$

查表得其機率P=0.9382

$$P(\overline{X} \quad 92.08)\text{ 得 } Z = \frac{92.08 - 103}{12/\sqrt{36}} = -5.46$$

查表得其機率P=0

∴統計考驗力（1-β）=0.9382+0=0.9382

(二)同理，僅人數N改成64

∴統計考驗力（1-β）

$$=P(\overline{X} > 96 + 1.96 \times \frac{12}{\sqrt{64}}) + P(\overline{X} < 96 - 1.96 \times \frac{12}{\sqrt{64}})$$

$$=P(\overline{X} > 98.94) + P(\overline{X} < 93.06)$$

$P(\overline{X} > 98.94)$ 的 $Z = \dfrac{98.94 - 103}{12/\sqrt{64}} = -2.71$

$P(\overline{X} > 93.06)$ 的 $Z = \dfrac{93.06 - 103}{12/\sqrt{64}} = -6.63$

兩者的機率和查表得為0.9966+0=0.9966

觀念延伸 型Ⅰ錯誤、型Ⅱ錯誤、α、1-β。

二、某人要在甲乙丙丁四種智力測驗中選一種較穩定者來使用，他檢查四個測驗的Mean, SD與信度如下表。（101地三）

	Mean	信度	SD
甲	100	.91	15
乙	100	.84	10
丙	100	.75	10
丁	100	.64	5

(一) 那一個測驗在解釋個人分數時變動最小？理由為何？
(二) 某生在上述變動最小的測驗上之IQ如為110，試問在95%信賴水準下，其IQ之範圍為何？

答 (一)個人測驗分數要達到最小變動的目的，即選擇測量標準誤最小者，

今甲測驗之$SE_m=15\sqrt{1-0.91}=4.5$，乙測驗之$SE_m=10\sqrt{1-0.84}=4$，

丙測驗之$SE_m=10\sqrt{1-0.75}=5$，丁測驗之$SE_m=5\sqrt{1-0.64}=3$

∴丁測驗為最小變動者。

(二)測驗真正分數在95%信賴水準的範圍為

$110-1.96\times 3 \le t \le 110+1.96\times 3$

∴IQ的範圍介於104.12～115.88之間

第五章　母群統計量假設考驗

依據出題頻率區分，屬：**B** 頻率中

開箱密碼

本章為母群假設考驗，介紹單一母群與兩個母群統計量的假設考驗，這些統計量包括平均數、變異數、相關係數與百分比例，尤其探討獨立樣本與相依樣本的考驗型態更值得讀者注意。本章的出題形式主要為各項考驗的計算，對於各種假設考驗的使用時機、運用公式等都要加以熟讀，是出題的焦點所在。

第一節　一個母群的假設考驗

考點提示

(1)單一母群平均數考驗；(2)單一母群變異數、百分比、相關係數差異的考驗，幾乎必考。

一、單一母群平均數的考驗

(一) 適用常態分配（$n \geq 30$或母群常態分配且σ已知）

1. 單側考驗（母群σ已知，Z分配）

依中央極限定理 $Z = \dfrac{\bar{x} - \mu}{\sigma_{\bar{x}}} = \dfrac{\bar{x} - \mu}{\sigma / \sqrt{N}}$

拒絕區　　　　　　　　　　　　　　　　　　　拒絕區

$-Z_\alpha$　　　　　　　　　　　　　　　　　　　Z_α

左側：$Z < -Z_\alpha$　　　　　　　　　　　　　右側：$Z > Z_\alpha$

例題5.1

某研究認為數學成績高的學生智商也高，因此他以某校數學成績高的學生共64名，實施魏氏智力測驗（平均數100，標準差15），施測結果此64名學生的數學成績平均數為108分，請問此研究者的假設是否獲得支持？

答 (一)本題魏氏智力測驗乃標準化測驗，σ已知。∴使用Z檢定的單側考驗。

(二)H_0：$\mu_1 \leq \mu_2$ （數學成績高的智力≤一般智力）

H_1：$\mu_1 > \mu_2$ （數學成績高的智力>一般智力）

$$Z=\frac{\overline{X}-\mu}{\frac{\sigma}{\sqrt{n}}}=\frac{108-100}{\frac{15}{\sqrt{64}}}=4.27$$

(三)若將α定為0.05，則右尾的關鍵值為1.64

∵Z=4.27>1.64，落入拒絕區 ∴拒絕H_0。H_1獲得支持。

2. **雙側考驗（母群σ已知，Z分配）**

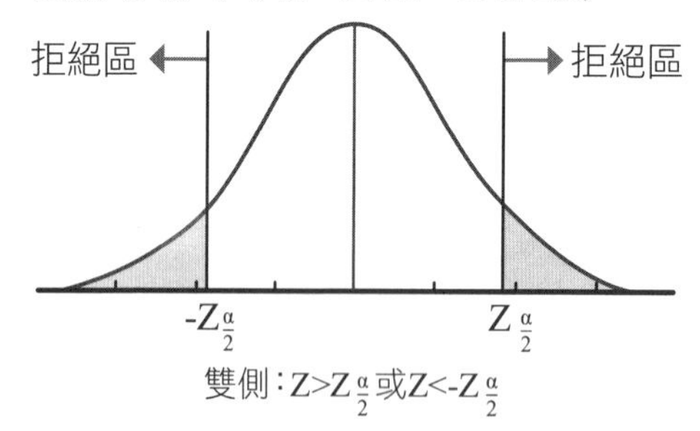

例題5.2

已知英文科標準化測驗的平均數為80，標準差為10，今有某班36位學生進行此測驗的平均成績為76分，請問該班的英文科成績是否與一般的英文科成績明顯不同？

答 (一)σ已知，用Z檢定。

(二)研究目的是證明有無差異，沒有方向性。∴是雙側考驗。

(三)設α=0.05，雙側考驗Z的關鍵值為±1.96

(四)H_0：$\mu_1=\mu_2$；H_1：$\mu_1 \neq \mu_2$

$Z=\frac{\overline{X}-\mu}{\sigma/\sqrt{n}}=\frac{76-80}{10/\sqrt{36}}=-2.4<-1.96$落入拒絕區，故拒絕$H_0$，兩者平均成績有明顯差異。

(二) **適用t分配（n<30或σ未知）**

$$t=\frac{\overline{x}-\mu}{s/\sqrt{N}}\quad df=N-1$$

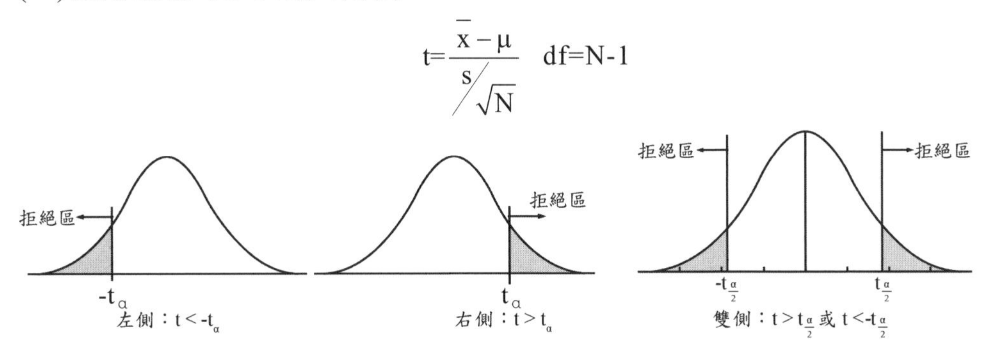

例題5.3

某校高一新生平均體重68公斤，標準差4，兩年後隨機抽取61名學生稱其體重，得其平均值為69公斤，請問該校學生的體重增加是否達顯著？

答 (一)σ未知，用t檢定，欲知是否增加，∴單側考驗。

(二)H_0：$\mu_1\leq\mu_2$；H_1：$\mu_1>\mu_2$

(三)設α=0.05，而df=61－1=60，查t值表，得關鍵值=1.658

(四)$t=\frac{\overline{X}-\mu}{\frac{\hat{S}}{\sqrt{n}}}=\frac{69-68}{\frac{4}{\sqrt{61}}}=1.92>1.658$，故拒絕$H_0$，有顯著增加。

二、單一母群變異數的考驗（卡方考驗）

(一) 當母群σ已知，$\chi^2=\frac{\sum(X-\mu)^2}{\sigma^2}=\frac{nS^2}{\sigma^2}$，df= n

(二) 當母群σ未知，$\chi^2=\frac{\sum(X-\mu)^2}{\sigma^2}=\frac{(n-1)S^2}{\sigma^2}$，df= n－1

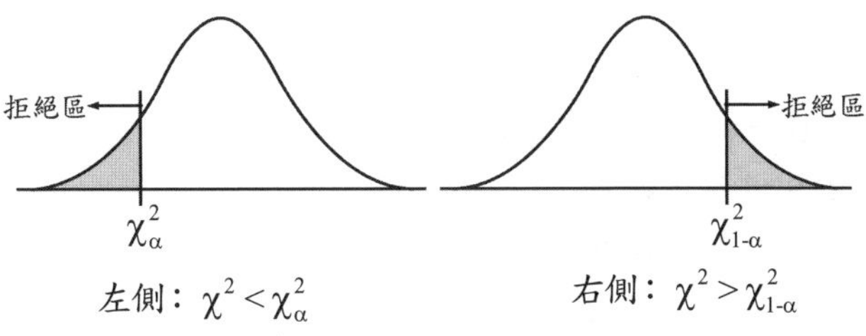

左側：$\chi^2<\chi^2_{\alpha}$

右側：$\chi^2>\chi^2_{1-\alpha}$

拒絕區　拒絕區

$\chi^2_{\frac{\alpha}{2}}$　$\chi^2_{1-\frac{\alpha}{2}}$

雙側：$\chi^2>\chi^2_{1-\frac{\alpha}{2}}$ 或 $\chi^2<\chi^2_{\frac{\alpha}{2}}$

例題5.4

已知自然科模擬測驗的標準差為15，若隨機抽取28個學生進行施測，施測結果得到平均成績=72，標準差為12，若以顯著水準0.05進行考驗，請問母群體變異數有何改變，是否比原來小？

答 (一)母群σ未知，∴採用df=n－1的卡方分配

(二)左側考驗H_0：$\sigma^2 \geq 15^2$；H_1：$\sigma^2 < 15^2$

又α=0.05，df= n－1=28－1=27，

查χ^2表⇒$\chi^2_{0.05(27)}$臨界值為16.151

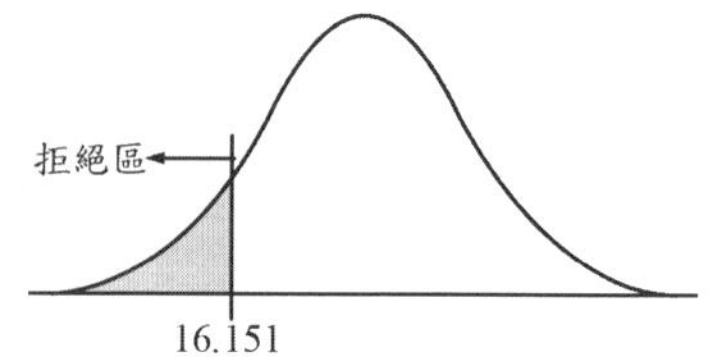

(三)$\chi^2=\frac{(n-1)S^2}{\sigma^2}=\frac{(28-1)\times 12^2}{15^2}$=17.28>16.151

∴落入接受區，亦即母體變異數≥225

三、單一母群百分比例的考驗（大樣本，採Z分配）

$$Z=\frac{f-Np}{\sqrt{Npq}} \text{ 或 } Z=\frac{\hat{p}-p}{\sigma_p}=\frac{\hat{p}-p}{\sqrt{\frac{pq}{N}}}$$

其中f為次數（人數），N為總次數（總人數），p為假設考驗的母群百分比例，q=1－p，$\hat{p}$是樣本比例f/N，而σ_p是樣本百分比例次數分配的標準誤$\sqrt{\frac{pq}{N}}$。

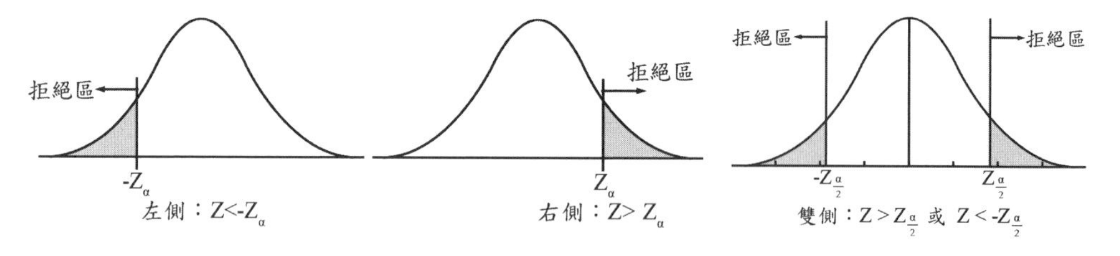

例題5.5

自全校學生中隨機抽取100名，其中有補習的學生有60名。試問

(一) 該校有補習的學生佔50%的說法是否為真？

(二) 估計該校有補習學生百分比的95%信賴區間。

答 (一)雙側考驗，H_1：p≠0.5，H_0：p=0.5

$$\therefore Z=\frac{f-Np}{\sqrt{Npq}}=\frac{60-100(0.5)}{\sqrt{100(0.5)(0.5)}}=2$$

查Z表得，雙側考驗的臨界值$Z_{.025}=-1.96$、$Z_{.925}=1.96$，可知$Z=2>1.96$，落入拒絕區，∴拒絕H_0，有補習的學生並非50%

(二)區間估計 $\hat{p}-Z_{\frac{\alpha}{2}}\times\sigma_p<p<Z_{1-\frac{\alpha}{2}}\times\sigma_p$

$$0.60-1.96\sqrt{\frac{(0.5)(0.5)}{100}}<p<0.60+1.96\sqrt{\frac{(0.5)(0.5)}{100}}\Rightarrow 0.502<p<0.698$$

四、單一母群相關係數差異的顯著性考驗

(一) 檢定母群的相關係數是否為0（$\rho=0$）

(二) 若母群相關係數為0，表示樣本所求得的相關係數r值為機遇因素造成，就算r值再高也不具意義。

(三) 可用查表法或t考驗法加以驗證。

例題5.6

某研究認為智力測驗成績與高中學業成就有關，因此抽取25位學生進行積差相關的研究，發現相關係數$r=0.5$，試說明智力測驗與高中學業成就是否顯著相關？

答　方法一：

(一)H_0：$\rho=0$　（智力與學業成就的相關為0）

H_1：$\rho\neq 0$

(二)$\alpha=0.05$，$df=25-2=23$，雙側考驗。

查積差相關係數r表得臨界值為0.396

$r=0.5>0.396$

∴落入拒絕區，表示智力與學業成就有關。

方法二：

(一)可用t考驗法，考驗r的顯著性。

$$t=\frac{r-\rho}{\sqrt{\frac{1-r^2}{n-2}}}=\frac{0.5-0}{\sqrt{\frac{1-(0.5)^2}{25-2}}}=2.762$$

(二)查t表，$df=23$，雙側考驗$t_{0.025(23)}=\pm 2.069$

∴拒絕H_0，表示r值具顯著性。

第二節　兩個母群的假設考驗

(1)兩個母群的平均數差異考驗；(2)兩個母群的變異數、百分比、相關係數差異考驗，是必考重點，須加以詳讀。

一、兩個母群平均數差異（$\mu_1-\mu_2$）考驗

(一) 獨立樣本適用常態分配的情況：

1. $n\geq30$或母群常態分配且σ已知
2. 以（$\overline{x_1}-\overline{x_2}$）來考驗（$\mu_1-\mu_2$）
3. 統計量公式$Z=\dfrac{\left(\overline{X_1}-\overline{X_2}\right)}{\sqrt{\dfrac{\sigma_1^2}{n_1}+\dfrac{\sigma_2^2}{n_2}}}$　［當n_1,n_2皆≥30 若σ_1,σ_2未知 可用S_1,S_2代替］

例題5.7

自全校學生中隨機抽取男生36名，女生49名進行數學成就測驗，結果得到男生平均成績75分，標準差4；女生平均成績80分，標準差3，請分析男女生在數學成就測驗上的結果是否有差異？

答 (一)σ_1、σ_2未知，但$n_1\geq30$，$n_2\geq30$　∴可用S代替σ

(二)雙側考驗，$\begin{cases}H_0: \mu_1=\mu_2\\ H_1: \mu_1\neq\mu_2\end{cases}$

(三)$\alpha=0.05$，查Z表臨界值為$\pm Z_{0.05}=\pm1.96$

$$Z=\frac{\left(\overline{X_1}-\overline{X_2}\right)-\left(\mu_1-\mu_2\right)}{\sqrt{\dfrac{\sigma_1^2}{n_1}+\dfrac{\sigma_1^2}{n_2}}}=\frac{(80-75)-0}{\sqrt{\dfrac{4^2}{36}+\dfrac{3^2}{49}}}=6.3>1.96$$

∴拒絕H_0，男女生在數學成就測驗上有差異

例題5.8

自全校學生中隨機抽取男生75名，女生100名進行魏氏智力測驗，結果得到男生平均成績105分，女生平均成績102分，請分析男女生在智力測驗上的結果是否有差異？

答 (一)σ已知，男生與女生的智力比較，是否有差異

∴是兩個獨立樣本平均數的Z檢定（雙側）

(二) H_0：$\mu_1=\mu_2$；H_1：$\mu_1 \neq \mu_2$

(三) 當α=0.05時，雙側考驗Z的關鍵值為±1.96

(四) $$Z=\frac{\overline{X_1}-\overline{X_2}}{\sqrt{\frac{\sigma_1^2}{N_1}+\frac{\sigma_2^2}{N_2}}}=\frac{105-102}{\sqrt{\frac{15^2}{75}+\frac{15^2}{100}}}=1.37<1.96$$

故接受H_0，∴男女智力無明顯差異。

(二) **獨立樣本適用t分配的情況**（108身三；107地三；106普考；105身三）

1. n<30或母群常態分配σ未知，且變異數同質 $\sigma_1^2=\sigma_2^2$

統計量公式 $$t=\frac{\left(\overline{X_1}-\overline{X_2}\right)-\left(\mu_1-\mu_2\right)}{\sqrt{\frac{SP^2}{n_1}+\frac{SP^2}{n_2}}}$$ ，其中 $$SP^2=\frac{\left(n_1-1\right)S_1^2+\left(n_2-1\right)S_2^2}{n_1+n_2-2}$$

$df=n_1+n_2-2$，$\left[\begin{array}{l}SP^2\text{稱為合併變異數（pooled variance）} \\ \text{相當於變異數分析時的組內變異數}S_w^2\end{array}\right]$

2. 當變異數不同質 $\sigma_1^2 \neq \sigma_2^2$

(1) 大樣本時（n ≥30），使用另一種t考驗公式加以計算。

$$t=\frac{\overline{X_1}-\overline{X_2}}{\sqrt{\frac{S_1^2}{n_1}+\frac{S_2^2}{n_2}}}$$ ，$df=n_1+n_2-2$

(2)小樣本時（n<30），必須修正df，修正公式如下：

$$df=\frac{\left(\frac{S_1^2}{n_1}+\frac{S_2^2}{n_2}\right)^2}{\left(\frac{S_1^2}{n_1}\right)^2\Big/(n_1-1)+\left(\frac{S_2^2}{n_2}\right)^2\Big/(n_2-1)}$$

3. 兩個母群獨立樣本平均數差異t考驗（報表解讀）

以106年普考題目為例：

某教育學者想知道「考試焦慮」對「考試成績」的影響情形。他經過問卷調查的資料分析後，獲得下列報表：

考試焦慮組別統計量

依變相	考試焦慮組別	N	平均數 (1)	標準差	平均數的標準誤
考試成績	高	772	153.89	52.28	1.88
	低	493	163.89	61.86	2.79

獨立樣本t檢定

基本假設	變異數相等的Levene檢定 (2)		平均數相等的t檢定						
	F檢定	顯著性	t	自由度	顯著性	平均差異	標準誤差異	差異的95%信賴區間 下界	上界
假設變異數相等	23.19	.000	−3.16	1263	.002	−10.06	3.24	−16.42	−3.71
不假設變異數相等			−1.89 (3)	920.96	.053	−10.06	5.26	−20.37	0.25

(1)高、低考試焦慮組別的考試成績差異163.89－153.89＝10分。

(2)因為獨立樣本t檢定變異數相等的Levene檢定結果F值為23.19，顯著性P＝.000＜.05，因此拒絕虛無假設，亦即兩者變異數有顯著差異（變異數不同質或不假設變異數相等），犯型I錯誤的機率為5%。

(3)因此，下面報表的部分，數據必須看「不假設變異數相等」那一列。也就是說，t值為－1.89，自由度為920.96，雙尾顯著性P＝.053，95%信賴區間為－20.37～0.25。

例題5.9

自全校學生中隨機抽取男生11名，女生15名進行英文成就測驗，結果得到男生平均成績72分，標準差4；女生平均成績75分，標準差3，已知男女生兩常態母群的變異數相等，請分析男女生在英文成就測驗上的結果是否有差異？

答 (一)σ未知且$n_1<30$，$n_2<30$，$\sigma_1^2=\sigma_2^2$，∴用兩獨立樣本平均數的t檢定（雙側）。

(二)H_0：$\mu_1=\mu_2$；H_1：$\mu_1\neq\mu_2$

(三)當$\alpha=0.05$時，且$df=n_1+n_2-2=24$，雙側考驗，t的關鍵值查表得±2.064

(四) $$S_P^2=\frac{S_1^2(n_1-1)+S_2^2(n_2-1)}{n_1+n_2-2}=\frac{(4)^2(11-1)+(3)^2(15-1)}{11+15-2}=11.92$$

$$\therefore t=\frac{(\overline{X_1}-\overline{X_2})}{\sqrt{S_P^2\left(\frac{1}{n_1}+\frac{1}{n_2}\right)}}=\frac{(72-75)-0}{\sqrt{11.92\left(\frac{1}{11}+\frac{1}{15}\right)}}=-2.19<-2.065$$

(五)落入拒絕區∴男女在英文成就測驗上有差異。

例題5.10

同例題5.9，但若已知男女生兩常態母群的變異數不相等且差異甚大，且英文成就測驗男女生標準差變為40及3，則請分析男女生在英文成就測驗上的結果是否有差異？

答 (一)H_0：$\mu_1=\mu_2$；H_1：$\mu_1\neq\mu_2$

(二)$\sigma_1\neq\sigma_2$且小樣本

$$\therefore t=\frac{(\overline{X_1}-\overline{X_2})}{\sqrt{\left(\frac{S_1^2}{n_1}+\frac{S_2^2}{n_2}\right)}}=\frac{(72-75)}{\sqrt{\left(\frac{40^2}{11}+\frac{3^2}{15}\right)}}=-0.24$$

$$\text{修正}df=\frac{(S_1^2/n_1+S_2^2/n_2)^2}{(S_1^2/n_1)^2/(n_1-1)+(S_2^2/n_2)^2/(n_2-1)}$$

$$=\frac{(40^2/11+3^2/15)^2}{\left(40^2/11\right)^2/(11-1)+(3^2/15)^2/(15-1)}\fallingdotseq10$$

(三)當df=10，α=0.05，雙側考驗，臨界值2.228>－0.24，故男女無差異

(三) 相依樣本適用t分配的情況（105身三）

1. 常態母群變異數未知，抽取相依樣本（如：同卵雙生）或同樣本前、後測。
2. 一般為小樣本。
3. 相依樣本又稱為配對樣本、關聯樣本（correlated samples）。
4. 公式：$t=\dfrac{\overline{D}}{S_D/\sqrt{n}}$，其中$\overline{D}=\dfrac{\Sigma D}{n}=\dfrac{\Sigma(X-Y)}{n}$

   D=X－Y（相依樣本的分數差）

   $S_D=\sqrt{\dfrac{\Sigma D^2-\dfrac{(\Sigma D)^2}{n}}{n-1}}$（D的標準差）

例題5.11

某研究採隨機抽取10對雙胞胎進行閱讀理解測驗，結果如下，請以α=0.05考驗雙胞胎的閱讀理解能力是否相同？

配對	1	2	3	4	5	6	7	8	9	10
X	70	60	75	80	85	82	83	90	76	77
Y	80	70	80	85	90	80	75	93	80	80

配對	1	2	3	4	5	6	7	8	9	10
X	70	60	75	80	85	82	83	90	76	77
Y	80	70	80	85	90	80	75	93	80	80
D =X-Y	-10	-10	-5	-5	-5	2	8	-3	-4	-3

答 (一)相依樣本t考驗$\begin{cases}H_0: \mu_1=\mu_2\\ H_1: \mu_1\neq\mu_2\end{cases}$

(二)$t=\dfrac{\overline{D}}{S_D/\sqrt{n}}=\dfrac{\dfrac{\Sigma D}{n}}{\sqrt{\dfrac{\Sigma D^2-\dfrac{(\Sigma D)^2}{n}}{n(n-1)}}}=\dfrac{-3.5}{\sqrt{\dfrac{377-\dfrac{(-35)^2}{10}}{10(9)}}}=-2.08$

(三)查t表，df=10－1=9，$\pm t_{0.025(9)}=\pm 2.262$（雙側）

∵t=－2.08>－2.262落入接受區

∴雙胞胎的閱讀理解能力相同

二、兩個母群變異數差異考驗（101地四）

(一) 小樣本，確定變異數是否同質，即$\sigma_1^2=\sigma_2^2$

(二) 用F考驗公式：$F=\frac{s_1^2}{s_2^2}$，S_1、S_2為兩母群之樣本變異數。

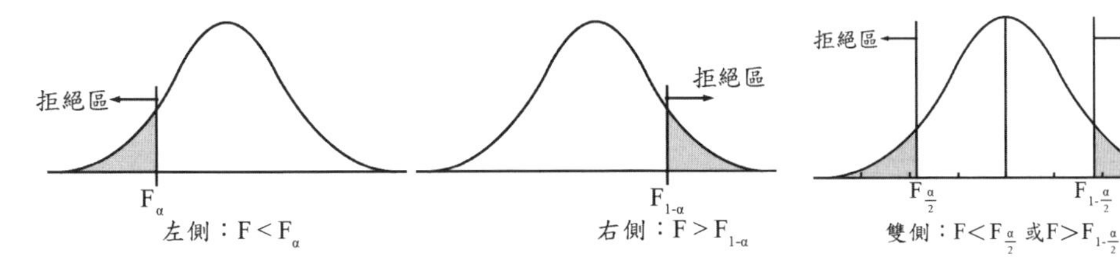

例題5.12

某研究者想瞭解A、B兩班的變異程度是否不同，而A班共有10人，A班的標準差是5，B班也有10人，標準差是4。請使用假設考驗的步驟，考驗A、B兩班的變異程度不同的假設，並解釋研究結果。（$F_{.975\,(9,9)}=4.03$）兩母群變異數相等的顯著性考驗。

答 (一)H_0：$\sigma_1^2=\sigma_2^2$；H_1：$\sigma_1^2\neq\sigma_2^2$

(二)α=0.05，雙側考驗，臨界值$F_{.975\,(9,9)}=4.03$

$$F=\frac{S_1^2}{S_2^2}=\frac{5^2}{4^2}=1.56<4.03$$ ∴接受H_0⇒兩母群變異數相等。

三、兩個母群百分比例差異考驗

(一) 獨立樣本

1. 使用Z檢定。

2. 公式$Z=\frac{P_1-P_2}{\sqrt{pq(\frac{1}{n_1}+\frac{1}{n_2})}}$，

其中，P_1是第一組特質所佔的比例。P_2是第二組特質所佔的比例。

P=此特質總次數佔兩組總數的比例=$\frac{f_1+f_2}{n_1+n_2}$；q=1－P

例題5.13

某研究想瞭解國、高中教師對十二年國教的支持程度是否有明顯差異，於是自國高中教師中隨機抽取國中教師200人、高中教師150人進行研究調查，結果支持十二年國教的人數，國中教師有120人、高中教師75人，試問國高中教師支持十二年國教的百分比是否有所差異？

答 (一) $\begin{cases} H_0: P_1 = P_2 \\ H_1: P_1 \neq P_2 \end{cases}$ $\alpha=0.05$，雙側考驗，查Z表，臨界值為$\pm Z_{0.05}=\pm 1.96$

(二)已知$n_1=200$，$f_1=120$ $\therefore P_1=\frac{120}{200}=0.6$，$n_2=150$，$f_2=75$ $\therefore P_2=\frac{75}{150}=0.5$

$$\therefore P=\frac{120+75}{200+150}=0.56$$

$$Z=\frac{P_1-P_2}{\sqrt{pq\left(\frac{1}{n_1}+\frac{1}{n_2}\right)}}=\frac{0.6-0.5}{\sqrt{(0.56)(1-0.56)\left(\frac{1}{200}+\frac{1}{150}\right)}}=1.85$$

$\therefore -1.96<Z<1.96$，落入接受區，亦即，國高中教師對12年國教的支持度百分比沒有明顯差異。

(二) **相依樣本**（100地三）

1. 同一樣本前後測或同一樣本表達對不同問題的看法
2. 使用Z考驗
3. 公式 $Z=\frac{a-d}{\sqrt{a+d}}$ 或 $Z=\frac{P_1-P_2}{\sqrt{\frac{a+d}{n}}}$，其中，a表示問題一正面看法；問題二反面看法的人數。d表示問題二正面看法；問題一反面看法的人數。P_1表示問題一正面看法的比例。P_2表示問題二正面看法的比例。n為總人數。

例題5.14

某研究針對教師進行十二年國教與教育會考的看法的調查研究，結果如下表，試問教師對十二年國教與教育會考贊成的百分比是否有所差異？

		十二年國教	
		反對	贊成
教育會考	贊成	70	40
	反對	30	20

答 (一) $\begin{cases} H_0: P_1 = P_2 \\ H_1: P_1 \neq P_2 \end{cases}$　$\alpha=0.05$，雙側考驗，$\pm Z_{0.025}=\pm 1.96$

(二)由表中可知

$\begin{cases} d（贊成12年國教，反對教育會考）=20人 \\ a（贊成教育會考，反對12年國教）=70人 \end{cases}$

$\therefore Z=\dfrac{a-d}{\sqrt{a+d}}=\dfrac{70-20}{\sqrt{70+20}}=5.27>1.96$，落入拒絕區，故教師對12年國教與教育會考的看法有明顯差異。

四、兩個母群相關係數差異考驗

(一) 獨立樣本

1. 使用Z檢定。
2. 必須進行樣本相關係數r值的Z轉換，請見附表G。
3. 將兩個Z_r值代入公式 $Z=\dfrac{z_{r1}-z_{r2}}{\sqrt{\dfrac{1}{n_1-3}+\dfrac{1}{n_2-3}}}$

例題5.15

某研究認為男生自我概念與學業成就的相關性高過女生，因此，他隨機抽取男生60名，女生60名進行自我概念與學業成就的相關性研究，結果得到男、女生的相關係數分別為0.6與0.5，試問男生自我概念與學業成就的相關性是否高於女生？

答 (一)查r值的Z轉換表，得r=0.6時，$Z_r=0.693$；r=0.5時，$Z_r=0.549$

(二) $\begin{cases} H_0: \rho_1 \leq \rho_2 \\ H_1: \rho_1 > \rho_2 \end{cases}$，$\alpha=0.05$，右側考驗，臨界值Z=1.64

(三) $Z=\dfrac{Z_{r1}-Z_{r2}}{\sqrt{\dfrac{1}{n_1-3}+\dfrac{1}{n_2-3}}}=\dfrac{0.693-0.549}{\sqrt{\dfrac{1}{60-3}+\dfrac{1}{60-3}}}=0.77<1.64$

∴落入接受區，故男生自我概念與學業成就的相關性不高於女生。

(二) 相依樣本

1. 使用t考驗
2. 同一樣本的兩種特質與效標變項的相關。
3. 公式 $t=\dfrac{(r_{12}-r_{13})\sqrt{(n-3)(1+r_{23})}}{\sqrt{2(1-r_{12}{}^2-r_{13}{}^2-r_{23}{}^2+2r_{12}r_{13}r_{23})}}$ ，其中，r_{12}表示第一種特質與效標變項之相關係數。r_{13}表示第一種特質與效標變項之相關係數。r_{23}表示兩種特質間的相關係數。n為總人數。

例題5.16

某研究想瞭解自我概念（X_2）、動機調節（X_3）與學業成就（X_1）的相關性是否明顯差異，於是隨機抽取50名學生進行相關性研究，結果發現自我概念與學業成就的相關係數為0.6；動機調控與學業成就的相關係數為0.7；自我概念與動機調控的相關係數為0.4，試問自我概念、動機調節與學業成就的相關性是否明顯差異？

答 (一)設自我概念與學業成就的相關係數為$r_{12}=0.6$

動機調節與學業成就的相關係數為$r_{13}=0.7$

自我概念與動機調節的相關係數為$r_{23}=0.4$

(二) $\begin{cases} H_0\text{：} \rho_{13}=\rho_{12} \\ H_1\text{：} \rho_{13}\neq\rho_{12} \end{cases}$

(三)相依樣本相關性差異考驗，用t考驗，$t=\dfrac{(r_{12}-r_{13})\sqrt{(n-3)(1+r_{23})}}{\sqrt{2(1-r_{12}^2-r_{13}^2-r_{23}^2+2r_{12}r_{13}r_{23})}}$

$$=\frac{(0.6-0.7)\sqrt{(50-3)(1+0.4)}}{\sqrt{2(1-0.6^2-0.7^2-0.4^2+2(0.7)(0.6)(0.4))}}=-1.0$$

(四)查t表，df=n－3=50－3=47，α=0.05臨界值t≒±2.010

∴t=－1.234>－2.010，故接受H_0，兩者無差異。

考題集錦

1. 某輔導老師研究其針對國小高年級學生所設計的性別知識輔導方案是否能有效提高學生的性別知識。輔導老師以前測及後測的方式，收集了 32 名學生輔導前及輔導後的性別知識表現。（103地四）
   (1)若輔導老師以相依樣本 T 檢定來檢定其問題。說明其所收集的資料需符合那些特性，以確保使用 T 檢定的適當性。
   (2)若輔導老師得到性別知識前後測進步分數的 95% 信賴區間介於 3.2 分與 4.8 分之間，根據該區間，說明 32 名學生的性別知識表現是否有顯著的進步？
   (3)輔導老師資料收集的一個缺點為「學生性別知識表現有顯著進步未必表示該輔導方式有效」。若樣本數依然為 32，建議一個資料收集方式，以改善該缺點。
2. 某研究者想知道排行老大的智商是否高於老二，表一是 15 個家庭老大與老二的智力測驗分數，請以適當的統計方法檢驗研究者的想法。請列出統計假設並詳述其檢驗步驟（α=.05）。（102普考）

家庭代碼	老大	老二	差異
1	124	114	10
2	115	102	13
3	110	127	-17
4	139	104	35
5	116	91	25
6	88	102	-14
7	120	104	16
8	100	102	-2
9	91	119	-28
10	94	88	6
11	102	119	-17
12	123	132	-9
13	126	114	12
14	105	109	-4
15	102	109	-7
平均值	110.33	109.06	1.27
標準差	14.58	12.14	17.40

[考題解析範例]

一、某研究者想瞭解A、B兩班的變異程度是否不同，而A班共有13人，A班的標準差是20，B班共有20人，標準差是10。請使用假設考驗的步驟，考驗A、B兩班的變異程度不同的假設，並解釋研究結果。($F_{.975(12, 19)}=2.72$)（101地四）

答 $\begin{cases} H_0: \sigma_1^2 = \sigma_2^2 \\ H_1: \sigma_1^2 \neq \sigma_2^2 \end{cases}$，α=0.05且由題目知$F_{.975(12.19)}=2.72$

$F=\dfrac{S_1^2}{S_2^2}=\dfrac{20^2}{10^2}=4>2.72$，∴落入拒絕區，表示兩母群變異數不相等。

二、秀蓮調查50名少女在使用新洗髮精前後自己對髮質的滿意程度，其滿意百分比如右表，請考驗受試者使用新洗髮精前後滿意髮質有無差異？(請列出要考驗的假設、公式、計算式、算出數字、答案及結論)(α=.05)（100地三）

		使用前	
		滿意	不滿意
使用後	滿意	.12	.30
	不滿意	.22	.36

註：參考公式，請自行選擇合適者$Z=\dfrac{P_1-P_2}{\sqrt{\dfrac{a+d}{N}}}$，$Z=\dfrac{P_1-P_2}{\sqrt{pq(\dfrac{1}{N_1}+\dfrac{1}{N_2})}}$

答 本題為相依樣本兩母群百分比差異考驗，使用Z考驗公式$Z=\dfrac{a-d}{\sqrt{a+d}}$或

$Z=\dfrac{P_1-P_2}{\sqrt{\dfrac{a+d}{n^2}}}$，其中$\begin{cases} a\text{表示使用前不滿意，使用後滿意人數} \\ d\text{表示使用前滿意，使用後不滿意人數} \\ P_1\text{表示使用前滿意的比例} \\ P_2\text{表示使用後滿意的比例} \end{cases}$，$\begin{cases} H_0: P_1 = P_2 \\ H_1: P_1 \neq P_2 \end{cases}$

		使用前	
		滿意	不滿意
使用後	滿意	6	15
	不滿意	11	18

(一)使用$Z=\dfrac{P_1-P_2}{\sqrt{\dfrac{a+d}{n^2}}}=\dfrac{0.34-0.42}{\sqrt{\dfrac{15+11}{50^2}}}=0.785$

(二)使用$Z=\dfrac{a-d}{\sqrt{a+d}}=\dfrac{15-11}{\sqrt{15+11}}=0.785$，∵α=0.05，雙側考驗，臨界值Z=1.96，又0.785<1.96，落入接受區，∴使用前後滿意度沒有顯著差異。

(三)若使用題目所給的參考公式$Z=\dfrac{P_1-P_2}{\sqrt{\dfrac{a+d}{N}}}$，其中a、d均須用比例不能用人數，亦即$Z=\dfrac{0.34-0.42}{\sqrt{\dfrac{0.30+0.22}{50}}}=0.785$，結果仍與(一)(二)相同。因此，考生只需於方法(一)(二)(三)中擇一解題即可。

第六章　積差相關與迴歸分析

依據出題頻率區分，屬：A 頻率高

開箱密碼

本章為統計學相當重要的一章，介紹相關分析中的基礎－積差相關，以及與積差相關關係密切的迴歸分析，近年考題都是兩個主題一起命題。本章的出題形式主要以解釋名詞與計算題為主，對於積差相關的使用時機、相關係數與變異數、共變數的關係與計算，以及迴歸分析方程式、迴歸係數與截距的計算、多元迴歸的種類與概念等都要加以熟讀，尤其相關係數與迴歸係數的關係以及迴歸方程式的建立與預測，更是出題的焦點所在，年年都有題目出現。

第一節　積差相關

考點提示

(1)相關係數的種類；(2)積差相關的意義、使用時機與計算方式；(3)相關係數的解釋與運用，都是考試焦點。

一、相關係數（109普考；108地三、地四）

描述兩個變項的關聯程度，稱為相關係數（correlation coefficient）。相關係數包括大小與方向，樣本相關係數以r表示，母群相關係數以ρ表示。

二、相關係數的種類與圖形（散布圖）

(一) **正相關：相關係數**$0<r<1$**，稱為正相關**（positive correlation）。表示兩變項呈現一個增加，另一個就增加的關係。其散布圖（scatter plot）如圖6-1。

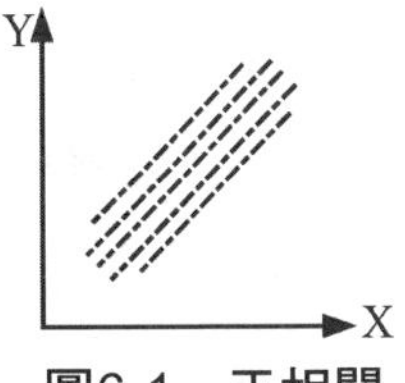

圖6-1　正相關

(二) **負相關：相關係數**$-1<r<0$**，稱為負相關**（negative correlation）。表示兩變項呈現一個增加，另一個就減少的關係。其散布圖（scatter plot）如圖6-2。

(三) **零相關：相關係數**$r=0$**，稱為零相關**（zero correlation）。表示兩變項無線性相關，但並非完全無任何關係。其散布圖（scatter plot）如圖6-3。

(四) **完全正相關：相關係數r=1，稱為完全正相關（perfect positive correlation）**。表示兩變項呈函數正關係。其散布圖（scatter plot）如圖6-4。

(五) **完全負相關：相關係數r=－1，稱為完全負相關（perfect negative correlation）**。表示兩變項呈函數負關係。其散布圖（scatter plot）如圖6-5。

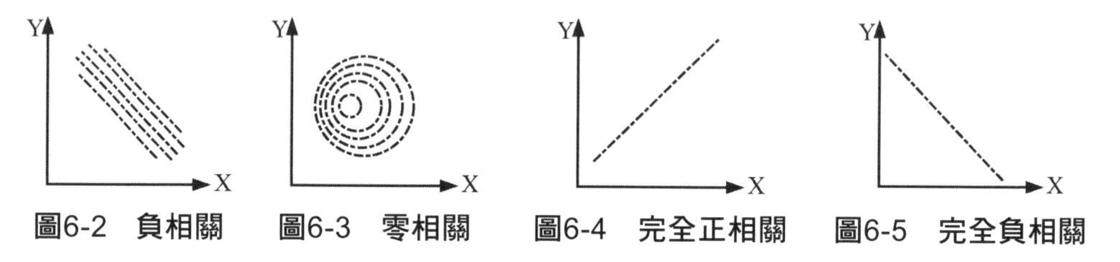

圖6-2 負相關　圖6-3 零相關　圖6-4 完全正相關　圖6-5 完全負相關

三、積差相關（106身四；104地三）

(一) **意義**：皮爾森積差相關（product-moment correlation）又稱簡單相關，是由英國統計學家K. Pearson所發展，**適用於X、Y兩變項均為連續變項的相關分析，是一種零階相關（zero-order correlation）的分析方式**（95地三）。

(二) **計算公式**

1. **用原始分數**：X與Y的相關係數以r_{XY}表示。

   r_{XY}的定義公式為

$$r_{XY}=\frac{\sum XY-\frac{\sum X\sum Y}{N}}{\sqrt{\sum X^2-\frac{(\sum X)^2}{N}}\sqrt{\sum Y^2-\frac{(\sum Y)^2}{N}}}=\frac{n\sum XY-(\sum X)(\sum Y)}{\sqrt{n\sum (X)^2-(\sum X)^2}\sqrt{n\sum (Y)^2-(\sum Y)^2}}$$

2. **用Z分數**：將X、Y化為Z分數，則$Z_X=\frac{X-\overline{X}}{S_X}$，$Z_Y=\frac{Y-\overline{Y}}{S_Y}$

$$r_{XY}=\frac{\Sigma Z_X Z_Y}{N}$$

3. **用共變數：X與Y的離均差交乘積和（sum of cross product）以CP表示，共變數以C_{XY}表示。**

$$CP=\Sigma（X-\overline{X}）（Y-\overline{Y}）=\Sigma XY-\frac{\Sigma X\Sigma Y}{N}$$

共變數$C_{XY}=\frac{CP}{N}=\frac{\sum XY-\frac{\sum X\sum Y}{N}}{N}$，相關係數$r_{XY}=\frac{C_{XY}}{S_X S_Y}=\frac{CP}{NS_X S_Y}$

(三) **解釋與運用方式**（104地四）

1. **相關係數並非百分比**，X變項對Y變項的解釋百分比或預測百分比要用決定係數（r^2），留待迴歸分析時說明。
2. **相關係數僅能表示兩變項的相關，並非因果關係。**
3. **相關係數是次序變項**，並非等距或比例變項。
4. **兩變項需有相關（$r \neq 0$），才能以迴歸分析進行預測。**
5. **相關係數經四則運算或直線轉換後，其值不變，稱為「單位不變性」。**

四、共變數分析（105身三；104地三）

進行實驗研究時，為了要減少實驗誤差，通常會採用實驗控制的方法，如隨機分派，重複量數設計及多因子設計等。但是有些足以影響實驗結果的變項，即使事前知道，也因某些原因無法採用實驗控制的方法加以排除。例如，在中小學進行教學實驗，通常僅能以原有班級進行實驗，無法打破班級界線，重新隨機編班。在這種情況下，為了要避免不同班級平均能力之差異對實驗結果之干擾，就需要採用統計控制的方法來排除無關因素之影響，也就是要採用共變數分析（analysis of covariance）方法，考驗在排除共變量（如智力）之影響後，實驗處理（如教學方法）效果是否有達某一顯著水準。

共變數分析的結果，F值如果達到顯著水準，便表示即使排除共變量的解釋量部分之後，各組平均數（亦即調整後平均數）之間仍然有顯著差異存在，可進一步估計各組調整後平均數及進行事後檢定。共變數分析實際上是變異數分析（analysis of variance）和直線迴歸（linear regression）的結合，在分析過程中，它先用直線迴歸分析，將共變量對依變數（dependent variable）的影響排除之後，再進行變異數分析以考驗各組平均數之間是否存有顯著差異。因其使用直線迴歸方法排除共變量的影響，因此在自變數（independent variable）的K個組中，K個共變量與依變數之迴歸線必須具同質性，這是進行共變數分析時一個很重要的假定（吳裕益）。

(一) **計算過程**

1. 求X的各項均方和→求Y的各項均方和
2. 求XY的各項均方和→求調整後Y的各項均方和
3. 列出共變數分析摘要表

(二) **事後比較**

1.前提假設
2.計算組內迴歸係數代表值
3.計算調整後平均數
4.以N－K法進行事後比較

例題6.1

10位同學的模擬考級分（X）與大學學測級分（Y）如下表，求其相關程度？

X	12	11	7	6	4	8	4	9	10	3
Y	13	10	10	8	6	6	7	7	11	4

答 (一)$\Sigma X=74$，$\Sigma X^2=636$，$\Sigma XY=669$，$\Sigma Y=82$，$\Sigma Y^2=740$，$n=10$

(二)$$r_{XY}=\frac{\sum XY-\frac{\sum X\sum Y}{n}}{\sqrt{\sum X^2-\frac{(\sum X)^2}{n}}\sqrt{\sum Y^2-\frac{(\sum Y)^2}{n}}}=\frac{669-\frac{74\times 82}{10}}{\sqrt{636-\frac{(74)^2}{10}}\sqrt{740-\frac{(82)^2}{10}}}=0.805$$

例題6.2

如例題6.1資料，(1)求X、Y的標準分數Z值。(2)以Z值求相關係數。

答 (一)$$Z=\frac{\text{離均差}}{\text{標準差}}=\frac{X-\overline{X}}{SD}=\frac{X-\overline{X}}{\sqrt{\frac{\sum(X-\overline{X})^2}{n-1}}}$$

(二)利用上述公式，可將10位同學模擬考成績和學測成績的Z值算出，如下表

Z_X	1.470	0.130	-0.128	-0.447	-1.085	0.191	-1.085	0.511	0.830	-1.404
Z_Y	1.751	0.657	-0.657	-0.073	-0.803	-0.803	-0.438	-0.438	1.022	-1.532

(三)$r_{XY}=\frac{\sum Z_X Z_Y}{n}=\frac{8.049}{10}=0.805$，因此，只要題目有給Z值，那麼積差相關係數$r_{XY}$用公式$r_{XY}=\frac{\sum Z_X Z_Y}{n}$計算較為快速。

例題6.3

已知X的變異數為16.00，Y的變異數為12.96，X與Y的共變數為7.32，求X與Y的相關係數大小。

答 (一)$S_X^2=16.00 \Rightarrow S_X=4.00$且已知$C_{XY}=7.32$；$S_Y^2=12.96 \Rightarrow S_Y=3.60$

(二)$\therefore r_{XY}=\dfrac{C_{XY}}{S_XS_Y}=\dfrac{7.32}{(4.0)(3.6)}=0.51$

例題6.4

10位學生的大學學測英文（X）、數學（Y）兩科級分如下：

學生	1	2	3	4	5	6	7	8	9	10
英文	3	4	6	6	7	8	10	10	11	13
數學	6	5	8	6	4	9	7	9	12	11

求X與Y的(1)變異數；(2)共變數；(3)相關係數。

答 (一)$\Sigma X=78$，$\overline{X}=7.8$，$\Sigma XY=657$，$\Sigma Y=77$，$\overline{Y}=7.7$，$S_X=\sqrt{\dfrac{\Sigma(X-\overline{X})^2}{n-1}}=3.19$，$S_Y=2.58$，

$\therefore$X的變異數$S_X^2=10.18$，Y的變異數$S_Y^2=6.66$

(二)$CP=\Sigma(X-\overline{X})(Y-\overline{Y})=\Sigma XY-\dfrac{\Sigma X\Sigma Y}{N}=657-\dfrac{78\times77}{10}=56$

$\therefore$共變數$C_{XY}=\dfrac{CP}{N}=\dfrac{56.4}{10}=5.64$

(三)相關係數$r_{XY}=\dfrac{C_{XY}}{S_XS_Y}=\dfrac{5.64}{(3.19)(2.58)}=0.69$

四、和的變異數與差的變異數

(一) **和的變異數**：$S^2_{(X+Y)}=S_X^2+S_Y^2+2r_{XY}S_XS_Y$

$\because r_{XY}=\dfrac{C_{XY}}{S_XS_Y}$　$\therefore S^2_{(X+Y)}=S_X^2+S_Y^2+2C_{XY}$

(二) **差的變異數**：$S^2_{(X-Y)}=S_X^2+S_Y^2-2r_{XY}S_XS_Y$

$\because r_{XY}=\dfrac{C_{XY}}{S_XS_Y}$　$\therefore S^2_{(X+Y)}=S_X^2+S_Y^2-2C_{XY}$

例題6.5

十二年國教特色招生考閱讀理解（R）與數理邏輯（L）兩科，已知閱讀理解測驗的變異數為4，數理邏輯測驗變異數為7，兩者之相關係數為0.6。試求兩科總分的變異數大小？

答 和的變異數 $S_{r+\ell}^2 = S_r^2 + S_\ell^2 + 2\,r_{r\ell}S_rS_\ell = 4+7+2(0.6)(\sqrt{4})(\sqrt{7}) = 17.35$

第二節 簡單迴歸與多元迴歸分析

考點提示 (1)簡單迴歸的意義；(2)各種迴歸方程式的求法；(3)離均差平方和；(4)決定係數與疏離係數；(5)估計標準誤、測量標準誤與抽樣標準誤的比較；(6)多元迴歸的種類與運用，絕對必考。

若X與Y兩變項具有相關存在，那麼我們就可以用一個變項去預測另一個變項，若我們用X去預測Y，那麼X就稱為自變項，Y稱為依變項，如此的預測方式，便是統計上的迴歸分析（regression analysis）。若單以一個自變項去預測一個依變項（或稱為效標變項），則稱為「簡單迴歸分析」；但若以兩個或兩個以上的變項去預測一個效標變項，則是「複迴歸分析」，或稱為「多元迴歸分析」。

壹、簡單迴歸分析

以X變項預測Y變項時，兩變項的關係可能是正相關、負相關或零相關，在座標圖上的關係可能是線性（linear）或非線性的關係，但簡單迴歸分析只適用於X、Y是直線關係時。

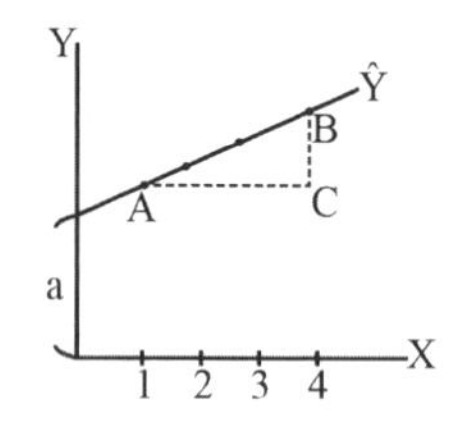

若X是學習動機，Y是學業成就，兩者的直線關係可用 $\hat{Y}_i = a+bX_i$ 表示，i=1，2，……n

$$\begin{cases} a\text{稱為截距，是}x=0\text{時，}\hat{Y}\text{ 的值} \\ b\text{稱為斜率，}b=\dfrac{BC}{AC}\text{（在迴歸分析中，稱為「為標準化迴歸係數」）} \end{cases}$$

一、迴歸方程式（110高考；109高考、普考；108地三）

若以 $\hat{Y}$ 來預測真實分數Y，我們希望找到一條最適合線（best-fit line），使 $\Sigma(Y-\hat{Y})^2$ 最小，亦即 $\Sigma(Y-a-bX)^2$ 最小。此稱為最小平方法（least squares estimator），它符合兩個特性：

(一) $\Sigma(Y-\hat{Y})=0$；

(二) $\Sigma(Y-\hat{Y})^2$ 為極小值。在統計上可用微分來求得 $\Sigma(Y-a-bx)^2$ 的最小值，且

$$b_{y\cdot x}=\frac{\sum XY-\frac{\sum X\sum Y}{n}}{\sum X^2-\frac{(\sum X)^2}{n}}=\frac{SS_{XY}}{SS_X}=\frac{\frac{SS_{XY}}{n-1}}{\frac{SS_X}{n-1}}=\frac{C_{XY}}{S_x^2}\ ;\ a_{y\cdot x}=\overline{Y}-b\overline{X}$$

(一) **原始分數迴歸方程式**：$\hat{Y}=a+bx$

(二) **離均差分數迴歸方程式**：$\hat{Y}=a+bx=(\overline{Y}-b\overline{X})+bX\Rightarrow \hat{Y}-\overline{Y}=b(X-\overline{X})$

（離均差迴歸方程式的截距為0，是因為原點由（0,0）轉移至（$\overline{X},\overline{Y}$））

(三) **標準分數迴歸方程式**（106普考；105高考）：先將X轉為標準分數 Z_X，Y轉為標準分數 Z_Y

$\therefore Z_X=\frac{X-\overline{X}}{S_X}$，$Z_Y=\frac{Y-\overline{Y}}{S_Y}$，由上式離均差迴歸方程式 $\hat{Y}-\overline{Y}=b(X-\overline{X})$

$$\Rightarrow\frac{\hat{Y}-\overline{Y}}{S_Y}=b\cdot\frac{X-\overline{X}}{S_Y}$$（兩邊同除 S_y，使Y化為Z分數）

$$\Rightarrow\frac{\hat{Y}-\overline{Y}}{S_Y}=b\cdot\frac{X-\overline{X}}{S_X}\cdot\frac{S_X}{S_Y}$$（右邊分子、分母同乘 S_X）

$$\Rightarrow\hat{Z}_Y=\left(b\cdot\frac{S_X}{S_Y}\right)Z_X=\beta Z_X$$

其中 $\beta=b\cdot\frac{S_X}{S_Y}$，此處的β稱為「標準化的迴歸係數」且 $\beta=r_{XY}$（相關係數），$\because r_{XY}=\frac{C_{XY}}{S_X\cdot S_Y}$，$b=\frac{C_{XY}}{S_x^2}=\frac{SS_{XY}}{SS_X}\Rightarrow C_{XY}=r_{XY}\cdot S_X\cdot S_Y=b\cdot S_x^2$

$$\Rightarrow r_{XY}=\frac{b\cdot S_x^2}{S_X\cdot S_Y}=b\cdot\frac{S_X}{S_Y}=\beta$$

$\therefore Z_Y=r_{XY}=Z_X$

二、離均差平方和

總離均差平方和$\Sigma(Y-\overline{Y})^2$，又稱為「總變異量」（total variation），以SS_t表示，總變異量的平均數即為前述的變異數。

SS_t的公式如下：$SS_t=\Sigma(Y-\overline{Y})^2=\Sigma Y^2-\frac{(\Sigma Y)^2}{N}$

我們若以$\hat{Y}$來估計Y，要比$\overline{Y}$來估計Y更準確，其誤差為$Y-\hat{Y}$，誤差的平方和稱為「殘差平方和」$\Sigma(Y-\hat{Y})^2$，亦稱為「不能被解釋的變異」（unexplained variation），以SS_{res}表示之。而$\hat{Y}$與$\overline{Y}$的差異加以平方，可得平方和$\Sigma(\hat{Y}-\overline{Y})^2$稱為「迴歸離均差平方和」或稱為「可被解釋的變異」（explained variation），以SS_{reg}表示之。上述三者的關係可用下式表之：$SS_t=SS_{reg}+SS_{res}$，即總離均差平方和=迴歸離均差平方和+殘差平方和，總變異=可被解釋變異+不可被解釋變異

三、決定係數（107原四；105高考；104地四）

決定係數，又稱判定係數（coefficient of determination）以r^2表示，是指效標變項Y的總變異可以被X變項解釋的百分比，亦即$r_{XY}^2=\frac{SS_{reg}}{SS_t}$。

四、疏離係數

疏離係數又稱離間係數（coefficient of alienation）是指效標變項Y的總變異，不能由X變項解釋的百分比，亦即$1-r_{XY}^2=\frac{SS_{res}}{SS_t}$。

五、估計標準誤

迴歸線上$\hat{Y}$預測Y時會產生估計誤差，當無數次的估計，就會產生無數次的誤差，這些誤差所形成的標準差就是估計標準誤（standard error of estimate）

其公式如下：

$$\sigma_{Y\cdot X}=\sqrt{\frac{\Sigma(Y-\hat{Y})^2}{N}}=\sqrt{\frac{SS_{res}}{N}}=\sigma_Y\sqrt{1-\rho^2}\quad（母群）$$

$$S_{Y \cdot X}=\sqrt{\frac{\Sigma(Y-\hat{Y})^2}{n-2}}=\sqrt{\frac{SS_{res}}{n-2}}=S_Y\sqrt{1-r^2}$$（樣本）

請比較心理領域之測量標準誤$SE_{meas}=S_x\sqrt{1-r_{xx}}$

其中，S_X為標準差，r_{xx}為信度係數

六、迴歸誤差項（108身三）

不管是簡單迴歸或是複迴歸，殘差分析所探討的就是迴歸模式中的誤差項，是否符合下列三個性質－常態性、恆常性、獨立性。因此，迴歸分析的誤差項需滿足下列三大假設：

常態性 normality	若母體資料呈現常態分配（normal distribution），則誤差項也會呈現同樣的分配。可採用常態機率圖（normal probability plot）或夏普羅-威爾克（Shapiro-Wilk）常態性檢定做檢查。
獨立性 independency	誤差項之間應該要相互獨立，否則在估計迴歸參數時會降低統計的檢定力。我們可以藉由杜賓—瓦森檢定（Durbin-Watson test）來檢查。
變異數同質性 constant variance	變異數若不相等會導致自變數無法有效估計依變數。我們可以藉由殘差圖（residual plot）來檢查。

例題6.6

假設某校學生的課後補習程度（X變項）與學業成就（Y變項）皆為常態分配，自其中隨機抽樣10名學生的課後補習與學業成就資料如右，並計算一些統計基本數量如方格內所示，試計算下列各題：

(一) X與Y之共變數？積差相關係數？

(二) Y變項的變異量不能由X變項解釋的變異量為多少百分比？

(三) 算出以X變項預測Y變項的迴歸方程式。

$\Sigma X=78$，$\Sigma X^2=652$
$\Sigma Y=70$，$\Sigma Y^2=526$
$\Sigma XY=573$

X	Y
8	9
12	10
6	4
8	5
9	6
8	8
10	9
7	7
5	5
5	7

答 (一)共變數$S_{XY}=\dfrac{\sum(X-\overline{X})(Y-\overline{Y})}{n-1}=\dfrac{\sum XY-\dfrac{\sum X\sum Y}{n}}{n-1}=\dfrac{573-\dfrac{78\times70}{10}}{10-1}=3$

相關係數$r_{XY}=\dfrac{\sum XY-\dfrac{\sum X\sum Y}{n}}{\sqrt{\sum X^2-\dfrac{(\sum X)^2}{n}}\sqrt{\sum Y^2-\dfrac{(\sum Y)^2}{n}}}$

$=\dfrac{573-\dfrac{78\times70}{10}}{\sqrt{652-\dfrac{78^2}{10}}\sqrt{526-\dfrac{70^2}{10}}}=0.682$

(二)不能解釋的變異量即疏離係數$1-r_{XY}^2=1-(0.682)^2=0.535$

表示Y不能由X解釋的變異量有53.5%

(三)$b=\dfrac{SS_{XY}}{SS_X}=\dfrac{\sum XY-\dfrac{\sum X\sum Y}{n}}{\sum X^2-\dfrac{(\sum X)^2}{n}}=\dfrac{573-\dfrac{78\times70}{10}}{652-\dfrac{(78)^2}{10}}=0.619$

$a=\overline{Y}-b\cdot\overline{X}=7-0.619(7.8)=2.172$

$(\overline{Y}=\dfrac{\sum Y}{n}=\dfrac{70}{10}=7$，$\overline{X}=\dfrac{\sum X}{n}=\dfrac{78}{10}=7.8)$

∴X預測Y的迴歸方程式為$\hat{Y}=.619X+2.172$

例題6.7

10位父親與其子的身高，父親身高（X）的平均數為168，標準差為5；兒子身高（Y）的平均數為172，標準差為6，父子身高之間的共變數（C_{xy}）為24，試回答下列問題：

(一) 相關係數？

(二) X對Y的直線方程式？

(三) 若甲生父親的身高為174公分，預測其子身高？

(四) 求X預測Y的標準迴歸係數（$\beta_{y.x}$）？

(五) 求X預測Y的估計標準誤（$\sigma_{y.x}$）？

答 (一)相關係數$r_{XY}=\dfrac{C_{XY}}{S_XS_Y}=\dfrac{24}{5\times6}=0.8$

(二) $b=r_{XY}\cdot\frac{S_Y}{S_X}=0.8\times\frac{6}{5}=0.96$；$a=\overline{Y}-b\overline{X}=172-0.96\times168=10.72$

∴X對Y預測的直線方程式為 $\hat{Y}=.96X+10.72$

(三)甲父身高X=174代入方程式可得其子身高 $\hat{Y}=.96X+10.72=0.96(174)+10.72=177.76$ cm

(四)簡單迴歸分析的標準迴歸係數 $\beta=r_{XY}=0.8$

(五)估計標準誤 $S_{y\cdot x}=S_y\sqrt{1-r^2}=6\sqrt{1-(0.8)^2}=3.6$

貳、複迴歸分析（多元迴歸分析）

以兩個或兩個以上的自變項預測一個效標變項的迴歸分析，稱為多元迴歸分析（multiple regression），依自變項投入分析的先後與方式，可分成以下三種：

一、同時（同步）多元迴歸分析（simultaneous multiple regression）

是將所有自變項全部同時投入迴歸方程式的分析方式，依強制進入法或強制淘汰法將沒有解釋力的自變項淘汰後，按預測力大小排列具解釋力的自變項。

二、逐步多元迴歸分析（stepwise multiple regression）

依據自變項解釋力的大小，採順向進入法與反向剔除法，將所有達顯著水準的自變項加以分析。

三、階層多元迴歸分析（hierarchical multiple regression）

遇自變項必須以特定的先後順序投入迴歸分析時，必須將自變項分層進行預測，稱為階層多元迴歸分析。

例題6.8

依據表一逐步多元迴歸分析（Stepwise Multiple Regression）資料，回答(一)～(六)的問題。

多元逐步迴歸分析摘要表，X_1、X_2為自變項									
變項	β	B	t	Sig	R	R^2	ΔR^2	ΔF	Sig（ΔF）
X_1	.620	.625	17.8	.000	.735	.540	.540	541.837	.000
X_2	.230	.253	6.62	.000	.761	.580	.040	43.823	.000
常數		.206	3.53	.000					

(一) β的意義為何？那個自變項對依變項Y的預測力比較大？

(二) t值的作用為何？

(三) X_1、X_2投入迴歸的順序如何決定？

(四) X_1、X_2共同預測Y的多元相關係數為何？
達到統計水準的意義為何？

(五) 選用未標準化的迴歸係數，寫出迴歸公式。

(六) 為此迴歸模式畫出右圖，請依上表對甲乙空格填入數據。

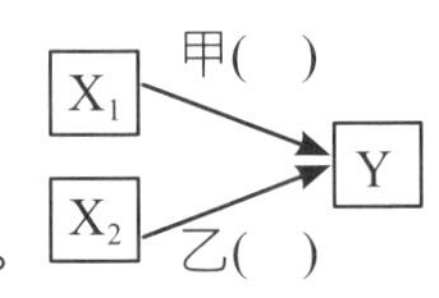

答 (一)

1. β是標準化的迴歸係數，由於多元迴歸自變項的單位不一致，因此須將原始分數轉換成標準分數。

2. 預測力大小與R^2有關，由表中ΔR^2可看出 $R^2_{x_1}=.540$而 $R^2_{x_2}=.040$
∴X_1預測力較大。

(二) t值用來檢驗β（=r）與B值的顯著性，要兩者均達顯著，進行預測才有意義。

(三) 逐步投入的順序依預測力的大小，∴先投入X_1，再X_2。

(四) 多元相關係數即表中累積的R=0.761且P<.05，落入拒絕區，即X_1、X_2共同預測Y達顯著水準。

(五) 未標準化的迴歸係數要看B值。

∴方程式為 $\hat{Y}=0.625X_1+0.253X_2+0.206$

(六) 迴歸模式中箭頭上所寫的數值為「標準化迴歸係數」。

∴甲（0.620），乙（0.230）

例題6.9

由樣本37人的在學成績（X）預測大學學測成績（Y），求得積差相關係數r＝.6。Y的離均差平方和（SS_y）為16，試問：（102身四）

(一) 決定係數
(二) 回歸離均差平方和（SS_{reg}）
(三) SS_{reg}占SS_y的百分比
(四) 殘差平方和（SS_{res}）
(五) Y之標準差
(六) 估計標準誤

答 (一)決定係數$=r_{XY}^2=(0.6)^2=0.36$

(二) $\because r_{XY}^2=\frac{SS_{reg}}{SS_t}$　$\therefore SS_{reg}=r_{XY}^2\cdot SS_t=0.36\times16=5.76$

(三)36%

(四)$SS_{res}=SS_t-SS_{reg}=16-5.76=10.24$

(五)$S_Y=\sqrt{\frac{SS_Y}{n-1}}=\sqrt{\frac{16}{37-1}}=0.667$

(六)$S_{Y\cdot X}=S_Y\sqrt{1-r_{XY}^2}=0.667\sqrt{1-0.36}=0.534$

例題6.10

研究者想知道學生的數學自我效能對其數學學習表現的預測力，他蒐集30名學生的數學自我效能量表分數（X）以及數學成績（Y），下表是這兩個變項的描述統計，兩者的相關係數為0.55。（102普考）

(一) 請寫出以數學自我效能量表分數預測數學成績的非標準化（unstandardized）迴歸方程式，解釋迴歸係數的意義。
(二) 該迴歸方程式的估計標準誤為何？

	X	Y
平均數	35	82
標準差	2	5

答 (一)

1. 非標準化迴歸方程式為$\hat{Y}=a+bX$，其中$b=r\cdot\frac{S_y}{S_x}=0.55\times\left(\frac{5}{2}\right)=1.375$

   $a=\overline{Y}-b\overline{X}=82-1.375(35)=33.875$，$\therefore \hat{Y}=33.875+1.375X$

2. 迴歸係數即方程式中的b值，代表斜率，是Y變項隨著X變項變動的比例，亦即X變項改變1單位，Y變項會改變1.375單位。b值的正負亦表示預測的方向。

(二)估計標準誤$S_{Y \cdot X}=S_Y\sqrt{1-r^2}=5\sqrt{1-(0.55)^2}=4.176$

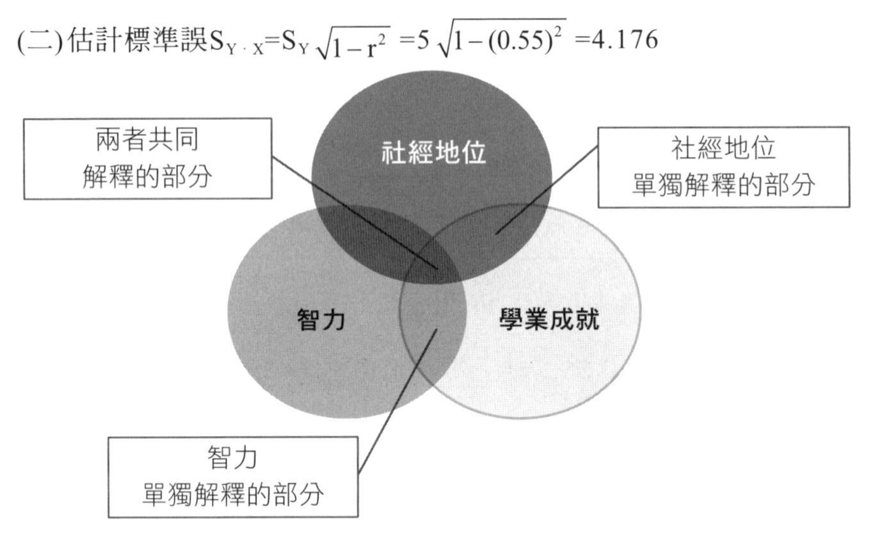

圖6-6 兩個預測變項的多元迴歸圖解

資料來源：游青霏（2013）

四、多元共線性（107地四；100高考；102原三）

在多元迴歸分析中，若自變項間相關程度愈高，其結果會造成變項間難以區隔或區隔模糊，因此無法解釋效標變項。同時因**自變項相關過高，也會造成自變項與依變項共變分析的扭曲現象，稱為多元共線性**（multicollinearnality）。在統計分析過程中，我們可以使用個別自變項的**使用容忍值**（tolerance）**或變異數膨脹因素**（variance inflation factor, VIF）**來偵測多元迴歸中多元共線性的問題**。容忍值與變異數膨脹因素VIF互為倒數，當容忍值太小或VIF越大（一般標準為容忍值<0.1或VIF>10），**代表此自變項在模式中會產生共線性的問題。**

整體迴歸方程式的共線性診斷則透過特徵值（eigenvalue）**與條件指數**（conditional index；CI），**特徵值愈小，條件指標越大，表示模式或該迴歸方程式的共線性明顯**。一般而言，當任兩變項在同一個特徵值上的變異數比例接近1時，表示存在共線性組合；CI=30～100表中度共線性，CI=100以上表示高度共線性。

五、勝算比

在邏輯回歸（logistic regression）裡，我們經常看見勝算比（odds ratio）這個術語，它還具有兩種用途：

(一) 把它當作確定係數（coefficient of determination）來看待。

(二) 把它當作效力量或效果量（effect size，簡稱d）

1. 效果量是一個能測量研究成效大小的指標，它與樣本大小無關。效果量普遍使用在預測分析的研究上，並從特定的研究範圍內歸納出結果。Cohen（1988）定義d為兩次測量平均數的差值，除以兩者測量中任一個的標準差（前提是兩者變異數大小相近）。若兩者變異數差很大，則需除以兩者變異數平均的開平方。
2. 效果量有時被稱為「實質的顯著性」（practical significance）。其中，d係數是用來估算兩個變數間關係之強度。可以解釋成兩組分數的分布未重疊之百分比。根據Cohen（1988）的定義，若d＝0.2時，為小效果；若d＝0.5時，為中效果；若d＝0.8時，為大效果。

考題集錦

1. 共變數又稱為非標準化的關聯量數，請分別回答下列問題：（103身三）
   (1)寫出共變數之公式。
   (2)說明使用共變數作為兩連續變數之相關係數之缺點。
   (3)說明使用積差相關係數作為兩連續變數之相關係數之優點。
2. 某教授教育統計學期中考分成兩部分出題，第一部分為是非與選擇題，第二部分為綜合題。第一部分的分數以 X 表示，第二部分的分數以 Y 表示。針對班上 56 位同學施測，結果算得 $S_X=7$，$S_Y=10$，$r_{XY}=0.80$，請回答下面問題：（103身四）
   (1)計算全班同學期中考總分之變異數。
   (2)求以 X 預測 Y 之未標準化之迴歸係數。
   (3)求以 X 預測 Y 之標準化之迴歸係數，並說明其功能。
   (4)您覺得這位教授出題時需要分別出兩部分嗎？為什麼？
3. 陳老師根據一個具有代表性的學生樣本測得智力測驗分數（X）的平均數為 105，標準差為 15，而同時也知道該樣本的學業成就（Y）之平均數為 80，標準差為 6。智力測驗分數與學業成就之間的相關為 0.8。根據這些資料回答下列五個小題。（103高考）
   (1)學生的學業成就分數的變異中有多少%是無法以智力測驗分數加以解釋的？

(2)若將學業成就的分數加以標準化之後，再以 $Z = 50+10z$ 的方式來加以直線轉換成 Z 分數，那麼轉換後的學業成就與智力測驗分數的相關係數變為多少？

(3)如果陳老師想利用智力測驗的分數來預測學業成就的分數，則陳老師所得到的非標準化直線迴歸的方程式為何？

(4)根據(3)所計算得到的迴歸方程式，則估計標準誤將等於多少？

(5)如果有一位學生的智力測驗分數為 90，則該生實際的學業成就分數有 95%的機會將落在那一個區間之內？

4. 某班教師針對全班 30 位學生進行考試準備時間和微積分期中考的得分進行分析，結果發現考試準備時間（小時）與考試分數之間的相關為 0.6。已知 30 位學生這次考試準備的平均時間為 15 小時，標準差為 5；微積分期中考的平均分數為 52 分，標準差為 16：（103普考）

(1)請算出使用考試準備時間來預測微積分期中考分數的非標準化迴歸方程式。

(2)某生考試準備了 25 小時，你預測此人的微積分期中考分數應為多少分？

(3)此處迴歸情境中的估計標準誤是多大？

(4)針對所有準備 25 小時的人，他們的微積分期中考分數95%的可能性是在幾分與幾分之間。

5. 隨機抽取 5 名學生，得其焦慮（X）與數學（Y）分數資料如下表。（103原三）

學生	X	Y	X^2	Y^2	XY
A	1	1			
B	2	4			
C	3	5			
D	4	4			
E	5	1			
Σ					

(1) 請畫出 5 位學生之焦慮與數學的分布圖，並將各點連結起來。（橫軸為焦慮，縱軸為數學）

(2) 請計算出焦慮與數學二者間之積差相關 r_{xy} = ?（請列出計算式，否則不予計分）

(3) r^2_{xy} = ?， 請就焦慮與數學二者關係解釋 r^2_{xy} 之意義。

(4) 請你針對前面所計算出的相關係數，和「焦慮與數學」間是否有關聯的問題提出你的評論。

6. 由樣本 37 人的在學成績(X)預測大學學測成績(Y)，求得積差相關係數 r＝.6。Y 的離均差平方和（SSy）為 16，試問：（102身四）
(1)決定係數
(2)回歸離均差平方和（SSreg）
(3)SSreg 占 SSy 的百分比
(4)殘差平方和（SSres）
(5)Y 之標準差
(6)估計標準誤

7. 下表為迴歸分析所呈現的相關資訊，依據表中所提供的資訊回答下列問題：（102原三）
(1)寫出迴歸分析的假設以及標準化迴歸模式。
(2)迴歸模式中核心家庭，平均所得可以解釋刑案率多少百分比？
(3)在共線性分析中提供了那些有用的資訊？

模式摘要

模式	R	R平方	調過後的R平方	估計的標準誤
1	.171a	.515	.466	14.201

a. 預測變數：（常數），核心家庭，平均所得

Anova[b]

模式		平方和	df	平均平方和	F	顯著性
1	迴歸	4277.735	2	2138.868	10.605	
	殘差	4033.569	20	201.678		
	總數	8311.304	22			

a.預測變數：（常數），核心家庭，平均所得
b.依變數：刑案率

係數a

模式		未標準化係數		標準化係數	t	顯著性	共線性統計量	
		B之估計值	標準誤差	Beta分配			允差	VIF
1	（常數）	-108.653	42.981		-2.528	.020		
	平均所得	.020	.008	.398	2.503	.021	.962	1.040
	核心家庭	2.430	.736	.524	3.300	.004	.962	1.040

a.依變數：刑案率

8. 研究者想知道學生的數學自我效能對其數學學習表現的預測力，他蒐集 30 名學生的數學自我效能量表分數（X）以及數學成績（Y），下表是這兩個變項的描述統計，兩者的相關係數為 0.55。（102普考）

	X	Y
平均值	35	82
標準差	2	5

(1) 請寫出以數學自我效能量表分數預測數學成績的非標準化的（unstandardized）迴歸方程式，解釋迴歸係數的意義。

(2)該迴歸方程式的估計標準誤為何？

[考題解析範例]

一、某教育統計學者擬進行以「成就動機」（X變項）預測「學業成績」（Y變項）的迴歸分析研究，但因為熬夜工作，頭昏眼花，錯把初步獲得的標準化迴歸公式寫成下列的式子：

成就動機＝0.5×學業成績

請回答下列問題：

(一) 他原本打算獲得的標準化迴歸公式應該表示為何？

(二) 成就動機可以預測到學業成績多少百分比的變異量？

(三) 事後他仔細一想，若改成以「學業成績」預測「成就動機」的結果才是合理的話，則該預測公式的決定係數為何？：

(四) 經過這兩次的測試分析，他終於發現以「成就動機」預測「學業成績」的標準化迴歸係數，和以「學業成績」預測「成就動機」的標準化迴歸係數，彼此間有何不同？請說明之。（105地三）

破題分析 本題考的是迴歸方程式的預測作用，是每年的必考題型，有關於方程式的β值、r值、決定係數等問題，考生要非常熟悉。

答 (一)迴歸方程式的正確寫法為：依變項＝β自變項

∴學業成績＝0.5×成就動機。

(二)預測變異量＝r^2＝決定係數

∴$r^2=(0.5)^2=0.25$，也就是可以預測25%的變異量。

(三)簡單迴歸，自變項和依變項對調，因兩者的積差相關係數不變，∴決定係數r^2＝0.25仍不變。

(四)兩者的標準化迴歸係數β＝r，兩者相同。但僅適用於簡單迴歸，若是多元迴歸，則兩變項對調後，標準化迴歸係數會變。

觀念延伸 預測力、疏離關係、β值

二、下表為40位大學男生在身高與體重上的數據。請回答下列問題：（100普考）

	身高（cm）	體重（kg）
平均數	171	65
標準差	4.0	7.0
共變數	11.2	

(一) 身高與體重的相關是多少？如果研究者將身高改為吋（1吋＝2.54公分），將體重改為磅（1公斤＝= 2.2磅），則身高與體重的變異數、兩者的共變數及相關係數各是多少？

(二) 請說明下列情形之相關係數是否會改變？並針對影響相關係數的因素提出結論。

1.女性樣本之身高與體重的相關為0.30，將男、女樣本合併。

2.增加一位身高超過200公分，體重65公斤的男性受試者。

(三) 計算標準迴歸方程式，並解釋方程式中係數的意義。若甲身高的PR值為84，你會預測他的體重是多少公斤？

(四) 承上題，預測的誤差有多大？如果乙的身高165公分，請根據誤差建立95%的信心區間，並解釋結果。

答 (一)設身高為$\begin{cases}X(cm)\\L(吋)\end{cases}$，體重為$\begin{cases}Y(kg)\\M(磅)\end{cases}$ $\Rightarrow X=2.54L$，$Y=\dfrac{1}{2.2}M$

$$S_L^2=\left(\frac{1}{2.54}\right)^2S_x^2=\left(\frac{1}{2.54}\right)^2(4)^2=2.48$$

$$S_M^2=(2.2)^2S_Y^2=(2.2)^2(7)^2=237.16$$

$$C_{LM}=\frac{1}{2.54}\times 2.2\times C_{XY}=\frac{1}{2.54}\times 2.2\times 11.2=9.70$$

$$\therefore r_{LM}=\frac{C_{LM}}{S_LS_M}=\frac{9.70}{\sqrt{2.48}\sqrt{237.16}}=0.4$$

又$r_{XY}=\dfrac{C_{XY}}{S_XS_Y}=\dfrac{11.2}{4\times 7}=0.4$

$\therefore r_{XY}=r_{LM}=0.4$（此稱為「單位的不變性」）

(二)

1. 男女樣本合併，則$S^2_{男+女}=S^2_{男}+S^2_{女}-2rS_{男}S_{女}$
$\because$變異數，共變數改變 $\therefore r_{XY}$跟著變
2. 增加1位高於200cm，65kg的男生，使男生的變異數變大，故r_{XY}改變。

(三)標準迴歸方程式$\hat{Z}_Y=\beta Z_X=r_{XY}Z_X$

$\Rightarrow \hat{Z}_Y=0.4Z_X$

今甲身高PR=84$\Rightarrow Z_X=1$ $\therefore \hat{Z}_Y=0.4\times 1=0.4$

$\Rightarrow \dfrac{\hat{Y}-65}{7}=0.4\Rightarrow \hat{Y}=67.8$（kg）

(四)估計標準誤$S_{Y\cdot X}=S_Y\sqrt{1-r^2}=7\sqrt{1-(0.4)^2}=6.42$

乙身高X=165$\Rightarrow Z_X=\dfrac{165-171}{4}=-1.5$

$\Rightarrow \hat{Z}_Y=0.4(-1.5)=-0.6$

$\Rightarrow \dfrac{\hat{Y}-65}{7}=-0.6\Rightarrow \hat{Y}=60.8$

$\therefore$真正Y值95%信賴區間為$\hat{Y}-Z_{0.975}S_{Y\cdot X}\leq Y\leq \hat{Y}+Z_{0.975}S_Y$

$\Rightarrow 60.8-1.96\times 6.42\leq Y\leq 60.8+1.96\times 6.42\Rightarrow 48.22\leq Y\leq 73.38$

第七章　卡方考驗

依據出題頻率區分，屬：**A** 頻率高

開箱密碼

本章為統計學相當重要的一章，介紹卡方考驗的重要概念與用法，包括適合度、百分比同質性、獨立性與改變的顯著性考驗，近年考題分佈相當平均，各種卡方考驗都曾入題。本章的出題形式主要以計算題為主，偶而出現解釋名詞，對於各項考驗的適用時機、定義公式、假設考驗步驟與事後比較等都要加以熟讀，都是出題的焦點所在，年年都有題目出現。

考點提示　適合度考驗的適用時機、定義公式、假設考驗步驟，都是考試焦點。

當我們要處理類別變項（如名義變項與次序變項）資料的統計分析時，最常用的便是卡方（χ^2，唸kai-square）分配，適合人數或次數的間斷變項分析。卡方分配的用途有四：(一)適合度考驗（test of goodness of fit）；(二)百分比同質性考驗（test of homogeneity of proportions）；(三)獨立性考驗（test of independence）；(四)改變的顯著性考驗（test of significance of change）。以下詳述之。

第一節　適合度考驗

（109地三；105地四；105普考；105高考；104地四）

資料分析時若想比較實際觀察次數與理論的期望次數之間的差異，用的就是「適合度考驗」。

一、適用時機

當要分析或考驗單因子分類資料（一個因子或變項分成幾個不同水準）的實際觀察次數（f_o）與理論期望次數（f_e）是否相等。

二、公式

$$\chi^2=\sum_{n=1}^{k}\left(\frac{f_o-f_e}{f_e}\right)$$

三、假設考驗

(一) 研究假設

H_0：$P_1=P_2=\cdots\cdots P_K$
H_1：P_1～P_K不全相等

$\begin{cases}P_i：水準的比例\\K：水準數目\end{cases}$

(二) 顯著考驗：df=K－1，若$\chi^2>\chi^2_{1-\alpha(K-1)}$臨界值，則落入拒絕區，拒絕$H_0$。

例題7.1

某高中校長宣稱該校歷年考上文學院、法學院、理學院、工學院、醫學院學生比例1：3：2：4：2，今年大學學測結果360人錄取，人數如下表，請問校長的話仍適用於今天嗎？（$\alpha=0.01$，$\chi^2_{.99(4)}=13.28$）（100東吳心理）

系別	文學院	法學院	理學院	工學院	醫學院
觀察人數	51	78	61	103	67

答 由題意可知使用卡方考驗的適合度檢定各學院人數比例的期望值分別為

文：$360\times\frac{1}{12}=30$人；法：$360\times\frac{3}{12}=90$人；理：$360\times\frac{2}{12}=60$人；

工：$360\times\frac{4}{12}=120$人；醫：$360\times\frac{2}{12}=60$人

$\begin{cases}H_0: P_1=P_2=P_3=P_4=P_5\\H_1: P_1\sim P_5\text{ 不全相等}\end{cases}$

$$\chi^2=\Sigma\frac{(f_o-f_e)^2}{f_e}=\frac{(51-30)^2}{30}+\frac{(78-90)^2}{90}+\frac{(61-60)^2}{60}+\frac{(103-120)^2}{120}+\frac{(67-60)^2}{60}$$

$=19.542>13.28$（已知）

落入拒絕區，各學院人數比例不再是校長所說的1：3：2：4：2。

第二節　百分比同質性考驗（109地三）

百分比同質性考驗的適用時機、定義公式、假設考驗步驟、事後比較，絕對必考。

若研究者想瞭解J個群體在I個反應中的百分比是否相同，稱為「百分比同質性考驗」。

一、適用時機

分成J個群體的設計變項置於縱列，分成I個反應的反應變項置於橫列，探討研究者操控的設計變項在反應變項的百分比是否相同，又稱為I×J交叉表「齊一性考驗」。

二、公式

$\chi^2=\sum_{i=1}^{I}\sum_{j=1}^{J}\frac{(f_{oij}-f_{eij})^2}{f_{eij}}$（期望值$f_{eij}$可求時）或$\chi^2=N\left(\sum_{i=1}^{I}\sum_{j=1}^{J}\frac{f_{ij}^2}{f_i\cdot f_j}-1\right)$（期望值難求時）；N：總人數或總次數

三、假設考驗

(一) **研究假設**：H_0：$P_1=P_2=\cdots\cdots P_J$　　J：設計變項的水準數目

H_1：$P_1\sim P_J$不全相等　　I：反應變項的水準數目

(二) **顯著考驗**：df=（I－1）（J－1），若$\chi^2>\chi^2_{1-\alpha(I-1)(J-1)}$臨界值

則落入拒絕區，拒絕H_0並進行事後比較（posterior comparisons）

例題7.2

下表是調查高中、高職、五專三組學生有關大學推薦甄試的意見。請以χ^2檢定三組學生贊成百分比是否相同？（α=.05，$\chi^2_{.99(4)}$=5.991）

	高中	高職	五專	
贊成	15	36	40	91
反對	31	22	14	67
N_j	46	58	54	158
P_j	.326	.621	.741	

答

$$\begin{cases} H_0: P_1 = P_2 = P_3 \\ H_1: P_1 \sim P_3 \text{ 不全相等} \end{cases}$$

∵贊成和反對的人數比91：67，期望值不易求

$$\therefore \chi^2 \text{使用} N\left(\sum_{i=1}^{I}\sum_{j=1}^{J}\frac{f_{ij}^2}{f_i \cdot f_j}-1\right)$$

$$=158\left(\frac{15^2}{46\times 91}+\frac{31^2}{46\times 67}+\frac{36^2}{58\times 91}+\frac{22^2}{58\times 67}+\frac{40^2}{54\times 91}+\frac{14^2}{54\times 67}-1\right)$$

$$=18.49>5.991$$

落入拒絕區，表示三組學生的贊成百分比並不相同。

(三) **事後比較**：若χ^2百分比同質性考驗達顯著，則表示j個研究設計變項中，至少有兩水準的百分比存在顯著差異，進行事後比較可找出是那些水準具顯著差異。

百分比同質性考驗的事後比較採用同時信賴區間估計的方法，可避免型I錯誤的機率高於α值。若同時信賴區間估計的機率函數Ψ值的範圍包含0，則表示兩水準百分比差值未達顯著，反之，若不包含0，則達顯著。

機率函數Ψ的公式如下：

$$\Psi = (P_j - P_{j'}) \pm \sqrt{X^2_{1-\alpha,(I-1)(j-1)}} \cdot \sqrt{\frac{P_j q_j}{n_j}+\frac{P_j q_{j'}}{n_{j'}}}$$

例題7.3

上題檢定的結果具顯著差異，請繼續進行事後比較。

答 (一)高中V.S.高職

$$\Psi_1 = (P_1 - P_2) \pm \sqrt{\chi^2_{1-\alpha,(I-1)(J-1)}} \cdot \sqrt{\frac{P_1q_1}{n_1} + \frac{P_2q_2}{n_2}}$$

$$= (0.621 - 0.326) \pm \sqrt{5.991} \cdot \sqrt{\frac{0.621 \times 0.379}{58} + \frac{0.326 \times 0.674}{46}}$$

$$= 0.295 \pm 0.230 \ (P < \alpha = .05)$$

(二)高職V.S.五專

$$\Psi_2 = (0.741 - 0.621) \pm \sqrt{5.991} \cdot \sqrt{\frac{0.741 \times 0.259}{54} + \frac{0.621 \times 0.379}{58}}$$

$= 0.12 \pm 0.213$（$P > \alpha = .05$，Ψ_2包含0不顯著）

(三)五專V.S.高中

$$\Psi_3 = (0.741 - 0.326) \pm \sqrt{5.991} \cdot \sqrt{\frac{0.741 \times 0.259}{54} + \frac{0.326 \times 0.674}{46}}$$

$$= 0.415 \pm 0.223 \ (P < \alpha = .05)$$

以上以同時信賴區間進行事後比較發現，機率函數Ψ在「高職V.S.五專」包含0值，所以，高職與五專生的贊成百分比差異未達顯著，其餘「高中V.S.高職」與「五專V.S.高中」均達顯著。

第三節 獨立性考驗（109地三；104地四）

獨立性考驗的適用時機、定義公式、假設考驗步驟，絕對必考。

不若前面的百分比同質性考驗著眼於設計變項，在反應變項的反應是否相同，「獨立性考驗」的兩變項都是設計變項，研究者關心的是兩變項是否獨立。

一、適用時機

研究者關心的兩設計變項進行I×J交叉表的雙因子分類資料獨立性考驗，若非獨立，則其關聯程度如何？因此，又稱為I×J交叉表「關聯性考驗」。

二、公式

(一) $\chi^2=\sum_{i=1}^{I}\sum_{j=1}^{J}\frac{\left(f_{oij}-f_{eij}\right)^2}{f_{eij}}$ 或 $\chi^2=N\left(\sum_{i=1}^{I}\sum_{j=1}^{J}\frac{f_{ij}^2}{f_i\cdot f_j}-1\right)$

(二) 2×2交叉表

A	B
C	D

$$\chi^2=\frac{N(AD-BC)^2}{(A+B)(C+D)\cdot(A+C)(B+D)}$$

三、假設考驗

(一) **研究假設**：H_0：$P_{ij}=P_i\times P_j$（i、j兩變項獨立）；H_1：$P_{ij}\neq P_i\times P_j$（i、j兩變項有關）

(二) **顯著考驗**：df=（I－1）（j－1），I：列數，J：行數，若$\chi^2>\chi^2_{1-\alpha[(I-1)(j-1)]}$，則落入拒絕區，拒絕$H_0$，兩者有關。

四、關聯相關係數

當兩變項的獨立性考驗達顯著，表示兩者不獨立有關，則必須再探討其關聯性（association）。

(一) 列聯表2×2時，用ϕ相關 $\phi=\sqrt{\frac{\chi^2}{n}}$（n：總人數）（104地四）

(二) 列聯表I=j>2，如3×3，用列聯相關 $C=\sqrt{\frac{\chi^2}{\chi^2+n}}$ （n：總人數）

(三) 列聯表I≠j時，如4×5，用克瑞瑪相關

$$\text{Cramer's } V_c=\sqrt{\frac{\phi^2}{\min(I-1,j-1)}}=\sqrt{\frac{\chi^2/n}{\min(I-1,j-1)}}$$

例題7.4

試檢定下面列聯表中之意見是否不同（α=.05）？並計算其關聯相關係數。（92薦升）

	贊成	無意見	反對	
男	60	105	15	180
女	45	15	60	120
	105	120	75	300

答 (一) $\begin{cases} H_0: P_{ij}=P_i\times P_j(\text{i、j兩變項獨立}) \\ H_1: P_{ij}\neq P_i\times P_j(\text{i、j兩變項有關}) \end{cases}$

	贊成	無意見	反對
男	63	72	45
女	42	48	30

期望值易算

$$\therefore \chi^2=\Sigma\frac{(f_o-f_e)^2}{f_e}=\frac{3^2}{63}+\frac{33^2}{72}+\frac{30^2}{45}+\frac{3^2}{42}+\frac{33^2}{48}+\frac{30^2}{30}=88.17$$

查表臨界值 $\chi^2_{.95(2)}=5.99<88.17$，落入拒絕區表示男女生與意見兩變項有關不獨立，且有顯著差異。

(二) 此題為2×3列聯表的獨立性考驗

∴關聯相關係數為Cramer's V係數

$$\text{Cramer's } V=\sqrt{\frac{\phi^2}{\min(I-1,J-1)}}=\sqrt{\frac{\chi^2/n}{\min(1,2)}}=\sqrt{\frac{88.17/300}{1}}=0.542$$

第四節 改變的顯著性考驗（109地三、高考）

考點提示

改變的顯著性考驗的適用時機、定義公式、假設考驗步驟，絕對必考。

若想要瞭解同一群受試者前後兩次反應是否有顯著差異或顯著改變，是一種「重複量數」的設計，稱為「改變的顯著性考驗」。

一、麥內瑪考驗

麥內瑪考驗（McNemar test）適用於2×2交叉表的改變顯著性考驗。

$X^2=\frac{(A-D)^2}{A+D}$，df=（2－1）×（2－1）=1

	是	否
否	A	B
是	C	D

$\begin{cases} A\text{：先「否」後「是」(態度改變)的人數} \\ D\text{：先「是」後「否」(態度改變)的人數} \end{cases}$

註：若有某一種細格內的人數<5時，則須用耶氏校正公式

$$X^2=\frac{(|A-D|-1)^2}{A+D}$$

二、包卡爾對稱性考驗（107地四）

包卡爾對稱性考驗（Bowker's test of symmetry）適用於I×I（I>2）的交叉表。$X^2=\sum_{i=1}^{I}\sum_{j=1}^{J}\frac{(X_{ij}-X_{ji})^2}{X_{ij}+X_{ji}}$，df=（I－1）×（I－1）

$\begin{cases} X_{ij}\text{：先「i」後「j」(態度改變)的人數} \\ X_{ji}\text{：先「j」後「i」(態度改變)的人數} \end{cases}$

	是	無	否
否	$X_{否是}$	—	—
無	—	—	—
是	—	—	$X_{是否}$

三、假設考驗

(一) **先假設**：$\begin{cases} H_0: A=D \\ H_1: A\neq D \end{cases}$ 或 $\begin{cases} H_0: X_{ij}=X_{ji} \\ H_1: X_{ij}\neq X_{ji} \end{cases}$

(二) **顯著考驗**：若$X^2>X^2_{1-\alpha[(I-1)(I-1)]}$，則落入拒絕區，拒絕$H_0$。

例題7.5

某國小100名一年級學生在期初和期末都被問及喜不喜歡鄉土語言課程，其反應如右表，試問學期前後學生喜歡、不喜歡鄉土語言的情形有無顯著改變？註：$\chi_{.95(1)}=3.841$；$Z_{.025}=-1.96$。

學期初 \ 學期末	不喜歡	喜歡	
喜歡	5	60	65
不喜歡	15	20	35
	20	80	100

答 卡方考驗的改變顯著性檢定

A	B
C	D

$$\begin{cases} H_0: A=D \\ H_1: A\neq D \end{cases}$$

$$\chi^2=\frac{(A-D)^2}{A+D}=\frac{(5-20)^2}{5+20}=9>3.841$$

注意：若有一細格內的人數<5，則須用耶氏校正$\chi^2=\dfrac{(|A-D|-1)^2}{A+D}$

檢定結果$\chi^2=9>3.841$，落入拒絕區，

∴學期前後學生對鄉土語言課程的喜歡情形有顯著差異。

考題集錦

1. 研究調查不同學院的大學生之打工經驗滿意度是否不同，在文、理、工學院各抽取100 名具打工經驗的學生，其中對打工經驗表示滿意的分別各有 70、75、78 名，其餘表示不滿意。（103地三）
   (1)請利用統計檢定不同學院的學生其打工經驗滿意度是否不同？請說明檢定須查何表？如何在表中找到臨界值 A？並說明如何利用臨界值 A 做決策。
   (2)這個假設檢定的基本假定（assumptions）為何？
2. 隨機自小幼生中抽 60 人之樣本，要他們在三種色紙選一種最喜歡的，結果人數為紅（30）、黃（20）、藍（10），請利用所附的資料及空表格，考驗「小幼生對顏色有偏好」的假設。（101地三）
   (1)寫出統計假設：H_0與H_1。
   (2)訂 $\alpha=.05$，本題要採單側或雙側檢定的理由為何？
   (3)計算之$\chi^2=$？
   (4) df =？
   (5)χ^2的臨界值為 5.99，請問計算之χ^2有無顯著？

(6)統計裁決結果為何？

	人數	期望值			
紅	30				
黃	20				
藍	10				

3. 某教授想瞭解班上 100 位學生是否精熟，他請了 A、B 兩位評分員協助評定學生成就，評定結果如下：（101地四）

	A 評分員	
B 評分員	精熟	不精熟
精熟	40	20
不精熟	10	30

(1)有那些方法可以瞭解此測驗的信度？

(2)請使用這些方法，計算此測驗的信度。

[考題解析範例]

一、隨機自小幼生中抽60人之樣本，要他們在三種色紙選一種最喜歡的，結果人數為紅（30）、黃（20）、藍（10），請利用所附的資料及空表格，考驗「小幼生對顏色有偏好」的假設。

(一) 寫出統計假設：H_0與H_1。

(二) 訂$\alpha = .05$，本題要採單側或雙側檢定的理由為何？

(三) 計算之$\chi^2 = ?$

(四) $df = ?$

(五) χ^2的臨界值為5.99，請問計算之χ^2有無顯著？

(六) 統計裁決結果為何？（101地三）

答 (一)$H_0：P_1=P_2=P_3=\frac{1}{3}$；$H_1：P_1\neq\frac{1}{3}$或$P_2\neq\frac{1}{3}$或$P_3\neq\frac{1}{3}$

(二)因卡方χ^2必大於0，且考驗結果只有是或否，因此卡方考驗均採單側（右側）。

(三)期望值$f_e=20$，觀察值$f_o=30$，20，10

$$\therefore \chi^2=\Sigma\frac{(f_o-f_e)^2}{f_e}=\frac{(30-20)^2}{20}+\frac{(20-20)^2}{20}+\frac{(10-20)^2}{20}=10$$

(四)適合度考驗的自由度是單一變項分成組數（三個顏色）
減1，∴df=3－1=2

(五)承(三)χ^2=10>5.99，落入拒絕區，∴χ^2達顯著。

(六)統計裁決結果拒絕虛無假設，小幼生對紅、黃、藍三顏色有不同偏好。

二、某研究者從社會階層低、中、高分配依序是25%、60%、15%的區域隨機抽樣200個樣本進行電話調查訪問。其樣本社會階層的分布如下表：

	低	中	高
人數	37	130	33

請問這個樣本的社會階層分布是否顯著地異於母群體？若統計檢定的臨界值設為A，請進行統計檢定並下結論。（105高考）

破題分析 本題考的是卡方分配的適合度考驗，算是簡單題，只要考生的期望值別算錯，得分應不難。

答 理論期望人數

$$\begin{cases} 低：200\times\dfrac{25}{100}=50(人) \\ 中：200\times\dfrac{60}{100}=120(人) \\ 高：200\times\dfrac{15}{100}=30(人) \end{cases}$$

統計假設 $\begin{cases} H_0：樣本各階層人數與母群相同 \\ H_1：樣本各階層人數與母群不全相同 \end{cases}$

卡方分配適合度考驗：

$$\chi^2=\Sigma\frac{(f_0-f_e)^2}{f_e}=\frac{(37-50)^2}{50}+\frac{(130-120)^2}{120}+\frac{(33-30)^2}{30}$$

$=3.38+0.83+0.3$

$=4.51$

若$\alpha=0.05$，df=3-1=2

查表得臨界值 $\chi^2_{0.95(2)}=5.9$

∴$\chi^2=4.51<5.99$　　∴接受H_0。

可知樣本各階層人數和母群體並無明顯差異。

觀念延伸 百分比同質性考驗、獨立性考驗、改變的顯著性考驗。

第八章 變異數分析

依據出題頻率區分，屬：**A** 頻率高

開箱密碼

本章為統計學最重要的一章，每年必有考題，介紹變異數分析中單因子變異數分析、多因子變異數分析與多重比較，近年考題有漸漸往多因子變異數分析靠攏的趨勢。本章的出題形式主要以計算題為主，偶有解釋名詞，對於各種變異數分析的使用時機、實驗設計、考驗步驟以及變異數分析摘要表的計算等都要加以熟讀，尤其是各種變異數分析的概念與運用，多重比較的作法，更是出題的焦點所在，年年必考。

第一節 變異數分析的基本概念

考點提示

(1)變異數分析的基本假設；(2)受試者間設計、受試者內設計、混合設計，都是考試焦點。

在前面的章節，若是要比較二組平均數的差異，通常我們會使用Z或t檢定，但若是要比較三組或三組以上的平均數差異，就要用「變異數分析」(analysis of variance)。

使用變異數分析時，若只有一個自變項，稱為單因子變異數分析；若有兩個或兩個以上的自變項，則統稱為多因子變異數分析。

一、變異數分析的基本假設

(一) **常態性**（normality）：即受試各樣本之母群需為常態分配，若樣本違反此規定，則易犯型I錯誤，可用小一點的α值彌補。

(二) **可加性**（additivity）：指各變異來源可相加，且具獨立性。例如：總離均差平方和可以分割成幾部分，各部分都互相獨立。

(三) **變異數同質性**（homogeneity of variance）：各組變異數必須同質，亦即 $\sigma_1^2=\sigma_2^2=\cdots\cdots\sigma_K^2$。

(四) **獨立性假設**：每個觀察值間互相獨立。

二、變異數分析的實驗設計

獨立樣本（受試者間設計）	獨立樣本（independent sample）又稱「等組法」，是一種完全隨機化的設計，隨機將N個受試者平均分派到K個不同組別。
相依樣本（受試者內設計）	相依樣本（dependent sample），又稱「單一組法」，是一種隨機化區隔設計，利用同一組受試者，接受兩種以上（或前後測）不同的實驗處理。又再細分為重複量數（N個受試者重複接受K個實驗）與配對組法（選擇特質可視為同一群人，分成K組接受實驗，例如：雙胞胎）。

第二節 單因子變異數分析（One-way ANOVA）

考點提示

(1)單因子獨立樣本、相依樣本、混合設計變異數分析的檢定步驟與計算；(2)ANOVA摘要表的製作；(3)關聯強度，絕對必考。

壹、獨立樣本單因子變異數分析（108高考；106高考）

一、意義

只有一個自變項，也就是只有一個分類標準來區別母群，並考驗其顯著性。希望獲致最大的組間差異，及最小的組內差異。

二、檢定步驟

(一) H_0：$\mu_1=\mu_2=\mu_3\cdots=\mu_K$；$H_1$：$\mu_1\sim\mu_K$不全相等

(二) 決定顯著水準α值

(三) 確定拒絕區（F右側考驗）

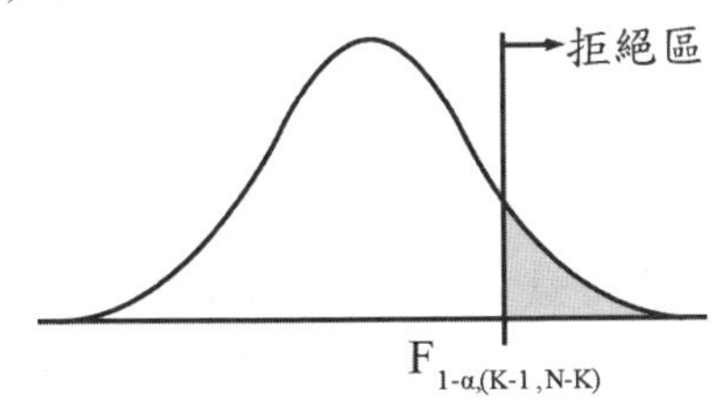

若$F>F_{1-\alpha(K-1)(N-K)}$，則拒絕H_0

> **小叮嚀**
> ∵ F值以S_w^2為分母恆為正值
> ∴視F考驗為右側檢定

(四) **試算**

1. 總變異=已解釋變異（組間變異）+未解釋變異（組內變異）

$SS_t = SS_b + SS_w$，其中$SS_t = \sum_{i=1}^{k}\sum_{j=1}^{n}\left(X_{ij} - \overline{\overline{X}}\right)^2 = \sum_{i=1}^{k}\sum_{j=1}^{n} X_{ij}^2 - \frac{\left(\sum\sum X\right)^2}{N}$

$$SS_w = \sum_{i=1}^{k}\sum_{j=1}^{n}\left(X_{ij} - \overline{X}\right)^2 = \sum_{i=1}^{k}\left[\sum_{j=1}^{n} X_{ij}^2 - \frac{\left(\sum x_{ij}\right)^2}{n_j}\right]$$

$$SS_b = n_j \sum_{i=1}^{k}\left(X_j - \overline{\overline{X}}\right)^2 = SS_t - SS_w$$

2. 自由度：總自由度=組間自由度+組內自由度（$df_t = df_b + df_w$）

其中 $\begin{cases} df_b = K - 1 & (k\text{為組數}) \\ df_w = N - K & (N\text{為總人數}) \\ df_t = N - 1 \end{cases}$

3. 組間均方$MS_b = \frac{SS_b}{df_b}$，組內均方$MS_w = \frac{SS_w}{df_w}$

4. 試算F值，$F = \frac{MS_b}{MS_w} = \frac{\text{組間均方}}{\text{誤差}}$

(五) **編ANOVA表**

變異本源	平方和	自由度	均方（MS）	F值
組間（行間）	SS_b	K－1	$MS_b = \frac{SS_b}{K-1}$	$F = \frac{MS_b}{MS_w}$
組內（誤差）	SS_w	N－K	$MS_w = \frac{SS_w}{N-K}$	
總和	SS_t	N－1		

(六) **決策**：若$F > F_{1-\alpha,(K-1,N-K)}$，則拒絕$H_0$

三、關聯強度

變異數分析的結果，如果F值達顯著，表示自變項與依變項有關聯，此時的關聯程度稱為「關聯強度」（strength of association），亦即SSt能被SS_b所解釋的百分比，以W^2表示。

(一) **公式**：$W^2 = \frac{SS_b - (K-1)MS_w}{SS_t + MS_w}$

(二) W^2介於0與1之間，與決定係數r^2的概念相同，只不過W^2使用於類別變項，而r^2使用於連續變項。

$$\begin{cases} W^2 \geq .01 & \text{關聯強度低} \\ W^2 \geq .059 & \text{關聯強度中等} \\ W^2 \geq .138 & \text{關聯強度高} \end{cases}$$

四、一個自變項只分成兩組

一般比較兩組平均數的差異會使用t檢定，但變異數分析的F檢定亦可用來處理兩組平均數的比較，即當組數k=2時，$F=t^2$。

例題8.1

某教師隨機抽取三組學生參與三種不同的人際敏覺訓練，訓練結束後，施以人際敏覺測驗。三組學生分數如下表，請在0.05顯著水準下，利用變異數分析檢定三組平均數相等的假設。（$\alpha=0.05$，$F_{2,12}=3.89$）

A組	B組	C組
2	4	8
1	3	9
3	5	7
4	6	10
0	5	6

答 (一)

	A組	B組	C組	
ΣX	10	23	40	$\Sigma\Sigma X=73$
ΣX^2	30	111	330	$\Sigma\Sigma X^2=471$
$\overline{X}$	2	4.6	8	$\overline{\overline{X}}=4.867$

$$\begin{cases} H_0: \mu_1 = \mu_2 = \mu_3 \\ H_1: \mu_1 \sim \mu_3 \text{不全相等} \end{cases}$$

$SS_t=\Sigma\Sigma X^2-\dfrac{(\Sigma\Sigma X)^2}{n}=471-\dfrac{(73)^2}{15}=115.73$，$SS_b=n_j\Sigma(\overline{X_j}-\overline{\overline{X}})^2$

$=5[(2-4.867)^2+(4.6-4.867)^2+(8-4.867)^2]=90.53$

$SS_w=SS_t-SS_b=115.73-90.53=25.2$

(二)製作ANOVA表：

$df_b=k-1=3-1=2$；$df_w=n-k=15-3=12$；$df_t=n-1=14$

變異來源	SS	df	MS	F
組間	90.53	2	45.265	$\frac{45.265}{2.1}=21.55$
組內	25.2	12	2.1	
全體	115.73	14		

(三)由題目知$F_{2,12}=3.89<21.55$，落入拒絕區，可見三組平均數不全相等，亦即三種不同的敏覺訓練對測驗成績的影響達顯著。至於是那兩組平均數有差異，則須進行事後比較。

例題8.2

有一位主管想瞭解其同仁上班帶飯盒（便當）對家庭滿意度的影響，於是她調查其單位內所有同仁帶飯盒的情形，結果如表1。家庭滿意度問卷得分愈高表示對其家庭愈滿意。為了探討中午「帶飯盒」、「偶爾帶飯盒」及「不帶飯盒」的同仁對其家庭滿意度的差異情形，因此，將調查所得之資料進行變異數分析，結果如表2。表2資料不慎在處理時刪除了大部分的數據，現在請妳/你想辦法將表2中的數據恢復，並請依據以上敘述回答下列問題。

表1：家庭滿意度之描述統計量

組別	人數	平均數	標準差	標準誤
不帶飯盒	32	31.9688	1.51305	.26747
偶爾帶飯盒	26	34.1923	.93890	.18413
帶飯盒	20	36.4500	.99868	.22331
總和	78	33.8590	2.17258	.24600

表2：家庭滿意度之變異數分析摘要

變異來源	平方和	自由度	均方	F	顯著性
組間	?	?	?		
組內	111.957	?	?	?	.000
總和	363.449	?			

(一) 為了檢定此三組對家庭滿意度的差異情形，請問妳/你如何陳述其研究假設？

(二) 請妳/你找出表2中之F值。

(三) 若設顯著水準$\alpha=.05$，依據表2中顯著性數據，妳/你如何對分析的結果下結論？

(四) 如果此三組對家庭滿意度有顯著差異，下一步如何處理？妳/你毋需計算，請以文字說明即可。

答 (一)研究假設 $\begin{cases} H_0: \mu_1 = \mu_2 = \mu_2 & \text{(帶飯盒對滿意度無差異)} \\ H_1: \mu_1 \sim \mu_3 \text{不全相等} & \text{(帶飯盒對滿意度有顯著差異)} \end{cases}$

(二)製作ANOVA表：

變異來源	SS	df	MS	F	顯著性
組間	①(251.492)	②(2)	⑤(125.746)	⑦(84.224)	.000
組內	111.957	③(75)	⑥(1.493)		
全體	363.449	④(77)			

註：①$=SS_{全體}-SS_{組內}=363.449-111.957=251.492$

②=組數－1，③=總人數－組數，④=總人數－1

⑤=①／②，⑥=$\frac{111.957}{③}$，⑦=⑤／⑥

(三)F=84.224，顯著性P=.000<α=0.5，落入拒絕區，亦即帶飯盒與否對家庭滿意度有顯著差異。

(四)F值達顯著後，接著要進行事後比較。Scheffé 法適用於各組人數不同或相同，或每次進行二個以上平均數差異比較，但Kirk（1982）認為，Scheffé法的統計考驗力會比杜凱法低，因此建議若是簡單比較二個平均數，杜凱法較佳。

貳、相依樣本單因子變異數分析（104地三）

一、意義

相依樣本單因子變異數分析的變異來源包含受試者間變異和受試者內變異。受試者間變異來自於受試者間的個別差異，又稱列間變異（SS_r或$SS_{b.subjets}$表示）；受試者內變異，包含實驗操弄的變異，及隨機誤差造成的變異（以$SS_{residual}$表示），其中實驗操弄的變異又稱行間變異（SS_c或$SS_{b.treatments}$表示）。

三者的變異關係如下式表示：

$$SS_t=SS_r+SS_c+SS_{residual}$$

$$=SS_{b.\ subjects}+（SS_{b.treatments}+SS_{residual}）$$

$$=SS_{b.subjects}+SS_{w.subjects}$$

二、相依樣本變異數分析摘要表

變異來源	SS	df	MS	F
受試者間	$SS_{b.subjects}$	$n-1$		
受試者內	$SS_{w.subjects}$			
處理	$SS_{b.treatments}$	$k-1$	$\frac{SS_{b.treatments}}{k-1}$	$F=\frac{MS_{b.treatments}}{MS_{residual}}$
殘差	$SS_{residual}$	$(n-1)(k-1)$	$\frac{SS_{residual}}{(n-1)(k-1)}$	
全體	SS_t	$nk-1$		

三、相依樣本變異數分析的特色

(一) 可以用較少的人數進行相同的實驗，節省人力。

(二) 因為相依樣本的$SS_{residual} < SS_{w.subjects}$，所以分母為$MS_{residual}$的F值較大，比獨立樣本的F值容易顯著。

例題8.3

實驗一：某研究者想了解三種教學方法對國中生數學科成績的影響，以隨機分派的方式將學生分派到教師中心、學生中心、團體教學等三組教學情境。每組5人共15人。這些國中生參加一年後，數學科成績如表1所示：

表1：實驗一

教學方法		
教師中心	學生中心	團體教學
4.00	5.00	9.00
3.00	7.00	8.00
5.00	4.00	9.00
7.00	6.00	6.00
6.00	5.00	8.00

實驗二：與實驗一非常相似，唯其在學生分派上有所不同。

某研究者想了解三種教學方法對國中生數學科成績的影響，此實驗為節省人力，故只用五名學生，而每位學生必須經歷三種教學方法（教師中心、學生中心、團體教學）。這些國中生參加一年後，數學科成績如表2所示：

表2：實驗二

	教學方法		
學生	教師中心	學生中心	團體教學
A	4.00	5.00	9.00
B	3.00	7.00	8.00
C	5.00	4.00	9.00
D	7.00	6.00	6.00
E	6.00	5.00	8.00

問題：

(一) 請問實驗一與實驗二各為何種實驗設計？

(二) 分別羅列實驗一與實驗二的研究假設。

(三) 請分別羅列實驗一與實驗二的變異數摘要表。請寫出變異來源、自由度，並以代號方式表示各離均差平方和，以此計算均方和F值。

(四) 請問實驗一和實驗二何者較容易得到F值的顯著，或是兩者並無差異，為什麼？

答 實驗二：相依樣本ANOVA分析

學生	教師中心	學生中心	團體教學	$\overline{X}_i$
A	4	5	9	6
B	3	7	8	6
C	5	4	9	6
D	7	6	6	6.33
E	6	5	8	6.33
$\overline{X}_j$	5	5.4	8	$\overline{X}$=6.13

(一) $\begin{cases} H_0: \mu_1 = \mu_2 = \mu_3 \\ H_1: \mu_1 \sim \mu_3 \text{不全等} \end{cases}$

(二) $SS_t = (4^2+3^2+\cdots\cdots+8^2) - \dfrac{(4+3+\cdots\cdots+8)^2}{5\times 3} = 612 - \dfrac{(92)^2}{15} = 47.73$

$SS_{b.\ subjects} = 3[(6-6.13)^2+(6-6.13)^2+(6-6.13)^2+(6.33-6.13)^2+(6.33-6.13)^2] = 0.3921$

$SS_{w.subjects} = SS_t - SS_{b.subjects} = 47.73 - 0.3921 = 47.3379$

$SS_{b.treatments} = 5[(5-6.13)^2+(5.4-6.13)^2+(8-6.13)^2] = 26.5335$

$SS_{residual} = SS_{w.subjects} - SS_{b.subjects} = 47.3379 - 26.5335 = 20.8044$

(三)變異分析表

變異來源	SS	df	MS	F
受試者間$SS_{b.subjects}$	0.3921	4		
受試者內$SS_{w.subjects}$	47.3379			
處理$SS_{b.treatments}$	26.5335	2	13.2668	F=5.1014
殘差$SS_{residual}$	20.8044	8	2.6006	
全體SS_t	47.73	14		

(四)相依樣本的$SS_{residual}$較獨立性樣本的SS_w小，因此，相依樣本F值較大，比獨立樣本更易達到顯著。

（註：本題本為實驗一與實驗二兩部分，限於篇幅本題僅以實驗二為例，實驗一獨立樣本的F值經計算而得7.51）

第三節 多因子變異數分析（Multi-way ANOVA）

考點提示 (1)多因子獨立樣本、相依樣本、混合設計變異數分析的檢定步驟與計算；(2)ANOVA摘要表的製作；(3)交互作用的意義與判定；(4)單純主要效果考驗，絕對必考。

比較兩個自變項對依變項的影響，稱為「雙因子變異數分析」，三個自變項就稱為「三因子變異數分析」，依此類推，我們通常將二個或二個自變項以上的變異數分析，統稱為「多因子變異數分析」（factorial analysis variance）。

多因子變異數分析在樣本人數、實驗時間、經費等人力、物力上都較單因子變異數分析來得經濟。例如：三因子變異數分析一次可以比較三個自變項對依變項的影響，但若改用單因子變異數分析，就必須做三次實驗。另外，多因子變異數分析可將誤差當做自變項，使變異變小，實驗效果更好。除此之外，多因子變異數分析除了每一個自變項對依變項影響的「主要效果」（main effect）外，還能求出兩個自變項間的「交互作用效果」（interaction effect），讓F值更易達顯著。多因子變異數分析形式有以下三種：

一、獨立樣本二因子變異數分析（受試者間設計）

(一) $SS_t=SS_A+SS_B+SS_{AB}+SS_w$

其中，A、B為兩變項，SS_{AB}為兩變項交互作用的離均差平方和。

(二) ANOVA表

變異來源	SS	df	MS	F
A因素（Column行間）	SS_A	$c-1$	$\frac{SS_A}{c-1}$	$F_A=\frac{MS_A}{MS_w}$
B因素（row列間）	SS_B	$r-1$	$\frac{SS_B}{r-1}$	$F_B=\frac{MS_B}{MS_w}$
A×B（交互作用）	SS_{AB}	$(r-1)(c-1)$	$\frac{SS_{AB}}{(r-1)(c-1)}$	$F_{AB}=\frac{MS_{AB}}{MS_w}$
組內（誤差）	SS_w	$rc(n-1)$	$\frac{SS_w}{rc(n-1)}$	
全體	SS_t	$N-1$		

註：c為行數，r為列數，N為總次數，n為細格人數

(三) 研究假設

1. 行檢定 $\begin{cases} H_0: \mu_{A1}=\mu_{A2}=\cdots\cdots=\mu_{Ac} \\ H_1: \mu_{A1}\sim\mu_{Ac}\text{不全等} \end{cases}$

2. 列檢定 $\begin{cases} H_0: \mu_{B1}=\mu_{B2}=\cdots\cdots=\mu_{Br} \\ H_1: \mu_{B1}\sim\mu_{Br}\text{不全等} \end{cases}$

3. 交互作用檢定 $\begin{cases} H_0: \text{A、B兩因子無交互作用} \\ H_1: \text{A、B兩因子有交互作用} \end{cases}$

(四) 計算各種變異

$SS_t=\Sigma\Sigma\Sigma X^2-\frac{(\Sigma\Sigma\Sigma X)^2}{N}$　　$SS_A=n_i\Sigma(\overline{X_i}-\overline{\overline{X}})^2$

$SS_B=n_j\Sigma(\overline{X_j}-\overline{\overline{X}})^2$　　$SS_w=\Sigma\Sigma\Sigma X^2-\frac{\Sigma(AB)^2}{n}$

$SS_{AB}=SS_t-SS_A-SS_B-SS_w$

(五) **算F值，並下結論**

1. 若$F_A=\frac{MS_A}{MS_w}\leq F_{[1-\alpha；c-1,rc(n-1)]}$，則落入接受區，接受行檢定之$H_0$

2. 若$F_B=\frac{MS_B}{MS_w}\leq F_{[1-\alpha；r-1,rc(n-1)]}$，則落入接受區，接受列檢定之$H_0$

3. 若$F_{AB}=\frac{MS_{AB}}{MS_w}\leq F_{[1-\alpha；(r-1)(c-1),rc(n-1)]}$，則落入接受區，接受交互作用檢定之$H_0$

(六) **單純主要效果考驗**：若前述的交互作用檢定達顯著水準，亦即A因素是否會影響依變項，必須視B因素的那一種而定，因此，必須進一步考驗單純主要效果（simple main effect）。

(七) **交互作用的種類**（107地四）

在統計學中，交互作用是指在多因子設計時，各個因子對依變項的影響並非獨立，而是會受到其他因子的交互影響。交互作用如達顯著水準，則需再進行單純主要效果檢定，不可逕行解釋主要效果。統計交互作用的類型有以下三類：

無交互作用	A、B線平行，永不相交。此表示A因子與B因子沒有交互作用。	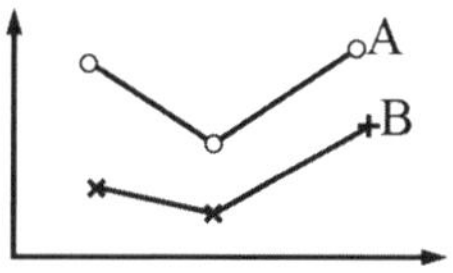 A B
次序性交互作用 ordinal interaction	A、B線不平行，但接近交叉。由於A的平均數（縱軸）均大於B，表示兩者有交互作用，且有次序性。	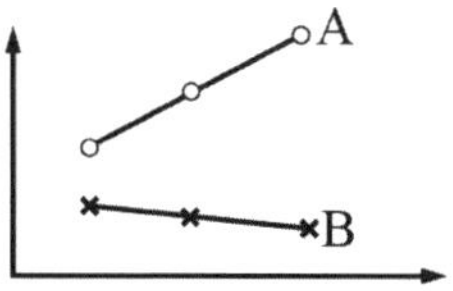 A B
無次序性交互作用 disordinal interaction	A、B線交叉。由於A與B的平均數（縱軸）互有高低，表示兩者有交互作用，且無次序性。	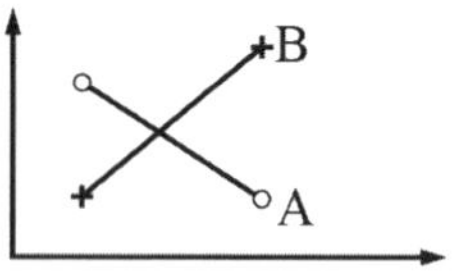 B A

例題8.4

下表三因子變異數分析摘要表為四年級、五年級和六年級男、女學生重複實施兩種不同測驗形式的統計分析結果，其中有些空格內的數字待你完成。回答時，請先繪製此表於試卷上，然後填入所有空格內該有的正確數值（均四捨五入至小數點第二位），並逐一分別陳述各交互作用、主要效果和事後比較的顯著性結果及其詮釋。（101原三）

變異來源	SS	df	MS	F	p-value	事後比較
組間	326.36	11				
測驗（重複測量）			5.203	3.343	.068	
年級（獨立樣本）			100.201	13.332	.000	六>四 五>四
性別（獨立樣本）			85.392	11.362	.001	男>女
測驗×年級			0.970		.537	
測驗×性別			1.645		.305	
性別×年級			13.315		.171	
測驗×年級×性別			2.575		.192	
組內	3955.41	872				
受試者間S	3276.81	436	7.516			
殘差（A×S）	678.60	436	1.556			
全體Total						

答 (一)先將ANOVA表中空格編號，且已知年級數=3，測驗數=2

變異來源	SS	df	MS	F	P－value	事後比較
組間	326.36	11				
測驗（重複測量）	(⑨)	(①)	5.203	3.343	.068	
年級（獨立樣本）	(⑩)	(②)	100.201	13.332	.000	六>四 五>四
性別（獨立樣本）	(⑪)	(③)	85.392	11.362	.001	男>女
測驗×年級	(⑫)	(④)	0.970	(⑰)	.537	
測驗×性別	(⑬)	(⑤)	1.645	(⑱)	.305	
性別×年級	(⑭)	(⑥)	13.315	(⑲)	.171	
測驗×性別×年級	(⑮)	(⑦)	2.575	(⑳)	.192	
組內	3955.41	872				
受試者間S	3276.81	436	7.516			
殘差（A×S）	678.60	436	1.556			
全體	(⑯)	(⑧)				

①df=測驗數－1=2－1=1　②df=年級數－1=3－1=2

③df=性別數－1=1　④df=①×②=1×2=2

⑤df=①×③=1×1=1　⑥df=②×③=2×1=2

⑦df=①×②×③=1×2×1=2　⑧$df=df_{組間}+df_{組內}=11+872=883$

⑨SS=df×MS=1×5.203=5.203

⑰同理可求得⑩～⑮分別為200.402；85.392；1.94；1.645；26.63；5.15；⑯$SS_t=SS_{組間}+SS_{組內}=326.36+3955.4=4281.77$；⑰F的算法，獨立樣本為$\frac{MS_b}{M_{W.subject}}$，重複測量為$\frac{MS_b}{MS_{residual}}$ ∴⑰$F=\frac{0.970}{1.556}=0.623$；⑱$F=\frac{1.645}{1.556}=1.057$；⑲$F=\frac{13.315}{7.516}=1.772$；⑳$F=\frac{2.575}{1.556}=1.655$（建議讀者將答案寫入表中，較不易弄混淆）。

(二)

1. 從摘要表可知，三因子中年級和性別的主要效果均達顯著，所以不同年級與不同性別的依變項有顯著差異。進行事後比較的結果六年級高於四年級，五年級高於四年級，男生高於女生。
2. 三因子間均無交互作用，無須再進行單純主要效果考驗。

例題8.5

數位化教學目前甚受重視，但其成效說法不一，於是校長邀集專家規劃一項實驗，選定一個學科進行一學期的教學實驗。其教學分為傳統講授、純數位化教學及講授主數位輔三種方式。教學環境分為一般教室（有必要之e化設備）及e化教室。教學實驗即以獨立樣本雙因子設計進行，實驗完成後再施以該學科成就的測驗，經統計分析之部分結果如表三及表四。（102高考）

表三　後測分數之描述統計

教學環境	教學方式	平均數	標準差	人數
一般教室	傳統講授法	77.40	2.408	5
	純數位化教學	72.60	1.817	5
	講授主數位輔	76.40	2.608	5
e化教室	傳統講授法	75.00	2.121	5
	純數位化教學	74.20	1.924	5
	講授主數位輔	80.80	1.924	5
總數	傳統講授法	76.20	2.486	10
	純數位化教學	73.40	1.955	10
	講授主數位輔	78.60	3.169	10
	總數	76.07	3.300	30

表四　後測分數之變異數分析摘要表

變異來源	平方和	自由度	均方	F值	顯著性
教學環境	10.800	1	10.800	2.331	.140
教學方式	135.467	2	67.733	14.619	.000
教學環境×教學方式	58.400	2	?	?	.006
誤差	?	?	?		
校正後之總和	315.867	29			

(一) 檢定此問題的主要效果及交互作用效果之（虛無vs.對立）假設如何陳述？

(二) 請先計算表四中「？」之數值後，再解釋你在塀所陳述的假設（設顯著水準$\alpha = .01$）。

(三) 如果交互作用效果有統計上的意義或達到.01顯著水準，則下一步驟該如何進行？你可以用文字敘述說明你的做法或根據表三繪製交互作用效果之剖面圖（你可以教學環境或教學方式為圖之水平軸繪製交互作用效果之剖面圖）。

(四) 綜合上述，你如何給此教學實驗做結論？

答 (一)統計假設

1. 教學環境 $\begin{cases} H_0: \mu_{A1} = \mu_{A2} \\ H_1: \mu_{A1} \neq \mu_{A2} \end{cases}$

2. 教學方式 $\begin{cases} H_0: \mu_{B1} = \mu_{B2} = \mu_{B3} \\ H_1: \mu_{B1} \sim \mu_{B3}\text{不全等} \end{cases}$

3. 交互作用 $\begin{cases} H_0: \text{A、B無交互作用} \\ H_1: \text{A、B有交互作用} \end{cases}$

(二)ANOVA表：

變異來源	SS	df	MS	F	P-value
教學環境（A）	10.800	1	10.8	2.331	.140
教學方式（B）	135.467	2	67.733	14.619	.000
A×B	58.400	2	29.2	（6.303）	.006
誤差	（111.200）	（24）	（4.633）		
總和	315.867	29			

結論：

1. F_A=2.331，P=.140>.01　∴落入接受區，接受A的H_0，亦即不同教學環境對測驗成績無顯著差異，無主要效果。
2. F_B=14.619，P=.000<.01　∴落入拒絕區，拒絕B的H_0，亦即不同教學方式對測驗成績有顯著差異，有主要效果。
3. F_{AB}=6.303，P=.006<0.1∴落入拒絕區，拒絕A×B之H_0，亦即不同教學環境和教學方式對測驗成績有顯著交互作用，但不同教學環境是否影響測驗成績須視採用的教學方式而定，亦即必須再進行單純主要效果考驗。

(三)進行單純主要效果的顯著性考驗。首先要計算各細格的總分：

	傳統法	純數位	講主數輔	
一般教室	5×77.4=387	5×72.6=363	5×76.4=382	T_{A1}=1132
e化教室	5×75.0=375	5×74.2=371	5×80.8=404	T_{A2}=1150
	T_{B1}=762	T_{B2}=734	T_{B3}=786	T=2282

1. 計算教學方式在教學環境所形成的差異

(1)一般教室組SS_b=$\frac{(387)^2+(363)^2+(382)^2}{5}-\frac{(1132)^2}{15}$=64.13

df=C－1=教學方式數－1=3－1=2

(2)e化教室組$SS_b=\frac{(375)^2+(371)^2+(404)^2}{5}-\frac{(1150)^2}{15}=129.73$

df=C－1= 2

2. 計算教學環境在教學方式所形成的差異

(1)傳統法$SS_b=\frac{(387)^2+(375)^2}{5}-\frac{(762)^2}{10}=14.4$

df=r－1=教學環境數－1=2－1=1

(2)純數位$SS_b=\frac{(363)^2+(371)^2}{5}-\frac{(734)^2}{10}=6.4$，df=r－1= 1

(3)講主數輔$SS_b=\frac{(382)^2+(404)^2}{5}-\frac{(786)^2}{10}=48.4$，df=r－1= 1

3. 單純主要效果摘要表

變異來源	SS	df	MS	F
教學方式之單純效果				
在一般教室	64.13	2	32.065	6.925*
在e化教室	129.73	2	64.865	14.010*
教學環境之單純效果				
在傳統法上	14.4	1	14.4	3.110
在純數位上	6.4	1	6.4	1.382
在講主數輔上	48.4	1	48.4	10.454*
誤差	111.200	24	4.63	

*P<.05　（註：$F_{.95\,(2.24)}=4.26$；$F_{.95\,(2.24)}=3.40$）

4. 單純主要效果考驗效果：

(1)不同的教學方式在不同的教學環境上都有明顯的差異。

(2)不同的教學環境只有在講授為主、數位為輔的教學方式上才有明顯的差異。

5. AB平均數的摘要表

	B_1	B_2	B_3
A_1	77.4	72.6	76.4
A_2	75.0	74.2	80.8

其交互作用效果剖面圖如右：

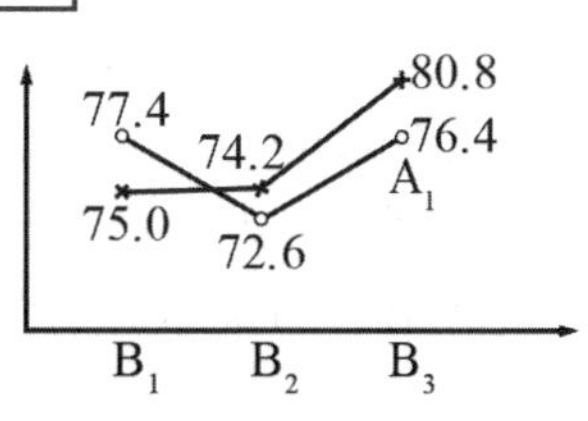

(四)實驗結論：

1. 三種不同的教學方式在兩種不同的教學環境中，對學科測驗成績的影響均有明顯差異。
2. 不同的教學環境在以講授為主、數位為輔的教學方式中對學科測驗成績的影響才有明顯差異。

例題8.6

某研究者想探討EQ訓練是否會對企業主管的管理能力有改善效果。該研究者以隨機分派的方式，把25名主管分配到實驗組（接受EQ訓練），25名分配到控制組（未接受任何訓練）。所有參與者都接受EQ測驗的前測和後測。經過EQ測驗取得前測（實驗組平均數7.75；控制組為7.26）和後測（實驗組平均數11.24；控制組為8.11）成績。統計分析的結果如附表（有一名參與者因故流失）。請問：

(一) 何謂「隨機分派」？其作用為何？

(二) 從研究情境和附表判斷，該研究者使用何種研究設計和統計分析方法？

(三) 附表中，「交互作用」的意義為何？在本研究結果中最可能代表的意義為何？

(四) 根據附表，研究者宣稱：由於組別差異未達顯著水準，因此EQ訓練對管理能力沒有幫助。此種結論是否合理？為什麼？

附表　EQ訓練的統計分析摘要表

變異來源	SS	自由度(df)	均方(MS)	F值
受試者間	581.27	48	75.96	
組別	62.97	1	62.97	5.73
群內受試	518.30	47	10.99	
受試者內	107.10	49	28.58	
前後測	20.78	1	20.78	12.30*
交互作用	7.11	1	7.11	4.22*
誤差（前後測×群內受試）	79.21	47	1.69	

*P＜.01

答 (一)隨機分派（Random assignment）：經由隨機抽樣而得的受試者，再隨機分配到不同的組別進行研究，如此各組的條件相同，可確保「內在效度」。

(二)研究者是使用「等組前後測設計」，有實驗組、控制組及前、後測之設計；統計方法是採「混合設計二因子變異數分析」，受試者間（A）為實驗組與控制組；受試者內（B）為前測與後測；以及A×B的交互作用。

(三)A×B的交互作用表示A因子與B因子同時影響依變項的情形，若達顯著，則交互作用比A或B的主要效果還具意義。由本題表中可知，交互作用F值=4.22，$P<.01$達顯著，表示A、B兩因子同時對依變項有影響。

(四)此種結論不合理，因為交互作用呈顯著、前後測亦呈顯著，表示A、B同時影響依變項管理能力，且後測與前測的平均數差異，實驗組（11.24－7.75=3.49）大於控制組（8.11－7.26=0.85），可見實驗組進行EQ的訓練對管理能力是有明顯幫助的。

二、混合設計二因子變異數分析（受試者間受試者內混合）

$SS_t=SS_A+SS_{S/A}+SS_B+SS_{AB}+SS_{B\times S/A}$

三、相依樣本二因子變異數分析（受試者內）

$SS_t=SS_{b.subjects}+SS_A+SS_B+SS_{AB}+SS_{residual}$

第四節 多重比較

(1)多重比較的概念與方法；(2)效果值大小，是考試焦點。

考點提示

變異數分析之後，若發現平均數有顯著差異存在，則必須進行多重比較，才能確認差異來自那些組別之間。多重比較又可分成事前比較和事後比較。

一、事前比較

事前比較（priori comparisons）是指研究者在收集資料之前，便根據理論提出研究假設，並事先計畫好要對那些特定的平均數差異進行比較，使用t統計法，是一種驗證性的統計分析方法。

二、事後比較

若是等變異數分析的F值達顯著水準之後才決定探討到底是那些組別平均數之間有顯著差異存在的，稱為事後比較（posteriori comparisons或post-hoc），使用q統計或F統計法，是一種探索性的統計分析方法。

三、正交與非正交比較

(一) **正交比較**：正交比較（orthogonal comparisons）是指互相獨立或不相重疊的比較，每次比較時各組的比較係數和等於0，且相對應之比較係數的交乘積和也為0。

(二) **非正交比較**：非正交比較（nonorthogonal comparisons）是指非獨立或具重疊性的比較，各相對應比較係數的乘積不等於0。

四、事後比較的方法

(一) **薛費法**（Scheffé method）：學者Scheffé 1959年提出，適用各組人數不同或相同之時，或進行簡單、複雜比較（每次二個以上平均數比較），簡稱S法。

$$F=\frac{\left(C_1\overline{X}_1+C_2\overline{X}_2+\cdots\cdots+C_k\overline{X}_k\right)^2}{MS_w\left(\frac{C_1^2}{n_1}+\frac{C_2^2}{n_2}+\cdots\cdots+\frac{C_k^2}{n_k}\right)}$$

n_k：各組人數

C_k：比較係數

臨界值：$F'=(k-1)\ F_{1-\alpha\ (k-1,N-k)}$

(二) **杜凱法**（Tukey method）：學者Tukey 1949年提出，適用於各組人數均相同，或每次只比較一對平均數的差異。簡稱Tukey法或稱q法，又稱HSD法（honestly significant difference method）。

$$q=\frac{\overline{X}_{max}-\overline{X}_{min}}{\sqrt{\frac{MS_w}{n}}}$$

$\overline{X}_{max}$：k個平均數中最大值

$\overline{X}_{min}$：k個平均數中最小值

都使用同一個臨界q值（查q分配表）$q_{1-\alpha\ (k,N-K)}$

(三) **紐曼－柯爾法**（Newman-Keuls method）：適用於各組人數相等的差距考驗，與杜凱法最大的不同是將各組平均數依大小次序使用不同的臨界q值，N-K法較HSD法容易有顯著差異。

(四) **費雪（Fisher LSD method）**：Fisher採用t檢定法來做平均數成對比較，又稱為最小顯著差異法（lease significant difference，LSD）。

$$t=\frac{\overline{X_j}-\overline{X_k}}{\sqrt{S_p^2\left(\frac{1}{n_j}+\frac{1}{n_k}\right)}}=\frac{\overline{X_j}-\overline{X_k}}{\sqrt{MS_w\left(\frac{1}{n_j}+\frac{1}{n_k}\right)}}\text{，}df=N-K$$

五、效果值大小（effect size）

(一) **獨立樣本t考驗**

$$d=\frac{\mu_1-\mu_2}{\sigma}\text{（母群變異數已知）或}\frac{\overline{X_1}-\overline{X_2}}{S_{pooled}}\text{（母群變異數未知）}$$

(二) **相依樣本t考驗**：$d=\frac{\mu_0}{\sigma}$ 或 $d=\frac{M}{S}$

(三) **變異數分析**

1. $f=\frac{\sigma_M}{\sigma_{within}}$（母群變異數已知）或 $f=\frac{S_M}{S_{within}}=\frac{S_M}{\sqrt{MS_w}}$（母群變異數未知），

   其中 $S_M=\frac{\sum(M-GM)^2}{df_{between}}$

2. $f=\frac{\sqrt{F}}{\sqrt{n}}$（n為每組人數）

3. $\eta^2=\frac{SS_b}{SS_t}$（eta-squared）

(四) **卡方獨立性考驗**

2×2列聯表，$\phi=\sqrt{X^2/n}$，I≠J的列聯表（如2×3，3×5⋯）

$$V_C=\sqrt{\frac{\phi^2}{\min(I-1,J-1)}}$$

考題集錦

1. 請分別回答下列有關事前比較之問題：（103身三）
   (1)何謂事前比較？
   (2)使用事前比較有那些優點？
   (3)使用事前比較應注意那些事項？
2. 參考下列某個實驗結果的電腦報表數據：
   請回答下列問題：（102地三）

SV	SS	df	MS	F	p
Between group	1200	2	600	300.0	.000
Within group	50	25	2		
Total	1250	27			

   (1)總共有幾名受試者參與實驗？
   (2)這些受試者共分成幾組進行實驗？
   (3)本實驗的虛無假設應該如何表示？
   (4)本實驗的統計檢定結果為何？
   (5)請你解釋這個實驗的結論。
3. 數位化教學目前甚受重視，但其成效說法不一，於是校長邀集專家規劃一項實驗，選定一個學科進行一學期的教學實驗。其教學分為傳統講授、純數位化教學及講授主數位輔三種方式。教學環境分為一般教室（有必要之 e 化設備）及 e 化教室。教學實驗即以獨立樣本雙因子設計進行，實驗完成後再施以該學科成就的測驗，經統計分析之部分結果如表三及表四。（102高考）

   表三：後測分數之描述統計

教學環境	教學方式	平均數	標準差	人數
一級教室	傳統教授法	77.40	2.408	5
	純數位化教學	72.60	1.817	5
	講授主數位輔	76.40	2.608	5
e化教室	傳統教授法	75.00	2.121	5
	純數位化教學	74.20	1.924	5
	講授主數位輔	80.80	1.924	5
總數	傳統教授法	76.20	2.486	10
	純數位化教學	73.40	1.955	10
	講授主數位輔	78.60	3.169	10
	總數	76.07	3.300	30

表四：後測分數之變異數分析摘要表

變異來源	平方和	自由度	均方	F 值	顯著性
教學環境	10.800	1	10.800	2.331	.140
教學方式	135.467	2	67.733	14.619	.000
教學環境 × 教學方式	58.400	2	?	?	.006
誤差	?	?	?		
校正後之總和	315.867	29			

(1) 檢定此問題的主要效果及交互作用效果之（虛無 vs.對立）假設如何陳述？

(2) 請先計算表四中「？」之數值後，再解釋你在(1)所陳述的假設（設顯著水準α＝.01）。

(3) 如果交互作用效果有統計上的意義或達到.01 顯著水準，則下一步驟該如何進行？你可以用文字敘述說明你的做法或根據表三繪製交互作用效果之剖面圖（你可以教學環境或教學方式為圖之水平軸繪製交互作用效果之剖面圖）。

(4) 綜合上述，你如何給此教學實驗做結論？

4. 下表三因子變異數分析摘要表為四年級、五年級和六年級男、女學生重複實施兩種不同測驗型式的統計分析結果，其中有些空格內的數字待你完成。回答時，請先繪製此表於試卷上，然後填入所有空格內該有的正確數值（均四捨五入至小數點第二位），並逐一分別陳述各交互作用、主要效果和事後比較的顯著性結果及其詮釋。（101原三）

變異來源	SS	df	MS	F	p-value	事後比較
組間	326.36	11				
測驗（重複測量）			5.203	3.343	.068	
年級（獨立樣本）			100.201	13.332	.000	六>四 五>四
性別（獨立樣本）			85.392	11.362	.001	男>女
測驗×年級			0.970		.537	
測驗×性別			1.645		.305	
性別×年級			13.315		.171	
測驗×年級×性別			2.575		.192	
組內	3955.41	872				
受試者間S	3276.81	436	7.516			
殘差（A×S）	678.60	436	1.556			
全體Total						

[考題解析範例]

一、下表為8名受試者在四種色光的反應時間，試問受試者在四種色光的反應時間是否有所不同？（F.95(3, 21) = 3.07）（104地三）

受試者	紅光	橙光	黃光	綠光	ΣS	ΣS2
A	4	2	4	6	16	72
B	6	4	6	6	22	124
C	2	2	4	4	12	40
D	4	4	4	6	18	84
E	2	2	4	4	12	40
F	2	4	4	4	14	52
G	2	2	2	2	8	16
H	2	4	4	4	14	52
ΣX	24	24	32	36	116	
ΣX2	88	80	136	176		480

破題分析 本題考的是重複測量的相依樣本（受試者的設計）單因子變異數分析，屬較少出現的題型，解題概念見本書第二篇第八章第二節。

答 (一)統計假設 $\begin{cases} H_0 : \mu_1 = \mu_2 = \mu_3 = \mu_x \\ H_1 : \mu_1 \sim \mu_x \text{不全相等} \end{cases}$

(二)製作相依樣本的One-way ANOVA

變異來源	SS	df	MS	F
受試者間	$SS_{b,subjects}=31.5$	7		
受試者內	$SS_{w,subjects}$			
處理	$SS_{b,treatment}=13.5$	3	13.5/13=4.5	6.52
殘差	$SS_{residual}=14.5$	21	14.5/21=0.69	
*全體	59.5	31		

(三) $F = \frac{4.5}{0.69} = 6.52$，大於題目所給之$F_{.95(3.21)}=3.07$

達α=.05之顯著性，因此，受試者在四種色光的反應時間明顯不同。

二、某測驗發展者，想知道不同地區和不同性別的受測者在測驗的得分是否不同，研究為等格設計，進行了二因子變異數分析，結果如下表：

變異來源	SS	df	Mean Square	F
地區	22.561	4	5.640	5.031
性別	47.640	1	47.640	42.498**
地區*性別	73.472	4	18.368	16.385**
誤差	3014.824	2690	1.121	
**p<.01				

(一) 請問該研究者將地區變項分為幾區？總共有多少有效的受測者？性別變項的eta-squared（η^2）是多少？

(二) 表中地區*性別呈現的檢驗結果是什麼意思？

(三) 考慮上表的結果，測驗發展者製訂常模時，應有幾個常模是比較理想？為什麼？（100身三）

答 (一)由地區的df=4，可知分成5區；總自由度=4+1+4+2690=2699

∴總人數=2670，性別的$\eta^2=\frac{SS_b}{SS_t}=\frac{47.64}{3158.497}=0.0151$

(二)地區×性別的交互作用檢定，F=16.385，P<0.1

落入拒絕區，亦即地區與性別具有交互作用存在，不同的性別是否會影響測驗得分，須視不同地區的學生而定。交互作用達顯著後要進一步考驗單純主要效果。

(三)5（地區數）×2（性別）=10個常模。

第九章　其他相關統計法

依據出題頻率區分，屬：C 頻率低

開箱密碼

本章為積差相關之外的重要相關統計法介紹，專門處理間斷變項或人為的二分變項，概念與公式的理解難度算較高的一章。本章的出題形式主要以解釋名詞為主，偶見計算題，但難度不高，對於各類相關統計法的r值範圍、基本定義、使用時機、定義公式與假設考驗的計算過程等都要加以熟讀，尤其各種相關係數的範圍以及哪類型的變項可以使用，更是出題的焦點所在，十幾年前出題較多，近年已有逐漸減少的趨勢，但考生仍應稍加注意。

第一節　其他相關統計法I（$0<r\leq 1$）

考點提示

(1)各種相關統計法的意義及r的範圍；(2)各種相關統計法的公式；(3)各種相關統計法的假設考驗過程，是考試重點。

第六章我們所介紹的積差相關僅適用於兩變項均為連續變項時。若變項並非連續變項，就必須以其他的相關統計方法計算。這些相關統計法大致上可分成兩類：(一)相關係數介於0與1之間，亦及相關係數值為正。包括：ϕ相關、列聯相關、斯皮爾曼等級相關、肯德爾等級相關、曲線相關（相關比），我們將在這一節詳述；(二)相關係數介於－1與1之間，亦及相關係數值為可為正、可為負。包括：積差相關、點二系列相關、二系列相關、四分相關，我們將在下一節詳述。

一、ϕ相關

(一) **適用時機**：兩變項都是真正的二分名義變項（nominal-dichotomous variables），如：性別（男、女），宗教信仰（有、無）……。

(二) 公式：

1. $r_\phi=\dfrac{p_{XY}-p_Xp_Y}{\sqrt{p_Xq_X}\sqrt{p_Yq_Y}}$

$\begin{cases} p_X\text{：X變項占全部的比例} \\ p_Y\text{：Y變項占全部的比例} \\ p_X\text{：}=1-p_X \\ q_Y\text{：}=1-p_Y \end{cases}$

2. $r_\phi=\dfrac{BC-AD}{\sqrt{(A+B)(A+C)(B+D)(C+D)}}$

2×2列聯表

A	B
C	D

(三) 顯著性考驗

$\because \phi=\sqrt{\dfrac{\chi^2}{n}}$ $\therefore \chi^2=n\phi^2$，自由度df=（2－1）×（2－1）=1

查χ^2表檢定其是否落入拒絕區

例題9.1

某研究想瞭解性別與宗教信仰有無的關係，於是隨機抽取10位同學調查結果如下表，若X表性別，Y表信仰；X中的0表男生；1表女生；Y中的0表有信仰，1表無信仰。求(一)兩者是否有相關。(二)若有，相關是否達顯著？

學生	1	2	3	4	5	6	7	8	9	10
X	0	0	0	0	1	0	1	0	1	0
Y	0	0	1	0	1	0	1	0	0	1

答 (一)X、Y兩變項均為二分名義變項，因此用ϕ相關

p_X（男生的比例）$=\dfrac{7}{10}=0.7$，q_X（女生的比例）$=1-0.7=0.3$

p_Y（有信仰的比例）$=\dfrac{6}{10}=0.6$，q_Y（無信仰的比例）$=1-0.6=0.4$

p_{XY}（男生有信仰的比例）$=\dfrac{5}{10}=0.5$

代入 $\phi=\dfrac{p_{XY}-p_X\cdot p_Y}{\sqrt{p_Xq_x\cdot p_Xq_Y}}=\dfrac{0.5-(0.7)(0.6)}{\sqrt{(0.7)(0.3)}\sqrt{(0.6)(0.4)}}=+0.355$

亦可導入2×2列聯表

	0	1
1	A	B
0	C	D

$$\phi=\frac{BC-AD}{\sqrt{(A+B)(A+C)(B+D)(C+D)}}$$

		男	女
		0	1
⇒ 無	1	2	2
有	0	5	1

$$\phi=\frac{2\times5-2\times1}{\sqrt{(2+2)(2+5)(2+1)(5+1)}}=0.356$$

(2) ϕ相關的顯著性考驗，必須將ϕ值轉換成χ^2

$\because \phi=\sqrt{\frac{\chi^2}{n}}$ $\therefore \chi^2=n\phi^2=10（0.356）^2=1.267$

自由度df=（2－1）×（2－1）=1

α=0.05時，臨界值查表得$\chi^2_{0.5(1)}=3.841$

本題$\chi^2=1.267<3.841$，落入接受區，可見性別與信仰有無的相關性未達顯著，即性別不會影響信仰的有無。

二、列聯相關

(一) **適用時機**：列聯相關係數（contingency coefficient），通常以C代表。適用兩個變項都分成三類或三類以上的名義變項。亦I×J列聯表（I≥2；J≥2）。例如：學業成就（分成高、中、低三組）、學習動機（分成無、低、中、高四組）。

(二) **公式**：$C=\sqrt{\frac{\chi^2}{n+\chi^2}}$，$\chi^2=\Sigma\frac{(f_o-f_e)^2}{f_e}$或$\chi^2=N\left(\Sigma\frac{{f_o}^2}{(\Sigma行)(\Sigma列)}-1\right)$

其中f_o：觀察值，f_e：期望值

例題9.2

1000位受試者接受內外控量表施測，其內外控程度與血型之交叉表如下，試求(一)卡方值。(二)列聯係數。(三)檢定其關聯性。

血型 / 內外控	A	AB	B	O	合計
頗內控	100	30	50	100	280
稍內控	80	30	50	120	280
稍外控	40	30	50	90	210
頗外控	30	10	100	90	230
總計	250	100	250	400	1000

註：df=9，$\chi^2=27.877$**達**0.001**顯著水準**，$\chi^2=27.666$**達**0.01**顯著水準**，$\chi^2=16.919$**達**0.005**顯著水準**

答 (一)本題為4×4的列聯表，用列聯相關。

$$\chi^2=1000\left[\frac{100^2}{250\times280}+\frac{30^2}{280\times100}+\frac{50^2}{280\times250}+\cdots\cdots+\frac{90^2}{230\times400}-1\right]=87.2$$

查χ^2表，本題df=（4－1）（4－1）=9

由題目已知$\alpha=0.05$時，$\chi^2_{0.95(9)}=16.919$（臨界值）

∴本題$\chi^2=87.2>16.919$，落入拒絕區，亦即內外控程度與血型有關

(二)列聯係數$C=\sqrt{\frac{\chi^2}{n+\chi^2}}=\sqrt{\frac{87.2}{1000+87.2}}=0.28$

(三)欲求列聯係數C值是否達顯著水準，只要看χ^2值是否大於查表值。

∵本題$\chi^2=87.2$大於查表值16.919，∴列聯係數C值達顯著。

亦即內外控程度與血型的相關達$\alpha=0.05$的顯著水準。

二、斯皮爾曼等級相關

斯皮爾曼等級相關（Spearman rank order correlation）是由哥爾頓（F. Galton）以心理學家Spearman名字命名的相關統計法。常用於分析一人評定兩次或兩人評定一次的評分者信度分析。以r_s表示。

(一) **適用時機**：兩變項皆為次序變項，包括：

1. 原始資料原本就是次序變項。
2. 原始資料被人為分成次序資料（例如：80以上是甲，60以上是乙，60以下是丙）。

(二) **公式**：$r_s=1-\frac{6\sum d^2}{n^3-n}$　$\begin{cases}d：兩變項之等級差異\\n：等級的數目\end{cases}$

(三) **顯著性考驗**：用t值，df=等級數（n）－2查表之$t=\frac{r_S}{\sqrt{\frac{1-r_S^2}{n-2}}}$，是否落入拒絕區。

例題9.3

甲乙兩位評分者對同一件作品10位學生創作的評分結果如下，求(一)評分者間的一致性程度。(二)是否達$\alpha=0.05$的顯著水準？

學生	1	2	3	4	5	6	7	8	9	10
甲師	8	9	10	7	6	1	3	2	4	5
乙師	10	9	5	7	8	2	4	1	3	6

答 (一)先算出兩分數的差距d值如下表

學生	1	2	3	4	5	6	7	8	9	10
d	−2	0	5	0	−2	−1	−1	1	1	−1
d^2	4	0	25	0	4	1	1	1	1	1

等級相關係數$r_s=1-\frac{6\sum d^2}{n^3-n}=1-\frac{6\times 38}{10^3-10}=0.770$

(二)本題df=n－2=10－2=8，查t表，$t_{0.975(8)}=\pm 2.306$

本題$t=\frac{r_S}{\sqrt{\frac{1-r_S^2}{n-2}}}=\frac{0.77}{\sqrt{\frac{1-(0.77)^2}{10-2}}}=3.41>2.306$

∴落入拒絕區，r_s達顯著，亦即兩位評分者的分數頗為一致。

四、肯德爾和諧相關

(一) 肯德爾和諧係數（Kendall coefficient of concordance）以ω表示之，與Spearman等級相關一樣都是用來求評分者間的一致性。Spearman等級相關用於一人評定兩次或兩人評定一次的分析，而肯德爾和諧係數則適用於多人（大於2人）評定多次的評分者間一致性分析。

(二) **公式**：$\omega=\frac{\sum R^2-\frac{(\sum R)^2}{n}}{\frac{1}{12}K^2(n^3-n)}$　$\begin{cases}k：評分人數\\n：受試人數\\R：受試者排序值\end{cases}$

(三) **顯著性考驗**：算df=n－1的χ^2值，查表之。看$\chi^2=K（n-1）\omega$是否落入拒絕區。

例題9.4

甲、乙、丙三位老師評定五位學生的音樂成績如下表，並排列出等級，求此三位老師的(一)評分一致性。(二)是否達0.05顯著水準。

學生	A	B	C	D	E
甲	2	3	1	5	4
乙	1	5	2	4	3
丙	3	5	2	1	4

答 (一)先求每位學生的成績等級和R，如下表

	A	B	C	D	E
R	6	13	5	10	11
R^2	36	169	25	100	121

$\therefore \Sigma R=45$

$\Sigma R^2=451$

$$\text{Kandell和諧係數}\omega=\frac{\sum R^2-\frac{(\sum R)^2}{n}}{\frac{1}{12}K^2(n^3-n)}=\frac{451\quad\frac{(45)}{}}{\frac{}{12}(3)^2(5^3\quad 5)}=0.511$$

(二)Kandell和諧係數的顯著性考驗

要算df=n－1=4的χ^2=K（n－1）ω=3（5－1）（0.511）=6.132

查表得臨界值 $\chi^2_{0.05(4)}$ =9.488>6.132

∴落入接受區，亦即三位老師的評分一致性未達顯著。

五、曲線相關（相關比）

(一) **適用時機**：當兩變項一個是間斷變項，一個是等距變項且兩變項的關係並非直線關係時，使用相關比，以η（唸eta）表示，又稱曲線相關。

(二) **公式**：$\eta^2=\frac{SS_b}{SS_t}$ 或 $\eta^2=1-\frac{SS_w}{SS_t}$

(三) **顯著性考驗**：用F值查表，df=（K－1,n－K） $\begin{cases}K：組數\\n：總人數\end{cases}$

看 $F=\frac{\eta^2/(k-1)}{(1-\eta^2)/(n-K)}$ 是否落入拒絕區。

例題9.5

年齡和網路成癮分數的資料如下表，求兩者的(一)相關比。(二)是否達α=0.05顯著水準。

年齡	17	18	19	20
網路	9	2	5	10
成癮	6	3	7	9
分數	7	4	6	8
	8	6	4	8

答 (一)求出各年齡層的分數平均值與和

年齡	17	18	19	20	
人數n	4	4	4	4	
$\overline{X}$	7.5	3.75	5.5	8.75	$\overline{\overline{X}}=6.375$
ΣX	30	15	22	35	$\Sigma\Sigma X=102$
ΣX^2	230	65	126	309	$\Sigma\Sigma X^2=730$

$$SS_t=\Sigma\Sigma X^2-\frac{(\Sigma\Sigma X)^2}{n}=730-\frac{(102)^2}{16}=79.75$$

$$SS_b=n_j\Sigma\left(\overline{X}_j-\overline{\overline{X}}\right)^2=4(7.5-6.375)^2+4(3.75-6.375)^2+4(5.5-6.375)^2+4(8.75-6.375)^2=58.26$$

$$\text{或}SS_b=\Sigma\frac{(\Sigma X)^2}{n_j}-\frac{(\Sigma\Sigma X)^2}{n}$$

$$=\frac{30^2}{4}+\frac{15^2}{4}+\frac{22^2}{4}+\frac{35^2}{4}-\frac{102^2}{16}=58.26$$

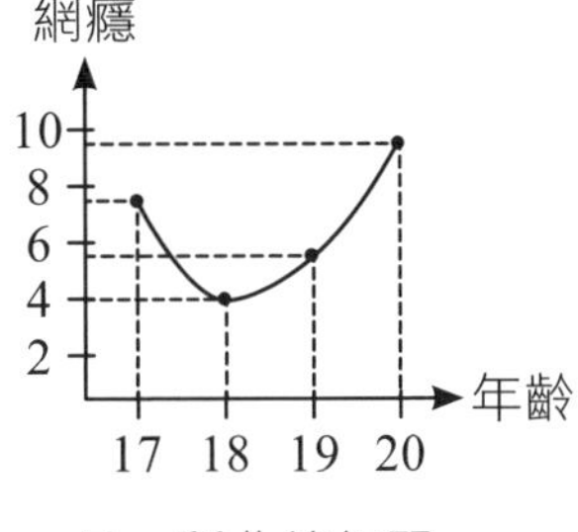

是一種曲線相關

$$\therefore \text{相關比}\eta^2=\frac{SS_b}{SS_t}=\frac{58.26}{79.75}=0.73$$

(二)查表，臨界值$F_{0.05(3.12)}=3.49$

$$\text{而本題之}F=\frac{\eta^2/(k-1)}{(1-\eta^2)/(n-K)}=\frac{0.73/(4-1)}{(1-0.73)/(16-4)}=\frac{0.243}{0.023}=10.8>3.49$$

落入拒絕區，表示兩者的曲線相關達顯著。

第二節 其他相關統計法II（$-1 \leq r \leq 1$）

(1)各種相關統計法的意義及r的範圍；(2)各種相關統計法的公式；(3)各種相關統計法的假設考驗過程，是考試重點。

一、二系列相關

(一) **適用時機**：二系列相關（biserial correlation）是由Pearson提出，適用於兩變項均為常態連續分數，但其中有一變項被人為二分。常用於試題的鑑別度分析，以r_{bi}表示

(二) **公式**：$r_{bi}=\dfrac{\overline{X_p}-\overline{X_q}}{S_y}\left(\dfrac{pq}{\mu}\right)$

$\overline{X_p}$：通過者平均數
$\overline{X_q}$：沒通過者平均數
S_y：Y變項標準差
p：通過者百分比
q：$1-p$
μ：$\dfrac{p}{總人數}$查常態分配曲線高度

(三) **顯著性考驗**：用Z值，查表$Z=\dfrac{r_{bi}}{\dfrac{1}{y}\sqrt{\dfrac{pq}{N}}}$是否落入拒絕區。

例題9.6

隨機抽取60位同學，數學成績及格者36人，不及格24人；又測得及格者在基測得分為平均68分，不及格者平均得分為50分，標準差為12，求數學及格與否與基測成績的相關程度（μ為0.3864）？

答 $r_{bi}=\dfrac{\overline{X_p}-\overline{X_q}}{S_y}\left(\dfrac{pq}{\mu}\right)=\dfrac{68-50}{12}\left(\dfrac{0.6\times0.4}{0.3864}\right)=0.932$

二、點二系列相關

(一) **適用時機**：一變項為連續變項，而另一變項為真正的二分名義變項。常用於二元計分（是否或對錯）的試題鑑別度分析，即求該題與測驗總分的相關，以r_{pb}表示。

(二) **公式**：$r_{pb}=\dfrac{\overline{X_p}-\overline{X_q}}{S_t}\sqrt{pq}$

- $\overline{X_p}$：二分變項其一的平均數
- $\overline{X_q}$：二分變項另一的平均數
- p：p類佔總人數的百分比
- q：1 − p
- S_t：全體分數的標準差

(三) **顯著性考驗**：用t值，$t=\dfrac{r_{pb}}{\sqrt{\dfrac{1-(r_{pb})^2}{n-2}}}$是否落入拒絕區

例題9.7

三年五班導師想瞭解班上段考數學成績是否與性別有關，於是從班上隨機抽取10名學生的數學成績如下表：

學生	1	2	3	4	5	6	7	8	9	10
性別	男	女	男	男	女	男	男	女	女	女
數學成績	82	63	74	76	42	86	93	73	68	55

答 男：$p=\dfrac{5}{10}=0.5$，女：$q=\dfrac{5}{10}=0.5$

$\overline{X_p}=\dfrac{411}{5}=82.2$，$\overline{X_q}=\dfrac{301}{5}=60.2$

$$S_t=\sqrt{\frac{\Sigma(X-\overline{X})}{}}=\sqrt{\frac{\Sigma X^2-\frac{(\Sigma X)^2}{n}}{n}}=\sqrt{\frac{52732-\frac{(712)^2}{10}}{10}}=14.274$$

$$\therefore r_{pb}=\frac{\overline{X_p}-\overline{X_q}}{S_t}\sqrt{pq}=\frac{82.2-60.2}{14.274}\sqrt{(0.5)(0.5)}=0.771$$

r_{pb}為正值，表示數學成績與性別相關且數學成績愈高愈可能是男生。

三、四分相關

(一) **適用時機**：四分相關（tetrachoric correlation）適用於兩個變項均為常態連續資料，但兩變項均被人為二分。常用於試題反應理論（IRT）。以r_{tet}表示。

A	B
C	D

(二) **公式**：

$$r_{tet}=\cos\left(\frac{180°}{1+\sqrt{\frac{BC}{AD}}}\right)$$

例題9.8

利用下表數據，計算四分相關係數

	智能不足	智能正常
成績及格	16	146
成績不及格	48	64

答

$$r_{tet}=\cos\left(\frac{180°}{1+\sqrt{\frac{BC}{AD}}}\right)$$

$$=\cos\left(\frac{180°}{1+\sqrt{\frac{146\times 48}{16\times 64}}}\right)$$

A	B
C	D

=0.697（此時180° 用π=3.14計算）

四、淨相關和部分相關

(一) 淨相關

1. **適用時機**：淨相關（partial correlation）指的是二個以上的連續變項，如X、Y、Z，其中兩個變項在排除另外其他變項的共同影響後，此兩變項的相關程度，稱為淨相關，又稱「偏相關」。例如：$r_{XY \cdot Z}$表示在排除Z對X和Y的共同影響後，XY的相關程度，如圖9-1。
2. **公式**：

$$r_{XY\cdot Z}=\frac{r_{XY}-r_{XZ}-r_{YZ}}{\sqrt{1-r_{XZ}^2}\sqrt{1-r_{YZ}^2}}\text{（一階淨相關）}$$

$$r_{XY\cdot WZ}=\frac{r_{XY\cdot Z}-r_{XW\cdot Z}-r_{YW\cdot Z}}{\sqrt{1-r^2_{XW\cdot Z}}\sqrt{1-r^2_{YW\cdot Z}}}$$（二階淨相關）

(二) **部分相關**

1. **適用時機**：淨相關是從X、Y兩變項去除共同有解釋力的Z，但若只想將Z從Y中去除，X中卻保留Z，這時X與Y的相關係數變成是$r_{X(Y\cdot Z)}$，稱為部分相關（part correlation），或稱為「半淨相關」（semipartial correlation），如圖9-1。
2. **公式**：

$$r_{X(Y\cdot Z)}=\frac{r_{XY}-r_{XZ}\cdot r_{YZ}}{\sqrt{1-r^2_{YZ}}}$$

例題9.9

200名國小學生在X、Y、Z三個測驗成績上的積差相關係數分別為$r_{XY}=0.8$，$r_{XZ}=0.6$，$r_{YZ}=0.4$，求$r_{XY\cdot Z}$之淨相關與$r_{X(Y\cdot Z)}$之部分相關。

答 $r_{XY\cdot Z}=\frac{r_{XY}-r_{XZ}\cdot r_{YZ}}{\sqrt{1-r^2_{XZ}}\sqrt{1-r^2_{YZ}}}=\frac{0.8-(0.6)(0.4)}{\sqrt{1-(0.6)^2}\sqrt{1-(0.4)^2}}=0.763$

$r_{X(Y\cdot Z)}=\frac{r_{XY}-r_{XZ}\cdot r_{YZ}}{\sqrt{1-r^2_{YZ}}}=\frac{0.8-(0.6)(0.4)}{\sqrt{1-(0.4)^2}}=0.61$

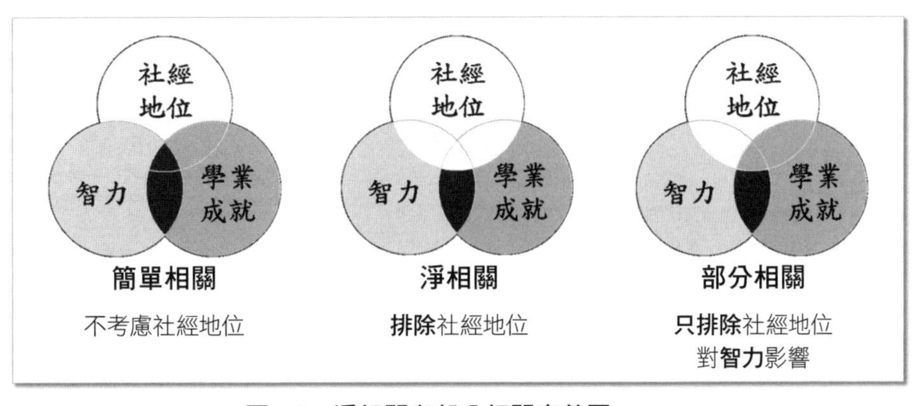

圖9-1　淨相關與部分相關意義圖

資料來源：游青霏（2013）

考題集錦

1. 某人想比較三種教學法（1.啟發、2.多媒體、3.演溝）在國一數學上的成效，隨機自某校母群中隨機抽取樣本90人，再隨機分派為三組，每組30人。實驗結果如下表，請用獨立樣本單因子 ANOVA 檢定假設。（103原四）

   (1)自變項：__________，依變項：___________

   控制變項：____________________________

   (2)統計假設：H_0：_____________，H_1：_____________

   (3)請將下面 ANOVA 分析結果表中標明英文字之數值，依序算出：

   (1) a = ？ (2) b = ？ (3) c = ？ (4) d = ？(5) e = ？ (6) f = ？

   (4)三種教學法之差異效果是否達顯著水準？__________

   (5)請計算本題之關聯強度 omega squared (ω^2) 或 eta squared (η^2) = ？（只須算出 1 種即可，須列出計算式，否則不計分 ）

   (6)利用上述計算出之ω^2或η^2值來解釋自變項對依變項的影響力為多少？

ANOVA分析結果表

變異來源	SS	df	MS	F	P
組間（教學法）	76.5	b	d	f	.001
組內（誤差）	a	c	e		
總和	120	89			

2. 如果想要計算非對即錯試題的鑑別度，可使用那些指數？請說明這些指數的意義。（101地四）

[考題解析範例]

一、積差相關、phi相關、點二系列相關、淨相關是四種不同的相關係數，某班導師握有學生下列資料：性別、有沒有交異性朋友、身高、體重、年齡：
(一)請說明四種相關係數的使用時機。
(二)請從上述各變數中，任選兩個或兩個以上的變數，來作為這四種相關的實例。(100身三)

答 (一)僅將題目中所提四種相關分析法列表比較如下：

相關分析法	X變項	Y變項	適用時機
積差相關 product-moment	連續變項	連續變項	分析X、Y的線性關係
phi相關(ψ) phi correlation	真正二分名義變項	真正二分名義變項	計算X、Y的關聯強度
點二系列相關 point-biserial	真正二分名義變項	連續變項	試題鑑別度分析
淨相關 partial correlation	X、Y、Z三個連續變項		以$r_{XY \cdot Z}$表示去除Z的共同影響後X、Y的純淨關係

(二)相關實例：

1. 積差相關：身高與體重
2. phi相關：性別與有無異性朋友
3. 點二系列相關：性別與身高
4. 淨相關：身高和體重在排除年齡變項的共同影響後的相關

二、利用下表數據，試算四分相關係數。

	智能不足	智能正常
已婚	12	264
未婚	36	108

答 $r_{tet}=\cos\left(\frac{180°}{1+\sqrt{\frac{264\times 36}{12\times 108}}}\right)=0.663$

第十章 新興統計理論與方法

依據出題頻率區分，屬：**A** 頻率高

開箱密碼

本章主要在介紹統計學的新興流行理論、方法與議題，並詳加說明。尤其近年與資訊科學中的大數據、資料探勘與人工智慧相關的考題愈來愈多，考生必須多加留意。

(1)資料探勘；(2)統計學習理論；(3)人工智慧；(4)校務研究；(5)測驗等化，都是本章重要的考點。

近年來，由於計算機的快速發展，一些運用計算機超強計算能力的新興統計方法乃因應而生，這些方法能處理更為複雜的統計估計及推論，使統計理論更能落實，大幅度地提升了統計學的實際用途。例如：近年流行的校務研究（IR）資料採礦（data mining）技術，便是使用複雜的統計模型，透過大數據（big data）的相關技術，發現各種教育現象之間的關係，例如教育自由化與社會平等之間的關係、學校選拔合適的學生入學、系統性專業化評量學生學習成效、檢視校內教育方案實施有效性分析……等。這些新興的統計方法不但為統計學開創新的境界，更是所有學習教育統計的讀者不能忽視的領域，也是考試的最新焦點。

第一節 統計學習理論

統計理論其實主要可以分成三大類：(一)估計理論（estimation theory）；(二)漸進理論（asymptotic theory）；(三)最佳化理論（optimality theory）。

估計理論主要探討估計式（樣本平均）是否可以估計母群性質（母群平均）；漸進理論關心的是當我們適當的調整樣本平均與母群平均之間的距離後，是否能夠得到一個常態分配，如此才能進行統計推論；最佳化理論則是找尋滿足某些條件的所有估計式，收斂速率最快（預測能力最佳）的那一個。

一、統計學習理論與傳統統計理論的差異

而統計學習理論（statistical learning theory）則是一種機器學習的架構，根據統計學與函數分析（functional analysis）而建立。機器學習很重視預測的精準度，而預測精準度的估計，自然就是一個估計理論（estimation theory）的重要課題。統計學習也重視最佳化理論（optimality theory），確認某一套方法在某些問題上的預測誤差是最小的。因此，統計學習理論可說是，基於資料，找出預測性最佳的函數，進行問題解決的統計技術。

二、機器學習與統計學習理論

機器學習（machine learning），是近20多年興起的一門多領域交叉學科，涉及機率論、統計學、逼近論、凸分析、演算法複雜度理論等多門學科。機器學習理論主要是設計和分析一些讓計算機可以自動「學習」的演算法。機器學習演算法是一類從數據中自動分析獲得規律，並利用規律對未知數據進行預測的演算法。因為學習演算法中涉及了大量的統計學理論，機器學習與統計推論學聯繫尤為密切，因此也被稱為「統計學習理論」。

三、統計學習理論的應用

基於統計學習理論而產生的機器學習，已經有了十分廣泛的應用，例如：資料採礦（或稱資料探勘、數據挖掘）（data mining）、計算機視覺、自然語言處理、生物特徵識別、搜索引擎、醫學診斷、檢測信用卡欺詐、證券市場分析、DNA 序列測序、語音和手寫識別、戰略遊戲和機器人運用……等。

第二節　人工智慧

人工智慧（artificial intelligence，簡稱AI）相關的機器學習與理論基礎（learning and theory）包含了機器學習基礎理論（包含1990年代發展的VC理論）、分類器（包含決策樹及支援向量機）、神經網路（包含深度學習）及增強式學習（包含深度增強式學習）。學習者必須擁有的先備知識有：基礎電腦科學知識與基本數學知識（微積分，向量，機率與統計等）、計算機概論、資料結構與演算法。

一、人工智慧的發展

人工智慧發展範疇涵蓋了所有嘗試以電腦去模仿人腦處理資訊的能力，包括類神經網路（neural network）、知識圖譜（knowledge graph）、以及自然

語言處理技術（natural language processing, NLP）等。模仿人類思考的強人工智慧到目前為止，不算完全成功，其中機器學習（machine learning）技術，因為大數據（big data）的爆炸成長，使機器學習獲得充分的訓練資料（training data），加上電腦運算效能的長足進步做支撐，已經成為人工智慧領域相當重要的一個區塊。尤其當中的深度學習（deep learning）更帶來近期一些突破，例如AlphaGo戰勝世界圍棋冠軍、無人駕駛汽車技術實現了。

二、人工智慧的教育應用

機器學習大量使用統計的方法，進而建模與推論，建立預測能力。它的許多應用已經存在於我們生活中，例如:人臉與圖片辨識、手寫輸入辨識、自動過濾垃圾郵件、自動偵測信用卡盜刷等。在教育方面最重要的應用就是適性學習系統（adaptive learning system, ALS或intelligent tutoring system, ITS）。ITS的核心定義是，系統會隨時收集學習者的行為與評量結果，自動動態地調整下一步，提供給學習者最適當的內容、反饋、提示、練習或測驗題目，以提升學習者的學習成效、動機，節省時間，並保持學習者在最適的挑戰範圍內，俗稱近側發展區間（zone of proximal development, ZPD）。

ITS技術上分成三大類，實際產品也可能同時採用兩種以上技術結合：

適性學習平台 adaptive sequence	這種系統的提供者都是工具平台業者，通常與內容出版商合作，或者讓教師、作者自行建立上傳內容，系統會根據學習者的先備知識與對各知識點的精熟度不同而調整學習路徑。
適性學習內容 adaptive content	設計互動內容提供即時反饋或提示，需要將傳統內容重新改製成顆粒度較小的設計以提供階段性支持與評量，可將評量題目嵌入學習內容中以檢測學習理解程度，內容改製成本高，效果較佳，分析較能入微。顆粒化內容應與學習課綱標準正確對應。單純的這種產品其學習路徑是不變的，只根據能力而加速或重複學習，但是有些產品也結合了適性學習平台。此型態最適合學習內容出版業者發展。
適性學習評量 adaptive assessment	目前被用在自我練習或正式評量上，當學習者回答測驗題時，根據答對/錯或部分答對/錯，下一個題目會動態調整，只提供適合使用者程度的題目。其目的是有效率地測出學習者的能力定位，可依據不同標準化量尺來表示。題目的品質非常重要，題目與標準能力量尺的定位也最好有大量統計數據較有可信度。此型態最適合題庫型產品業者發展（Classroom Aid, 2018）。

第三節　校務研究與資料採礦（107高考）

一、校務研究

「校務研究」（institutional research, IR）在美國大學發展近50年，宗旨在於整合大學內部日常行政、調查數據，以及學生學習等資料，用以執行校務運作診斷與自我改進，為校務決策提供數據支持的決策基礎。「校務研究」的具體項目可運用至校務各個運作層面，包括：選拔合適學生入學、系統性專業化評量學生學習成效、檢視校內教育方案實施有效性、促進校務運作資料共享與透明，以及形塑實事求是的校務治理文化等。

二、資料採礦

將IR運用在校務治理和大學研究，主要透過「資料採礦」技術，來分析大數據或資料庫資料，以瞭解測驗變項之可能分配的組型、群組或關聯性。這種運用大數據的分析技術協助治理學校的運作方式，能支撐美國頂尖大學面對全球競爭者時，得以洞燭機先、快速有效反應來自內外部的各項挑戰。

資料採礦的分析方法，隨著不同的理論與應用，可以區分成不同的類別。常見的方法有：決策樹分析、關聯性分析、類神經網路、基因演算法、多元尺度分析法、集群分析法、羅吉斯迴歸、聯合分析、時間數列分析法、貝氏網絡分析法、蟻群分析法，以及多變量分析……等。

三、類神經網路的類型

統計學習跟機器學習的不同，在於統計學習的方法大多為監督式的學習方法，對於最終的可能結果在學習之前就已經界定好，反觀晚近的機器學習有不少方法是屬於非監督式學習或具記憶功能的增強式學習，這類方法對最終結果並未在學習之前就界定，而是讓資料替自己說話，最終結果是甚麼，端賴輸入的資料而定。

類神經網絡（artificial neural networks）是資料採礦技術常用的分析方法。一般類神經網路依其學習特性的差異，可以區分成監督式學習（supervised）、非監督式學習（unsupervised）、聯想式學習（associate learning network）及最適化應用網路（optimization application network），以下將介紹其網路特性：

(一) 監督式學習網路（supervised learning network）（107高考）

從問題領域中取得訓練範例（包括輸入變數值及輸出變數值），網路從中學習輸入變數與輸出變數的內在對應規則，以應用於新的範例（只有輸入變數值而需推論輸出變數值的應用）；此種學習方式有如老師指導學生對問題做正確的回答，常見應用於圖形辨認和預測領域，如：倒傳遞網路、學習向量量化網路、機率神經網路、反傳遞網路（CP）等。

(二) **非監督式學習網路**（unsupervised learning network）（107高考）

相對於監督式學習網路而言，必須有明確的輸入與輸出範例資料訓練網路，然而非監督式學習只需要從問題域中取得輸入變數值範例資料，並從中學習範例內在聚類規則，以應用於新範例（有輸入變數值，而需推論它與那些訓練範例屬同一聚類的應用），如：競爭式學習、自適應共振理論網路（ART）、Kohonen 學習法則（SOM）等。

(三) **聯想式學習**（associate learning network）

從問題領域中取得訓練範例（狀態變數值），並從中學習範例的內在記憶規則，以應用新的案例，意即在現有資料不完整狀態之下，而需推論其完整的狀態變數值之應用，如霍普菲爾網路（HNN）、雙向聯想記憶網路（BAM）等。

(四) **最適化應用網路**（optimization application network）

類神經網路除了「學習」應用外，還有一個特殊應用，那就是最適化應用，意即對一問題決定其設計變數值，使其在滿足設計限制條件下，使設計目標達到最佳狀態的應用，如霍普菲爾—坦克網路（HTN）、退火神經網路（ANN）等。

第四節　隨機森林

隨機森林（random forest，簡稱RF），是晚近流行的統計學習方法，由布萊曼（L. Breiman）所發展。眾所周知，理論統計中最重要的兩個議題是中央極限定理跟大數法則，Breiman提出的隨機森林融合拔靴法（bootstraping）跟第一代決策樹（decision tree）的學習方法，衍生出後來的隨機森林。詳述如下：

一、拔靴法

拔靴法是另一個很重要的統計學家艾弗隆（B. Efron）於1979所發展出來的統計方法，屬於重複抽樣（resampling）方法。它是將已有的觀察值當作是母群重複抽樣，以求取原先因資料不足而無法探討的資料特性。換句話說，它是不斷地從真實資料中進行抽樣，以替代先前生成的樣本。此法樣本數越大越好，對於估計結果的準確性更為有利。尤其在資料來源分配未知的情況，可運用拔靴法去作估計及統計推論，拔靴所提供的近似值會比常用的極限近似值更精確。

二、決策樹

在資料探勘領域中，決策樹（decision tree）和類神經網路，都是常見的方法。類神經網路已在前面介紹過了，而這裡所謂的決策樹，則是由一個決策圖和可能的結果（包括資源成本和風險）組成，用來創建到達目標的規劃。決策樹建立並用來輔助決策，是一種特殊的樹形結構，它是一個利用像樹一樣的圖形或決策模型的決策支持工具。

三、隨機森林

隨機森林，顧名思義，是用隨機的方式建立一個森林，森林裡面有很多的決策樹組成，隨機森林的每一棵決策樹之間是沒有關聯的。在機器學習中，隨機森林是一個包含多個決策樹的分類器，並且其輸出的類別是由個別樹輸出的類別的眾數而定。而不同的機器學習模型有其適用的資料與預測情境。隨機森林的基本概念是為解決一些特定議題，比如資料中經常會面臨缺值問題，在隨機森林中，就由取出放回的重複抽取來建構新樣本，再藉由特定邏輯不斷重複進行相關事宜補強，最終重新將建構出的枝葉增補在特定決策樹，之後就是後續計算與參數估計和統計檢定的問題。

第五節　測驗等化與量尺化

由於不同試卷間存在難易度、信度等方面的差異，為了確定每次各科測驗合格的考生能力標準維持一致，故需採取「等化」的方法，以維持測驗之公平性。這樣的做法至少牽涉三個重要的測驗概念，一個是測驗等化（test equating），一個是定錨試題（anchor items），另一個就是量尺化程序（scaling procedures）。

一、測驗等化（107高考）

測驗等化之目的，在於使每次測驗分數間可客觀、有效地進行比較。換句話說，測驗等化就是利用統計方法，將受試者在某一測驗的分數轉換至另一測驗分數量尺，以比較兩測驗分數關係的過程。所謂測驗等化係指利用統計方法，將兩份或是兩份以上試卷的測驗分數進行轉換，等化的目的是在校準測驗難度之差異，而非測驗內容之差異。

二、定錨試題（107高考）

在「試題反應理論」的假設下，不同的測驗結果，需要建立共同量尺，方能進行分數間的比較。而共同量尺的建立，則需借助測驗等化的技巧方得以完成。不同測驗間的分數欲進行等化，需要在各測驗中包含一份共同試題，稱為定錨試題，以便作為測驗間的連結之用，在量尺定錨點上使用的定錨試題，通常是受試者通過機率較大者。進行測驗等化時通常假設定錨試題的參數為已知，換言之，施測者通常會利用校準完成的試題。定錨試題的品質，對於後續的等化過程，扮演極為重要的角色。

盧宏益（2014）的研究發現，定錨試題參數估計誤差的大小會直接反應在測驗等化後的能力估計值上，其中又以難度參數含有估計誤差時影響較大；而增加測驗題數及定錨試題比例可降低等化的「均方誤差」（mean square error），測驗人數的多寡則影響不大，定錨比例為測驗題數的20%至30%等化效果最佳。

三、量尺化程序

量尺化程序是指透過適當的「測驗等化」方法，將不同的測驗分數連結（linking）至相同的量尺上，以進行受試者學習成就的比較與測驗分數的解釋。為考慮施測不同題本（booklet）的測驗分數能建立在同一個量尺上，大型測驗必須定期地進行受試者能力參數與試題參數之連結，也就是必須選擇適當的量尺化方法。

近年來，較常被使用的量尺化方法（scaling methods）是以試題反應理論（item response theory，簡稱IRT）為基礎的同時估計法（concurrent calibration）與分開估計法（separate estimation）。

Hanson與Beguin（2002）指出，同時估計法在進行測驗等化時有較佳的等化效果。且國內外的大型測驗，例如NAEP、TIMSS、TASA 等在同年度不同測驗間皆使用同時估計法來進行量尺化程序。以TASA為例，國家教育研究院指出，TASA在連結不同年度測驗量尺分數時，是使用固定試題參數（fixed-item parameter）的量尺化方法（國家教育研究院，2010）。

四、線上校準

目前許多教育與心理相關的測驗，都有「線上施測」的發展趨勢。隨著電腦資訊及測驗理論的發展，電腦化適性測驗（computerized adaptive testing，簡稱CAT）在最近幾年來已逐漸取代傳統的紙筆測驗，成為現代測驗的新趨勢，並廣泛地應用在證照考試或是專業檢定上，如GRE、GMAT及TOEFL

等。在線上測驗中，題庫中的題目會存在過度曝光或是試題消耗量過大的問題。因此，必須不斷地補充新題目，並同時對新題目進行試題校準工作。傳統的作法，須經過預試階段，藉由考生的作答結果，估計所有新試題的參數。然而，這樣的作法會耗費許多時間及成本。因此，線上校準（online calibration）便成為一種經濟且有效率的作法。所謂線上校準，係指讓考生進行線上測驗時，同時進行新試題的校準工作。以CAT為例，其目的為估計考生的能力，而線上校準為當考生進行考試時，將未完成試題校準的試題給予考生施測，其目的為估計試題參數，其用意為利用目前進行測驗的考生作為預試人選，達到節省成本的目的（盧宏益，2014）。

第六節　研究的重要變項

一、混淆變項（confounding variable）

當自變項（IV）與依變項（DV）皆受第三變項所影響，且導致IV與DV間關係降低，此第三變項稱為混淆變項。

二、控制變數（control variable）

IV與DV相關性很強，但因果關係似是而非，正確的因果關係可能受其他變數所影響，此時需將其他變數中立化，此中立變數稱為控制變數（CV）。

三、伴隨變數（covariate variable）

伴隨變數不探討對依變數的影響，目的在於純化IV與DV間的關係，伴隨變數也算控制變數（CV）的一種。

四、調節變數、干擾變數、條件變數（moderating variables, MV）（107地四）

對自變項（IV）與依變項（DV）間的關係會產生影響的變數，MV對DV會有影響，且MV與IV對DV會有交互影響，具有調節自變數對依變數的作用。MV可視為第二獨立變數，對DV直接影響且影響較大的變數當IV，影響較小的當MV；學理依據較多的當IV，較少的當MV。

五、前置變數（antecedent variables）

AX、XY、AY存在統計相關性，A被控制時，XY的關係不變；X被控制時，AY的關係消失。

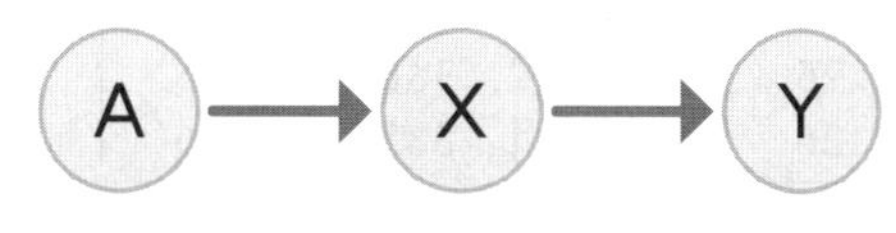

附 表

表A 常態分配表

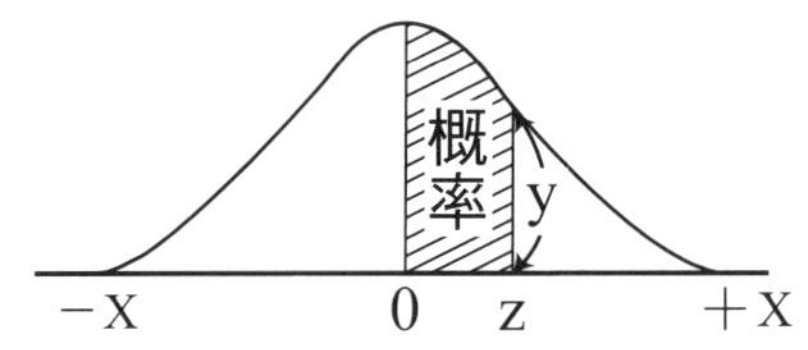

z	概率	y	z	概率	y	z	概率	y
.00	.0000	.3989	.50	.1915	.3521	1.00	.3413	.2420
.01	.0040	.3989	.51	.1950	.3503	1.01	.3438	.2396
.02	.0080	.3989	.52	.1985	.3485	1.02	.3461	.2371
.03	.0120	.3988	.53	.2019	.3467	1.03	.3485	.2347
.04	.0160	.3986	.54	.2054	.3448	1.04	.3508	.2323
.05	.0199	.3984	.55	.2088	.3429	1.05	.3531	.2299
.06	.0239	.3982	.56	.2123	.3410	1.06	.3554	.2275
.07	.0279	.3980	.57	.2157	.3391	1.07	.3577	.2251
.08	.0319	.3977	.58	.2190	.3372	1.08	.3599	.2227
.09	.0359	.3973	.59	.2224	.3352	1.09	.3621	.2203
.10	.0398	.3970	.60	.2257	.3332	1.10	.3643	.2179
.11	.0438	.3965	.61	.2291	.3312	1.11	.3665	.2155
.12	.0478	.3961	.62	.2324	.3292	1.12	.3686	.2131
.13	.0517	.3856	.63	.2357	.3271	1.13	.3708	.2107
.14	.0557	.3951	.64	.2389	.3251	1.14	.3729	.2083
.15	.0596	.3945	.65	.2422	.3230	1.15	.3749	.2059
.16	.0636	.3939	.66	.2454	.3209	1.16	.3770	.2036
.17	.0675	.3932	.67	.2486	.3187	1.17	.3790	.2012
.18	.0714	.3925	.68	.2517	.3166	1.18	.3810	.1989
.19	.0753	.3918	.69	.2549	.3144	1.19	.3830	.1965
.20	.0793	.3910	.70	.2580	.3123	1.20	.3849	.1942
.21	.0832	.3902	.71	.2611	.3101	1.21	.3869	.1919
.22	.0871	.3894	.72	.2642	.3079	1.22	.3888	.1895
.23	.0910	.3885	.73	.2673	.3056	1.23	.3907	.1872
.24	.0948	.3876	.74	.2704	.3034	1.24	.3925	.1849
.25	.0987	.3867	.75	.2734	.3011	1.25	.3944	.1826
.26	.1026	.3857	.76	.2764	.2989	1.26	.3962	.1804

z	概率	y	z	概率	y	z	概率	y
.27	.1064	.3847	.77	.2794	.2966	1.27	.3980	.1781
.28	.1103	.3836	.78	.2823	.2943	1.28	.3997	.1758
.29	.1141	.3825	.79	.2852	.2920	1.29	.4015	.1736
.30	.1179	.3814	.80	.2881	.2897	1.30	.4032	.1714
.31	.1217	.3802	.81	.2910	.2874	1.31	.4049	.1691
.32	.1255	.3790	.82	.2939	.2850	1.32	.4066	.1669
.33	.1293	.3778	.83	.2967	.2827	1.33	.4082	.1647
.34	.1331	.3765	.84	.2995	.2803	1.34	.4099	.1626
.35	.1368	.3752	.85	.3023	.2780	1.35	.4115	.1604
.36	.1406	.3739	.86	.3051	.2756	1.36	.4131	.1582
.37	.1443	.3725	.87	.3078	.2732	1.37	.4147	.1561
.38	.1480	.3712	.88	.3106	.2709	1.38	.4162	.1539
.39	.1517	.3697	.89	.3133	.2685	1.39	.4177	.1518
.40	.1555	.3683	.90	.3159	.2661	1.40	.4192	.1497
.41	.1591	.3668	.91	.3186	.2637	1.41	.4207	.1476
.42	.1628	.3653	.92	.3212	.2613	1.42	.4222	.1456
.43	.1664	.3637	.93	.3238	.2589	1.43	.4236	.1435
.44	.1700	.3621	.94	.3264	.2565	1.44	.4251	.1415
.45	.1736	.3605	.95	.3289	.2541	1.45	.4265	.1394
.46	.1772	.3589	.96	.3315	.2516	1.46	.4279	.1374
.47	.1808	.3572	.97	.3340	.2492	1.47	.4292	.1354
.48	.1844	.3555	.98	.3365	.2468	1.48	.4306	.1334
.49	.1879	.3538	.99	.3389	.2444	1.49	.4319	.1315
.50	.1915	.3521	1.00	.3413	.2420	1.50	.4332	.1295
1.50	.4332	.1295	2.00	.4772	.0540	2.50	.4938	.0175
1.51	.4345	.1276	2.01	.4778	.0529	2.51	.4940	.0171
1.52	.4357	.1257	2.02	.4783	.0519	2.52	.4941	.0167
1.53	.4370	.1238	2.03	.4788	.0508	2.53	.4943	.0163
1.54	.4382	.1219	2.04	.4793	.0498	2.54	.4945	.0158
1.55	.4394	.1200	2.05	.4798	.0488	2.55	.4946	.0154
1.56	.4406	.1182	2.06	.4809	.0478	2.56	.4948	.0151
1.57	.4418	.1163	2.07	.4808	.0468	2.57	.4949	.0147
1.58	.4429	.1145	2.08	.4812	.0459	2.58	.4951	.0143
1.59	.4441	.1127	2.09	.4817	.0449	2.59	.4952	.0139
1.60	.4452	.1109	2.10	.4821	.0440	2.60	.4953	.0136
1.61	.4463	.1092	2.11	.4826	.0431	2.61	.4955	.0132
1.62	.4474	.1074	2.12	.4830	.0422	2.62	.4956	.0129
1.63	.4484	.1057	2.13	.4834	.0413	2.63	.4957	.0126
1.64	.4495	.1040	2.14	.4838	.0404	2.64	.4959	.0122
1.65	.4505	.1023	2.15	.4842	.0396	2.65	.4960	.0119
1.66	.4515	.1006	2.16	.4846	.0387	2.66	.4961	.0116
1.67	.4525	.0989	2.17	.4850	.0379	2.67	.4962	.0113
1.68	.4535	.0973	2.18	.4854	.0371	2.67	.4962	.0110

z	概率	y	z	概率	y	z	概率	y
1.69	.4545	.0957	2.19	.4857	.0363	2.69	.4964	.0107
1.70	.4554	.0940	2.20	.4861	.0355	2.70	.4965	.0104
1.71	.4564	.0925	2.21	.4864	.0347	2.71	.4966	.0101
1.72	.4573	.0909	2.22	.4868	.0339	2.72	.4967	.0099
1.73	.4582	.0893	2.23	.4871	.0332	2.73	.4968	.0096
1.74	.4591	.0878	2.24	.4875	.0325	2.74	.4969	.0093
1.75	.4599	.0863	2.25	.4878	.0317	2.75	.4970	.0091
1.76	.4608	.0848	2.26	.4881	.0310	2.76	.4971	.0088
1.77	.4616	.0833	2.27	.4884	.0303	2.77	.4972	.0086
1.78	.4625	.0818	2.28	.4887	.0297	2.78	.4973	.0084
1.79	.4633	.0804	2.29	.4890	.0290	2.79	.4974	.0081
1.80	.4641	.0790	2.30	.4893	.0283	2.80	.4974	.0079
1.81	.4649	.0775	2.31	.4896	.0277	2.81	.4975	.0077
1.82	.4656	.0761	2.32	.4898	.0270	2.82	.4976	.0075
1.83	.4664	.0748	2.33	.4901	.0264	2.83	.4977	.0073
1.84	.4671	.0734	2.34	.4904	.0258	2.84	.4977	.0071
1.85	.4678	.0721	2.35	.4906	.0252	2.85	.4978	.0069
1.86	.4686	.0707	2.36	.4909	.0246	2.86	.4979	.0067
1.87	.4693	.0694	2.37	.4911	.0241	2.87	.4979	.0065
1.88	.4699	.0681	2.38	.4913	.0235	2.88	.4980	.0063
1.89	.4706	.0669	2.39	.4916	.0229	2.89	.4981	.0061
1.90	.4713	.0656	2.40	.4918	.0224	2.90	.4981	.0060
1.91	.4719	.0644	2.41	.4620	.0219	2.91	.4982	.0058
1.92	.4726	.0632	2.42	.4922	.0213	2.92	.4982	.0056
1.93	.4732	.0620	2.43	.4925	.0208	2.93	.4983	.0055
1.94	.4738	.0608	2.44	.4927	.0203	2.94	.4984	.0053
1.95	.4744	.0596	2.45	.4929	.0198	2.95	.4984	.0051
1.96	.4750	.0584	2.46	.4931	.0194	2.96	.4985	.0050
1.97	.4756	.0573	2.47	.4932	.0189	2.97	.4985	.0048
1.98	.4761	.0562	2.48	.4934	.0184	2.98.	.4985	.0047
1.99	.4767	.0551	2.49	.4936	.0180	2.99	.4986	.0046
2.00	.4772	.0540	2.50	.4938	.0175	3.00	.4987	.0044
3.00	.4987	.0044	3.40	.4997	.0012	3.80	.49993	.0003
3.01	.4987	.0043	3.41	.4997	.0012	3.81	.49993	.0003
3.02	.4987	.0042	3.42	.4997	.0012	3.82	.49993	.0003
3.03	.4988	.0040	3.43	.4997	.0011	3.83	.49994	.0003
3.04	.4988	.0039	3.44	.4997	.0011	3.84	.49994	.0003
3.05	.4989	.0038	3.45	.4997	.0010	3.85	.49994	.0002
3.06	.4989	.0037	3.46	.4997	.0010	3.86	.49994	.0002
3.07	.4989	.0036	3.47	.4997	.0010	3.87	.49995	.0002
3.08	.4990	.0035	3.48	.4997	.0009	3.88	.49995	.0002
3.09	.4990	.0034	3.49	.4998	.0009	3.89	.49995	.0002

z	概率	y	z	概率	y	z	概率	y
3.10	.4990	.0033	3.50	.4998	.0009	3.90	.49995	.0002
3.11	.4991	.0032	3.51	.4998	.0008	3.91	.49995	.0002
3.12	.4991	.0031	3.52	.4998	.0008	3.92	.49996	.0002
3.13	.4991	.0030	3.53	.4998	.0008	3.93	.49996	.0002
3.14	.4992	.0029	3.54	.4998	.0008	3.94	.49996	.0002
3.15	.4992	.0028	3.55	.4998	.0007	3.95	.49996	.0002
3.16	.4992	.0027	3.56	.4998	.0007	3.96	.49996	.0002
3.17	.4992	.0026	3.57	.4998	.0007	3.97	.49996	.0002
3.18	.4993	.0025	3.58	.4998	.0007	3.98	.49997	.0001
3.19	.4993	.0025	3.59	.4998	.0006	3.99	.49997	.0001
3.20	.4993	.0024	3.60	.4998	.0006	4.00	.49997	.0001
3.21	.4993	.0023	3.61	.4998	.0006	4.05	.49997	.0001
3.22	.4994	.0022	3.62	.4999	.0006	4.10	.49998	.00009
3.23	.4994	.0022	3.63	.4999	.0005	4.20	.49999	.00006
3.24	.4994	.0021	3.64	.4999	.0005	4.30	.49999	.00004
3.25	.4994	.0020	3.65	.4999	.0005	4.40	.49999	.00002
3.26	.4994	.0020	3.66	.4999	.0005	4.50	.499997	.00002
3.27	.4995	.0019	3.67	.4999	.0005	4.60	.499998	.00001
3.28	.4995	.0018	3.68	.4999	.0005	4.70	.499999	.000006
3.29	.4995	.0018	3.69	.4999	.0004	4.80	.499999	.000004
3.30	.4995	.0017	3.70	.4999	.0004	4.90	.4999995	.000002
3.31	.4995	.0017	3.71	.4999	.0004	5.00	.4999997	.000001
3.32	.4995	.0016	3.72	.4999	.0004			
3.33	.4996	.0016	3.73	.4999	.0004			
3.34	.4996	.0015	3.74	.49991	.0004			
3.35	.4996	.0015	3.75	.49991	.0004			
3.36	.4996	.0014	3.76	.49992	.0003			
3.37	.4996	.0014	3.77	.49992	.0003			
3.38	.4996	.0013	3.78	.49992	.0003			
3.39	.4997	.0013	3.79	.49992	.0003			

表B 積差相關係數(r)顯著性臨界值

df=n−2	α =.10	.05	.02	.01
1	.988	.997	.9995	.9999
2	.900	.950	.980	.990
3	.805	.878	.934	.959
4	.729	.811	.882	.917
5	.669	.754	.833	.874
6	.622	.707	.789	.834
7	.582	.666	.750	.798
8	.549	.632	.716	.765
9	.521	.602	.685	.735
10	.497	.576	.658	.708
11	.476	.553	.634	.684
12	.458	.532	.612	.661
13	.441	.514	.592	.641
14	.426	.497	.574	.623
15	.421	.482	.558	.606
16	.400	.468	.542	.590
17	.389	.456	.528	.575
18	.378	.444	.516	.561
19	.369	.433	.503	.549
20	.360	.423	.492	.537

df=n−2	α =.10	.05	.02	.01
21	.352	.413	.482	.536
22	.344	.404	.472	.515
23	.337	.396	.462	.505
24	.330	.388	.453	.496
25	.323	.381	.445	.487
26	.317	.374	.437	.479
27	.311	.367	.430	.471
28	.306	.361	.423	.463
29	.301	.355	.416	.456
30	.296	.349	.409	.449
35	.275	.325	.381	.418
40	.257	.304	.358	.393
45	.243	.288	.338	.372
50	.231	.273	.322	.354
60	.211	.250	.295	.325
70	.195	.232	.274	.302
80	.183	.217	.256	.283
90	.173	.205	.242	.267
100	.164	.195	.230	.254

表C 亂數表

03 99 11 04 61 93 71 61 68 94 66 08 32 46 53 84 60 95 82 32 88 61 81 91 61
38 55 59 55 54 32 88 65 97 80 08 35 56 08 60 29 73 54 77 62 71 29 92 38 53
17 54 67 37 04 92 05 24 62 15 55 12 12 92 81 59 07 60 79 36 27 95 45 89 09
32 64 35 28 61 95 81 90 68 31 00 91 19 89 36 76 35 59 37 79 80 86 30 05 14
69 67 26 87 77 39 51 03 59 05 14 06 04 06 19 29 54 96 96 16 33 56 76 07 80

24 12 26 65 91 27 69 90 64 94 14 84 54 66 72 61 95 87 71 00 90 89 97 57 54
61 19 63 02 31 92 96 26 17 73 41 83 95 53 82 17 26 77 09 43 78 03 87 02 67
30 53 22 17 04 10 27 41 22 02 39 68 52 33 09 10 06 16 88 29 55 98 66 64 85
03 78 89 75 99 75 86 72 07 17 74 41 65 31 66 35 20 83 33 74 87 53 90 88 23
48 22 86 33 79 85 78 34 76 19 53 15 26 74 33 35 66 35 29 72 16 81 86 03 11

60 36 59 46 53 35 07 53 39 49 42 61 42 92 97 01 91 82 83 16 98 95 37 32 31
83 79 94 24 02 56 62 33 44 42 34 99 44 13 74 70 07 11 47 36 09 95 81 80 65
32 96 00 74 05 36 40 98 32 32 99 38 54 16 00 11 13 30 75 86 15 91 70 62 53
19 32 25 38 45 57 62 05 26 06 66 49 76 86 46 78 13 86 65 59 19 64 09 94 13
11 22 09 47 47 07 39 93 74 08 48 50 92 39 29 27 48 24 54 76 85 24 43 51 59

31 75 15 72 60 68 98 00 53 39 15 47 04 83 55 88 65 12 25 96 03 15 21 91 21
88 49 29 93 82 14 45 40 45 04 20 09 49 89 77 74 84 39 34 13 22 10 97 85 08
30 93 44 77 44 07 48 18 38 28 73 78 80 65 33 28 59 72 04 05 94 20 52 03 80
22 88 84 88 93 27 49 99 87 48 60 53 04 51 28 74 02 28 46 17 82 03 71 02 68
78 21 21 69 93 35 90 29 13 86 44 37 21 54 86 65 74 11 40 14 87 48 13 72 20
41 84 98 45 47 46 85 05 23 26 34 67 75 83 00 74 91 06 43 45 19 32 58 15 49
46 35 23 30 49 69 24 89 34 60 45 30 50 75 21 61 31 83 18 55 14 41 37 09 51
11 08 79 62 94 14 01 33 17 92 59 74 76 72 77 76 50 33 45 13 39 66 37 75 41
52 70 10 53 37 56 30 38 73 15 16 52 06 96 76 11 65 49 98 93 02 18 16 81 61
57 27 53 68 98 81 30 44 85 85 68 65 22 73 76 92 85 25 58 66 88 44 80 35 84

20 85 77 31 56 70 28 42 43 26 79 37 59 52 20 01 15 96 32 67 10 62 24 83 91
15 63 38 49 24 90 41 59 36 14 33 52 12 66 65 55 82 34 76 41 86 22 53 17 04
92 69 44 82 97 39 90 40 21 15 59 58 94 90 67 66 82 14 15 75 49 46 70 40 37
77 61 31 90 19 88 15 20 00 80 20 55 49 14 09 99 27 74 82 57 50 81 69 76 16
38 68 83 24 86 45 13 46 35 45 59 40 47 20 59 43 94 75 16 80 43 85 25 96 93

25 16 30 18 89 70 01 41 50 21 41 29 06 73 12 71 85 71 59 57 68 97 11 14 30
65 25 10 76 29 37 23 93 32 95 05 87 00 11 19 92 78 42 63 40 18 47 76 56 22
36 81 54 36 25 18 63 73 75 09 22 44 49 90 05 04 92 17 37 01 14 70 79 39 97
64 39 71 16 92 05 32 78 21 62 20 24 78 17 59 45 19 72 53 32 83 74 52 25 67
04 51 52 56 24 95 09 66 79 46 48 46 08 55 58 15 19 11 87 82 16 93 03 33 61

83 76 16 08 73 43 25 38 41 45 60 83 32 59 83 01 29 14 13 49 20 36 80 71 26
14 38 70 63 65 80 85 40 92 79 43 52 90 63 18 38 38 47 47 61 41 19 63 74 80
51 32 19 22 46 80 08 87 70 74 88 72 25 67 36 66 16 44 94 31 66 91 93 16 78
72 47 20 00 08 80 89 01 80 02 94 81 33 19 00 54 15 58 34 36 35 35 25 41 31
05 46 65 53 06 93 12 81 84 64 74 45 79 05 31 72 84 81 18 34 79 98 26 84 16

39 52 87 24 84 82 47 42 55 93 48 54 53 52 47 18 61 91 36 74 18 61 11 92 41
81 61 61 87 11 53 34 24 42 76 75 12 21 17 24 74 62 77 37 07 58 31 91 59 97
07 58 61 61 20 82 64 12 28 20 92 90 41 31 41 32 39 21 97 63 61 19 96 79 40
90 76 70 42 35 13 57 41 72 00 69 90 26 37 42 78 46 42 25 01 18 62 79 08 72
40 18 82 81 93 29 59 38 86 27 94 97 21 15 98 62 09 53 67 87 00 44 15 89 97

表D t分配表(左表)

df	1-α					
	0.9	0.95	0.975	0.98	0.99	0.995
1	3.078	6.314	12.706	15.895	31.821	63.657
2	1.886	2.920	4.303	4.849	6.965	9.925
3	1.638	2.353	3.182	3.482	4.541	5.841
4	1.533	2.132	2.776	2.999	3.747	4.604
5	1.476	2.015	2.571	2.757	3.365	4.032
6	1.440	1.943	2.447	2.612	3.143	3.707
7	1.415	1.895	2.365	2.517	2.998	3.499
8	1.397	1.860	2.306	2.449	2.896	3.355
9	1.383	1.833	2.262	2.398	2.821	3.250
10	1.372	1.812	2.228	2.359	2.764	3.169
11	1.363	1.796	2.201	2.308	2.718	3.106
12	1.356	1.782	2.179	2.303	2.681	3.055
13	1.350	1.771	2.160	2.282	2.650	3.012
14	1.345	1.761	2.145	2.264	2.624	2.977
15	1.341	1.753	2.131	2.249	2.602	2.947
16	1.337	1.476	2.120	2.235	2.583	2.921
17	1.333	1.740	2.110	2.224	2.567	2.898
18	1.330	1.734	2.101	2.214	2.552	2.878
19	1.328	1.729	2.093	2.205	2.539	2.861
20	1.325	1.725	2.086	2.197	2.528	2.845
21	1.323	1.721	2.080	2.189	2.518	2.831
22	1.321	1.717	2.074	2.183	2.508	2.819
23	1.319	1.714	2.069	2.177	2.500	2.807
24	1.318	1.711	2.064	2.172	2.492	2.797
25	1.316	1.708	2.060	2.167	2.485	2.787
26	1.315	1.706	2.056	2.162	2.479	2.779
27	1.314	1.703	2.052	2.158	2.473	2.771
28	1.313	1.701	2.048	2.154	2.467	2.763
29	1.311	1.699	2.045	2.150	2.462	2.756
30	1.310	1.697	2.042	2.147	2.457	2.750
40	1.303	1.684	2.021	2.123	2.423	2.704
60	1.296	1.671	2.000	2.099	2.390	2.660
120	1.289	1.658	1.984	2.076	2.358	2.614
∞	1.282	1.645	1.960	2.054	2.326	2.576

表D t分配表(右表)

df	55	60	65	70	75	80	85	90	95	97.5	99	99.5	99.95
1	.158	.325	.510	.727	1.000	1.376	1.963	3.078	6.314	12.706	31.821	63.657	636.619
2	.142	.289	.445	.617	.816	1.061	1.386	1.886	2.920	4.303	6.965	9.925	31.598
3	.137	.277	.424	.584	.765	.978	1.250	1.638	2.353	3.182	4.541	5.841	12.941
4	.134	.271	.414	.569	.741	.941	1.190	1.533	2.132	2.776	3.747	4.604	8.610
5	.132	.267	.408	.559	.727	.920	1.156	1.476	2.015	2.571	3.365	4.032	6.859
6	.131	.265	.404	.553	.718	.906	1.134	1.440	1.943	2.447	3.143	3.707	5.959
7	.130	.263	.402	.549	.711	.896	1.119	1.415	1.895	2.365	2.998	3.499	5.405
8	.130	.262	.399	.546	.706	.889	1.108	1.397	1.860	2.306	2.896	3.355	5.041
9	.129	.261	.398	.543	.703	.883	1.100	1.383	1.833	2.262	2.821	3.250	4.781
10	.129	.260	.397	.542	.700	.879	1.093	1.372	1.812	2.228	2.764	3.169	4.587
11	.129	.260	.396	.540	.697	.876	1.088	1.363	1.796	2.201	2.718	3.106	4.437
12	.128	.259	.395	.539	.695	.873	1.083	1.356	1.782	2.179	2.681	3.055	4.318
13	.128	.259	.394	.538	.694	.870	1.079	1.350	1.771	2.160	2.650	3.012	4.221
14	.128	.258	.393	.537	.692	.868	1.076	1.345	1.761	2.145	2.624	2.977	4.140
15	.128	.258	.393	.536	.691	.866	1.074	1.341	1.753	2.131	2.602	2.947	4.073
16	.128	.258	.392	.535	.690	.865	1.071	1.337	1.746	2.120	2.583	2.921	4.015
17	.128	.257	.392	.534	.689	.863	1.069	1.333	1.740	2.110	2.567	2.898	3.965
18	.127	.257	.392	.534	.688	.862	1.067	1.330	1.734	2.101	2.552	2.878	3.922
19	.127	.257	.391	.533	.688	.861	1.066	1.328	1.729	2.093	2.539	2.861	3.883
20	.127	.257	.391	.533	.687	.860	1.064	1.325	1.725	2.086	2.528	2.845	3.850
21	.127	.257	.391	.532	.686	.859	1.063	1.323	1.721	2.080	2.518	2.831	3.819
22	.127	.256	.390	.532	.686	.858	1.061	1.321	1.717	2.074	2.508	2.819	3.792
23	.127	.256	.390	.532	.685	.858	1.060	1.319	1.714	2.069	2.500	2.807	3.767
24	.127	.256	.390	.531	.685	.857	1.059	1.318	1.711	2.064	2.492	2.797	3.745
25	.127	.256	.390	.531	.684	.856	1.058	1.316	1.708	2.060	2.485	2.787	3.725
26	.127	.256	.390	.531	.684	.856	1.058	1.315	1.706	2.056	2.479	2.779	3.707
27	.127	.256	.389	.531	.684	.855	1.057	1.314	1.703	2.052	2.473	2.771	3.690
28	.127	.256	.389	.530	.683	.855	1.056	1.313	1.701	2.048	2.467	2.763	3.674
29	.127	.256	.389	.530	.683	.854	1.055	1.311	1.699	2.045	2.462	2.756	3.659
30	.127	.256	.389	.530	.683	.854	1.055	1.310	1.697	2.042	2.457	2.750	3.646
40	.126	.255	.388	.529	.681	.851	1.050	1.303	1.684	2.21	2.423	2.704	3.551
60	.126	.254	.387	.527	.679	.848	1.046	1.296	1.671	2.000	2.390	2.660	3.460
120	.126	.254	.386	.526	.677	.845	1.041	1.289	1.658	1.980	2.358	2.617	3.373
∞	.126	.253	.385	.524	.674	.842	1.036	1.282	1.645	1.960	2.326	2.576	3.291

Table D is adapted from Table III of Fisher & Yates：Statistical Tables for Biological, *Agricultural and Medical Research*, published by Oliver & Boyd Ltd, Edinburgh, and by permission of the authors and publishers.

*The lower percentiles are related to the upper percentiles which are tabluated above by the equation ${}_{p}t_{n}=-{}_{i-p}t_{n}$. Thus, the 10th percentile in the t-disitrbution with 15*df* equals the negative of the 90th percentile in the same distribution, i.e.,${}_{10}t_{15}=-1.341$.

表E F分配表(一)

df_2	α \ df_1	1	2	3	4	5	6	7	8	9	10	11	12
1	.025	.0215	.026	.057	.082	.011	.113	.124	.132	.139	.144	.149	.153
	.95	161	200	216	225	230	234	237	239	241	242	243	244
	.975	648	800	864	900	922	937	948	957	963	969	973	977
	.99	4051	5001	5401	5621	5761	5861	5931	5981	6021	6061	6081	6111
2	.025	.013	.026	.062	.094	.119	.138	.153	.165	.175	.183	.190	.196
	.95	18.5	19.0	19.2	19.2	19.3	19.3	19.4	19.4	19.4	19.4	19.4	19.4
	.975	38.5	39.0	39.2	39.2	39.3	39.3	39.4	39.4	39.4	39.3	39.4	39.4
	.99	98.5	99.0	99.2	99.2	99.3	99.3	99.4	99.4	99.4	99.4	99.4	99.4
3	.025	.0212	.026	.065	.100	.129	.152	.170	.185	.197	.207	.216	.224
	.95	10.1	9.55	9.29	9.12	9.01	8.94	8.89	8.85	8.81	8.79	8.76	8.74
	.975	17.4	16.0	15.4	15.1	14.9	14.7	14.6	14.5	14.5	14.4	14.4	14.3
	.99	34.1	30.8	29.5	28.7	28.2	27.9	27.7	27.5	27.3	27.2	27.1	27.1
4	.025	.0211	.026	.066	.104	.135	.161	.181	.198	.212	.224	.234	.243
	.95	7.71	6.94	6.59	6.39	6.26	6.16	6.09	6.04	6.00	5.96	5.94	5.91
	.975	12.2	10.6	9.98	9.60	9.36	9.20	9.07	8.98	8.90	8.84	8.79	8.75
	.99	21.2	18.0	16.7	16.0	15.5	15.2	15.0	14.8	14.7	14.5	14.4	14.4
5	.025	.0211	.025	.067	.107	.140	.167	.189	.208	.223	.236	.248	.257
	.95	6.61	5.79	5.41	5.19	5.05	4.95	4.88	4.2	4.77	4.74	4.71	4.68
	.975	10.0	8.43	7.76	7.39	7.15	6.98	6.85	6.76	6.68	6.62	6.57	6.52
	.99	16.3	13.3	12.1	11.4	11.0	10.7	10.5	10.3	10.2	10.1	9.96	9.89
6	.025	0211	.025	.068	.109	.143	.172	.195	.215	.231	.246	.258	.268
	.95	5.99	5.14	4.76	4.53	4.39	4.28	4.21	4.15	4.10	4.06	4.03	4.00
	.975	8.81	7.26	6.60	6.23	5.99	5.82	5.70	5.60	5.52	5.46	5.41	5.37
	.99	13.7	10.9	9.78	9.15	8.75	8.47	8.26	8.10	7.98	7.87	7.79	7.72
7	.025	.0210	.025	.068	.110	.146	.176	.200	.221	.238	.253	.266	.277
	.95	5.59	4.74	4.53	4.12	3.97	3.87	3.79	3.73	3.68	3.64	3.60	3.57
	.975	8.07	6.54	5.89	5.52	5.29	5.12	4.99	4.90	4.82	4.76	4.71	4.67
	.99	12.2	9.55	8.45	7.85	7.46	7.19	6.99	6.84	6.72	6.62	6.54	6.47
8	.025	.0210	.025	.069	.111	.148	.179	.204	.226	.244	.259	.273	.285
	.95	5.32	4.46	4.07	3.84	3.69	3.58	3.50	3.44	3.39	3.35	3.31	3.28
	.975	7.57	6.06	5.42	5.05	4.82	4.65	4.53	4.43	4.36	4.30	4.24	4.20
	.99	11.3	8.65	7.59	7.01	6.63	6.37	6.18	6.03	5.91	5.81	5.73	5.67
	.99	11.3	8.65	7.59	7.01	6.63	6.37	6.18	6.03	5.91	5.81	9.73	5.67
9	.025	.0210	.025	.069	.112	.150	.181	.207	.230	.248	.265	.279	.291
	.95	5.12	4.26	3.86	3.63	3.48	3.37	3.29	3.23	3.18	3.14	3.10	3.07
	.975	7.21	5.71	5.08	4.72	4.48	4.32	4.20	4.10	4.03	3.96	3.91	9.87
	.99	10.6	8.02	6.99	6.42	6.06	5.80	5.61	5.47	5.35	5.26	5.18	5.11
10	.025	.0210	.025	.069	.113	.151	.183	.210	.233	.252	.269	.283	.296
	.95	4.96	4.10	3.71	3.48	3.33	3.22	3.14	3.07	3.02	2.98	2.94	2.91
	.975	6.94	5.46	4.83	4.47	4.24	4.07	3.95	3.85	3.78	3.72	3.66	3.62
	.99	10.0	7.56	6.55	5.99	5.64	5.39	5.20	5.06	4.94	4.85	4.77	4.71

表E F分配表(二)

df_2 \ df_1	1	2	3	4	5	6	7	8	9
1	161.45	199.50	215.17	224.58	230.16	233.99	236.77	238.88	240.54
2	18.513	19.000	19.164	19.247	19.296	19.330	19.353	19.371	19.385
3	10.128	9.5521	9.2766	9.1172	9.1035	8.9406	8.8868	8.8452	8.8123
4	7.7086	6.9443	6.5914	6.3883	6.2560	6.1631	6.0942	6.0410	5.9988
5	6.6079	5.7861	5.4095	5.1922	5.0503	4.9503	4.8759	4.8183	4.7725
6	5.9874	5.1433	4.7571	4.5337	4.3874	4.2839	4.2066	4.1468	4.0990
7	5.5914	4.7374	4.3648	4.1203	3.9715	3.8660	3.7870	3.7257	3.6767
8	5.3177	4.4590	4.0662	3.8378	3.6875	3.5806	3.5605	3.4381	4.3881
9	5.1174	4.2565	3.8626	3.6331	6.4817	3.3738	3.2927	3.2296	3.1789
10	4.9646	4.1028	3.7083	3.4780	3.3258	3.2172	3.1355	3.0717	3.0204
11	4.8443	3.9823	3.5874	3.3567	3.2039	3.0946	3.0123	2.9480	2.8962
12	4.7472	3.8853	3.4903	3.2592	3.1059	2.9961	2.9134	2.8486	2.7964
13	4.6672	3.8056	3.4105	3.1791	3.0254	2.9153	2.8321	2.7669	2.7144
14	4.6001	3.7389	3.3439	3.1122	2.9582	2.8477	2.7642	2.6987	2.6458
15	4.5431	3.6823	3.2874	3.0556	2.9013	2.7905	2.7066	2.6408	2.5876
16	4.4940	3.6337	3.2389	3.0069	2.8524	2.7413	2.6572	2.5911	2.5377
17	4.4513	3.5915	3.1968	2.9647	2.8100	2.6987	2.6143	2.5480	2.4943
18	4.4139	3.5546	3.1599	2.9277	2.7729	2.6613	2.5767	2.5102	2.4563
19	4.3808	3.5219	3.1274	2.8951	2.7404	2.6283	2.5435	2.4768	2.4227
20	4.3513	3.4928	3.0984	2.8661	2.7109	2.5990	2.5140	2.4471	2.3928
21	4.3248	3.4668	3.0725	2.8401	2.6848	2.5727	2.4876	2.4205	2.3661
22	4.3009	3.4434	3.0491	2.8167	2.6613	2.5491	2.4638	2.3965	2.3419
23	4.2793	3.4221	3.0280	2.7955	2.6400	2.5277	2.4422	2.3748	2.3201
24	4.2597	3.4028	3.0088	2.7763	2.6207	2.5082	2.4226	2.3551	2.3002
25	4.2417	3.3852	2.9912	2.7587	2.6030	2.4904	2.4047	2.3371	2.2821
26	4.2252	3.3690	2.9751	2.7426	2.5868	2.4741	2.3883	2.3205	2.2655
27	4.2100	3.3541	2.9604	2.7278	2.5719	2.4591	2.3732	2.3053	2.2501
28	4.1960	3.3404	2.9467	2.7141	2.5581	2.4453	2.3593	2.2913	2.2630
29	4.1830	3.3277	2.9340	2.7014	2.5454	2.4324	2.3463	2.2782	2.2229
30	4.1709	3.3158	2.9223	2.6896	2.5336	2.4205	2.3343	2.2662	2.2107
40	4.0848	3.2317	2.8387	2.6060	2.4495	2.3359	2.2490	2.1802	2.2140
60	4.0012	3.1504	2.7581	2.5252	2.3683	2.2540	2.1665	2.0970	2.0401
120	3.9201	3.0718	2.6802	2.4472	2.2900	2.1750	2.0867	2.0164	1.9588
∞	3.8415	2.9957	2.6049	2.3719	2.2141	2.0986	2.0096	1.9384	1.8799

表E F分配表(三)

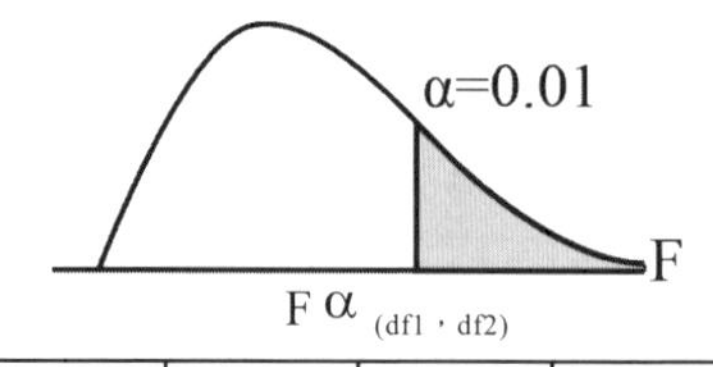

df_2 \ df_1	1	2	3	4	5	6	7	8	9
1	4052.2	4999.5	5403.3	5624.6	5763.7	5859.0	5928.3	5981.6	6022.5
2	98.503	99.000	99.166	99.249	99.299	99.332	99.356	99.374	99.388
3	34.116	30.817	29.457	28.710	28.237	27.911	27.672	27.489	27.345
4	21.198	18.000	16.694	15.977	15.522	15.207	14.976	14.799	14.659
5	16.258	13.274	12.060	11.392	10.967	10.672	10.456	10.289	10.158
6	13.745	10.925	9.7795	9.1483	8.7459	8.4661	8.2600	8.1016	7.9761
7	12.246	9.5466	8.4513	7.8467	7.4604	7.1914	6.9928	6.8401	6.7188
8	11.259	8.6491	7.5910	7.0060	6.6318	6.3707	6.1776	6.0289	5.9106
9	10.561	8.0215	6.9919	6.4221	6.0569	5.8018	5.6129	5.4671	5.3511
10	10.044	7.5594	6.5523	5.9943	5.6363	5.3858	5.2001	5.0567	4.9424
11	9.6460	7.2057	6.2167	5.6683	5.3160	5.0692	4.8861	4.7445	4.6315
12	9.3302	6.9266	5.9526	5.4119	5.0643	4.8206	4.6395	4.4994	4.8375
13	9.0738	6.7010	5.7394	5.2053	4.8616	4.6204	4.4410	4.3021	4.1911
14	8.8616	6.5149	5.5639	5.0354	4.6950	4.4558	4.2779	4.1399	4.0297
15	8.6831	6.3589	5.4170	4.8932	4.5556	4.3183	4.1415	4.0045	3.8948
16	8.5310	6.2262	5.2922	4.7726	4.4374	4.2016	4.0259	3.8896	3.7804
17	8.3997	6.1121	5.1850	4.6690	4.3359	4.1015	3.9267	3.7910	3.6822
18	8.2854	6.0129	5.0919	4.5790	4.2479	4.1046	3.8406	3.7054	3.5971
19	8.1850	4.9259	5.0103	4.5003	4.1708	3.9386	3.7653	3.6305	3.5225
20	8.0960	5.8489	4.9382	4.4307	4.1027	3.8714	3.6987	3.5644	3.4567
21	8.0166	5.7804	4.8740	4.3688	4.0421	3.8117	3.6396	3.5056	3.3981
22	7.9454	5.7190	4.8166	4.3134	4.9880	4.7583	3.5867	3.4530	3.3458
23	7.8811	5.6637	4.7649	4.2635	3.9392	3.7102	3.5390	3.4057	3.2986
24	7.8229	5.6136	4.7181	4.2184	3.8951	3.6667	3.4959	3.3629	3.2560
25	7.7698	5.5680	4.6755	4.1774	3.8550	3.6272	3.4568	3.3239	3.2172
26	7.7213	5.5263	6.6366	4.1400	3.8183	3.5911	3.4210	3.2884	3.1318
27	7.6767	5.4881	4.6009	4.1056	3.7848	3.5580	3.3882	3.2558	3.1494
28	7.6356	5.4529	4.5681	4.0740	3.7539	3.5276	3.3581	3.2259	3.1195
29	7.5976	5.4205	4.5378	4.0449	3.7254	3.4995	3.3302	3.1982	3.0920
30	7.5625	5.3904	4.5097	4.0179	3.6990	3.4735	3.3045	3.1726	3.0665
40	3.3143	5.1785	4.3126	3.8283	3.5138	3.2610	3.1238	2.9930	3.8876
60	7.0771	4.9774	4.1259	3.6491	3.3389	3.1187	3.9530	2.8233	2.7785
120	6.8510	4.7865	3.9493	3.4796	3.1735	2.9559	2.7918	2.6629	2.5586
∞	6.6349	4.6052	3.7816	3.3192	3.0173	2.8020	2.6392	2.5113	2.4073

表F χ^2分配表

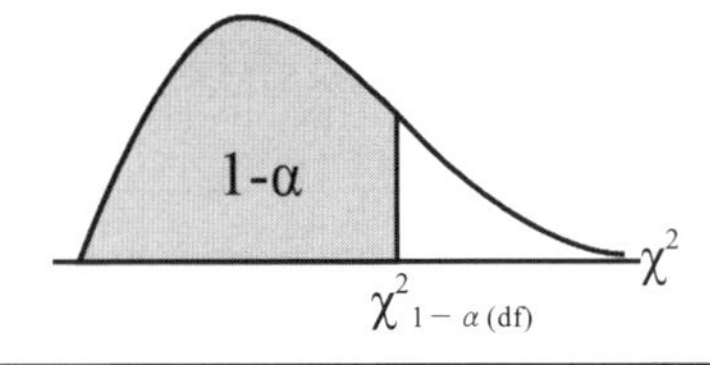

df	1−α									
	.005	.010	.025	.050	.100	.900	.950	.975	.990	.995
1	0.0393	0.03157	0.03982	0.02393	0.0158	2.71	3.84	5.02	6.63	7.88
2	0.0100	0.0201	0.0506	0.103	0.211	4.61	5.99	7.38	9.21	10.60
3	0.072	0.115	0.216	0.352	0.584	6.25	7.81	9.35	11.34	12.84
4	0.207	0.297	0.484	0.711	1.064	7.78	9.49	11.14	13.28	14.86
5	0.412	0.554	0.831	1.145	1.61	9.24	11.07	12.83	15.09	16.75
6	0.676	0.872	1.24	1.64	2.20	10.64	12.59	14.45	16.81	18.55
7	0.989	1.24	1.69	2.17	2.83	12.02	14.07	16.01	18.48	20.28
8	1.34	1.65	2.18	2.73	3.49	13.36	15.51	17.53	20.09	21.96
9	1.73	2.09	2.70	3.33	4.17	14.68	16.92	19.02	21.67	23.59
10	2.16	2.56	3.25	3.94	4.87	15.99	18.31	20.48	23.21	25.19
11	2.60	3.05	3.82	4.57	4.58	17.28	19.68	21.92	24.73	26.76
12	3.07	3.57	4.40	5.23	6.30	18.55	21.03	23.34	26.22	28.30
13	3.57	4.11	5.01	5.89	7.04	19.81	22.36	24.74	27.69	29.82
14	4.07	4.66	5.63	6.57	7.79	21.06	23.68	26.12	29.14	31.32
15	4.60	5.23	6.26	7.26	8.55	22.31	25.00	27.49	30.58	32.80
16	5.14	5.81	6.91	7.96	9.31	23.54	26.30	28.85	32.00	34.27
17	5.70	6.41	7.56	8.67	10.09	24.77	27.59	30.19	31.44	35.72
18	6.26	7.01	8.23	9.39	10.86	25.99	28.87	31.53	34.81	37.16
19	6.84	7.63	8.91	10.12	11.65	27.20	30.14	32.85	36.19	38.58
20	7.43	8.26	9.59	10.85	12.44	28.41	31.41	34.17	37.57	40.00
21	8.03	8.90	10.28	11.59	13.24	29.62	32.67	35.48	38.93	41.40
22	8.64	9.54	10.98	12.34	14.04	30.81	33.92	36.78	40.29	42.80
23	9.26	10.20	11.69	13.09	14.85	32.01	35.17	38.08	41.64	44.18
24	9.89	10.86	12.40	13.85	15.66	33.20	36.42	39.36	42.98	35.56
25	10.52	11.52	13.12	14.61	16.47	34.38	37.65	40.65	44.31	46.93
26	11.16	12.20	13.84	15.38	17.29	35.56	38.89	41.92	45.64	48.29
27	11.81	12.88	14.57	16.15	18.11	36.74	40.11	43.19	46.96	49.64
28	12.46	13.56	15.31	16.93	18.94	37.92	41.34	44.46	48.28	50.99
29	13.12	14.26	16.05	17.71	19.77	39.09	42.56	45.72	49.59	52.34
30	13.79	14.95	16.79	18.49	20.60	40.26	43.77	46.98	50.89	53.67
40	20.71	22.16	24.43	26.51	29.05	51.81	55.76	59.34	63.69	66.77
50	27.99	29.71	32.36	34.76	37.69	63.17	67.50	71.42	76.15	79.49
60	35.53	37.48	40.48	43.19	46.46	74.40	79.08	83.30	88.38	91.95
70	43.28	45.44	48.76	51.74	55.33	85.53	90.53	95.02	100.4	104.2
80	51.17	53.54	57.15	60.39	64.28	96.58	101.9	106.6	112.3	116.3
90	59.20	61.75	65.65	69.13	73.29	107.6	113.1	118.1	124.1	128.3
100	67.33	70.06	74.22	77.93	82.36	118.5	124.3	129.6	135.8	140.2

表G Pearson 與 Fisher $Z(Z_r)$直線轉換

r	Z_r	r	Z_r	r	Z_r	r	Z_r	r	Z_r
.000	.000	.200	.203	.400	.424	.600	.693	.800	1.099
.005	.005	.205	.208	.405	.430	.605	.701	.805	1.113
.010	.010	.210	.213	.410	.436	.610	.709	.810	1.127
.015	.015	.215	.218	.415	.442	.615	.717	.815	1.142
.020	.020	.220	.224	.420	.448	.620	.725	.820	1.157
.025	.025	.225	.229	.425	.454	.625	.733	.825	1.172
.030	.030	.230	.234	.430	.460	.630	.741	.830	1.188
.035	.035	.235	.239	.435	.466	.635	.750	.835	1.204
.040	.040	.240	.245	.440	.472	.640	.758	.840	1.221
.045	.045	.245	.250	.445	.478	.645	.767	.845	1.238
.050	.050	.250	.255	.450	.485	.650	.775	.850	1.256
.055	.055	.255	.261	.455	.491	.655	.784	.855	1.274
.060	.060	.260	.266	.460	.497	.660	.793	.860	1.293
.065	.065	.265	.271	.465	.504	.665	.802	.865	1.313
.070	.070	.270	.277	.470	.510	.670	.811	.870	1.333
.075	.075	.275	.282	.475	.517	.675	.820	.875	1.354
.080	.080	.280	.288	.480	.523	.680	.829	.880	1.376
.085	.085	.285	.293	.485	.530	.685	.838	.885	1.398
.090	.090	.290	.299	.490	.536	.690	.848	.890	1.422
.095	.095	.295	.304	.495	.543	.695	.858	.895	1.447
.100	.100	.300	.310	.500	.549	.700	.867	.900	1.472
.105	.105	.305	.315	.505	.556	.705	.877	.905	1.499
.110	.110	.310	.321	.510	.563	.710	.887	.910	1.528
.115	.116	.315	.326	.515	.570	.715	.897	.915	1.557
.120	.121	.320	.332	.520	.576	.720	.908	.920	1.589
.125	.126	.325	.337	.525	.583	.725	.918	.925	1.623
.130	.131	.330	.343	.530	.590	.730	.929	.930	1.658
.135	.136	.335	.348	.535	.597	.735	.940	.935	1.697
.140	.141	.340	.354	.540	.604	.740	.950	.940	1.738
.145	.146	.345	.360	.545	.611	.745	.962	.945	1.783
.150	.151	.350	.365	.550	.618	.750	.973	.950	1.832
.155	.156	.355	.371	.555	.626	.755	.984	.955	1.886
.160	.161	.360	.377	.560	.633	.760	.996	.960	1.946
.165	.167	.365	.383	.565	.640	.765	1.008	.965	2.014
.170	.172	.370	.388	.570	.648	.770	1.020	.970	2.092
.175	.177	.375	.394	.575	.655	.775	1.033	.975	2.185
.180	.182	.380	.400	.580	.662	.780	1.045	.980	2.298
.185	.187	.385	.406	.585	.670	.785	1.058	.985	2.443
.190	.192	.390	.412	.590	.678	.790	1.071	.990	2.647
.195	.198	.395	.418	.595	.685	.795	1.085	.995	2.994

*Vaiues reorten in this table were calculated by Thomas O. Maguire and are reproduced with his kind permission.

最新試題與解析

106年 身障三等

一、請試述下列名詞之意涵：
(一) 偏態（skewness）
(二) 加權平均數（weighted mean）
(三) 平均差（average deviation）
(四) Z分數（Z score）
(五) 滾雪球抽樣（snowball sampling）

破題分析 本題考統計量數基本概念的解釋名詞。相關概念詳見本書第二篇第一章及第二章。

答 (一) **偏態**（skewness）：量測一組資料對稱與否，其分配狀態偏離平均數的程度稱為偏態係數。偏態值＞0，分配集中在平均數以下，低分群的個體較多，為正偏態（右偏）。偏態值＜0，分配集中在平均數以上，高分群的個體較多，為負偏態（左偏）。

(二) **加權平均數**（weighted mean）：在計算一組資料的平均數時，根據資料的重要性給予不同的權重數，所計算出來的結果即稱之為加權平均數。

(三) **平均差**（average deviation）：平均差是所有資料對其平均數之差的絕對值總和，除以總資料數。反映所有資料的變動程度，平均差愈大，代表資料愈分散。

(四) Z**分數**（Z score）：Z分數又稱為標準分數（standard score）或真分數，是以標準差為單位來表示一個分數在團體中所處位置的相對位置量數。（公式：$Z=\frac{\chi-\mu}{\sigma}$，其中$\mu$為平均數，$\sigma$為標準差。也就是，分數落在團體平均數之下或之上多少個標準差的位置。

(五) **滾雪球抽樣**（snowball sampling）：滾雪球抽樣是指先隨機選擇一些被訪者，再請他們介紹更多樣本，根據所形成的線索選擇此後的調查對象，此方法像滾雪球一般愈滾愈大。

觀念延伸 峰度（kurtosis）、t分數、分層隨機抽樣、四分位差。

二、請說明點估計（point estimation）的意義、估計數應具備的條件（特性），並比較點估計和區間估計（interval estimation）的異同。

破題分析 本題考點估計與區間估計，屬於推論統計學中的常考基本題，考生應能輕易得高分。詳見本書第二篇第四章第二節。

答 (一) **點估計**：根據中央極限定理「當樣本數n很大時，其樣本平均減掉平均數，再除以標準差$\sigma/\sqrt{n}$，將會趨近於平均數為0，標準差為1的常態分佈」（即Z分配），用樣本平均數$\overline{X}$來估計母群的平均數μ，稱為點估計。

點估計用以推估母數的估計值只有一個，其必須具有不偏、有效、一致、充分四個條件，才是最佳的估計數。

1. **不偏性**（unbiasedness）：當點估計數的期望值等於對應的母數，則該樣本統計量稱為母數的不偏估計數，亦即點估計數抽樣分配的平均數和母數相等；$\overline{\overline{X}}$和P_s兩者具有此特性。$\overline{X}$（樣本平均數）之抽樣分配的平均數（$\overline{\overline{X}}$或$\mu_{\overline{X}}$）即為μ（母群體之平均數）；樣本比例（proportion）P_s之抽樣分配的平均數μ_p，等於母群體之比例P_μ。
2. **有效性**（efficiency）：若母數出現兩個或兩個以上的不偏估計數（例如：樣本平均數與樣本中為數兩個統計量均為母數的不偏估計數），則其中抽樣分配的變異數（變異誤）較小者，即是最有效的不偏估計數。
3. **一致性**（consistency）：樣本接近無限大時，其估計數等於母數，稱為一致性估計數。
4. **充分性**（sufficiency）：若某母數估計數恰等於樣本統計量，此估計數來自所有樣本，稱為具充分性的估計數。

(二) **區間估計**：樣本統計量以點估計命中母數的機率不高，且其機率無法算出，因此，採用區間估計以彌補其不足。區間估計由費雪（R. A. Fisher）提出，可提供研究者判斷樣本統計量抽樣分配的平均數落於某區間的決策，以及其機率，以便於進行研究假設考驗。

觀念延伸 假設考驗（hypothesis testing）、信賴界限（confidence limits）、顯著水準（significant level）。

三、為避免測驗的誤用或解釋分數的錯誤，對測驗受試者解釋測驗分數時，宜注意那些原則，請條例說明之。

破題分析 本題考的是測驗分數解釋的注意事項，本書第一篇第四章第四節臚列了22點，考生只要能寫出其中的7點或8點，就能拿到極佳的分數。

答 測驗分數解釋的注意事項如下：

(一) 測驗前應瞭解受試者的需求為何，選擇最合適的測驗。
(二) 測驗後解釋分數時，應由專業人員進行測驗分數解釋的工作。
(三) 測驗解釋過程應鼓勵學生的參與，並與學生進行雙向溝通。
(四) 瞭解測驗的目的、功能與性質，測驗結果在測驗架構下解釋才具意義。
(五) 測驗的解釋應參考其他有關的資料。如受試者狀況、身心發展、家庭文化背景、測驗內容、教育經驗、習慣態度、興趣、動機等。
(六) 解釋時應以一段分數取代點分數，避免只給數字而不加以解釋。最好當面說明數字的意義並加以文字的解說。
(七) 應進行多元評量，如此分數較為客觀。

觀念延伸 寬大誤差或寬容偏失（generosity error）、嚴格誤差或嚴格偏失（severity error）、月暈效應或稱光環效應（halo effect）、尖角效應（horn Effect）、個人偏誤（personal bias errors）或偏見（bias）、邏輯謬誤（logical error）。

四、信度與效度為標準化測驗的重要特徵，請試從兩者的定義、公式，和必要及充分條件，來說明信度與效度的關係。

破題分析 本題考信、效度分析，是測驗範圍的常考題。考生必須將其熟練，尤其是各種信、效度的不同與運用的時機，更是重點中的重點。本題詳見本書第一篇第一章第四~五節。

答 (一) **信度（reliability）**

1. **定義**：信度就是測驗的「可信」程度，也就是測驗的一致性程度。
2. **公式**：測得分數（X_0）＝真實分數（X_t）＋誤差分數（X_e）。
   依古典測驗理論假設：測得分數變異數＝真實分數變異數＋誤差分數變異數，亦即$S_X^2=S_t^2+S_e^2$，那麼信度就是：$S_t^2／S_X^2$，亦即真實分數變異數佔測得分數變異數的比例。

(二) **效度**（validity）

1. **定義**：效度就是測驗的「有效」程度，也就是指測驗的正確性程度。
2. **公式**：測驗的總變異量$S_X^2 = S_t^2 + S_e^2$，而真實分數變異量St^2中應包括所有受試者共同被測量的部分，稱為共同因素變異量（common factor variance）S_{co}^2，這是測驗真正要測到的部分，除此之外，真實分數變異量$_{St}{}^2$中應還包括測驗技術上的困難所無法排除的部分，是測驗不願測到的無關變異量，稱為獨特因素變異量（specific variance）S_{sp}^2。

   因此，我們可說真實分數變異量＝共同因素變異量＋獨特因素變異量，亦即$S_t^2 = S_{co}^2 + S_{sp}^2$，將此式代入$S_X^2 = S_t^2 + S_e^2$可以發現$S_X^2 = S_{co}^2 + S_{sp}^2 + S_e^2$，其中$S_{co}^2$佔$S_X^2$的比例大小就是效度。

(三) **信度與效度的關係**：邏輯學中當命題「若A則B」為真時，則A稱為B的充分條件，B稱為A的必要條件。

例如：電燈亮了，表示一定有電。所以有電是電燈亮的必要條件。

1. 「若有效度則有信度」命題為真，所以信度是效度的必要條件而非充分條件；效度是信度的充分條件而非必要條件。因此，有效度的測驗一定也有信度，但有信度的測驗不一定具有效度。
2. 效度高，信度一定高；效度低，信度不一定低。

觀念延伸 內容效度、效標關聯效度、建構效度、再測信度、複本信度、內部一致性信度、評分者信度。

106年 身障四等

一、請舉例並說明一個完整的教學歷程中，各項目與教學評量之間的關係。

破題分析 本題考完整的教學歷程與評量，考生要從教學的前、中、後歷程與評量的關係切入，並說明教學評量的原理原則，重點是「請舉例」這三個字，千萬不能只談理論，如此才能得高分。詳見本書第一篇第五章第一節。

答 在教學上，「一個理念再優良的教學計畫，如果少了有效的評量，就像騎匹千里馬，一路狂馳，但卻不知道方向在哪裡（王文中，2000）。」因此，教學評量是完整教學歷程的重要部分，它可以提供教師教學的回饋。以下舉理化科學習「浮力」為例，說明教學歷程與教學評量的關係：

(一) **依據教學目標**：學習評量應以能達成教材內容之教學目標與學習目標為原則。例如：浮力的學習目標之一就是「物體何時會浮，何時會沉？」

(二) **兼顧多重目的**：評量範圍應包括行為、態度、知識與技能，可在教學前、中、後進行評量。教學前用診斷性評量，教學中的形成性評量，以及教學後的總結性評量。例如：教學前的診斷性評量必須瞭解學生對密度的概念，所以設計有關密度大小的測驗題。

(三) 採用多元方法：評分方法採用適當而多樣的評量方法，如紙筆測驗、課前活動準備、課後作業、平時觀察、問卷、訪談、紀錄表、自我評量、上課參與及表現等方式進行。例如：讓學生觀察一大團棉花會浮著，但是一塊小鐵片卻會下沉。

(四) **進行多次評量**：評量宜在不同時間、不同場合針對同一施測對象進行多次評量，以正確反應受試者各方面的能力水準，達成長監控（progress monitoring）的功能。而且評量宜能兼顧形成性與總結性的結果，採用主觀及客觀的各種評量方法，並訂定給分標準。例如：紙筆測驗分兩次進行，以確定同一個學生對浮力的概念是否真懂。

觀念延伸 多元智慧、安置性評量、形成性評量、診斷性評量、總結性評量、口語評量與軼事記錄。

二、客觀式選擇題可經由試題分析，獲得各題的試題難度、試題鑑別度，及選項誘答力的訊息，請分別說明試題難度、試題鑑別度、選項誘答力三者的意義和彼此間的關係。

破題分析 本題考試題分析的難度、鑑別度與誘答力等的意義與關係，亦是測驗範圍的常考題，考生必須說明公式及三個試題分析工具的性質與注意事項。詳見本書第一篇第三章第四節。

答 (一) **難度**

1. **公式**：先將受試者依照測驗總分的高低次序排列，再分別取得分最高的前百分之二十七定為高分組，與得分最低的後百分之二十七受試者定為低分組，再分別求出此兩組在某一試題上通過人數的百分比P_H與P_L，將其平均即為該題的難度，其計算公式如下：

$$P=\frac{P_H+P_L}{2}$$ P_H：上27%的答對率　　P_L：下27%的答對率

2. **性質**：P值愈大，表示題目愈簡單，P值範圍介於0與1之間。

(二) **鑑別度**

1. **公式**：在個別試題上，求出高分組和低分組通過人數百分比的差值，即為鑑別度。
   其計算公式如下：
   $D=P_H-P_L$
2. **性質**：D的值介於－1到1之間，越大越好；D值愈大，表示該試題鑑別度越大，與測驗總分的一致性愈高。

(三) **誘答力**：至少有一位低分組學生選擇任何一個不正確的選項，選擇各不正確選項者低分組學生人數多於高分組學生人數。若誘答選項低分組人數比高分組低，表示無誘答力。

(四) **難度與鑑別度的關係**：試題的難度是鑑別度的必要條件，兩者密切相關，難度適中，才可能發揮鑑別力的最大作用。若題目太簡單，高分組和低分組大部份人都答對，則鑑別度不高；或題目太難，高分組和低分組大部份人都答錯，那鑑別度也不高。因此，在邏輯上的命題「若鑑別度高則難度適中」為真，亦即難度不適中，則鑑別度低。

觀念延伸 △難度指數、范氏試題分析表法、教學敏感指數（S）、教學前後差異指標PPDI。

三、有五位評審委員分別為35位參加甄試者的美術、音樂兩科的表現評分，甄試後發現這五位評審委員在美術成績一致地給分高，而在音樂成績一致地給分低，若計算這兩科成績間的相關，請問將會獲得何種結果（請在正相關、負相關、零相關、不確定四個結果中進行選擇）？並請為你的選擇結果提出解釋說明？

破題分析 本題考的是相關的基本概念，變異小相關就低，相信只要朝這個方向寫，分數應可穩拿。詳見本書第二篇第六章第一節。

答 相關係數僅能說明兩變數之間關係或關聯的強度與方向，但不能以此說明兩變數有因果關係。當兩樣本的變異程度大時，相關係數大，今五位評審都以一致性的高或一致性的低來評定兩科的分數，因此兩科目的分數變異程度必小，兩者相關必小，相關係數甚至趨向於零，是一種零相關的結果。

觀念延伸 零階相關（zero-order correlation）、正相關、負相關、零相關、完全正相關、完全負相關。

四、請說明電腦化適性測驗的建置方式、施測方式，以及電腦化適性測驗的優點。

破題分析 本題考電腦化適性測驗，已經許久未曾入題，民國99年地方政府特考三等曾經出現一次。因此，考生準備教育測驗與統計的內容時，千萬不可偏廢任一單元，過去少出現的題目，不代表永遠不會考。

答 (一) **電腦化適性測驗的建置方式**：電腦化適性測驗（computerized adaptive testing，簡稱CAT）主要根據反應理論（IRT）與網路技術，建置一個在Internet 上之虛擬測驗服務中心（virtual testing service center），提供題庫管理、線上測驗、線上練習等功能的題庫系統。

(二) **電腦化適性測驗的施測方式**：電腦化適性測驗係根據受試者的答題反應，由電腦估計其能力，並從龐大的試題庫中選出適合於受試者能力的題目，以確保挑選的試題難度與待測考生的能力水準相符。因此，要進行CAT必須經過：1.建立題庫（item bank）；2.估計試題參數；3.能力估計與選題等三個步驟。

(三) 電腦化適性測驗的優點

1. 以聲光、影音、動畫、互動、操作等多媒體測驗環境來進行施測，提高測驗的真實性與生動感。
2. CAT的測驗題數只要傳統非適性測驗的1／2～1／3就能達到測量的精準度，兼具經濟、效用且可讓受試者能力相互比較的測驗特性。電腦化適性測驗可先以Rasch模式分析樣本並建立難度參數，再根據施測樣本的答題反應立刻估計出其能力，並且挑選出適合該受試者能力的下一道試題讓受試者作答。由於受試者所接受到的試題都很接近其能力水準，因此只要用較少的題數就可以達到與傳統測驗相同的測量精準度。
3. 受試者接受不同的測驗所得到的分數，可以直接做比較。

觀念延伸 適性測驗、試題反應理論（item response theory, IRT）、Rasch模式。

NOTE

106年 高考三級

一、某教育學者根據文獻評閱心得發現，一份「學科成就測驗」編製的好壞，將影響到能否有效評估學生學習成就的正確性。請問：你會提醒他注意那些因素，以免他所發展出來的測驗工具缺乏效度（validity）？

破題分析 本題考編制學科成就測驗時，避免缺乏效度的注意事項。這是一題送分題，考生應可輕鬆得分。詳見本書第一篇第一章第五節。

答 一份學科成就測驗的效度高低與許多因素有關，為避免效度太低，影響測驗結果的正確性，下列因素必須注意：

(一) **測驗試題材料未經審慎選擇**：試題是構成測驗的要素，測驗之效度取決於試題的性能。若測驗材料未經審慎選擇，則容易出現試題並不適合測量所要學習結果的困境。

(二) **測驗指導語不夠清楚易懂**：測驗指導語必須清楚明確，包括說明測驗目的、測驗的題目、每部分題目作答的時間，以及如何作答等。

(三) **試題用字遣詞或試題資料不適合受試者程度**：問卷的用字遣詞要能讓受試者充分了解其意義，所選的資料要配合受試者 之學習經驗與閱讀能力，不能內容太偏或文字太難。

(四) **測驗的長度或題數不恰當**：若測驗材料雖然經過審慎選擇，但是因為測驗的長度太長或太短，或試題的數量太多或太少，都會影響效度。

(五) **試題不具鑑別力**：試題分析結果若有題目不具鑑別力，也就是不論高分組或低分組，對於題目的反應結果很接近，則此題目必須加以刪除。

(六) **試題難易度不夠適中且選項誘答力差**：優良試題的屬性是鑑別度高、難易度適中、誘答力佳。試題太艱難或太簡單，選項未達誘答效果的題目，都應刪除。

觀念延伸 與本題相關的概念尚有：測驗實施程序、受試者反應、效標品質、樣本團體的異質性高低等，都會影響效度。

二、某教育學者想探究自然科學教育中，教師是如何進行教學評量的。他建議第一線的教師，應該採行實作評量（performance：assessment）方式來進行，方能評估出學生動手操作的學習成就。請問：第一線的教師可以採用什麼評定方法，來評量學生動手操作的學習成就？

破題分析 本題考實作評量（performance assessment）在科學領域教學與評量的運用，是一題相當新穎的題目，考驗考生的程度。本題可從各種實作評量方式切入，舉例說明其運用，但是要記得所舉的例子必須都是自然科學領域的，以免離題。詳見本書第一篇第五章第四節。

答 實作評量（performance assessment）的特性是學生建構答案而非選擇答案；直接觀察學生的操作行為，在情境中進行對學生學習與思考方式的檢測；實作評量所提的問題幾乎無正確而客觀的答案，正如一般較複雜的問題，往往沒有一個可用來解決問題的唯一答案，而是許多可能的答案會受背景環境的左右而有所差異。因此，針對動手操作的教學，可行的評量方式包括：評量學生寫的報告，口頭報告、作圖、操作流程或模式等。將其歸類，大致可以分成以下五種實作評量方式：

(一) **紙筆表現（paper and pencil performance）**：紙筆表現有別於傳統所使用的紙筆測驗，它強調在模擬情境中應用知識與技能的能力。這種紙筆評量方式可作為動手操作前的初步評量，例如要求學生寫出科學實驗的步驟、啟動儀器的安全程序等。

(二) **辨認表現（identification）**：是指以實物作為標的，要求學生以紙筆或口頭方式反應問題，而不要求學生實際去操作。例如：化學實驗時請學生辨認各種物質和儀器；汽車修護課程時教師操作一輛故障的汽車，要求學生指出最可能故障的部分，並說出應採取的檢查步驟及所需用到的工具。

(三) **結構化表現（structured performance）**：此評量係要求學生在標準化的情境下（例如：儀器設備、材料、時間……都相同）完成實作作業，測驗情境的結構性甚高，並要求每位學生都能表現出相同的反應動作。例如：物理課測量氣溫（精確到小數點以下第二位）；生物課找出5種豆子的胚芽（一分鐘內）。

(四) **模擬表現（simulated performance）**：模擬表現即為配合或替代真實情境中的表現，局部或全部模擬真實情境而設立的一種評量方式。例如，在化學課程中，請學生模擬酒精燈爆炸時應採取的滅火步驟。

(五) **工作範本（work sample）**：工作樣本算是真實性程度最高的一種實作評量方式，它需要學生在實際作業上，表現出所要測量的全部真實技能。例如：給學生重力加速度實驗的所有設備與器材，請學生親自操作實驗流程。

觀念延伸 與本題相關的另類評量方式尚有：真實評量或實作評量、動態評量、檔案評量或卷宗評量。

三、在描述統計學中，試比較平均數（mean）、中位數（median）及眾數（mode）三者，在常態分配、正偏態分配、負偏態分配中的大小關係？

破題分析 本題考的是基本統計量數的「偏態」與「集中量數」的關係，測驗考生對於正偏、負偏的概念是否紮實，尤其與平均數、中位數、眾數的大小關係，是近兩年經常出現的考題型式，考生一定要將此處熟悉。詳見本書第二篇第二章第四節。

答 平均數（mean）、中數數（median）與眾數（mode）三者的大小關係如下：

(一) **常態分配**：偏態係數$g_1 = 0$
平均數＝中位數＝眾數

(二) **正偏態分配**：偏態係數$g_1 > 0$，又稱「右偏分配」
眾數＜中位數＜平均數

(三) **負偏態分配**：偏態係數$g_1 < 0$，又稱「左偏分配」
平均數＜中位數＜眾數

觀念延伸 與本題相關的概念尚有：峰度、變異量數、相對地位量數等。

四、某教育學者想知道學習成就上「城鄉差距」的情形。他利用中研院TEPS資料庫中的「綜合分析能力測驗」成績（以T分數表示）為資料分析依據，獲得下列統計報表。

Descriptive：statistics

地區分類	N	Mean	Sd	Se	Min	Max
鄉村	927	44.27	9.360	.307	12	71
城鎮	5200	48.58	9.843	.136	15	82
都市	7841	51.62	9.783	.110	16	82
全體	13968	50.00	10.00	.085	12	82

Summary：table：of：analysis：of：variance

SV	SS	df	MS	F	p
Between	61508.9	2	30754.43	321.67	.000
Within	1335191.1	13965	95.61		
Total	1396700.0	13967			

試問：

(一) 本研究所列舉的虛無假設為何？

(二) 本研究所使用的統計檢定方法為何？

(三) 本研究檢定結果所達成的第一類型錯誤率為何？

(四) 都市與鄉村之間的測驗成績相差多少分？

(五) 本研究檢定結果是否可以支持該學者所認為的「學習成就上確實存在著城鄉差距」的看法？

破題分析 本題考單因子（城鄉差距）變異數分析（有鄉村、城鎮、都市三個水準），屬於推論統計常考的基本題，您一定要會。詳見本書第二篇第八章第二節。

答 若母群平均數，鄉村為μ_1、城鎮為μ_2，都市為μ_3

(一) H_1：研究假設：μ_1~μ_3不完全相等

H_0：虛無假設：$\mu_1 = \mu_2 = \mu_3$

(二) 單因子變異數分析（one－way ANOVA）

(三) 由於F值檢定結果的顯著性P值為.000，因此可知犯型I錯誤的機率非常小，接近於零。

(四) $\overline{X}_{都市} - \overline{X}_{鄉村} = 51.62 - 44.27 = 7.35$

(五) 檢定結果F值321.67且顯著性P值＜.001，所以拒絕H_0（虛無假設）。因此，有證據顯示「學習成就上確實存在著城鄉差距」，其犯型I錯誤如機率非常小，接近於0。

觀念延伸 與本題概念相似的尚有：獨立樣本單因子變異數分析、相依樣本單因子變異數分析、二因子變異數分析等。

106年 普考

一、某教育學者擬發展一份10個題目的短題本「考試焦慮量表」。他經過資料收集後，並使用SPSS統計套裝軟體程式來分析該量表的信度，結果如下表所示：

RELIABILITY ANALYSIS -SCALE （ALPHA）
Item-total：Statistics

Items	Scale Mean if：Item Deleted	Scale Variance if：Item Deleted	Corrected Item-Total Correlation	Squared Multiple Correlation	Alpha if：Item Deleted
第一題	26.3824	17.6979	.4884	.5115	.7236
第二題	26.9412	18.4207	.4475	.3673	.7307
第三題	26.9706	16.2718	.5667	.4929	.7086
第四題	26.4412	20.7389	.0197	.1837	.7838
第五題	26.3529	16.3565	.6318	.5959	.7001
第六題	27.1765	19.6043	.1541	.4809	.7700
第七題	26.8529	16.0080	.6303	.7519	.6983
第八題	26.6765	18.8316	.3354	.4104	.7437
第九題	26.8824	16.4100	.6231	.7584	.7014
第十題	25.8824	18.7130	.2957	.4507	.7499

N：of：Cases：=：1234
Reliability：Coefficients　　10：items
Alpha：=：.7535　　Standardized：item：alpha：=：.7488

試問：
(一) 該「考試焦慮量表」的信度係數是多少？
(二) 在上表中，有那幾題是應該刪除的不良題目？
(三) 在上表中，品質最好、鑑別度最高的優良題目是那一題？
(四) 承上題，若你決定要刪題的話，應該優先刪除的是那一題？
(五) 承上題，刪題後，本量表的信度係數是多少？

破題分析 本題考教育測驗信度分析SPSS統計報表詮釋，只要曾經使用過此統計軟體的考生，應可以輕鬆作答。還沒使用過的考生，務必盡快學習並親自操作，此種統計報表的解讀，是將來的考題趨勢。詳見本書第一篇第一章第四節。

答 (一) 信度係數就是Cronbach Alpha .7535

(二) 第四、六、八、十四題應修先刪除。因為，修正題項與量表總分的相關（corrected item－total correlation）係數若小於.4，就會優先刪除此題項，以提高量表的內部一致性信度。

(三) 第九題是品質最好且鑑別度最高的題目。因為，第九題的複相關係數平方（squared multiple correlation）.7584最高，且刪除第九題後整體的Alpha係數反而降低至.7014，顯見第九題與量表總分的內部一致性最高。

(四) 應優先刪除第四題。因為第四題修正題項與量表總分相關係數.0197，複相關係數平方為.1837，都很低，且刪除第四題後整體的Alpha係數提高至 .7838，顯見第四題與量表總分的內部一致性最低。

(五) 刪除第四題後，量表的信度係數為.7838。

觀念延伸 與本題相關的概念尚有再測信度、複本信度、評分者信度等。

二、某教育學者分析某一題的試題分析結果如下表：

選項		A	B	C	D＊	難度	鑑別度
選項分析	高分組（選答比率）	0.0069	0.0419	0.0173	0.9336	.5094	.7768
	低分組（選答比率）	0.1002	0.3392	0.4033	0.1568		

註：＊表示正確選項。

試問：
(一) 請評論該題的難度指標？
(二) 請評論該題的鑑別度指標？
(三) 請評論該題的選項誘答力？
(四) 請判斷該題係值得納入題庫或直接刪除？
(五) 請綜合上述評論，判斷該題的命題品質良窳？

破題分析 本題考試題分析的報表解讀，又是一題實務操作題。因此。教育測驗與統計此科考生不能再僅憑書本閱讀就想得高分，從今年的考題連考兩題的實務操作題可以發現，未來統計報表解讀絕對是重點方向。另外，試題分析的難度、鑑別度計算與誘答力分析，也幾乎是每年必考題，考生非會不可，而且公式要用對，計算要小心。詳見本書第一篇第三章第四節。

答 (一) 難度指標P＝.5094。表示題目難度適中。
(二) 鑑別度指標D＝.7768。表示該題鑑別度高，與測驗總分的一致性高。
(三) 選項A、B、C均具有誘答力。因為，至少有一位低分組學生選擇任何一個不正確的選項，選擇各不正確選項者低分組學生人數多於高分組學生人數。
(四) 值得納入題庫。因為鑑別度高且難度適中。
(五) 此題品質相當優良。因為，鑑別度指標D＝.7768遠大於.4，且難度適中。

觀念延伸 △難度指數、范氏試題分析表法、教學敏感指數（S）、教學前後差異指標PPDI。

三、某教育學者想知道「學習投入」（單位：小時）是否具有預測「學業成績」（單位：分）的效用。他根據資料分析結果，獲得下列報表：

Variable	B	SE：B	Beta	T	Sig：T
學習投入	2.75	.44	.90	6.21	.003
截距	-1.05	2.75		-.39	.702

試問：
(一) 這整個迴歸方程式該如何表示？
(二) 「學習投入」真的可以預測「學業成績」嗎？請解釋。
(三) 「學習投入」與「學業成績」之間的相關係數是多少？
(四) 「學習投入」可以解釋多少百分比的「學業成績」變異量？
(五) 每增加一小時的「學習投入」，預估可以提高多少分的「學業成績」？

破題分析 本題考的是簡單迴歸分析，包括相關係數、迴歸係數、迴歸方程式等都是每年的重要考題，考生一定要將此處熟悉。詳見本書第二篇第六章第二節。

答 (一) 原始分配迴歸方程式

$$\hat{Y} = a + bx = -1.05 + 2.75X$$

(二) 可以預測。因為t值等於6.21，顯著係數sig＝0.003小於α，拒絕虛無假設，此表母群迴歸方程式的斜率≠0，亦即「學習投入」可以顯著預測「學業成績」，惟犯型I錯誤的機率有5%。

(三) 相關係數此處即為「標準氏迴歸係數」β＝.90

(四) 決定係數$r^2=(0.9)^2=0.81$，表示「學業成績」81%的變異量可以由「學習投入」正確解釋。

(五) 斜率＝2.75分/小時，表示每增加1小時的「學習投入」可以提高「學業成績」2.75分。

觀念延伸 與本題相關的概念尚有：迴歸方程式、離均差平方和、決定係數與疏離係數估計標準誤等。

四、某教育學者想知道「考試焦慮」對「考試成績」的影響情形。他經過問卷調查的資料分析後，獲得下列報表：

考試焦慮組別統計量

依變項	考試焦慮組別	N	平均數	標準差	平均數的標準誤
考試成績	高	772	153.89	52.28	1.88
	低	493	163.89	61.86	2.79

獨立樣本t檢定

基本假設	變異數相等的Levene檢定		平均數相等的：t：檢定						
	F檢定	顯著性	t	自由度	顯著性（雙尾）	平均差異	標準誤差異	差異的：95%信賴區間：下界	上界
假設變異數相等	23.19	.000	-3.16	1263	.002	-10.06	3.24	-16.42	-3.71
不假設變異數相等			-1.89	920.96	.053	-10.06	5.26	-20.37	0.25

試問：

(一) 高、低考試焦慮組別的考試成績差異多少？

(二) 獨立樣本檢定結果的自由度為何？

(三) 請列出上述t檢定結果的95%信賴區間？

(四) 上述t檢定的變異數同質性假設，是否成立？

(五) 高、低考試焦慮組別的考試成績，是否具有顯著差異存在？

破題分析 本題考兩個母群的獨立樣本t檢定，是推論統計的基本題，尤其對報表的解讀，我一再強調是考上的必要條件，您一定要會。詳見本書第二篇第五章第二節。

答 (一) 高低考試焦虛成績差163.89－153.89＝10。

(二) 獨立樣本t檢定，假設「變異數不同質」亦即看該欄的自由度為920.96。

(三) 看「不假設變異數相等」該列的信賴區間上、下界分別為0.25與－20.37，所以95%的信賴區間為 $-20.37 \le \mu_1 - \mu_2 \le 0.25$

(四) $\begin{cases} 研究假設H_1: \sigma_1^2 \neq \sigma_2^2 \\ 虛無假設H_0: \sigma_1^2 \neq \sigma_2^2 \end{cases}$（變異數不同質）

從報表中可知，變異數相等的Levene檢定結果，F值等於23.19，顯著考驗P＝.000＜α＝.05拒絕虛無假設H_0，因此，高低考試焦慮兩者的變異數有顯著差異（不同質），惟有5%機率犯型I錯誤。

(五) 承上題，既然兩者變異數不同質，所以t值要看「不假設變異變相等」那一列，亦即t＝－1.89，顯著性.053＞α＝.05

接受虛無假設，所以兩者成績並無顯著差異。

觀念延伸 與本題概念相似的尚有：相依樣本t檢定、兩個母群變異數差異檢定、兩個母群相關係數差異檢定等。

106年 地特三等

一、A、B、C三個族群參與某項考試的平均值與標準差如下表：

族群	A	B	C
人數	30	20	50
平均值	25	35	20
標準差	6	5	7

(一) 那個族群的個別差異較大？你如何知道？
(二) 請問全體得分的平均值是多少？
(三) 全體得分的變異數是多少？

破題分析 本題考的是平均值標準差與變異數的概念，唯一的應用概念就是標準差的平方是變異數，相信考生都能掌握，只要計算夠小心，分數應可全拿。

答 (一) 個別差異的大小與變異數的離散程度有關，而變異數又是標準差的平方，所以依據題目所給標準差數值加以平方比大小，即可判斷C族群是三個族群中個別差異最為明顯者，B族群個別差異最小。

(二) 全體得分平均數可以全體總分除以全體人數得到，
因此$(25\times30+35\times20+20\times50)\div100=24.5$。

(三) 因為三個族群資料彼此為獨立，所以將個別變異數加總進行合併，再除以總人數，就可以得到全體的變異數。
因此，$(36\times30+25\times20+49\times50)\div100=40.3$

觀念延伸 與本題概念相關者尚有：變異數的合併、樣本變異數、母群變異數、不偏估計、測得分數、真實分數、誤差分數、古典測驗理論。

二、某研究者想探討學生的堅毅特質和學業成就之關係。故設計了堅毅量表，為四點量表，總分界於10～40分，施測於臺灣某所高中的學生60名，同時蒐集學生的期末學期成績（0～100分）。
(一) 列出研究的虛無與對立假設。
(二) 何種統計方式能解答研究者的問題？資料需要符合什麼假設？說明進行此一統計檢驗的步驟，並列出主要的相關公式。
(三) 研究結果無法推翻虛無假設，從「測驗與統計」的角度，說明可能的原因。

破題分析 本題考自變項堅毅特質與依變項學業成就的相關統計分析。考生對相關係數與迴歸分析的概念與過程需相當清楚。

答 (一) 虛無假設(H_0)：兩變項相關係數r=0，無預測力。
對立假設(H_1)：兩變項相關係數$r \neq 0$，無預測力。

(二) 若兩變項有相關存在($r \neq 0$)，則可進一步運用簡單迴歸分析，用堅毅特質(X)預測學業成就(Y)，求出其解釋百分比。

1. 要進行相關係數的迴歸分析，基本架設如下：
(1) 自變項與依變項呈線性關係。
(2) 資料呈常態分配。
(3) 自變項的誤差項具有獨立性，且變異數同質。

2. 計算檢驗的步驟：（如上先提出研究假設）
(1) 計算兩變項的相關係數 $r_{XY}=\dfrac{\sum XY-\dfrac{\sum X\sum Y}{n}}{\sqrt{\sum X^2-\dfrac{(\sum X)^2}{n}}\sqrt{\sum Y^2-\dfrac{(\sum Y)^2}{n}}}$
(2) 若$r_{XY} \neq 0$，則表示堅毅特質與學業成就具有線性相關。
(3) 列出迴歸方程式 $\hat{Y}=a+bx$

$$\text{其中}b=\frac{\sum XY-\dfrac{\sum X\sum Y}{n}}{\sum X^2-\dfrac{(\sum X)^2}{n}}=\frac{C_{XY}}{S_X^{\ 2}}$$

$$a=\overline{Y}-b\overline{x}$$

(4) 決定係數$r_{XY}^{\ 2}$即為自變項可以解釋依變項的百分比。
例如：$r_{XY}=0.6$，$r_{XY}^{\ 2}=0.36$則表示學業成就有36%的變異量可以由堅毅特質解釋。

(三) 研究結果無法推翻H_0，即表示自變項對依變項的預測力未達顯著。其可能原因如下：

1. 樣本同質性太高：因抽樣對象僅有一所高中造成樣本同質性太高。
2. 樣本代表性不足：由於抽樣僅有60人，對母群推論而言，樣本數略有不足。

觀念延伸 與本題概念相關的尚有：決定係數、疏離係數、迴歸方程式、估計標準誤、共變數。

三、測量不可避免會有誤差，從誤差的來源，說明信度與效度所關心的誤差有何不同？列舉信度係數的種類，並說明其所估計的誤差種類。

破題分析 本題考的是誤差對信、效度的影響，以及主要誤差的來源。本書完全命中，讀者可參考本書第一篇第一章第四~五節。

答 (一) 凡測量必定存在誤差。誤差的種類相當多，包含系統性、非系統性誤差、題目內容、不同評分者和題目測驗情境等。從信度與效度的角度看待誤差，其觀點略有不同：

1. **信度所談的誤差**：信度是衡量沒有誤差的程度，也是測驗結果的一致性（consistency）程度。系統誤差對信度沒什麼影響，因為系統誤差總是以相同的方式影響測量值的，因此不會造成不一致性。反之，隨機誤差（非系統誤差）可能導致不一致性，從而降低信度。所以，信度大小在誤差上會考慮測量時間、題目取樣、題目同質性和評分者的誤差。
2. **效度所談的誤差**：效度反應研究的準確性，所以在誤差上更重視系統誤差、方法的誤差、工具的誤差、過程的誤差，或是研究管理者出現的人為誤差。

(二) 各種信度與其誤差的來源如下表：

信度類型	主要的誤差來源
1.再測信度（又稱為穩定係數）	時間抽樣
2.複本信度（又稱為等值穩定係數）	時間抽樣與內容抽樣
3.內部一致性信度	內容抽樣與內容異質
(1)折半信度	內容抽樣
(2)KR_{20}與KR_{21}公式	內容抽樣與內容異質

信度類型	主要的誤差來源
(3)α係數	內容抽樣與內容異質
4.評分者信度	評分者誤差

觀念延伸 與本題相關的概念尚有：各種信效度的定義與計算、影響因素、使用時機；測量標準誤。

四、A測驗與B測驗的平均值均為100，標準差為10。A測驗的信度為0.84，B測驗的信度為0.91。某生在A測驗的得分為90分，B測驗的得分為105分，是否可以說該生在B測驗的表現優於A測驗？說明理由。

破題分析 本題考的是兩測量分數差異的測量標準誤，這是近年經常出現的題型，常常與單一測量的測量標準誤混淆，考生要特別注意。

答 兩測量分數差異的測量標準誤為

$$SEM_{diff} = \sqrt{(\text{SEM}_1)^2 + (\text{SEM}_2)^2} = SD\sqrt{2 - r_{11} - r_{22}} = 10\sqrt{2 - 0.84 - 0.91} = 5$$

由於σ（標準差）已知，故從Z分配查表得知Z值從-1.96到+1.96間的機率為0.95，因此95%信賴區間為 $-1.96 \le \frac{100 - \mu}{5} \le 1.96$

$\Rightarrow -9.8 \le 100 - \mu \le 9.8$

$\Rightarrow 90.2 \le \mu \le 109.8$

其中A測驗分數90，已滿出信賴區間之外，故兩測驗分數具有差異性存在。

觀念延伸 與本題相同的概念上有測量誤差、標準差、信度係數。

五、下表是五個試題的題目分析結果，A、B、C、D欄內的數字代表選擇該選項的人數。高分組和低分組的分組人數各有8,133人。表中高分組人數中有＊的那個選項為正確答案。

題號	分組	A	B	C	D	難度指標	鑑別度指標
1	高分組	27	1	6,342*	1,763		
	低分組	162	45	1,721	6,202		

題號	分組	A	B	C	D	難度指標	鑑別度指標
2	高分組	1,328	6,785*	14	6		
	低分組	5,701	2,044	342	43		
3	高分組	29	6,056	491	1,556*		
	低分組	99	3,854	1,675	2,496		
4	高分組	7	8,101*	5	20		
	低分組	48	7,879	89	112		
5	高分組	114	894	6,474*	650		
	低分組	2,525	1,100	1,708	2,792		

(一) 列式計算各題的難度指標值及鑑別度指標值。

(二) 設此項考試為常模參照測驗，五個題目測量同一能力指標，若想從這五個題目選取三題，你會挑選那三題？又因作業疏失，有個題目正確答案標錯了，找出最可能標錯正確答案的題目。兩者均需說明理由。

(三) 分別評析各試題的誘答選項設計，並說明五個試題中那個試題的誘答選項設計比較理想。

破題分析 本題考難度、鑑別度的計算，以及選項誘答力的分析，屬於常考題，考生應能掌握，但要注意計算結果的正確性。

答 (一) 以第1題為例：

$$難度\ P=\frac{P_H+P_L}{2}=\frac{\frac{6342}{8133}+\frac{1721}{8133}}{2}=0.50$$

$$難度\ D=P_H+P_L=\frac{6342}{8133}+\frac{1721}{8133}=0.57$$

其餘依照公式計算結果如下：

第2題：P=0.54，D=0.58

第3題：P=0.25，D=－0.12

第4題：P=0.98，D=0.03

第5題：P=0.50，D=0.59

(二)

1. 由上題結果可知，難度接近0.5且鑑別度大於0.5的有1、2、5這三題，題目較佳。
2. 正確選項的高分組人數應明顯多於低分組，因此第3題的正確答案一定標錯了，它的正確答案應是B。

(三) 誘答力要好，就是該選項的低分組人數應遠多於高分組。因此，在較佳試題1、2、5題中，誘答力明顯集中於第1題的D選項與第2題的A選項，而第5題的A、B、D三個選項的誘答力相當平均。

因此，若要選擇一個誘答設計較為理想的題目，則應是第5題。

觀念延伸 與本題概念相關的尚有：教學敏感指數、教學前後差異指標PPDI、精熟與非精熟組差異指標、S-P問題表。

NOTE

106年 地特四等

一、說明集中趨勢與離散趨勢時，常用的五個統計測量數有算術平均數（mean）、中位數（median）、眾數（mode）、變異數（variance）與標準差（standard deviation），請回答下列問題：
(一) 何謂算術平均數、中位數與眾數？
(二) 一個嚴重向左偏之次數分配，由左而右排列其算術平均數、眾數與中位數。
(三) 何謂變異數與標準差？
(四) 某研究報告其變項的變異數為-13.07，評價其合理性。
(五) 上述五個統計測量數，何者為集中趨勢？何者為離散趨勢？

破題分析 本題只要掌握集中量數、變異量數、偏態等基本概念，解題應該相當容易。若能畫出相關圖形、寫出相關公式，更佳。

答 (一)

1. 平均數（$\overline{X}$）：將一組數或量相加總，再除以該組數的個數，稱之為算術平均數。
2. 中位數（M_d）：資料依大小排列，位於中間的值，即為中位數（Median，簡稱M_d）。若n為資料個數，當n為奇數時，第$\frac{n+1}{2}$位置的數值為其中位數；當n為偶數時，第$\frac{n}{2}$或$\frac{n}{2}+1$位置之二數值的平均為其中位數。
3. 眾數（M_o）：資料中出現最多次的數值，可能一個，可能多個，也可能不存在。

(二) 嚴重向左偏（負偏）之次數分配由左至右應為平均數、中位數、眾數，如圖。

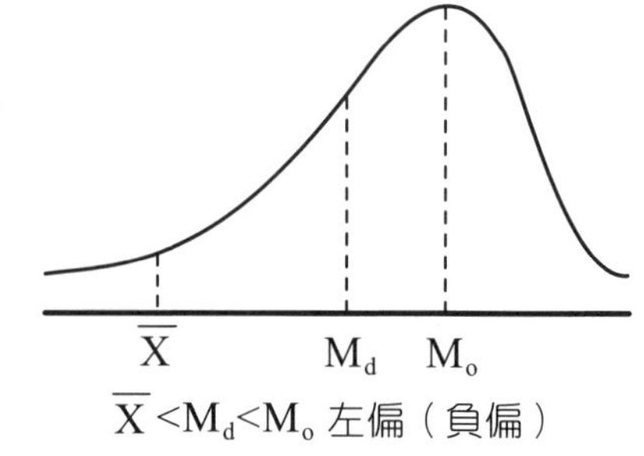

$\overline{X} < M_d < M_o$ 左偏（負偏）

(三)

1. **變異數**：各組資料的離均差平方和（sum of square of deviation from the mean），簡寫為SS，除以N（資料數），即為「變異數」（Variance），以S_X^2表示。
2. **標準差**：變異數的開平方，就是標準差（Standard Deviation, 簡稱SD）。

(四) 計算樣本變異數的公式如下，分子離均差平方和與分子都是正數，因此計算而得的變異數不可能為負值，此為題目不合理之處。

$$s^2 = \frac{\sum(X_i - \overline{X})^2}{N-1}$$

(五)

1. **集中趨勢**：算術平均數、中位數、眾數。
2. **離散趨勢**：變異數與標準差。

觀念延伸 與本題相關的概念尚有：全距、平均差、四分位差、變異係數等離散量數。

二、請說明：

(一) 實作評量的目的、特徵及其優缺點。

(二) 下列各式評量何者不屬於實作評量？並說明理由。

(A)國文課老師採口試方式評量學生的口說能力。

(B)化學課老師請學生上台示範製作乾冰的流程。

(C)服務學習課程要求學生參與社區服務並製作學習檔案。

(D)體育課老師設計三十題選擇題評量學生的球類運動知識。

破題分析 有人說：「真實評量就是帶學生去菜市場，參觀市場交易情形；而實作評量就是帶學生去市場，用金錢實際買菜。」這樣的說法或許只講對了一部分。教育現象有時很難舉例，更別說譬喻，可是答題時神來一筆的妙喻，有時卻能起畫龍點睛之效，考生可以多多練習。不過本題仍需說理清楚，舉例恰當，才能得高分喔！

答 所謂「實作評量」，就是在自然或已建構好的情境中，具有評量專業的教師，要求學生執行或處理一項指定的工作（task），讓學生表現所知、所能的學習結果，並由教師觀察與評鑑學生的建構性反應過程與結果，看他們是否適當、精確和完美地達成教學目標。

(一) 實作評量的目的、特徵與優缺

1. **目的**：Gronlund與Linn（2003）指出，實作評量的目的在於建立學生能專注於真實學習活動的模式，當實作評量與課程緊密結合，將形成以課程為導向的評量方式，這樣的評量系統可以激發學生更努力學習，教師更投入教學，提高教學效能。

2. **特徵**：實作評量具有下列幾點特徵（Herman, Aschbacher, & Winters, 1990）：

   (1) 要求學生執行或製作一些需要高層思考或問題解決技能的事或物。

   (2) 評量的作業（tasks）是具有意義性、挑戰性且與教學活動相結合。

   (3) 評量的作業能與真實生活產生關聯。

   (4) 歷程（process）和作品（product）通常是評量的重點。

   (5) 表現的規準（criteria）和標準（standards），也就是評量的重要層面與給分標準，要事先確定。

   因此，簡單來說，實作評量的特徵就是由教師設計相關的情境，針對學生所應達到的學習成果（learning outcomes），設計一些問題，讓學生在情境中或實際參與實驗操作或觀察之後，以分組活動或個別思考的形式，進行問題的解決，同時針對學生在過程中的表現，以客觀的標準加以評分。

3. **優缺點**：

   (1) 優點如下：A.評量學生實際操作的成效；B.評量較高之認知層次；C.多元適性；D.評量設計簡易。

   (2) 缺點如下：A.評量時間較長；B.評量標準不易訂定；C.評量效益不彰；D.評分易受月暈效應或偏見的影響。

(二) 選項(D)「體育課老師設計三十題選擇題評量學生的球類運動知識」為認知性內容知識的總結性評量，屬於紙筆測驗，不是實作評量。實作評量應提供標準情境，並在自然情境中實際操作，兼重學習的「過程」與「結果」。

觀念延伸 與本題相關的概念尚有：檔案評量、歷程評量、三環評量（為學習而作的評量、學習結果的評量、評量即學習）、生態評量、功能性評量。

三、舉例說明以t檢定進行平均值假設考驗之類型及其使用時機。

破題分析 本題考舉例說明平均值假設考驗t檢定的類型與使用時機，對獨立樣本與相依樣本的討論必須精確詳細，能寫出應用的公式更好，如此才能得高分。

答 兩個母群平均值的差異考驗，若母群的標準差已知時，進行Z檢定。母群的標準差未知時，進行t檢定。在抽樣分配的考驗中，母群的標準差大多無法得知，因此很少用Z檢定，而t檢定隨自由度改變，當n大於30時Z分配與t分配十分接近。因此在資料分析的實務上，多以t檢定來進行兩個樣本的平均值差異考驗。平均值假設考驗t檢定的類型可分成兩類：

(一) **獨立樣本t檢定：**

1. **定義**：獨立樣本又稱「等組法」，不同的平均值來自不同的獨立樣本，樣本的抽取相互獨立（即隨機抽樣）。也就是說利用隨機抽樣方式將受試者分派到2個不同組別（即隨機分派），然後分析二組受試者平均值在依變相的反應上是否有差異。
2. **適用時機**：獨立樣本t檢定的自變項必須為間斷變項（獨立樣本一個，分成兩組，例如男女、高分組與低分組），而依變項為連續變項（一個），然後考驗兩組平均數是否有差異。例如：從學校中隨機抽樣的男生與女生，進行魏氏智力測驗的平均成績是否存在差異。

(二) **相依樣本t檢定：**

1. **定義**：相依樣本又稱「單一組法」，不同的平均數來自同一個樣本的同一群人（重複量數設計，如實驗研究的前後測），或來自有配對關係的不同樣本（配對樣本設計，如雙胞胎、夫妻），樣本的抽取機率為非獨立、相依的情況。
2. **使用時機**：相依樣本t檢定：自變項為間斷變項（相依樣本：重複量數或配對），而依變項為連續變項（一個），考驗兩組平均數是否有差異。例如：(1)從學校中抽取30名學生，進行不同教學法的實驗，實驗前後學業成績是否有差異；(2)從全國學生中抽取20對雙胞胎，進行閱讀力解測驗，考驗雙胞胎的閱讀理解能力是否相同。

觀念延伸 與本題概念接近的尚有：單一母群或兩個母群的變異數、相關係數與百分比例的差異考驗。

四、一位老師以期中考成績預測期末考成績，其迴歸方程式之常數為 40，迴歸係數為0.5，請回答下列問題：
(一) 何謂簡單線性迴歸？寫出本題線性迴歸方程式。
(二) 若期中與期末成績之相關係數為0.6，說明相關係數與迴歸係數之關係。
(三) 若題(一)的線性迴歸方程式之迴歸常數調整成為50，而迴歸係數為 0.4 時，三位學生期中考成績分別為小祐：40分；小如：80分；小助：100分，請計算其期末考之預測成績分別為何？

破題分析 本題是迴歸分析的標準考法，從相關係數r，到迴歸方程式 $\hat{Y}=a+bx$，以及a、b的求法，考生必須要非常熟悉，年年必考。

答 (一)

1. 所謂簡單線性迴歸中的「簡單」就是只有一個自變項（或稱預測變項），「線性」就是自變項與依變項（或稱效標變項）間存在數學上的線性對應關係。因此，簡單迴歸分析就可以說是具有線性關係的一個自變項(x)去預測依變項的統計方法，其線性迴歸方程式可寫成 $\hat{Y}=a+bx$。
2. 依照題表，常數a=40，迴歸係數b=0.5

   ∴迴歸方程式為 $\hat{Y}=a+bx=40+0.5x$

(二) 迴歸係數與相關係數的關係公式為 $b=r_{XY}\cdot\frac{S_Y}{S_X}$

(三) 依題意迴歸方程式調整為 $\hat{Y}=50+0.4x$

所以小祐期末成績為 $\hat{Y}=50+0.4\times40=66$(分)

小如期末成績為 $\hat{Y}=50+0.4\times80=82$(分)

小助期末成績為 $\hat{Y}=50+0.4\times100=90$(分)

觀念延伸 與本題相關的概念有：標準化迴歸係數、決定係數、疏離係數。

五、一個已知為常態分配的母群，其平均數為25，標準差為12。若實驗樣本得到的平均數分別為(A)19和(B)35，計算其實驗效果量並評價其大小。

破題分析 此題考的是effect size大小的計算，這在預測分析中經常使用，尤其判定研究的成效如何，實驗的結果是否有進步，考生要加以熟悉。

答 Cohen（1998）定義效果量（effect size）的大小，

公式為$d=\frac{\bar{x}_1-\bar{x}_2}{S}=\frac{35-19}{12}=1.33$。

此效果值算是很大的（∵Cohen認為effect size＜0.2是小的；0.5左右是中的；大於0.8算是大的）。

可惜的是，題目並沒有說明(A)(B)兩實驗誰先誰後，因此無法判斷實驗結果是否有進步。

觀念延伸 事前效果量、事後效果量、差異大小、關係強度。

NOTE

107年 高考三級

一、王老師要瞭解啟發教學法、欣賞教學法及建構式教學法，在不同學習壓力（區分為高度及低度壓力）的學習表現之影響情形。每一種教學法各十位學生，每種教學法在高度及低度壓力各五名學生。經過教學實驗之後，透過二因子變異數分析，結果摘要如表。請回答以下問題：

(一) 請寫出A至K格中的數值（請以A＝……、B＝……依此類推，寫於答案紙）。

(二) 表中看出那些項目達到統計顯著水準呢？為什麼？因為有些項目達到統計顯著水準，所以王老師下一個步驟應進行那些統計檢定呢？表中有一項為交互作用，請說明它的種類及其特性。

表：壓力與教學方法對於學習表現的二因子變異數分析摘要

變異來源	SS(離均差平方和)	df(自由度)	MS(均方)	F值
組間				
壓力	4.0	A	E	I
教學方法	100.0	B	F	J**
壓力與教學方法交互作用	40.0	C	G	K*
組內（誤差）	96.0	D	H	
總和	240.0			

*p＜.05**p＜.01

破題分析 本題考的是完全受試者間二因子變異數分析，包括摘要表與單純主要效果的計算，是二因子變異數分析的經典考題，考生只要小心計算，應可得不錯的分數。

答 若以c為行數（高、低壓力），r為列數（3種教學法）：

(一) 則$A = c - 1 = 2 - 1 = 1$

$B = r - 1 = 3 - 1 = 2$

$C = (c - 1)(r - 1) = (2 - 1)(3 - 1) = 2$

$D = rc(n - 1) = 3 \times 2(5 - 1) = 24$

$$E=\frac{SS_A}{c-1}=\frac{\text{壓力的離均差平方和}}{2-1}=\frac{4}{1}=4$$

$$F=\frac{SS_B}{r-1}=\frac{\text{教學法的離均差平方和}}{3-1}=\frac{100}{2}=50$$

$$G=\frac{SS_{AB}}{(c-1)(r-1)}=\frac{\text{兩者交互作用的離均差平方和}}{(2-1)(3-1)}=\frac{40}{2}=20$$

$$H=\frac{SS_W}{rc(n-1)}=\frac{\text{組內誤差的離均差平方和}}{3\times 2(5-1)}=\frac{96}{24}=4$$

$$I=\frac{MS_A}{MS_W}=\frac{4}{4}=1$$

$$J=\frac{MS_B}{MS_W}=\frac{50}{4}=12.5$$

$$K=\frac{MS_{AB}}{MS_W}=\frac{20}{4}=5$$

(二)

1. J的F值兩顆星，$P<0.1$達顯著；K的F值一顆星，$P<0.5$亦達顯著。表示不同的教學法對學習表現的影響有明顯差異，而教學法與壓力對學習表現的交互作用達顯著。
2. J達顯著的結果，雖表示不同教學法會影響學習表現，但究竟是哪兩種教學法間造成的顯著差異，可進一步由「事後比較」（Post-hoc）得知。另外，K達顯著，表示教學法是否會影響學習成效，得視高壓力或低壓力而定，此時必須進一步考驗「單純主要效果」（simple main effect）。
3. 交互作用的種類分三種：

(1) 有交互作用：A、B剖面圖（profile plot）不平行

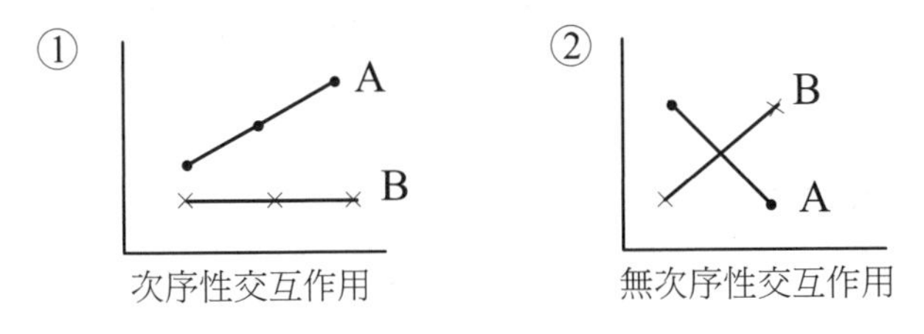

次序性交互作用　　無次序性交互作用

(2) 無交互作用：A、B剖面圖平行

③

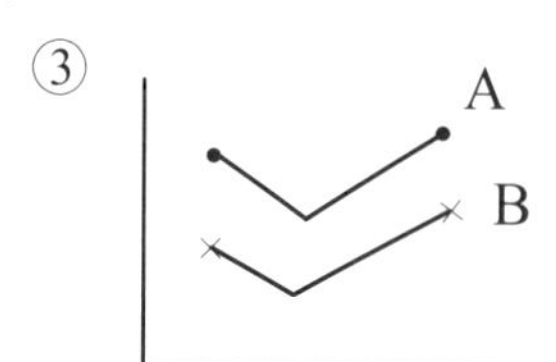

觀念延伸 混合設計二因子變異數分析、相依樣本二因子變異數分析（受試者內）。

二、近年來，測驗學者及校務研究（Institutional Research）透過資料採礦（Data Mining）來分析大數據或資料庫資料，以瞭解測驗變項之可能分配的組型、群組或關聯性是重要的趨勢。資料採礦包括監督式（supervised）及非監督式（unsupervised）取向。請問，這兩種取向的意義與差別、資料採礦特性、兩種取向各有那些技術可以應用。

破題分析 本題難度較高，考的是校務研究資料採礦技術與類型，屬於大數據分析的範圍，第一次出現在考題上，也是近年新興重要的考題，對考生而言是較為陌生的領域。有關大數據的統計應用，建議考生多加熟習，相關內容詳見本書「第十章新興統計理論與方法」。

答 「校務研究」（Institutional Research；IR）在美國大學發展近50年，宗旨在於整合大學內部日常行政、調查數據，以及學生學習等資料，用以執行校務運作診斷與自我改進，為校務決策提供數據支持的決策基礎。「校務研究」的具體項目可運用至校務各個運作層面，包括：選拔合適學生入學、系統性專業化評量學生學習成效、檢視校內教育方案實施有效性、促進校務運作資料共享與透明，以及形塑實事求是的校務治理文化等。以下就資料採礦（Data Mining）的意義、種類分析如下：

(一) 資料採礦的意義

將IR運用在校務治理和大學研究，主要透過「資料採礦」技術，來分析大數據或資料庫資料，以瞭解測驗變項之可能分配的組型、群組或關聯性。這種運用大數據的分析技術協助治理學校的運作方式，能支撐美國頂尖大學面對全球競爭者時，得以洞燭機先、快速有效反應來自內外部的各項挑戰。

(二) 資料採礦的種類

類神經網絡（Artificial Neural Networks）是資料採礦技術常用的分析方法，類神經網路依其學習特性的差異，可以區分成為監督式學習（Supervised）、非監督式學習（Unsupervised）、聯想式學習（Associate Learning Network）及最適化應用網路（Optimization Application Network），以下就題目所述的監督式、非監督式取向，詳述如下：

1. **監督式學習網路**（Supervised Learning Network）：從問題領域中取得訓練範例（包括輸入變數值及輸出變數值），網路從中學習輸入變數與輸出變數的內在對應規則，以應用於新的範例（只有輸入變數值而需推論輸出變數值的應用）；此種學習方式有如老師指導學生對問題做正確的回答，常見應用於圖形辨認和預測領域，如：倒傳遞網路、學習向量量化網路、機率神經網路、反傳遞網路（CP）等。
2. **非監督式學習網路**（Unsupervised Learning Network）：相對於監督式學習網路而言，必須有明確的輸入與輸出範例資料訓練網路，然而非監督式學習只需要從問題域中取得輸入變數值範例資料，並從中學習範例內在聚類規則，以應用於新範例（有輸入變數值，而需推論它與那些訓練範例屬同一聚類的應用），如：競爭式學習、自適應共振理論網路（ART）、Kohonen學習法則（SOM）等。

觀念延伸 與本題相關的概念尚有：資料採礦方法（包括：決策樹分析、關聯性分析、類神經網路、基因演算法、多元尺度分析法、集群分析法、羅吉斯迴歸、聯合分析、時間數列分析法、貝氏網絡分析法、蟻群分析法，以及多變量分析）、機器學習、統計學習理論、大數據分析、人工智慧等。

三、S-P表（Student-Problem Chart）分析是近年來測驗評量很重要的實務議題，請說明S-P表的意涵與特點，以及使用注意事項。

破題分析 本題考S-P分析表屬於送分題，已在高考出現兩三年，相信讀者應該相當熟悉。此次只考意涵、特點與注意事項，考生還須留心報表解讀這一區塊。相關內容請見本書第一篇第三章第四節，有詳盡的介紹。

答 S-P問題分析表（Student-Problem Chart）屬於試題分析的方法之一，由日本學者佐藤隆博於1970年代所創，是教師了解學生回答反應與試題品質的好工具。其意涵、特點與注意事項如下：

(一) **S-P表的意涵**

所謂的S-P表分析，即是在分析每位學生及每道試題的作答反應組型的注意係數，以及整份測驗的差異係數和同質性係數。這些指標都是用來協助教師診斷學生表現、測驗品質，即教學成果的有效工具，以作為改進教學、命題與輔導學生之參考。

(二) **S-P表的特點**

1. 最適用於「形成性評量資料」的分析與診斷。
2. 最適合用於現行班級人數約在40至50人，而試題數約在20至30題的評量資料之分析及診斷。
3. 最適合用於利用視覺模式而判斷的分析法。
4. 最適合僅具有初等統計學知識的教師使用。
5. 最適合用於了解學生的學習反應傾向。
6. 可以測量「試題注意係數」，用來判斷試題的反應組型是否有異常現象的指標。試題注意係數使用P曲線的面積來計算，數值越大表示異常狀況越嚴重。
7. 可以得知「學生注意係數」，用來判斷學生的反應組型是否有異常現象的指標。學生注意係數是以S曲線面積來計算，數值越大表示異常狀況越嚴重。
8. 可以計算「差異係數」，指實際測驗得到的S-P表中，S和P兩曲線間圍成的面積，若差異細數大於0.5，表示試題具有相當多的異質性。

(三) **注意事項**

1. 只能作為參考使用，不可用來排定學生名次。
2. 當試題或學生數過少時，可以不必計算注意係數。
3. S與P曲線相近時，也未必是一種好的現象。

觀念延伸 與本題概念相關的尚有：試題反應組型、同質性係數、差異係數、學生注意係數、試題注意係數。

四、解釋名詞：

(一) 測量標準誤（Standard Error of Measurement）
(二) 陸軍普通分類測驗（Army General Classification Test, AGCT）
(三) 測驗等化（Test Equating）
(四) 定錨試題（Anchor Items）
(五) 高斯分配（Gaussian Distribution）

破題分析 本題解釋名詞均為本書強調的重點，相信讀者可以得到高分。其中試題等化與定錨試題屬於試題反應理論（IRT）的重要概念，讀者更應熟習。

答 (一) **測量標準誤**（Standard Error of Measurement, SEM）：簡單的說就是「誤差的標準差」。測量標準誤不能與測量標準差（SD）混淆，測量標準差是測得分數變異數的開根號。測量標準誤、測量標準差與信度的關係如下：

1. $SEM = SD \times \sqrt{1-r}$（測量標準誤=測量標準差乘以1減信度係數之開平方根）；
2. 信度越低，表示誤差越大，測量標準誤SEM越大；
3. 測量標準差越大，測量標準誤也越大。

(二) **美國陸軍普通分類測驗分數**（AGCT）：美國陸軍在第二次世界大戰期間，急需篩選大批新兵，乃由心理測驗專家設計一套團體智力測驗，稱為陸軍普通分類測驗，是人類第一個團體智力測驗。AGCT內容包含三部分測驗：語文理解測驗、算術推理測驗、方塊計算測驗。平均數100，標準差20，所以AGCT=100+20Z。AGCT為普通能力測驗，不同性質的測驗（如人格測驗）不可隨意轉成AGCT分數。

(三) **測驗等化**（Test Equating）：測驗等化之目的，在於使每次測驗分數間可客觀、有效地進行比較。換句話說，測驗等化就是利用統計方法，將受試者在某一測驗的分數轉換至另一測驗分數量尺，以比較兩測驗分數關係的過程。所謂測驗等化係指利用統計方法，將兩份或是兩份以上試卷的測驗分數進行轉換，等化的目的是在校準測驗難度之差異，而非測驗內容之差異。

(四) **定錨試題**（Anchor Items）：在「試題反應理論」的假設下，不同的測驗結果，需要建立共同量尺，方能進行分數間的比較。而共同量尺的建立，則需借助測驗等化的技巧方得以完成。不同測驗間的分數欲進行等化，需要在各測驗中包含一份共同試題，稱為定錨試題，以便作為測驗間的連結之用，在量尺定錨點上使用的定錨試題，通常是受試者通過機率較大者。

(五) **高斯分配**（Gaussian Distribution）：統計上的常態分配（normal distribution）強調，在正常狀態下的個體一些屬性，包括身高、體重、智力……在數量的分布上皆呈現出兩極端占少數、中間部分占多數的分布情形。也就是說，任一個隨機變項的觀察值，呈現對稱的鐘形曲線分配，由德國數學家高斯（Karl F. Gauss，1777-1855）所提出，因此又稱為高斯分配（Gaussian distribution）。

觀念延伸 與本題相關的概念尚有：定錨設計、鑑別度、難度、能力值分佈、估計誤差、試題反應理論、非常態分配、校準常模等。

107年 普考

一、丁老師想要瞭解亞洲四小龍國二生的回家作業完成時間（以小時為單位）與數學成就差異，從TIMSS 2011取得資料，經過分析之後結果如表所示。請回答以下問題。

(一) 四個國家國二生完成作業時間，依國名從最高到最低排列為何呢？

(二) 丁老師運用那一種統計方法檢定呢？此方法檢定步驟為何呢？

(三) 在完成作業時間與數學成就，四個國家是否都有明顯差異呢？為什麼？

(四) 請解釋數學成就的事後比較一欄的意義

表：亞洲四小龍國二學生回家作業完成時間及數學成就的差異情形

變項	國家	平均數	標準差	F值	Scheffe法事後比較
完成時間	臺灣(a)	2.19	0.90	$F_{(3,20541)}=589^{**}$	a>b** ；a<c**
	南韓(b)	1.96	0.84		a<d** ；b<c**
	香港(c)	2.47	0.90		b<d** ；c<d**
	新加坡(d)	2.69	1.14		
數學成就	臺灣(a)	586.14	98.08	$F_{(3,21674)}=44^{**}$	a<d** ；b<d**
	南韓(b)	587.54	82.93		c<d**
	香港(c)	587.13	70.08		
	新加坡(d)	601.31	78.18		

**p＜.01

破題分析 本題考單因子變異數分析，包括摘要表、事後比較，並沒有複雜的計算，只要觀念正確應可輕鬆拿分。

答 (一) 從scheffé法事後比較的結果，可知d＞c＞a＞b，即新加坡＞香港＞台灣＞南韓。

(二) 檢定三個以上平均數的差異，用單因子變異數分析，步驟如下：

1. 提出假設 $\begin{cases} H_0 \text{：四者平均數完全相同} \\ H_1 \text{：四者平均數完全相同} \end{cases}$

2. 設定α值，即可找出拒絕區。

3. 做出ANOVA摘要表，求F值，如題目表。

4. 若F值落入拒絕區，則接受H，即四者平均數不完全相同。

(三) 由題目表中，發現「完成時間」和「數學成就」的F值分別.589，P＜0.1；.44，P＜0.1均達顯著，表示兩者均不全相同。

(四) a＜d**即台灣數學成就明顯低於新加坡。
b＜d**即南韓數學成就明顯低於新加坡。
c＜d**即香港數學成就明顯低於新加坡。

觀念延伸 獨立樣本ANOVA、相依樣本ANOVA、關聯強度。

二、研究者想要瞭解40位學生在學期初及學期末，對數學課喜歡程度改變情形是否具有顯著差異。學期初及學期末對40名學生調查，得到資料如表。請依據檢定步驟，寫出研究假設、選用統計方法與計算、以α＝.05檢定、進行裁決與解釋。
（顯著水準α＝.05，自由度1、2、3、4查表各為X^2_1=3.84、X^2_2=5.99、X^2_3=7.81、X^2_4=9.49）。

表：學期初及學期末的40名學生調查資料

		學期末		
		喜歡	不喜歡	總和
學期初	喜歡	8	16	24
	不喜歡	12	4	16
	總和	20	20	40

破題分析 本題一看題目有交叉表，就知道考的是卡方分配，加上是同一群受試者前後的反應是否改變的考驗，因此可以判斷是卡方分配「改變的顯著性」考驗。

	不喜歡	喜歡
喜歡	A	B
不喜歡	C	D

答 假設 $\begin{cases} H_0\text{：無顯著改變} \\ H_1\text{：有顯著改變} \end{cases}$

α=.05，df=(2-1)(2-1)=1，拒絕區臨界值 $X^2_{(1)}$ =3.84

待考驗統計量 $X^2=\dfrac{(A-D)^2}{A+D}=\dfrac{(16-12)^2}{16+12}$=0.57<3.84

∴接受H_0，也就是學期初到學期末對數學課的喜歡程度無明顯改變。

觀念延伸 假設考驗、顯著水準、卡方分配適合度考驗、百分比同質性考驗、獨立性考驗。

三、問卷調查法是社會科學研究的重要方法之一。問卷調查需要設計適切的問卷題目，才能組成一份具有信度與效度的研究工具。請說明在進行社會科學研究時，編製問卷題目應掌握那些原則呢？

破題分析 本題考的是調查研究法問卷編製的原則，雖然較不屬於教育測驗與統計的範圍，但同是教育行政的考科內容，考生仍須注意不同考科間相似內容的互通或比較。

答 調查研究法編制問卷的原則：

(一) **用字淺顯易懂**：題目的文詞應力求清楚明瞭，不要造成作答者對語意的誤解。而且用字也要簡單易懂，盡量使作答者能節省作答的時間。

(二) **減少敏感性或具有爭議性問題**：例如，死刑存廢問題是關於死刑存與廢的爭議性討論。死刑為剝奪生命的刑罰，乃國家基於法律所被賦予的權力。這樣的題目較不適合，因為目前在台灣仍未有定論。

(三) **每個問題只涵蓋一個概念**：一個句子只能提及一個概念，以免作答者混淆。譬如「當你遇到挫折時，你是否會努力不懈而且嘗試用新的方法去解決。」這個句子就涵蓋了「努力不懈」及「嘗試用新的方法」兩個概念。

(四) **避免主觀及情緒化的字眼**：問卷的問題應該是採用客觀、中性的字眼，不用會挑起作答者情緒的文字。

(五) **問題的選項應清楚界定**：問卷裡各個問題的選項應界定清楚，在各個選項中不能有混淆的情形。

(六) **不用假設或猜測的語句**：「假如你是老師的話，你是否會同意成立學生餐廳？」，像這種假設性的問題，因為作答者有太多的想像空間，以致於所得的結果不易歸納解釋。

(七) **句子避免過長**：通常作答者在填答一份問卷時，都不希望花太多的時間，若題目複雜又冗長，作答者有可能會應付了事。

觀念延伸 與本題相關的概念尚有：調查研究法、觀察研究法、俗民誌研究法、訪談研究法等。

四、請試述下列名詞之意涵：
(一) 第二類型錯誤（Type II error）
(二) 中央極限定理（Central Limit Theorem）
(三) 變異數同質性（Homogeneity of Variance）
(四) 驗證性因素分析（confirmatory factor analysis, CFA）
(五) 中介變項（Intervening Variable）

破題分析 本題所考的解釋名詞都是基本概念，考生在此處應可輕鬆拿分，其中尤其注意變項的類型，例如中介變項、調節變項……等重要的統計基本概念。

答 (一) **第二類型錯誤（Type II error）**：第二種類型的錯誤是當虛無假設(H_0)事實上為假時，研究結果卻錯誤地接受了H_0，表示決策錯誤，這種錯誤稱為第二類型的錯誤，簡稱「型II錯誤」（type II error），其發生的機率大小為統計考驗的β值，因此又稱為β型錯誤。

(二) **中央極限定理（Central Limit Theorem）**：中央極限定理指的是當抽樣次數夠多且樣本N夠大時，不論原來母群分配如何，其樣本平均數的抽樣分配將呈常態分配，又稱為Z分配。

(三) **變異數同質性（Homogeneity of Variance）**：各樣本必須取自變異量相等的群體，如此各樣本才會具有相似的分散狀況（變異數）。

(四) **驗證性因素分析（confirmatory factor analysis, CFA）**：探索性因素分析（Exploratory factor analysis, EFA）及驗證性因素分析（Confirmatory factor analysis, CFA）都是在編制量表的時候很重要的一環，這兩種取向都是在驗證「建構效度」（Construct validity），也都是因素分析的方法之一。其中，EFA是當對於因素結構沒有特定想法的時候來使用，亦即研究者在設計量表題目的時候，對於題目－構念之間的關係並無定見；CFA適用於因素結構已經確定，即研究者對於題目－構念之間的關係已經事先有所預設。

(五) **中介變項（Intervening Variable）**：指研究時，有些屬於個體內在的心理歷程，卻是不能觀察、測量，研究者也無從掌握的變項。例如：動機、焦慮、挫折、自尊等。它介於刺激與反應兩變項之間，因外在刺激而引起的內在變化，既不屬於可以事先處理的自變項，也不屬於觀察可見的依變項，而是一種假設性概念，用以說明兩種變項間關係的內在變化。中介變項比原始自變項預測力更高，其存在必須比較相關係數與多元迴歸係數。

觀念延伸 與本題相關的概念尚有：外加變項（extraneous variable）、內含變項（component variable）、中介變項（intervening variable）、前導變項（antecedent variable）、調節變項（干擾變項）（moderating variable）、混淆變項、伴隨變項、控制變項，詳見本書第二篇第十章的詳細說明。

NOTE

107年 地特三等

一、某教育學者擬進行一項前瞻性議題的學術研究，但經過詳細的文獻評閱後，發現市場上現行可用的測量工具，均缺乏令人滿意的信度和效度證據。請問為了能夠獲得審慎的測量結果，以完成這份前瞻性研究，他該如何處理或改善這種信度、效度均偏低工具的測量情境？

破題分析 本題考信度、效度均偏低工具的處理與改善之道，本書第一篇第一章有詳盡解說。考生必須從樣本、題數、難易度……等各個層面論述，盡量面面俱到才能得高分。考生可參考本書第一篇第一章第四~五節。

答 影響測驗信、效度的因素，大致包括樣本異質性、測驗題數、測驗難易度、時間間隔、試題鑑別度、試題內容取樣、測驗情境、時間限制、受試者身心狀況、評分者誤差、效標的品質……等，均會影響測驗的信、效度。因此，可以採行以下措施改善測驗信效度均偏低時的情況：

(一) 重新編題：讓題目數量適中，測驗難度維持50%左右，鑑別度也要高，且增加同質性的題目。

(二) 校正相關係數萎縮：使用測驗工具都會有誤差，因而信度並非完全信度，相關係數會有萎縮現象，必須進行校正，才能較為接近真正相關係數值，最常見的方法就是刪除「刪題後信度」低於「內部一致性」的題目。

(三) 重視測驗情境、評分者、受試者身心、時間間隔等因素對信、效度的影響。

觀念延伸 斯皮爾曼-布朗公式、測驗難易度、鑑別度、刪題後信度、內部一致性。

二、某教育學者在進行試題分析（item analysis）時，發現除了可根據單一試題的難度（difficulty index）、鑑別度（discrimination index）、及猜測度（guessing index）或選項誘答力分析（item-choice distraction analysis）等指標，來協助分析判斷單一試題品質的優劣外，還可利用考生在整份測驗上的作答組型（response patterns）資料，進行整份測驗品質及單一試題品質好壞的診斷分析，同時也可以協助教師了解考生學習類型的診斷分析結果。請說明：這種可以利用考生的作答組型來進行測驗與試題品質診斷的方法及其內涵為何？

破題分析 本題考的是S-P分析表，是近年常考的內容，本書第一篇第三章第四節對S-P表分析指標的重點進行詳細說明，值得考生細讀。

答 S-P問題表關心的課題在將學生試題作答的反應組型，依指標化的數據作為研判反應組型應作何種處理的測驗分析方法。透過對學生作答反應組型的分析，辨別異常反應組型資料，從中獲得有用的診斷訊息，提供教師教學、命題與實施輔導策略之改進。

(一) S-P表使用之試題分析步驟：

1. 批改試卷。
2. 將批閱後的試題反應矩陣改為二元化計分矩陣。
3. 依序排列學生得分的高低。
4. 依序排列試題答對人數的多寡。
5. 畫出S曲線及P曲線。

(二) S-P表基本涵義：

1. S曲線：學生得分的累加分佈曲線，此曲線以左的範圍，代表學生大都答對了試題。
2. P曲線：試題答對人數的累加分佈曲線，此曲線以上的範圍，代表試題大都被學生答對了。
3. S曲線的位置可以看出學生學習成就達成的程度。
4. P曲線的位置可以看出班級學生達成與未達成教學目標的程度。
5. S曲線以左的部份，或P曲線以上的部份，對整個S-P表所佔的比例，表示該次測驗的平均答對率。

(三) SP表分析指標：SP表可用來診斷學生的作答反應組型，並以差異係數（disparity coefficient）、同質性係數（homogeneity coefficient）、試題注意係數（item caution index），以及學生注意係數（student caution index）等指標，來診斷學生學習或試題命題有無產生不尋常作答反應組型的狀況，並藉此提供診斷訊息供命題者或教師的參考。

觀念延伸 誘答力分析、難度分析、鑑別度分析、差異係數、同質性係數、試題注意係數，以及學生注意係數……等。

三、某教育統計學家想得知某個教育實驗方案是否具有顯著的成效，擬進行一次所謂的「統計顯著性檢定」（statistical test of significance）。請說明：欲進行一次「統計顯著性檢定」，需要使用那些構成要素，並舉一例檢定公式說明之。

破題分析 本題考「顯著性檢定」的步驟及舉例，考生可以用兩個組別的獨立樣本t檢定加以舉例說明，較為簡單明瞭不易錯。考生可以參考第二篇第五章第二節。

答 例如此統計學想知道「微型教學對學業成就」的影響是否達顯著。則必須從常態母群中隨機抽取具代表性的樣本若干，然後隨機分派成實驗組與對照組。其中實驗組接受「微型教學」，對照組則否。之後進行統計檢定，其步驟如下：

(一) 因母群常態且變異數未知，故使用t檢定。

(二) 檢定變異數同質性 $\sigma_1^2 = \sigma_2^2$

(三) 假設變異數同質，則可以 S_p^2（合併變異數）來估計母群變異數（σ^2）。

其中 $S_p^2 = \dfrac{(n_1-1)S_1^2+(n_2-1)S_2^2}{n_1+n_2-2}$

(四) 統計假設 $\begin{cases} H_0: \mu_1 \le \mu_2 \\ H_1: \mu_1 > \mu_2 \end{cases}$

檢定統計量 $t = \dfrac{(\bar{X}_1-\bar{X}_2)-(\mu_1-\mu_2)}{\sqrt{S_p^2\left(\dfrac{1}{n_1}+\dfrac{1}{n_2}\right)}}$

若t值落入拒絕區，則拒絕H_0即表示「微型教學」的成效明顯較傳統教學好。但仍有α的機率會犯型I的錯誤。

觀念延伸 相依樣本t檢定，變異數差異檢定、百分比差異檢定……等。

四、某教師這學期教到三個數學低成就班級，其中，A班平均成績為45分、標準差10分；B班平均成績為35分、標準差5分；C班平均成績為55分、標準差20分。該名教師為了讓家長及學校覺得他並沒有教得那麼差，於是打算將每位學生的數學科成績各加20分，再算出每班的平均成績及標準差後，作為繳交每班成績單的依據。請說明：

(一) 未加分前，那一個班級學生的數學程度最好？

(二) 未加分前，那一個班級學生的數學科成績個別差異程度最大？

(三) 加分後，那一個班級學生的數學程度最差？

(四) 加分後，那一個班級學生的數學科成績個別差異程度最小？

破題分析 本題考平均數，標準差，屬於簡單題，只要觀念正確，得分不難。考生可參考本書第二篇第二章第二節。

答 (一) 從平均成績來看$\overline{X}_C > \overline{X}_A > \overline{X}_B$（55＞45＞35）

∴C班的程度最好

(二) 從標準差來看$S_C > S_A > S_B$（20＞10＞5）

∴C班的差異程度最大

(三) 加分後，平均數增加20分

$\overline{X}_C > \overline{X}_A > \overline{X}_B$（75＞65＞55）

∴B班的程度最差

(四) 加分後，標準差仍不變

$S_C > S_A > S_B$（20＞10＞5）

∴B班的差異程度最小

107年 地特四等

一、陳老師想了解那些因素可以預測臺灣國二生數學學習成就，從TIMSS2015取得資料，其中學生的母親之原屬國籍分為中華民國以外的國家（迴歸分析時列為參照組）與中華民國、性別（女生為參照組）、父親教育程度（接受正規教育年數計算），而家庭文化資本至數學學習自信的變項都以李克特五等第為選項（1為最少，5為最多），數學成就最低分為0分，最高為700分。經過迴歸分析結果如表。請回答以下問題：

(一) 陳老師納入分析的樣本數有多少？共有幾個自變項？如何判斷此一迴歸方程式有沒有達到統計顯著水準？

(二) 這些變項沒有達到統計的顯著水準，其意義是什麼？男生的數學成就較高，還是女生較高？為什麼？

(三) 請從模式依序指出預測數學成就最重要的三個變項，並說明如何判斷為它們是重要的前三項因素；本模式的整體預測力有多少？表中的VIF意義何在？

臺灣國二生的數學成就因素之迴歸分析摘要 n = 3,134

變項	b	ß	VIF
常數	442.20**		
國籍	10.87	.02	2.1
男生	-6.84**	-.04**	1.3
父親教育程度	0.84**	.04**	2.5
家庭文化資本	25.95**	.14**	3.0
校園安全	5.35**	.04**	1.5
自我教育期望	13.31**	.29**	3.1
寫回家作業時間	12.98**	.10**	2.2
數學學習動機	12.77**	.12**	3.5
數學學習自信	38.30**		
adj-R^2	47.3	.33**	1.9
F值	F = 235.14**		

**$p < .01$

破題分析 本題考F值、迴歸方程式、迴歸係數及VIF，是常考題，基本觀念要清楚。

答 (一) 從迴歸分析摘要樣本數為n=3134；自變項共有國籍、男生、父親教育程度、家庭文化資本、校園安全、自我教育期望、寫回家作業時間、數學學習動機、數學學習自信等九項；此迴歸方程式整體F 檢定之F值為235.14**，達顯著$p<.01$。

(二) 沒有達顯著的變項表示該變項能解釋數學成就的變異量相當的小，並非有效的預測變項。

(三) 就此題而言，男性的數學成就較女性低。因為男性相較於女性（參照組）的迴歸係數（b值）及標準化迴歸係數（β值）是負的，可以看出男性的數學成就表現低於女性。

(四) 預測數學成就最重要的三個變項分別是數學學習自信、自我教育期望及家庭文化資本。因為此三個變項的標準化迴歸係數為排序前三名且都達顯著。另外，整體預測力要看調整過後的決定係數，也就是Adj-R^2=47.3，表示所有自變項能解釋依變項47.3%的變異量。

(五) VIF：指的是個別自變項的變異數膨脹因素（variance inflation factor, VIF），VIF值越小越好，當VIF太大（VIF>10），代表此自變項在模式中會產生共線性的問題，最好加以刪除。

觀念延伸 同步多元迴歸分析、逐步多元迴歸分析、階層多元迴歸分析、多元共線性、容忍值、特徵值（eigenvalue）、條件指數（conditional index, CI）……等。

二、王老師追蹤連續二年相同的120名學生，在「騎腳踏車上學是否對學習表現助益情形」之問卷調查，問題選項為有幫助、有妨礙、無關連，其反應人數如下表。請檢定學生在騎腳踏車上學對學習表現的態度改變情形（請寫出研究假設、選用統計方法與計算、以$\alpha=.05$檢定、進行裁決與解釋，其中$\alpha=.05$，df＝1、2、3、4查表各為$\chi^2_1=3.84$、$\chi^2_2=5.99$、$\chi^2_3=7.81$、$\chi^2_4=9.49$）。

國中生騎腳踏車上學對學習表現的追蹤資料

有騎車上學

沒有騎車上學		有幫助	有妨礙	無關連	總計
	有幫助	40	3	10	53
	有妨礙	5	12	2	19
	無關連	18	6	24	48
	總計	63	21	36	120

破題分析 本題考重複量數且交叉表大於2×2的包卡爾對稱性考題，是一種改變的顯著性考驗，是較少出現的題型。考生可參考本書第二篇第七章第四節。

答 (一) 統計假設

$$\begin{cases} H_0：態度改變的人數相等 \\ H_1：態度改變的人數不全相等 \end{cases}$$

(二) 包卡爾對稱性考檢

	有助	有礙	無關
有助	40	3	10
有礙	5	12	2
無關	18	6	24

卡方統計值

$$x^2=\frac{(5-3)^2}{5+3}=\frac{4}{8}=\frac{1}{2}$$

自由度為（3－1）（3－1）＝4

∴臨界值為$x^2_4=9.49$，因此統計值$\frac{1}{2}<9.49$，必須接受H_0，故態度改變的人數相等（無顯著差異）。

觀念延伸 麥內瑪（McNemar）考驗、獨立性考驗、同質性考驗、適合度考驗。

三、信度是良好研究工具的重要條件之一，然而評估研究工具信度有多種方式。請說明積差相關係數在信度上的應用。

破題分析 本題考信度與積差相關係數間的關係，考生應從獨立與相依樣本探討，若受試者是相依樣本的重測信度，就無法以積差相關係數代表信度，這是本題的得分關鍵。考生可參考本書第一篇第一章第四節。

答 古典測驗理論假設：測得分數變異數=真實分數變異數+誤差分數變異數，亦即$S_X^2=S_t^2+S_e^2$，那麼信度就定義為：S_t^2/S_X^2，亦即真實分數變異數佔測得分數變異數的比例，此比例係數就稱為信度係數（reliability coefficient），習慣以r表示。

量測工具具有的信度，包含施測者內信度（intra-rater reliability），以及施測者間信度（interrater reliability）。在早期，信度係數多採用皮爾森積差相關係數（Pearson correlaiton coefficient）來表示，但其前提假設是二個變項是獨立的（independent）。也就是說，例如如果是看一個班級學生的身高與年齡的相關性，則可以檢定皮爾森r值代表信度，因為身高與年齡是兩個不同的變項。

但是，如果是對同一群受試者重複量測的兩次測試值的話，那就不正確，因為二者的關係是相依的（dependent）。此時必須使用組內相關係數分析（intraclass correlation coefficient, ICC），是1979年由統計學者Shrout與Fleiss提出，以配合不同狀況的重複量測相關性分析。

觀念延伸 施測者內信度、施測者間信度、組內相關係數……等。

四、請試述下列名詞之意涵：

(一) 無次序性交互作用（Disordinal Interaction）

(二) 概念構圖（Concept Mapping）

(三) 投射技術（Projective Techniques）

(四) 探索性因素分析（Exploratory Factor Analysis, EFA）

(五) 調節變項（Moderator Variable）

破題分析 此題為解釋名詞，如果可以，考生必須盡量寫出操作型定義較能得高分。

答 (一) **無次序性交互作用**（disordinal interaction）：在統計學中，交互作用是指在多因子設計時，各個因子對依變項的影響並非獨立，而是會受到其他因子的交互影響。交互作用如達顯著水準，則需再進行單純主要效果檢定，不可逕行解釋主要效果。統計交互作用的類型可以分成「無交互作用」、「次序性交互作用」、「無次序性交互作用」三類，其中「無次序性交互作用」如下圖，b_1、b_2兩條線交叉，表示A因子的平均數在a_1與a_2的情況下互有高低，此現象顯示A、B兩因子有交互作用產生，且無次序性。

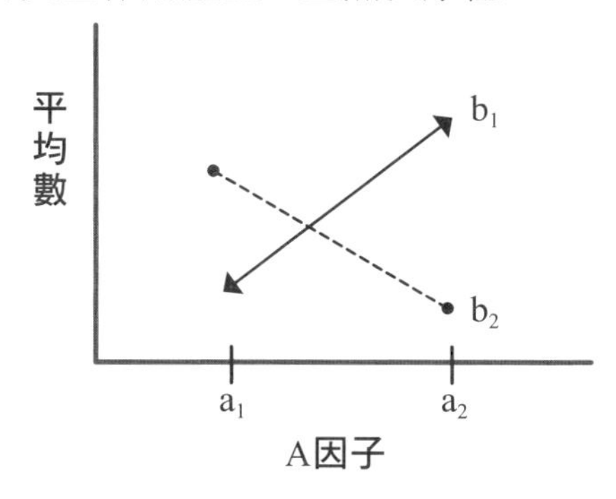

(二) **概念構圖**（concept mapping）：認知目標的命題原則重視概念的理解，近年流行的「概念構圖」就是一種以概念為中心的新式的學習、評量與研究方法，同時也是構成有意義學習的一種評量工具。概念圖是一種以圖示的方式來表示概念及表示概念與概念之間的關係的表徵方式，也有人稱之為語意圖（semantic mapping）、圖解組織（graphic organizer）或網路圖（networking）。

概念構圖最先由Novak和Gowin（1984）提出，概念圖係以視覺排列的方式來安置「概念」；概念間彼此的「關係」也被記錄在概念與概念之間。完整的概念圖是「概念」及「關係」的陳列，並顯示各單獨概念彼此的關係型態。概念圖的種類有蜘蛛圖、鏈狀圖和階層圖三種。蜘蛛圖是由一核心概念和周圍概念所組成；鏈狀圖是由一單向度的序列概念所組成；而階層圖則由上下階層從屬的概念所組成（劉威德，2019）。

(三) **投射技術**（projective techniques）：是指受試者在無拘束的情景中，不知不覺地投射出其心理上的需求、個性、情緒、動機、內在衝突等對測驗刺激的主觀解釋和想法，這些方法包括沒有規則的線條、沒意義的圖片、有頭沒尾的句子，讓受試者自己透過無限地想像來編排過程與結果，於是通過不同的回答和反應，藉以瞭解不同人的個性。投射測驗的發展與解釋與情境測驗一樣，主觀性很強，因此，須由受過臨床訓練之專業心理人員進行。較常見的投射技術方法有聯想法、完成法、表達法、編造法、選擇或排列法。例如榮格文字聯想測試和羅夏克墨跡測驗、羅特未完成語句測驗等。

(四) 探索性因素分析（exploratory factor analysis, EFA）：傳統的因素分析程序中，對於因素結構的尋找，並未有任何假設與預期結果。對於因素的抽取、因素的數量、因素的內容，以及變項的分類，研究前都沒有事先的預期，故全由因素分析的程序決定。探索性因素分析萃取出來的主要因素，還有另外一層意義，由於它們本來是不存在問卷中的項目，是藉由資料結構整理出來的新變數，因此可以用來代表那些「表面問不出來」而且是「具顯著力」的隱晦原因，這個結果很大程度補足了訪談等質性方法的重大缺點。

(五) 調節變項（moderator variable, MV）：指的是對自變項（IV）與依變項（DV）間的關係會產生影響的變數，MV對DV會有影響，且MV與IV對DV會有交互影響，具有調節自變項對依變項的作用。MV可視為第二獨立變數，對DV直接影響且影響較大的變數當IV，影響較小的當MV；學理依據較多的當IV，較少的當MV。

觀念延伸 混淆變項（Confounding Variable）、控制變項（Control Variable）、伴隨變項（Covariate Variable）、前置變項（Antecedent Variables）。

108年 高考三級

一、某次定期考試王老師班上25名學生的國語科成績分布如下表。請計算表中之累積百分比，於申論試卷上作答，並製作該班成績的莖葉圖。

分數	65	68	73	74	79	80	81	83	85	86	87	88	90	93	95	97
人數	1	1	2	1	1	3	1	2	2	1	2	2	1	3	1	1
累積百分比																

破題分析 本題只要將資料排序，並將十位數當莖，個位數當葉，即可製作莖葉圖。

答 (一) 全班共25人，故分數的累積百分比如下表

分數	65	68	73	74	79	80	81	83	85	86	87	88	90	93	95	97
人數	1	1	2	1	1	3	1	2	2	1	2	2	1	3	1	1
累積百分比	4%	8%	16%	20%	24%	36%	40%	48%	56%	60%	68%	76%	80%	92%	96%	100%

(二) 全班成績的莖葉圖如下：

莖	葉
6	5 8
7	3 3 4 9
8	0 0 0 1 3 3 5 5 6 7 7 8 8
9	0 3 3 3 5 7

觀念延伸 盒鬚圖、長條圖、直方圖、折線圖……等。

二、一項促進國際閱讀素養研究中，六個國家學生閱讀素養表現之平均值及平均值的標準誤如表2-1，每個國家抽樣至少是2,000名學生。那兩個國家的學習成就表現之差異達顯著水準（α＝0.05）？請寫出檢驗步驟並將達顯著水準的比較，以＊標示於表2-2之灰色細格中（本題不矯正因為多重比較造成的第一類型錯誤膨脹的問題）。

表 2-1

國家	平均值	平均值標準誤
A	581	2.2
B	576	3.2
C	569	2.7
D	565	2.2
E	559	2.3
F	555	2.4

表 2-2

	A	B	C	D	E
B					
C					
D					
E					
F					

破題分析 本題考多組資料平均數差異的「單因子變異數分析」，並詳細說明步驟。

答 獨立樣本單因子變異數分析的檢驗步驟如下：

(一) 研究假設

$$\begin{cases} H_0：此六個國家的平均數無差異 \\ H_1：此六個國家的平均數有顯著差異 \end{cases}$$

(二) 計算六個國家分數的95%信賴區間，如下：

A：$581-1.96\times2.2 \le x_A \le 581+1.96\times2.2$

$\Rightarrow 576.888 \le X_A \le 585.412$

B：$576-1.96\times3.2 \le X_B \le 576+1.96\times3.2$

$\Rightarrow 576.728 \le X_B \le 582.272$

C：$569-1.96\times2.7 \le X_C \le 569+1.96\times2.7$

$\Rightarrow 563.708 \le X_C \le 574.292$

D：$565-1.96\times2.2 \le X_D \le 565+1.96\times2.2$

$\Rightarrow 560.688 \le X_D \le 569.312$

E：$559-1.96\times2.3 \le X_E \le 559+1.96\times2.3$

$\Rightarrow 554.492 \le X_E \le 563.508$

F：$555-1.96\times 2.4 \le X_F \le 555+1.96\times 2.4$

$\Rightarrow 550.296 \le X_F \le 559.704$

(三) 以下六個國家分數兩兩相比較，必須互相都不在對方的信賴區間內才有顯著差異。因此可標示。因此可標示達顯著差異（＊）的國家如下：

	A	B	C	D	E
A					
B	＊	＊			
C	＊	＊			
D	＊	＊	＊	＊	
E	＊	＊	＊	＊	

觀念延伸 t檢定、單因子變異數分析、顯著水準、信賴區間……等。

三、王校長想知道學生的學習投入情形，編製學習投入量表共有11個題項。預試580名學生，計算該量表的Cronbach's Alpha所得數值為0.813。下表為量表信度之統計報表。請說明什麼是 Cronbach's Alpha，指出其關心誤差類型？並解釋下表中「矯正的項目-總分之相關」（CorrectedItem-Total Correlation）及平方複相關（squared multiplecorrelation）的意義。根據下表，若王校長想將題目縮短為10題，你會建議他刪除那道題目？為什麼？你刪除該題後的量表信度會是多少？請分別說明之。

項目-總分統計

	矯正的項目總分之相關	平方複相關	Cronbach's Alpha（如果項目刪除）
A	.522	.335	.793
B	.452	.231	.800
C	.488	.291	.796
D	.355	.155	.809
E	.449	.448	.800
F	.449	.449	.801
G	.467	.366	.798
H	.591	.405	.785

	矯正的項目總分之相關	平方複相關	Cronbach's Alpha（如果項目刪除）
I	.517	.332	.793
J	.485	.279	.797
K	.477	.245	.798

破題分析 本題考Cronbach's Alpha係數的相關概念，以及電腦報表的解讀與說明是近年相當流行的考題型式，考生必須對每種統計概念的電腦操作與報表內容加以熟悉。

答 (一) Cronbach's Alpha關心的是量表內容取樣與內容異質性的誤差。

(二) 「矯正的項目–總分之相關」指的是該題項與量表總分的相關，若相關係數太低，可考慮刪除該題項。

(三) 平方複相關係數指的是該題項可以解釋此量表分數變異量的多少。

(四) 若要刪除1題，則建議刪除題項D。因為為其「矯正的項目–總分之相關」最低，僅有.355，刪題後Cronbach's Alpha係數上升最多，變成.809。

觀念延伸 內部一致性信度，決定係數……等。

四、學校的定期考試主要在瞭解學生一段期間內的學習成效。此種測驗最主要的效度證據為何？教師要如何確保這類成就測驗的效度？學生接受測驗後該如何分析學生的測驗表現與檢驗試題的品質？

破題分析 教師自編測驗的效度與標準化測驗的效度不同，較不易掌握。因此考生可從內容效度著眼，並透過增加效度的方法以維測驗的品質。

答 (一) 效度是指測驗分數的正確性，測量能夠測量到它所想要測量特質的程度。教師所編的測驗（或學校段考題）是否可以測出考試範圍內的教學目標與教學內容，此種最重要的效度證據稱為「內容效度」（content validity）。如果該測驗具有教學內容取樣的代表性且符合教學目標，則稱該測驗具有效度。

(二) 為了確保並提高段考自編測驗內容效度的方法如下：

1. 若評量的概念較多或內容廣泛，可用「雙向細目表」規畫。
2. 由數位專家分別獨立設計不同的雙向細目表進行試題評鑑，再統計其一致性。

(三) 學生在接受段考測驗後，教師可運用下列方法分析學生的測驗表現與檢驗試題的品質：

1. **考後表現分析**：班級平均、單題答對率分析，並對比考前預測的落差，協助老師掌握題目難度，最好算出鑑別度，當然就可以讓老師的命題專業更精準，最重要的是，針對考試成績不理想的學生進行補救教學。

2. **試題品質檢驗**：首先尋求評量前的共識與落實審題制度，其次應遵守下列挑選優良試題之原則

   (1) 先挑出鑑別度指標較高的試題：效標參照測驗的鑑別度指標介於0.1-0.6之間（越接近0.6越好）。

   (2) 再從中挑出難度指標較為適中的：效標參照測驗的難度指標應與教學前預定的精熟標準一致（趨近於1,如0.8, 0.9）。

   (3) 考慮選出試題的比例是否與雙向細目表一致。

   (4) 輔以S-P問題表（S-P chart）挑選試題。

觀念延伸 難度、鑑別度、S-P問題表……等。

NOTE

108年 普考

一、某公司去年營運良好，醞釀加薪，提出加薪3,000元或是15%的方案供選擇。若公司平均薪資為55,000元，中位數為35,000元，眾數是30,000元。若加薪5,000元，平均數、中位數以及眾數會如何改變？若加薪15%，薪資的標準差與原本標準差的關係為何？如果甲的薪資等於平均數，選擇那種方案比較有利？若薪資等於眾數的話，又選擇何種方案有利？請分別說明之。

破題分析 本題考平均數、中位數、眾數的變化關係，屬於基本題，考生可以參考本書第二篇例題2.10。

答 (一) 加薪5000元，平均數、中位數、眾數都會跟著增加5000元，即平均數60000元，中位數40000元，眾數35000元。

(二) 加薪15%，即平均數變為1.15倍，因此標準差亦變為原本標準差的1.15倍。

(三) 若甲薪資為平均數55000元，則選擇加薪15%，$55000\times1.15=63250$，增加$63250-55000=8250$，較直接加薪5000有利。

但若甲薪資為眾數30000元，則選擇加薪15%，$30000\times1.15=34500$元，只增加4500元，較直接加薪5000元不利。

觀念延伸 變異數、標準差、四分位差、變異係數……等。

二、根據下述屬性，分別說明心理測驗的類別。

(一) 測驗測量的特質

(二) 測驗分數的解釋方式

(三) 測驗實施的方式

(四) 測驗時間限制

(五) 測驗材料

破題分析 本題考心理測驗的類別，屬於簡單題，可參考本書第一篇第二章第一節測驗的類型與特性，應可完全拿分。

答 目前應用於各領域的心理測驗種類非常多，分類如下：

(一) **依測驗的特質與功能可分**：智力測驗、性向測驗、人格測驗與成就測驗。

(二) 依測驗結果解釋方式而分：

1. **標準參照測驗**：為考驗學生能力是達到設定的標準，作為診斷與補救教學的參考。
2. **常模參照測驗**：為瞭解學生能力位於團體的相對位置，作為安置編班的參考。

(三) **依測驗的實施方式（是否標準化）而分**：

1. **標準化測驗**：測驗的編製、實施、計分、解釋、應用，所有過程均嚴格遵守統一的規定，且建立常模。如：性向測驗、智力測驗。
2. **非標準化測驗**：測驗的所有過程較有改變的彈性，且沒有常模的建立。如：教師自編成就測驗、學校段考。

(四) **依測驗的時間限制（題目難易）而分**：

1. **難度測驗**：測驗題目由易至難排列，受試者答對題數越多，能力越好。
2. **速度測驗**：測驗題目難度相同，受試者速度越快、答對題數越多，能力越好。

(五) **依測驗的材料而分**：

1. **語言文字測驗**：測驗的內容是以語言或文字呈現，又稱「紙筆測驗」。
2. **非語言文字測驗**：測驗的內容以圖畫、實物、模型等呈現方式。

觀念延伸 非診斷性測驗、診斷性測驗、認知測驗、情意測驗、技能測驗、預備性測驗、形成性測驗、總結性測驗、主觀測驗、客觀測驗、最高表現測驗、典型表現測驗……等。

三、甲測驗的平均值為50分，標準差10分，小華考了60分。假設該測驗的分數呈常態分配，則小華的百分等級為多少？T分數又是多少？常態化標準分數為何？該測驗的信度為.91，則該測驗的測量標準誤是多少？小華分數的95%信賴區間為何？請分別說明之。

破題分析 本題考基本統計的重要概念，考生要列出公式並小心計算，題目難度稍高。

答 (一) $Z=\dfrac{X-\bar{X}}{S_X}=\dfrac{60-50}{10}=1$，查常態分配表得Z＝1時，右尾概率為0.3413，加上左尾0.5，因此，小華贏過0.8413的人，其百分等級約為84%

(二) T分數＝50＋10Z＝50＋10×1＝60，常態化標準分數（又稱T量表分數）也是60。

(三) 測量標準誤$SE_{meas}=S_x\cdot\sqrt{1-r_{xx}}$（其中$S_x$為標準差，$r_{xx}$為測驗信度）

$\therefore SE_{meas}=S_x\cdot\sqrt{1-r_{xx}}=10\times\sqrt{1-0.91}=3$

因此，小華考60分，其真正分數的95%信賴區間為

$X-1.96\ SE_{meas}\leq X_t\leq X+1.96\ SE_{meas}$

$\Rightarrow 60-1.96\times3\leq X_t\leq 60+1.96\times3$

$\Rightarrow 54.12\leq X_t\leq 65.88$

觀念延伸 AGCT、標準九、C量表分數、Sten分數、百分位數……等。

四、已知甲校的素質較為整齊，乙校和丙校學生能力分布類似，都是能力差異大。研究者為了解A測驗的信度，將A測驗施測於三所學校的學生。乙校同時施測A測驗的複本，丙校則是隔一週後才施測A測驗的複本。

(一) A測驗分數的信度從甲校計算出來與從乙校計算出來，兩者大小關係為何？這是那種信度？其所關心的測量誤差是什麼？

(二) 乙校和丙校兩次施測所得分數之相關分別是那種信度，兩者的大小關係為何？其所關心的測量誤差分別為何？

破題分析 本題考複本信度，是信度中很常考的形式，題目較難些，但只要掌握同時施測與否的基本概念，應可輕鬆拿分。

答 (一) 已知乙校的素質較不整齊（變異程度大），因此乙校做出的測驗信度較甲校高。其所估計的信度即為同時實施的複本信度，稱為「等值係數」，又稱「複本立即信度」，其所關心的是複本測驗試題內容取樣的誤差。

(二) 乙校為同時實施的複本信度，丙校為間隔實施的複本信度，稱為「穩定與等值係數」，又稱「複本延宕信度」，其所關心的是時間及內容取樣的誤差，當間隔時間增加時，信度係數會變得愈低。是故乙校的測驗信度係數高於丙校。

觀念延伸 再測信度、內部一致性信度、評分者信度……等。

108年 地特三等

一、某單位人事主管想分析所屬人員（40 人）考入該組織的甄試分數與其三年來整體表現的評分，兩個分數之間的關係，而得到如下的資料：

	甄試分數	三年來整體表現分數
平均數	84	88
標準差	4.0	6.0

兩個分數的共變數是 6 試以上述資料，回答下列問題：（所有子題均計算至小數第三位，然後四捨五入至小數第二位）

(一)求兩種分數的相關係數。

(二)若以甄試分數預測其三年來整體表現分數，則其迴歸係數是多少？

(三)若將所有人員的兩個分數都化為標準分數（z 分數），則所有人員的兩個分數之標準分數的變異數各是多少？

(四)若以甄試分數的標準分數預測其三年來整體表現分數的標準分數，則其標準化迴歸係數是多少？

破題分析 本題是常見的考題類型，計算變項間的相關係數，並將結果進行迴歸分析，計算變項預測的迴歸係數。可參考本書第二篇第六章例題6.8。

答 (一)相關係數 $r_{xy}=\frac{\text{共變數}}{\text{標準差的乘積}}=\frac{Cov}{S_xS_y}=\frac{6}{4\times 6}=0.25$ 。

(二)迴歸係數 $=r_{xy}\times\frac{S_y}{S_x}=0.25\times\frac{6}{4}=0.375$ 。

(三)當原始分數轉換為標準分數Z，則Z分數的平均數和變異數，分別為0和1。

(四)標準化迴歸係數 $\beta=r_{xy}=0.25$ 。

觀念延伸 共變數分析、迴歸方程式、標準差與變異數、估計標準誤、複迴歸分析。

二、某教育單位欲使用人格測驗來甄選新進人員，主管希望妳（你）蒐集資料以回答下列問題：
(一)人格測驗和認知性測驗對受試者表現之要求有何不同？
(二)對於人格的測量可能存有那些類型的反應偏誤（response bias）之問題？
(三)人格測驗的測量方法可以分為那三類？

破題分析 人格測驗的考題不常見，尤其與認知測驗的比較、測量方式與誤差的相關問題更是冷門，所以考生的準備必須加深加廣，才能應付越來越靈活的考題。

答 (一)人格測驗與認知測驗的不同

1.人格測驗：人格測驗是一種「典型表現測驗」（Typical Performance Test），此類測驗都需假定受測者會誠實回答，但實際上是不可能的。典型表現測驗沒有分數的好壞，只是描述個體在正常情況下的行為表現而已。這種典型表現測驗包括人格、興趣、態度、價值觀、自我概念等方面的非認知性測驗。

2.認知測驗：認知測驗是一種最大表現測驗，旨在測量個人最佳反應或最大成就，認知測驗假定受測者具強烈的動機發揮個人最大能力。但實際狀況則是因為個體動機無法一直維持最強，使得真正表現遠在最大表現之下。這種最大表現測驗包括智力、性向、成就測驗。

(二)人格測驗的反應偏誤

反應偏誤（Response Bias）是指個人在回答試題時所用的方法或模式。這類方法或模式足以影響考試或測驗的效度，自然也不足代表個人的知識或能力。反應偏差常見於成就、能力和才能測驗。偏差是由於「猜答」、習慣的答「是」或「非」，選答題常選第二或第三個答案。在人格測驗類，多選表現「健全」的答案。對等級評定式，傾向選中間位置的等級。

(三)人格測驗的測量方法

1. 投射測驗法：所謂投射測驗就是給受測者一些刺激字詞、未完成語句、含糊不清楚的圖片，或設計一個挫折情境，要求他作個反應，藉此反應內容來分析一個人的內心理歷程或潛意識問題。

2. 自陳量表法：自陳量表是由受測者依據自己情況來回答已編製的人格描述項目是否符合作個選擇，再與常模作比較，以解釋其人格特質。

3. 行為鑑定法：行為鑑定就是對個體行為作個觀察、檢核和評定，藉以了解其行為的「有」、「無」，或行為等級的「高」、「低」，來解釋其外顯性行為的特性。

觀念延伸 聯想技術、構造技術、完成技術、表達技術、字詞聯想測驗、語句完成測驗、薩克斯語句完成測驗、墨漬測驗。

三、動態評量（dynamic assessment）在評量目的及歷程的特徵為何？又漸進提示評量（graduated prompting assessment）模式的實施歷程及評分依據為何？

破題分析 本題考的是多元評量中經常出現的動態評量，考生要掌握動態評量對過去、現在、未來能力的評估功能，並由漸進提示模式闡述其實施歷程與成果。

答 (一)動態評量的目的及歷程特徵

1. 評量目的：動態評量（dynamic assessment）的目的在鑑別學業學習有困難者，及發展有效的學習能力量數，來改進分類的方式。動態評量不僅是要評估受試者「目前」所表現的水準，且企圖了解受試者是「如何」達到目前的水準，以及受試者「可能」可以達到的水準。
2. 歷程特徵：動態評量的測量特徵包括過程為「測驗→教學→測驗」的程序；評量的重點是強調知覺、思考、學習和問題解決的過程，而非過去學習的成果；重視可概念化認知歷程的教學或學習；企圖找出影響個體有效學習或行為表現阻礙的因素。

(二) 漸進提示評量的實施及評分

1. 評量實施：漸進提示評量為Campione與Brown所提倡。本模式主要受到Vygotsky對於個體的學習、發展以及近側發展區理論的影響，運用近側發展區的概念，以提示系統由抽象逐漸變為具體的「漸進提示」模式及採用「前測－學習－遷移－後測」的方式來評估學生對學習的準備度及從教學中獲益的程度。
2. 評分依據：此模式的評量重點，在評量受試者欲達到某一特定標準時，所需要的教學「提示量」；藉以區辨個體學習潛能的個別差異，以預測個體未來的表現。從學習遷移歷程，可以了解兒童認知能力的個別差異；而學習與遷移的動態能力量數，是預測近期未來表現的較佳估計值。

觀念延伸 多元評量、實作評量、真實評量、歷程檔案評量、生態評量。

四、何謂常模（norms）？何謂常模樣本？又常模樣本需要符合那些要件？

破題分析 本題考常模與常模樣本，是基本拿分題，考生只要掌握時間與字數，四平八穩寫出課本內容，或加入獨創見解，得分不難。

答 (一) 常模

常模是解釋測驗分數的依據，測驗分數必須藉助於常模以解釋其意義。常模代表標準化樣本在測驗上實際表現的平均成績或中等水準，以受試者的測驗分數對照常模，即可顯示其在所屬團體中的相對地位，據以說明一個或一群受試者的差異的現象。例如：某生在英文測驗答對60題，一題一分，則該生原始分數為60分，這個分數無法表達高低，必須經過原始分數轉換後，和常模中的其他人表現相比較，才具有意義。

(二) 常模樣本

是一具有代表性的樣本團體在測驗上的表現或分數分布，其可作為心理測驗中原始資料轉換的依據，可表示個體在標準化常態樣本下的相對測驗表現。常模樣本人數若太小，通常不具足夠的穩定度，容易出現誤差，也就是若再抽一群人數相同的樣本出來施測，前後二次測驗分數的分佈狀況容易產生不同的情況，所以常模的樣本人數不宜太少。

(三)常模樣本要件

1. 常模樣本的代表性：常模樣本的各項特徵是否能代表其所欲推論的群體，例如：若欲建立台灣在職人員的常模，在抽樣時僅選取高科技產業的在職人員施測，則其代表性就會令人質疑。現在有許多的測驗係直接由國外引進，並未建立台灣的常模，或者測驗在發展時多用學生團體做常模，企業在選用適合的心理測驗時，都應思考常模樣本代表性的問題。
2. 常模樣本的新近性：隨著社會環境的改變，整體心理特質、態度、價值觀或知識技能也隨之變遷，十幾二十年前所建立的常模是否還能代表現今的狀況，令人質疑，因此測驗發展者是需要視情形重新修訂常模的，測驗使用者在使用時也應注意常模建立的時間。

3. 常模樣本的關聯性：是指測驗使用者需要依據學生的特徵和測驗目的從各種不同常模中選擇一種最合適的來使用。一般而言，若只是要瞭解學生在團體中的相對地位而已，可以選用具有相同特徵的常模，例如，學生若是三年級女生即可選用三年級女生的常模，或是三年級男女合併的常模。

觀念延伸 全國性常模、地區性常模、特殊團體常模、常模參照團體、百分等級、年級常模、年齡常模。

NOTE

108年 地特四等

一、請分別說明：
(一) 教學評量四大類：安置性評量、形成性評量、診斷性評量、總結性評量，其實施的時機與主要目的為何？
(二) 形成性評量與總結性評量在試題設計上的比較。

破題分析 本題是常見的評量比較，建議考生可以列表列點分析。答題內容可參考本書第一篇第二章。

答 (一) 四大類教學評量的使用時機與目的

教學評量是教學後根據教學目標對學生學習結果所做的綜合性評價歷程，可以讓教師及學生獲得教學與學習歷程中連續性的回饋。教學評量約可概分安置性評量、形成性評量、診斷性評量、總結性評量四大類，各有其不同的使用時機與目的，分析如下表：

評量種類	使用時機	使用目的
安置性評量	教學前欲了解學生程度時	安排至適合程度的學習組別
形成性評量	教學中欲掌握學習概況時	調整或改進教師教學
診斷性評量	學生學習出現困難時	深入分析並解決學習困境
總結性評量	學習後欲了解目標達成度	評定學生學習成果

(二) 形成性評量與總結性評量的比較

形成性評量與總結性評量雖不僅評量的時機與使用的目的不同，其試題設計的內容與難度等也有差異，比較如下：

試題設計	形成性評量	總結性評量
試題內容	概念少，每個概念所占題數較多	概念多，每個概念所占題數較少
試題範圍	較短學習週期的範圍	包含學習的廣大領域
試題難度	難度和學習內容配合	要顧及所有人，平均難度較中等

結果解釋	依標準判斷通過與否與成績高低	依團體中的相對位置評估結果
分數表現	標準參照、目標參照	百分等級、標準分數、年級常模

觀念延伸 標準參照評量、常模參照評量、主觀測驗、客觀測驗。

二、相關分析是一種測量變數間關係強弱的方法，請回答下列相關問題：

(一)散佈圖用於觀察兩個變項之間的關係，水平軸（X 軸）與垂直軸（Y 軸）各代表一個變項，請問各為何種變項？

(二)某散佈圖呈現「左上右下」的線性關係，請問是為何種相關？

(三)請說明相關係數（coefficient of correlation）的意涵與功能。

(四)某學校進行數學能力檢測，發現「身高與分數之間呈現正相關」，這樣的結果顯然與常理不合。試解釋之。

(五)某相同研究條件下，兩組相關係數之比較研究：在電腦打字能力研究中，女同學組（N_1=60）之 r_1= 0.70，男同學組（N_2=40）之 r_2=0.50。因為 $r_1 > r_2$，因此定論女同學之電腦使用能力其相關性高於男同學之電腦使用能力。試評論此結論。

破題分析 本題考的是相關分析，除了相關係數的基本概念之外，還有圖形的判斷，都是常考基本題，考生要拿分不難。建議考生可以舉個簡單的例子加以佐證，有加分效果。

答 (一) 散佈圖適用於XY雙變項皆是等距或比率變項資料。較特別的是「點二系列相關」，變項中若有一個變項是二分名義變項，則另一個變項就是等距或比率變項。例如，男女性別與數學成績的相關。

(二) 散佈圖呈現「左上右下」的線性關係，是為負相關。例如，每週上網時間和段考平均成績成負相關。

(三) 相關係數（coefficient of correlation）是用以表示兩變項線性關係強度的標準化摘要數值，其值介於正1(+1)與負1(-1)之間。相關係數的大小代表「關聯的強度」，係數的正負號代表「關聯的方向」。

(四) 相關係數r值意義和樣本大小有密切相關，當樣本很小時，則代表性不足，即使得到高的r值，其錯誤機率依然很高。某學校進行數學能力檢測，發現「身高與分數之間呈現正相關」，造成這樣與常理不合的結果，最有可能因為樣本數太少，不能有效推論至母群。

(五) 兩個相關係數直接以大小論高低較不恰當，應該論斷兩個相關係數是否存在顯著差異。因此，本題應從相關係數差異的考驗進行說明，透過 t 檢定對二個相關係數的差異性進行考驗，若達顯著，才能確定女同學之電腦使用能力其相關性顯著高於男同學之電腦使用能力。

觀念延伸 積差相關、正相關、負相關、零相關、共變數分析。

三、一般在進行推論統計檢驗時，總會存在一定數量的不可控制的誤差，這些誤差會影響著檢定結果之準確性與效果，試回答下列相關問題：

(一)請分別說明型 I 錯誤（Type one error）、型 II 錯誤（Type two error），與統計考驗力（Power）。

(二)請指出下列五種因素中，何者「增加」統計考驗力？何者「減少」統計考驗力？

1.在預估與已知母群的平均數間，更大的預估差異值。

2.更大的母群標準差。

3.更大的樣本數。

4.使用較嚴格的顯著水準（例如使用.01 而不使用.05）。

5.使用雙側考驗而不使用單側考驗。

破題分析 本題考統計決策理論，只要仔細做答，用心的考生應該可以拿到高分。

答 (一) 若虛無假設（H_0）為真，研究結果卻拒絕H_0所犯的錯誤，稱為「第一類型錯誤」（type I error），其機率為α。若H_0為假，研究結果卻接受H_0所犯的錯誤，稱為「第二類型錯誤」（type II error），其機率為β。但若H_0為假，研究結果也能正確拒絕H_0，這表示決策正確，其機率為1-β，稱為「檢定力」或「統計考驗力」（power of test）。

(二) 通常而言，增加α值、減少β值、讓母群的變異數變小、增加樣本數n、改單側考驗為雙側考驗，或者是虛無假設和對立假設間的平均值差異變大，都是增加統計考驗力的常見因素。因此，題目所列的1、3、5可以增加Power；而2、4兩個因素會減少Power。

觀念延伸 假設考驗、單側考驗、雙側考驗、虛無假設、對立假設。

四、請回答下列教育測驗評量中「信度」相關的問題：

(一)請分析「試題題數」、「團體分數的變異程度」、「不良試題的刪除」、「試題難易程度」，以及「測驗評分的客觀性」這些因素，對信度產生的影響。

(二)某測驗觀察分數及誤差分數的變異數分別是 150 及 30，請算出該測 驗的信度。

(三)某教師自編英文測驗 25 題，信度係數 0.50，若該測驗再增加 50 題，請算出新的信度係數。

破題分析 本題考信度的相關概念，難度不高，但是對於折半信度的斯布校正公式可能比較陌生，容易出錯，不僅公式要牢記，而且計算要非常小心。

答 (一)影響信度大小的因素有很多，其中「試題題數」愈多（尤其同質性的題目愈多），信度愈高。第二個因素「團體分數的變異程度」愈高，測驗結果變異量愈大，信度愈高。第三個因素「不良試題的刪除」愈徹底，對試題品質表現影響愈小，信度自然愈高。第四個因素「試題難易程度」以0.5左右的難度值，才能得到最高的信度，太難或太簡單的題目，信度都不高。最後一個因素「測驗評分的客觀性」愈高，也就是評分的標準與評分者愈公平，信度愈高。

(二)信度的定義公式為：$1-\frac{S_e^2}{S_x^2}$，其中S_e^2為誤差分數變異量；S_x^2為實得分數變異量。將題目所給觀察分數及誤差分數的變異數分別是150及30代入，可計算得信度為0.8。

(三)由於試題的題數越多，所估計的信度值會越高，因此，使用採用折半信度必須以斯布（Spearman-Brown）校正公式，重新校正信度值。其公式如下：

$$r'=\frac{nr}{1+(n-1)r}$$

其中n為測驗題數增加或減少的倍數；r 為原始信度（即折半信度）；r'為校正後信度。本題意把試題再增加50題（變成原來的3倍），則其信度係數便提高為$\frac{3(0.5)}{1+(3-1)0.5}=0.75$。

觀念延伸 內部一致性信度、重測信度、庫李信度、克朗貝賀係數（Cronbach's alpha）。

109年 高考三級

一、某教育測驗專家初擬一份僅含5題試題的成就測驗，經樣本預試後，發現其信度係數值僅達.40而已，不符理想的狀態。他如果想獲得一份信度係數值高達.80理想值的成就測驗，則根據斯布校正公式（Spearman-Brown formula），他還需要至少增加多少題什麼性質的試題才夠？請寫出計算程序並解釋結果。

破題分析 108年地特四等也有斯布公式的類似考題。近年經常出現，考生要特別注意，尤其公式不能用錯，計算更須小心。

答 由於試題的題數越多，所估計的信度值會越高，因此，使用折半信度必須以斯布（Spearman-Brown）校正公式，重新校正信度值。其公式如下：

$$r'=\frac{nr}{1+(n-1)r}$$

其中n為測驗題數增加或減少的倍數；r 為原始信度（即折半信度）；r'為校正後信度。

根據題意帶入公式 $0.8=\frac{n\times 0.4}{1+(n-1)\times 0.4}$ ，計算得n=6，所以需增加6×5－5＝25題，且這25題試題的品質與內容形式、試題所測量的特質必須與前面的5題相同。

觀念延伸 折半信度、內部一致性信度、重測信度、庫李信度、克朗貝賀α係數（Cronbach's alpha）。

二、有一研究員擬隨機抽取三所學校樣本，進行「數學科成就測驗」的施測及成績優劣的評比。他預定A校抽取20名學生、B校抽取30名學生、C校抽取10名學生。經該數學科成就測驗的測試結果，該研究員計算出各校的成績如下：A校平均60分、標準差6分；B校平均50分、標準差5分；C校平均90分、標準差9分。
請問：
(一)全體樣本（共60名學生）的平均成績與變異數為何？
(二)相較而論，那一所學校學生成績的個別差異較為嚴重？請寫出計算過程並說明你的決定。

破題分析 多組平均數與變異數的合併在106年地特三等有相當類似的考題，但本題學生都是抽取而得，因此必須採用樣本變異數，加上計算較為繁瑣，必須非常小心計算。

答 (一) 全體樣本平均 $=\dfrac{(20\times 60)+(30\times 50)+(10\times 90)}{20+30+10}=60$

全體樣本變異數

$$=\frac{[6^2(20-1)+20\times 60^2]+[5^2(30-1)+30\times 50^2]+[9^2(10-1)+10\times 90^2]-60\times 60^2}{60-1}$$

≈ 239.63

(二) 若由標準差的平方即是變異數來看

C校個別差異較大，但由於各校平均值有差異，則應以「變異係數」做為比較為宜

$$CV_A=\frac{6}{60}\times 100\%=10\%$$

$$CV_B=\frac{5}{50}\times 10\%=10\%$$

$$CV_C=\frac{9}{90}\times 10\%=10\%$$

因此，三校個別差異的情況相同。

觀念延伸 變異數的合併、樣本變異數、母群變異數。

三、某研究者嘗試進行翻轉教學法的教學實驗研究，為了能夠檢定該教學實驗的成效，他分別針對授課班級40名學生進行標準化成就測驗的前後測，測驗成績如下表所示。

		後測成績		
		不及格	及格	
前測成績	及格	2	18	20
	不及格	6	14	20
		8	32	40

請問：他能夠宣稱該教學實驗有成效嗎？請說明你的檢定程序及檢定結論（當 α =.05時，查表臨界點 $t=\pm 1.697$ 、 $\chi^2=3.84$）。

破題分析 本題考的是相依樣本卡方考驗，107年普考也曾出現類似題目，屬基本卡方概念，計算難度較低，考生應可拿分。

答 相依樣本改變的顯著性考驗

(一)假設 $\begin{cases} H_0 & \text{：前後測成績無顯著改變} \\ H_1 & \text{：前後測成績有顯著改變} \end{cases}$

$\alpha=0.05$，df=(2-1)(2-1)=1

拒絕區臨界值 $\chi^2_{(1)}=3.84$

(二)考驗統計量

$$\chi^2=\frac{(|A-D|-1)^2}{A+D}=\frac{(|2-14|-1)^2}{2+14}=7.5625$$

	不及格	及格
及格	A	B
不及格	C	D

$\because \chi^2=7.5625>3.84$ $\therefore$ 拒絕 H_0

表示翻轉教學後前後測及格比例有顯著改變。

觀念延伸 卡方適合度考驗、卡方百分比同質性考驗、卡方獨立性考驗、卡方改變的顯著性考驗。

四、某位統計學家根據81名抽樣學生的努力程度（X，單位：小時）與學業成績（Y，單位：分）兩個變項分數，建立起一條迴歸方程式及其估計參數如下所示：

$\hat{Y}=62.75+0.8*X$ ，$R^2=.81$，**型一誤差** $\alpha=.05$

其中，方程式的截距項估計值（I值）為62.75，斜率項估計值（B值）為0.8，其估計標準誤SE（B）為0.125，整條方程式的決定係數為 $R^2=.81$。

請問：

(一) 經檢定結果，該迴歸係數是否已達顯著（$\alpha=.05$時，查表臨界點$t=\pm2$）？

(二) 努力程度（X）與學業成績（Y）兩個變項之間的相關係數是多少？

(三) 若某考生的努力程度為 10 小時，則預測該考生的學業成績為幾分？

(四) 若將上述的 X 與 Y 兩變項均標準化後，再求其迴歸方程式，則方程式該如何表達？

(五) 若該統計學家想改以學業成績（Y）來預測努力程度（X）的話，則該預測結果的標準化迴歸方程式應該如何表達？

破題分析 相關與迴歸是近年每年必考內容，包括迴歸方程式的預測、標準化迴歸方程式、相關係數與決定係數的關係都是基本概念，考生應該全部拿分。

答 (一) 假設 $\begin{cases} H_0 & ：迴歸係數=0 \\ H_1 & ：迴歸係數\neq 0 \end{cases}$

$$統計量=\frac{斜率估計值}{估計標準誤}=\frac{0.8}{0.125}=6.4>2$$

$\therefore$拒絕H_0，可見該迴歸係數達顯著

(二) 相關係數的平方等於決定係數

$\therefore r=\sqrt{R^2}=\sqrt{0.81}=0.9$

(三) 依題意x=10，代入方程式

得 $\hat{r}=62.75+0.8\times10=70.75$(分)

(四) 標準化後的迴歸方程式，斜率不變

但截距=0，即 $\hat{Z}_y=r\hat{Z}_x$

r為相關係數0.9　　$\therefore \hat{Z}_y=0.9\hat{Z}_x$

(五) 兩變項交換，相關係數不變仍為0.9

故 $\hat{Z}_x=0.9\hat{Z}_y$

觀念延伸 決定係數、標準化迴歸係數、迴歸係數顯著性。

109年 普考

一、當前有許多考試方式（如：升學考試、證照考試等），都採用申論題當作主要的考題類型之一。如果你獲邀進行閱卷，你應該遵守那些評分原則，才能確保考生的作答結果能夠獲得公平公正地評閱？請至少寫出五項原則。

破題分析 本題雖然只問申論題的評分原則，考生若只答這個答案，其結果就像是考問答題一樣，分數不易高。建議將申論題的型式、優缺與命題原則一併說明，才有頭有尾，形似申論。

答 申論題是主觀式測驗，評分較主觀。其型式、優缺、命題原則與評分原則說明如下：

(一) 型式

1. 延伸反應題（extended response）：答案範圍較廣、較深、較開放，答案長度亦較長，適合報告、小論文或家庭作業，可以測量學生綜合、批判...等高層次思老能力；
2. 限制反應題（restricted response）：題目中已限定特殊的答案範圍與情境，答題範圍較窄，是一般測驗問答題常用的型式。

(二) 優點

1. 比較能測出高層次、較複雜的學習能力。
2. 對學習知識的整合與運用最有幫助。

(三) 缺點與限制

1. 要編製有效且優質的申論題相當不容易。
2. 閱卷較費時
3. 評分較不客觀
4. 評分容易受到月暈效應、偏見、字跡...等因素的影響。

(四) 命題原則

1. 精確地使用行為動詞，使題意更清楚。
2. 應清楚告知答題的方向。
3. 避免從幾題申論題中擇題回答，養成學生僥倖心理。
4. 每題申論題的答案長短應盡量接近。

5. 每題申論題的配分可依答案的長短以及高層次思考能力運用的難度加以分配，且必須明確寫出配分比重。

(五) 論文題的評分原則

1. 預先擬定評分標準與依據。
2. 避免干擾公平性之因素。最好在同一段時間內評完所有試卷。
3. 一次評閱一道試題，等所有試卷的同一題評完才能繼續下一題的評分。
4. 讓兩位以上評分者獨立評閱每一試題。
5. 使用匿名者作答及匿名評分原則，排除不必要主觀因素與月暈效應影響。

觀念延伸 選擇題、填充題、問答題、題組題、學習歷程檔案評量。

二、近年來的教育改革，允許學生提供多年來的學習歷程檔案紀錄，以供大學或高中職校的入學甄審委員會評審，並作為入學管道之一。請你評論這種以檔案評量（portfolio assessment）作為升學管道之一的特色及其優缺點為何？請至少寫出五項並評述之。

破題分析 本題考的是108課綱大學申請入學的依據之一「學習歷程檔案」。前陣子丟失八千多份的學習歷程檔案，引起社會譁然，也讓即將入學的學生與家長緊張不已，這就是學習歷程檔案的缺點之一。除此之外，考生還要就其特色與優點加以闡述，才能全面兼顧。

答 學習歷程檔案是學生高中三年的履歷，是高中職學生在學期間，定期記錄、整理自己的學習表現，可以幫助學生生涯探索，也可作為升大學個人申請第二階段的「備審資料」。學習歷程檔案的特色與優缺點，至少有以下五點：

(一) 學習歷程檔案可以讓教師了解學生成長與特色

檔案評量（portfolio assessment）有時稱為卷宗評量，是實作評量的一部分。教師透過學生的檔案資料，可以了解學習歷程的特色與發展、優缺點及其成果，客觀評量整體表現，以協助其學習。

(二) 學習歷程檔案可以呈現考試以外的學習成果

「學習成果」是課堂上的作業或作品，是為了呈現考試分數以外的表現，以及從「不會」到「學會」的學習過程，重質不重量。學習歷程檔案鼓勵學生定期記錄並整理自己的學習表現，展現個人特色和適性學習軌跡，尊重個別差異，呈現考試成績以外的學習表現。

(三) 學習歷程檔案可以協助生涯探索和定向參考

學校學習內容應以尊重學生生命主體為起點，透過適性教育，激發學生生命的喜悅與生活的自信。因此，學生透過整理學習歷程檔案的過程中，可以及早思索自我興趣性向，逐步釐清生涯定向。

(四) 學習歷程檔案各科都要製作，恐造成負擔沉重的反效果

目前學習歷程檔案儼然成為學生申請入學的新顯學，各科目的老師無不絞盡腦汁幫助學生製作吸睛的特色檔案，有的當成平時作業，有的作為寒暑假的功課，讓原本功課繁重的高中生平添不少壓力，加上老師必須不斷幫助學生修改與認證，如果任教學生多，不免曠日費時。

(五) 學習歷程檔案必須克服電子化易失誤，以及評分標準不一等問題

作為新課綱指標的學習歷程檔案，竟然發生因更新系統導致硬碟設定嚴重失誤，導致資料遺失的嚴重意外，此現象顯示我國數位落差的嚴重，以及建立資安機制的重要。另外，因為「學習歷程檔案」的成績幾乎可以全盤扭轉學測成績的排序，如果沒有清楚的評分標準，公信力便會備受質疑。

觀念延伸 真實評量、實作評量、動態評量、檔案評量或卷宗評量。

三、某統計學者自同一母群中隨機抽取兩組等組樣本，進行數學科成就測驗，並想進一步檢定該兩組樣本的平均成績是否有顯著差異存在。已知他獲得其中的A組有11名受試者、平均數為55分、標準差為10分，B組有11名受試者、平均數為60分、標準差為12分。後來，他發現自己登錄錯誤資料，應該是A組每位受試者各加5分、B組每位受試者各加10分的結果才是正確。請問：經校正後，這兩組樣本的平均成績之間有無顯著差異存在？請寫出你的檢定程序及結論（當 α=.05時，查表臨界點 t=±2.086）。

破題分析 本題樣本小於30，因此是兩個母群平均數差異考驗的獨立樣本t分配，只要公式運用得當，計算小心，應可順利拿分。

答 (一) 本題校正後的結果，除了平均數會受加減分的影響之外，標準差則不受影響。

故A組校正後為$n_A=11$，$\bar{x}_A=60$，$S_A=10$

B組校正後為$n_B=11$，$\bar{x}_B=70$，$S_B=12$

(二) 檢定過程

假設 $\begin{cases} H_0 ：\mu_A = \mu_B \\ H_1 ：\mu_A \neq \mu_B \end{cases}$

採用兩個母群獨立樣本平均數差異 t 檢定，

統計量 $t = \dfrac{(\bar{X}_A - \bar{X}_B) - (\mu_A - \mu_B)}{\sqrt{\dfrac{S_p^2}{n_A} + \dfrac{S_p^2}{n_B}}}$

其中 $S_p^2 = \dfrac{(n_A - 1)S_A^2 + (n_B - 1)S_B^2}{n_A + n_B - 2} = \dfrac{10 \times 10^2 + 10(12)^2}{20} = 122$

$\therefore t = \dfrac{(60 - 70) - (0)}{\sqrt{\dfrac{122}{11} + \dfrac{122}{11}}} = \dfrac{-10}{4.7} \approx -2.13 < -2086$

故拒絕H_0，表示$\mu_A \neq \mu_B$，即A、B兩組樣本的平均數具有顯著差異。

觀念延伸 合併變異數（pooled variance）、相依樣本兩個母群平均數差異 t 檢定。

四、某統計學者收集到7名受試者樣本的智力分數（X）與學業成績分數（Y），其原始資料與標準化資料如下表所示：

原始分數			原始分數			標準分數		
受試者	X	Y	X^2	Y^2	XY	Z_X	Z_Y	Z_XZ_Y
A	74	84	5476	7056	6216	.8	1.07	.86
B	76	83	5776	6889	6308	1.12	.85	.95
C	77	85	5929	7225	6545	1.28	1.28	1.64
D	63	74	3969	5476	4662	-.96	-1.07	1.03
E	63	75	3969	5625	4725	-.96	-.85	.82
F	61	79	3721	6241	4819	-1.28	0.00	0.00
G	69	73	4761	5329	5037	0.00	-1.28	0.00
總和	483	553	33601	43841	38312	0	0	5.30
平均	69	79	4800.14	6263	5473.14	0	0	0.7571

請問：(一)X的變異數為何？
(二)X與Y的共變數為何？
(三)X與Y之間的相關係數是多少？
(四)X預測Y的標準化迴歸方程式為何？
(五)承上題，該迴歸方程式的決定係數為何？

破題分析 本題是考古題最常出現的型式，包括變異數、共變異數、相關係數、標準化迴歸方程式、決定係數等，公式用對、計算小心，就是拿分關鍵。

答 (一)X的變異數 $S_x^2=\dfrac{\sum x^2-\dfrac{(\sum x)^2}{n}}{n}=\dfrac{33601-\dfrac{(483)^2}{7}}{7}=39.14$

(二)X與Y的共變數 $S_{xy}=\dfrac{\sum xy-\dfrac{\sum x\sum y}{n}}{n}=\dfrac{38312-\dfrac{483\times 553}{7}}{7}=22.14$

(三)X與Y的相關係數 $r_{xy}=\dfrac{S_{xy}}{S_x\cdot S_y}=\dfrac{22.14}{(6.28)(4.69)}\approx 0.75$

(四)X預測Y的標準化迴歸方程式 $\hat{Z}_y=\beta Z_x$

又 $\beta=b\times\dfrac{S_x}{S_y}=r$ $\qquad\therefore \hat{Z}_y=0.75Z_x$

(五)決定係數 $r^2=(0.75)^2=0.56$

觀念延伸 事後比較、和的變異數、差的變異數、疏離係數、估計標準誤、迴歸誤差項。

109年 地特三等

一、大體上而言，能力測驗可分為性向測驗和成就測驗兩大類，都是用以測量認知的能力。有其相似之處，但也有些不同的地方。請就這兩種測驗的測量的目的、測量的內容、測量的能力與測量的時機，分別陳述性向測驗與成就測驗不同的地方。

破題分析 本題考性向測驗與成就測驗的比較，屬於考生較為熟悉的內容，只要按照題目提供的比較向度，在時間內仔細回答，得分不難。

答 (一) 性向測驗

性向測驗（Aptitude test）的設計，是透過測驗可知受試者較適合文法商理工或醫農的行業，作為選擇科系或職業的參考。因此，性向測驗是用來測量個人能力和學習潛能的一種工具，分為8個分測驗：語文、外語／觀察、數學、科學推理、邏輯推理、空間、美感、創意。

(二) 成就測驗

成就測驗（Achievement test）主要是針對特定領域為檢測應試者對有關知識和技能的掌握程度而設計的。因此，成就測驗指用來測量個人經由學習或訓練之後，所獲得實際能力的工具。

(三)性向測驗與成就測驗的比較

比較向度	性向測驗	成就測驗
測量目的	了解學生教學前的學習潛能	評估學生教學後的精熟程度
測量內容	測量普遍領域的共同內容	測量多數學校共同學習內容
測量能力	語文、外語／觀察、數學、科學推理、邏輯推理、空間、美感、創意	知識與技能運用
測量時機	選擇科系組別與未來職業之參考	區別個體學習或訓練的效果

觀念延伸 智力測驗、人格測驗、文字測驗、非文字測驗、文化公平智力測驗。

二、效標關聯效度（criterion-related validity）是以經驗性的方法，研究測驗分數與一些外在效標的關係來表示測驗效度的高低。因此選擇適當的效標就顯得很重要，請說明適當的效標應具備那些特徵？如果您要編製一份學科成就測驗，有那些效標可供參考呢？請列舉三種編製成就測驗適用的參考效標。

破題分析 本題過去常見於考古題，對考生而言應該可以完全掌握。重點仍在於效標的選擇，對效標關聯效度影響甚鉅。

答 (一)效標關聯效度的意涵

效標關聯效度（riterion-related validity）效度係指「測驗能夠測量到我們所想要測量特質的程度」，大多數的測驗以「效標關聯效度」來加以表示。所謂「效標關聯效度」是指以驗證性的方法，來探討測驗分數與一些外在效標之間的關聯程度，而效標就是指測驗所要預測的某些行為或量數，例如學業成就、平均收入等。

(二)效標的特徵

良好的效標通常應該具備適切性、可靠性、客觀性及可用性等四項基本特徵。

1. 適切性：指效標能正確無誤地顯示所測特質之各種面貌。然而，效標是否具適切性，不容易客觀評估，通常交由經驗學者專家做評斷。
2. 可靠性：一個良好的效標資料，應該具備可靠與穩定的特徵，如此，測驗所得到的資料才可以對效標作可靠的預測。
3. 客觀性：良好的效標應該避免效標混淆。效標混淆是指一個人事先知道受測者的測驗分數，這樣可能會影響其對受測者在效標測驗的評分。
4. 可用性：在選擇測驗效標時，經常遭遇到取得效標時間、來源、費用等問題。因此，良好的效標必須克服這些問題，達到取得容易及方便的實用性。

(三)成就測驗適用的效標

編製成就測驗可以聯考成績、標準化成就測驗或學業成績等作為效標，這些都是公認具有效度之效標。

觀念延伸 建構效度、內容效度、常模參照、效標參照。

三、假設檢定是推論統計的一種方法，在假設檢定的過程中常需依一定的過程來判決假設是否成立，常常需考慮到一些概念、原則，請解釋下列一些常使用的假設檢定的概念：
(一)虛無假設（null hypothesis）
(二)對立假設（alternative hypothesis）
(三)單側檢定（one-tailed test）
(四)雙側檢定（two-tailed test）
(五)第一類型錯誤（type I error）

破題分析 本題考的是假設考驗的基本概念，題目簡單，唯一比較考驗同學的是時間的分配，因為有五個小題，要兼顧內容品質與時間掌控，難度頗高。

答 (一) 虛無假設（null hypothesis）：是做統計檢定時的一類假說。虛無假說的內容一般是希望能證明為錯誤的假設。

(二) 對立假設（alternative hypothesis）：進行統計考驗時與虛無假說相對的就是對立假說，即希望統計結果證明它是正確的假設。

(三) 單側檢定（one-tailed test）：又稱單尾檢定，指研究者的研究假設如果是有方向性，即強調大於、優於、高於等，或強調小於、不如、低於等，那就需採用單側檢定。

(四) 雙側檢定（two-tailed test）：又稱雙尾檢定，指研究者的研究假設沒有特定方向性，只強調等於或不等於，那就需採用雙側檢定。

(五) 第一類型錯誤（type I error）：假設檢定的目的就是利用統計的方式，推測虛無假設是否成立。若虛無假設事實上成立，但統計檢驗的結果卻不支持虛無假設（拒絕虛無假設），這種錯誤稱為第一型錯誤。

觀念延伸 第二類型錯誤、信賴區間、點估計、區間估計、信賴水準、統計考驗力。

四、卡方檢定（chi-square test）適合用於處理那些屬性之資料或者變數？請列舉說明四種不同的卡方檢定方法〈即四種卡方檢定的用途〉。

破題分析 本題考卡方檢定的基本觀念，以及各種卡方檢定的試用時機與目的，考生可以舉例說明，有加分效果。

答 (一)卡方檢定的內涵與用途

卡方檢定（chi-square test）是用以處理分類並計次資料的統計方法。通常是以觀察次數（observed frequency, O）及期望次數（expected frequency, E）的比較來進行檢定。考驗「觀察次數」和「期望次數」之間的差異是否達顯著性的一種統計方法。

(二)卡方檢定四大方法與舉例

1. 適合度考驗：適合度意即觀察次數和期望次數之間的配適程度。例如：如果你收集了某一地區之一年內各月份犯罪案件之統計，你想知道是否犯罪情況會隨季節而改變，在此您只有一個變項，即犯罪案件，其分配是依月份而變化，如果犯罪率不隨月份變化的話，則您可期待每月犯罪案件應和全年犯罪案件總數除以12相接近。
2. 百分比同質性考驗：主要是檢定各類別母體百分比例是否一樣，即是否為同質。例如：不同社經地位的家庭（高、中、低社經地位）其教養方式（民主、權威、放任）是否有所差異?
3. 獨立性考驗：在觀察的樣本中，檢定兩個自變數是否互為相關的檢定；若不是互為獨立的事件，則必須進行關聯性檢定（Test of association），以便瞭解兩者的關聯程度。例如：了解性別和學習動機之間是否互為獨立（亦即想驗證性別和學習動機之間是否有所關聯）。
4. 改變的顯著性考驗：主要是用來檢定一群受試者對事件前後反應的差異情形。例如：了解學生在學期初和學期末對體育統計喜歡的人數是否有所不同

觀念延伸 χ^2的臨界值、統計裁決結果、事後比較。

109年 地特四等

一、為了避免一般民眾或非受過測驗專業訓練的人員誤用與濫用測驗工具，美國心理學會曾制訂一些相關規定，以作為測驗使用者都必須遵守之倫理規範。請問：為了能夠導正測驗的正常使用，那些倫理規範是測驗使用者必須遵守的一般原則？

破題分析 倫理議題愈來愈受重視，測驗使用的倫理也逐漸躍上考題。對於測驗倫理的作答方向，考生可以朝個資保護、結果保密與權益保障等方向做答。

答 (一) 測驗使用原則

為了避免一般民眾或非受過測驗專業訓練的人員誤用與濫用測驗工具，測驗使用必須把握以下原則：

1. 專業原則：任何使用測驗的相關人員，必須經過嚴謹的專業訓練，必須具備對測驗目的、方式、功能、計分與解釋、是用對象與限制條件等，皆能徹底了解與認識。如此，方能讓測驗發揮最大的功能。
2. 道德原則：測驗使用者未經當事人或監護人書面同意，不得針對測驗內容於任何場所公布或陳述。因為基於道德原則，施測者必須盡可能保護當事人隱私權，以避免當事人身心受到傷害。
3. 倫理原則：倫理原則較重視測驗安全性與受試者權益福祉相衝突時，應先顧及當事人權益後再考量測驗本身安全性。
4. 社會原則：任何心理評估技術的採行，必須顧慮社會大眾所接納。甚至在提供測驗服務時，也需將方便性列為社會大眾是否接納之考量。

(二) 測驗倫理規範

1. 研究參與的充分志願性：旨在實踐尊重受試者自主性，保護研究參與者，包括確認個體的自主權、隱私權受到尊重。

2. 知後同意：實施測驗或評量之前，應告知當事人測驗與評量的性質、目的及結果的運用，尊重其自主決定權。
3. 保護參與者免於不舒服、傷害和危險：研究人員與研究參與者的互動過程，的確可能會帶來身體上的傷害、處境的危險、被侵犯或被迫的不舒服、權益的侵犯、被騙或不信任感等。甚至有些類型的受試者特別容易受到傷害而需要特殊保護。
4. 最小的冒險：除了對易受傷害的受試者有額外保護外，相對於利益，受試者所冒之風險必須合理，而且測驗設計必須具科學性，不會令受試者冒不必要之風險。
5. 在參與研究後對受試者提供解釋：研究者應客觀分析及報導研究結果，除保護讀者權益外，也須保護研究參與者，不得為呈現研究結果，而曝露研究參與者個人資料或捏造研究資料。
6. 維持參與者的保密性：研究參與者有權要求個人私密資料必須保密或匿名，不同意提供其他研究使用，則研究者無論是否為了學術合作，都不得將研究資料與他人分享。

觀念延伸 研究倫理、知後同意、倫理審查、倫理規範政策。

二、過去，許多專家學者常批評傳統選擇題型的各類型試題，大多只能測量到考生較低層次的認知能力。有一種新式的選擇題型測驗試題-稱作「題組題」，卻可以用來測量考生較複雜的學習結果或較高層次的認知能力（如：分析、綜合、評鑑）。請說明：這種「題組題」的命題原則為何？

破題分析 本題考的是改良式的選擇題，又稱題組型或綜合型試題。是108年課綱及素養評量特別強調此類題型，答題建議舉例說明與傳統型題型的差別。

答 (一) 題組型命題舉例

傳統選擇題型大多只能測量考生較低層次的認知能力，因此經常受到批評。108年課綱及素養評量發展出一種新式的選擇題型稱作「題組題」，可以用來測量考生較複雜的學習結果或較高層次的認知能力。舉例如下：

閱讀下文後，回答1~2題：

多多國中的黃老師在講解浮力的概念時，首先設定學生在第一堂課時至少要學會「能比較並判斷出物體在水中浮力的大小？」之後她開始設計評量的方式與題目。為了讓學生能更加了解浮力的概念，並能在課後的評量問題中找出答案，黃老師提供不少教學材料給學生學習，例如阿基米德對浮力的研究，發現物體在水中會受到水往上的支撐力，於是提出「浮力就是排開的水的重量」，但「物體放入水中所造成的空洞，只能撐起跟這個空洞一樣大小的水」才是阿基米德對浮力的真正理解。

1. 如果說上述黃老師的教學過程就是一種重理解課程設計(Understanding by Design, UbD)的教學模式，那麼若以黃老師的教學舉例，並以「理解」的第四層面「提觀點——能提出對事件、主題或情境的個人看法，並做出分析與結論。」來設計學習目標，請你幫黃老師擬定一項學習目標。
2. 教師自編測驗或評量是初任教師非常重要的基本能力，請你幫黃老師設計一題可以評量出「能比較並判斷出物體在水中浮力的大小？」這個學習目標的考題，題目形式不拘，字數以200字為限。

(二) 題組型命題原則

坊間常見的試題通常只是將內容相關的選擇題集中在一起，然後在選項前面加上一段共同的敘述當作題幹，便稱之為題組，這完全是對題組試題的誤解。從以上舉例可以發現，題組試題至少有以下命題原則：

1. 題組最重要的意義，是測驗學生閱讀、分析及運用資料的能力。
2. 題組正確的呈現方式，是先提供學生一段資料，再引導學生從中尋找答案。
3. 引導資料應與教學目標有關，避免抄自課文，且適合學生閱讀。
4. 引導資料應簡短有意義，測量學生分析、解釋、推理、綜合等能力。
5. 若是選擇題，選項應盡量長度一致，且具有錯誤選項的高誘答力。
6. 題組可以搭配其他問答、申論等高層次思考組織能力的考題類型。

觀念延伸 綜合素養題、「情境依賴」（content-dependent）試題、解釋型作業（interpretive exercise）。

三、請利用變異數的特性，回答下列問題：

(一)假設有 N 位受試者，每個人各有兩個測量變項（X 與 Y）的分數，已知其中的 X 變項的平均數為10分、變異數為36分，Y 變項的平均數為12分、變異數為16分，X 變項與 Y 變項之間的相關係數為0.25。請問：若把每位受試者的這兩個變項分數先相加，使之成為一個合併變項分數，那麼，此合併變項分數的變異數是多少分？

(二)承上一題，若把每位受試者的這兩個變項分數先相減，使之成為一個合併變項分數，那麼，此合併變項分數的變異數是多少分？

(三)承上，如果把每位受試者的 X 變項都各加4分的話，則新的 X 變項的變異數是多少分？

(四)承上，如果把每位受試者的 Y 變項都各乘4分的話，則新的 Y 變項的變異數是多少分？

破題分析 本題是考古題常見的題型。主要測試考生對變異數基本特性是否理解，應該可以輕鬆拿分。

答 (一)和的變異數 $= S_x{}^2 + S_y{}^2 + 2Cov = 36 + 16 + 2 \times 0.25 \times \sqrt{36} \times \sqrt{16}$

$= 36 + 16 + 2 \times 0.25 \times 6 \times 4 = 64$ 。

(二)差的變異數 $= S_x{}^2 + S_y{}^2 - 2Cov = 36 + 16 - 2 \times 0.25 \times 6 \times 4 = 40$ 。

(三) 每一觀察值各加4分，新的變異數不變，仍是36。

(四) 每一觀察值都各乘4分，則新的變異數會變成原來的4^2=16倍

亦即$16 \times 4^2 = 256$ 。

觀念延伸 母數（parameter）、描述統計與推論統計、標準差。

四、某教育學者想瞭解「遠距教學的成效是否可以提高學生的學業成績」？他利用10名學生當受試者，讓他們接受為期一個學期的遠距教學試驗，並收集該批受試者於遠距教學實施前的學業成績和遠距教學實施後的學業成績，分別如下：

遠距教學實施前：70，80，80，70，60，65，80，80，85，60

遠距教學實施後：90，85，80，75，80，90，75，85，90，80

請問：該教育學者的問題能否獲得實徵數據的支持？請列出整個研究問題的假設檢定步驟，並做出最後的結論。

（參考資料：$t_{df=9,\ \alpha=.05}=\pm 2.262$，試驗前的平均數為73、標準差為9.19，試驗後的平均數為83、標準差為5.87，兩者之間的相關係數為0.1236）

破題分析 本題亦是偏易的考古題，考生必須對於假設檢定的步驟及相依樣本 t 考驗公式應用非常熟練，拿分較為輕鬆。

答 (一) 建立假設

H_0：$\mu_1 \geqq \mu_2$（後測成績沒有高於前測）

H_1：$\mu_1 < \mu_2$（後測成績高於前測）

(二) 進行相依樣本 t 考驗，並以$\alpha=0.05$ 單側檢定加以判斷

(三) 計算t值如下

$$t=\frac{\overline{x_1}-\overline{x_2}}{\sqrt{s^2}}=\frac{\overline{x}_1-\overline{x}_2}{\sqrt{\dfrac{s_1^2+s_2^2-2rs_1s_2}{n}}}$$

$$=\frac{73-83}{\sqrt{\dfrac{9.19^2+5.87^2-2\times 0.1236\times 9.19\times 5.87}{10}}}=-3.08<-2.262$$

落入拒絕區，應拒絕H_0，接受H_1

亦即「後測成績明顯高於前測」，

表示「遠距教學成效可以提高學業成就」的說法獲得支持。

觀念延伸 變異數分析、抽樣、估計、推論統計。

110年 高考三級

一、請說明以下措施對測驗信度或測驗效度造成的影響，並說明你的理由？
(一)增加相同品質的測驗題數。
(二)加入更多符合測驗目標特質的內容。
(三)加強評分員培訓，確保其都能依評分規準評分。
(四)提高測驗情境的標準化，例如：相同的指導語、光線、溫度……。
(五)使用與測驗目標特質較相似的評量工具或行為作為效標。

破題分析 信效度是高考教測統的命題重點，尤其對測驗觀念的理解以及信效度的影響與判斷，是近年的焦點，考生必須熟悉。

答 (一) 增加相同品質的題目題數
假定測驗的品質、試題所測量的特質及受測者的性質都保持一樣，則增相同品質的試題題數，根據斯布公式（Spearman-Brown formula），可以提高信度。

(二) 加入更多符合測驗目標特質的內容
試題內容效度的確立，是採用邏輯的分析方法，判斷每個題目是否符合教材內容及教學目標。因此，加入更多符合測驗目標特質的內容時，內容效度會提升。

(三) 加強評分員培訓，確保其都能依評分規準評分。
相當依賴評分者判斷的創造力測驗和性格測驗，因缺乏客觀的評分標準，計分時容易受到評分者個人的主觀影響。所以加強評分員培訓，確保都能依評分規準評分，可以有效避開主觀介入，提升評分者信度。

(四) 提高測驗情境的標準化，例如：相同的指導語、光線、溫度……。
提高測驗情境的標準化，例如：相同指導語、光線、溫度等，將能夠降低誤差對施測結果的影響，測驗信度能夠提升。

(五) 使用與測驗目標特質較相似的評量工具或行為作為效標
效標的如何選擇對效標關連效度的影響很重要，所謂效標是指對測驗所欲測的特質的一種直接且獨立的測量，足以用來考驗測驗結果真確性的外在標準。因此，使用與測驗目標特質較相似的評量工具或行為作為效標，可以提高效標關聯效度。

觀念延伸 測量標準誤、交叉驗證、增益效度、後果效度。

二、請說明申論題評分方式中的整體式評分（holistic scoring）與分析式評分（analytic scoring）的特徵及適用時機？並詳細說明申論題的評分原則？

破題分析 近兩年申論題命題原則的出現機率高，雖然過去命題比率並不高，但是考生仍須熟悉各種命題類型的特色、優缺點與評分規準。

答 (一) 申論題特色與優缺點

申論題是主觀式測驗，評分較主觀。其優點是能測出高層次且複雜的學習能力。其缺點是要編製不易、評分較不客觀，評分容易受到月暈效應、偏見、字跡……等因素的影響。

(二) 整體式與分析式評分

1. 整體式（holistic or global）評分：是只對學生表現的品質，參照評分指標或規準直接給予一個整體性的分數或等第，以評估學生整體表現。以學生上台口頭報告為例，評分結果明列達成優、佳、好、普、劣等級的質性描述，包括對報告主題、演說論點、演說方式、台風的表現等。整體式評分的優點是可以快速評分，但缺點是學生較無法從整體分數知道個別項目的表現水準如何。
2. 分析式（analytic）評分：將評分指標分成數個評分向度，再依表現品質分成數個不同等第或分數，並說明各等第的評分基準或指標為何。分析式計分最大的優點是比較客觀，評定結果具診斷功能，能提供學生及教師明確的回饋訊息，但缺點是若項次過多，容易造成評分不易。

(三) 論文題的評分原則

1. 預先擬定評分標準與依據。
2. 避免干擾公平性之因素。最好在同一段時間內評完所有試卷。
3. 一次評閱一道試題，等所有試卷的同一題評完才能繼續下一題的評分。
4. 讓兩位以上評分者獨立評閱每一試題。
5. 使用匿名者作答及匿名評分原則，排除不必要主觀因素與月暈效應影響。

三、下表為某測驗針對不同性別、年級、科系類型進行分層隨機抽樣（stratified random sampling）的樣本人數，請依此表回答下列問題：

科系類型	低年級（一、二年級）		高年級（三、四年級）		小計
	男	女	男	女	
藝術型	392	600	161	343	1,496
實用型	1,000	275	700	160	2,135
研究型	636	565	346	203	1,750
商業型	285	516	272	672	1,745
社會型	317	1,400	159	605	2,481
事務型	66	98	50	179	393
小計	2,696	3,454	1,688	2,162	10,000

(一)何謂分層隨機抽樣（stratified random sampling）？它與簡單隨機抽樣（simple random sampling）有何不同？

(二)上表分層隨機抽樣的細格中，人數最多及人數最少的群體在各變項上的類別特徵是什麼？他們分別占總抽樣人數的比例有多少？

(三)如果要了解「樣本中各分層群體的樣本人數比例與母群中各分層群體的人數比例是否相符合」，應如何進行分析？不必實際計算，只需完整敘述你的分析程序及方法。

破題分析 本題考的是分層隨機抽樣與簡單隨機抽樣的比較，且以實例進行實務操作。考生對於整個抽樣的檢定程序必須非常清楚，近幾年傾向不考太難的計算，平常要練習文字程序的繕寫。

答 (一)分層隨機抽樣與簡單隨機抽樣的不同

1. 分層隨機抽樣（stratified random sampling）：簡稱「分層抽樣」。係在隨機抽樣之前先將母群依某種特定的標準分類後，再進行各類組的隨機抽樣。
2. 簡單隨機抽樣（simple random sampling）：是指抽取樣本時，視母群每一個個體獨立，被抽到的機會相等，是最基礎的抽樣方法。

(二) 人數最多的1400人，類別是社會型低年級的女生，占抽樣人數比例為 $\frac{1400}{10000}=0.14$；人數最少的50人，類別是事務型高年級的男生，占抽樣人數比例為 $\frac{50}{10000}=0.005$。

(三) 要進行樣本與母群人數比例是否相符，可以進行卡方檢定的適合度考驗。首先建立研究假設，虛無假設是觀察次數（f_o）等於期望次數（f_e），對立假設是觀察次數（f_o）不完全等於期望次數（f_e），然後以卡方分配公式檢定其統計量是否落入拒絕區，若是，則拒絕虛無假設，表示樣本與母群人數比例不完全相符；若不是，則接受虛無假設，表示樣本與母群人數比例相符。

觀念延伸 適合度考驗、獨立性考驗、改變的顯著性考驗、百分比同質性考驗。

四、下表是某班學生英文科段考成績、每週補習時數，以及參加托福考試（TOEFL）的成績，請依此表回答下列問題：

學生編號	S1	S2	S3	S4	S5	S6	S7	S8	S9	S10	S11	S12	S13	S14	S15	S16
補習時數	10	10	10	10	14	14	14	14	18	18	18	18	22	22	22	22
段考成績	75	70	60	70	90	75	90	80	80	90	90	90	70	80	90	75
托福成績	490	480	475	465	540	520	560	525	580	600	610	605	565	580	590	580

(一) 若要比較「這四種補習時數的英文段考成績是否有顯著差異」，應使用何種統計檢定？請敘述檢定程序，並說明這種檢定方法有何基本假設？

(二) 老師以托福考試成績（Y）為依變項，使用兩種迴歸模式進行分析，得到結果如下表。請說明此兩種迴歸模式分析的結果提供了那些訊息？

	迴歸模式的公式	預測變項	模式F檢定值	R^2
模式一	$Y=243.8+3.8X_1$	段考成績(X_1)	16.8**	0.54
模式二	$Y=241.5+2.4X_1+7.1X_2$	段考成績(X_1)、補習時數(X_2)	69.4**	0.91

**表示 $p<0.01$

破題分析 這個題目應該是當年度的關鍵考題。請考生注意，題目很明顯與上題相同，只說明概念即可，並不需要進行實際的數字計算，千萬不要自討苦吃。

答 (一) 因為自變項補習時數明顯有四個水準（10、14、18、22小時），依變項為「英文段考成績」，因此可以使用「單因子變異數分析受試者間設計」進行假設考驗。其分析程序如下：

1. 假設各組母群平均數相同。
2. 計算總變異數與自由度。
3. 計算組間均方（MS_b）與組內均方（MS_w）。
4. 計算F值。（$F=\frac{MS_b}{MS_w}$）
5. 編製ANOVA摘要表。
6. 比較F值與臨界值大小，進行統計決策。

另外，ANOVA的基本假設有三個，分別為：(1)每個反應變數的母群均為常態分配；(2)每個母群變異數均相同；(3)各樣本來自母群的變異數相等（變異數同質性）。

(二) 模式一將段考成績拿來預測托福成績的結果，F值達顯著，R^2=0.54。表示段考成績明顯可以解釋托福成績變異量為54%，但是這樣的預測仍有1%的錯誤機率。而模式二將段考成績與補習時數納入預測，發現可以解釋托福成績變異量的91%，這與模式一的差距（91-54）%=37%，應該來自於補習時數的因素，但是這樣的預測仍有1%的錯誤機率會出現。

觀念延伸 受試者間設計、受試者內設計、雙因子變異數分析、多因子變異數分析。

110年 普考

一、有關選擇題的命題原則，請提出四項並詳細說明。

破題分析 命題原則過去並不常出現在普考教測統的命題範圍，近兩年在高考與普考連續出現，考生不得不加以注意並熟悉。

答 選擇題是由題幹與題項兩個部分組成，題幹是問題的敘述，題項是幾個可能的答案供選擇。其選項的答案型式有最佳答案型與唯一答案型。

(一) 優點

1. 命題與計分較申論題客觀。
2. 考試範圍比申論題更廣，內容取樣更具代表性。
3. 可以適用於六個認知層次的知識評量。
4. 可以避免申論題、簡答題題意不清或答題範圍太廣的缺點。
5. 最佳答案型可以避免如是非題全對或全錯的難以判斷。
6. 比是非題可少受猜測因素的影響，信度較高。
7. 比是非題容易避免反應心向的干擾。
8. 誘答選項具有教學診斷的價值。

(二) 缺點與限制

1. 比申論題等建構反應題型不易評量學生高層次能力。
2. 比申論題等建構反應題型不易編寫，尤其是誘答選項的設計。
3. 偏重語文能力的評量，較不適合實作與科學能力的評量。

(三) 命題原則

1. 每個題目只針對一個問題。
2. 問題的描述必須適合學生的程度。
3. 問題的敘述應簡單明確。
4. 題數要適中，避免過多造成猜測。
5. 難度要適中。
6. 避免過於弔詭或刁鑽的題目。
7. 將選項的共同用字放於題幹中。
8. 題目盡可能正向敘述。

9. 避免題供正確答案的線索。
10. 應設計優良似真的誘答選項：
(1)以學生常犯的迷思概念、錯誤類型、誤解、粗心當誘答選項。
(2)引用或改寫課本中的字詞。
(3)利用題幹中的關鍵字詞。
(4)選項應盡量同質敘述。
11. 避免使用以上皆非或以上皆是。
12. 避免出現兩個意義相同的選項。

觀念延伸 是非題、填充題、解釋題、問答題、申論題。

二、選擇反應題型（客觀式測驗題）與建構反應題型（論文式題型）在計算信度時，分別適用何種信度指標？請說明這兩種信度指標的計算方式，以及你使用這兩種信度指標的理由。

破題分析 本題實際上在考客觀測驗與非客觀測驗的比較，考生必須將重點放在信度指標的選擇與理由述說，需把握時間寫出重點。

答 選擇反應題型（客觀式測驗題）以選擇題、是非題、填充題、配合題……等有標準答案的測驗為主，而建構反應題（constructed-response items）即非選擇題，以簡答題、限制反應題、申論題或問答題的方式出題，旨在測量學生說明、整合、應用、分析、評估和傳達科學資訊的能力。

(一) 選擇反應題型的信度指標與理由

庫李信度適用於試題答案是以二元計分（對錯計分）的測驗，α 係數不只可用於二元計分法，也可用於多元計分法，因此，這兩者都可以當作選擇反應題型的信度指標。其中，庫李信度可視為 α 係數的一個特例，當試題是二元（非對即錯）計分時，兩種公式所求得的信度係數完全相同。

(二) 建構反應題型的信度指標與理由

建構反應題型因缺乏客觀的評分標準，在計分時容易受到評分者主觀影響。因此，這類測驗的信度指標教適合運用評分者信度（scorer reliability）。評分者信度的建立是將同一份測驗樣本交給兩位評分者獨立計分。然後將每位受測者所得的兩個分數依照一般方式求取相關，所得到的相關係數就是評分者信度。

觀念延伸 再測信度、複本信度、內部一致性信度。

三、102年國中基本學力測驗的計分方式是將受測者的答對題數轉換成1～80分的量尺分數（各科平均數約為50分），103年以後改成國中教育會考，將受測者的答對題數依據事先公布的能力描述轉換成「精熟」、「基礎」、「待加強」三種等級。請問這兩種測驗結果的呈現方式在測驗上稱為什麼？這兩種測驗類型在分數的意義、測驗結果的參考依據、常見的分數（分級）類型，以及受測者數量的需求上有何不同？

破題分析 本題是常模參照與標準參照比較的變形題，也是過去常考的觀念，相信考生可以輕鬆掌握。

答 (一) 常模參照測驗

國中基測應屬於常模參照測驗。國中基測測驗結果是以「量尺分數」表示。量尺分數是透過統計方法，由答對題數轉換而來，其目的是要呈現每一位考生的每一測驗學科在所有考生（約30萬）中的相對位置。此外，國中基測成績單上的百分等級（PR值），也是常模參照測驗上所常用的分數。國中基測多年來都被當作高中職及五專的入學依據，其常模參照的特性也發揮良好功能。

(二) 標準參照測驗

國中教育會考屬於標準參照測驗。其目的在於對國中生離校前的學力進行評估與監控，因此需要對於能力的描述更為清楚，才能夠知道每位學生的學習程度為何，也就是到達哪一層級的標準，因此國中教育會考採用標準參照模式。國中教育會考除寫作測驗外，每一科目的成績分為「精熟」、「基礎」、「待加強」3個表現標準的等級。各科等級的表現描述已經透過嚴謹的程序擬定完成。透過學生在會考的表現，教育主管機關瞭解學生在各標準的比例，可以有效監控學力；學生可以透過表現標準的描述來瞭解「自身」的學習成就，不需要與他人比較，也可減低學生間分分計較的競爭壓力。

(三) 常模參照與標準參照的比較

	常模參照測驗	標準參照測驗
分數的意義	團體中的相對位置	分數是否達到預定標準
測驗結果的參考依據	常模	效標
常見的分數類型	百分等級、標準分數、年級常模	內容參照、目標參照、標準分數
受測者數量上的需求	受試者數量較多	受試者數量可多可少

觀念延伸 常模分數與常模、標準分數常模(standard score norm)、參照團體。

四、某次考試統計各類科的報考人數如表 1 所示，所有考生在英文測驗上的成績分布如表 2 所示：

表 1　各類科的報考人數

考生組別	行政類科	商管類科	法學類科	技術類科	總計
合計	300	50	100	50	500

表 2　英文測驗的成績分布

分數範圍	46-50	51-55	56-60	61-65	66-70	71-75	76-80	81-85	86-90	91-95	總計
合計	10	25	40	80	85	90	80	50	30	10	500

(一)若要將表 1 整理成統計圖以了解各類科占總報考人數的比例，應採用何種統計圖較為洽當？為什麼？

(二)為了解各分數範圍的人數變化情形，請用表 2 繪出最適當的統計圖，並算出英文成績的平均數。

(三)如果要判斷英文測驗的成績分布是否大致符合常態分布，應該使用何種方法來進行檢驗，請描述你的檢驗程序。

(四)若商管類科考生的英文平均數為77分，技術類科考生的英文平均數為74分，並假設所有考生的英文成績屬於同一母群體，其變異數為100分。請使用假設考驗 ($\alpha=0.05$) 來推估商管類科考生的英文成績是否顯著高於技術類科考生[$Z_{(1-0.05)}=1.65$] ？

破題分析 本題將統計圖表與統計檢定一起考，考題範圍廣，雖然考題不難，但是考生必須精確掌握好時間，才不會寫不完。

答 (一) 由題意可知，本題的資料類型為比例，可畫成圓形圖。因為圓形圖是一個劃分為幾個扇形的圓形統計圖表，用於描述量、頻率或百分比之間的相對關係。

(二) 表二是英文成績的次數分配，由於英文成績是連續變數，因此應該製成直方圖。平均分數可以用總分數除以總人數，其中總分數為各組中點乘以組次數的總和。計算得英文成績的平均分數為

$$\frac{(48\times10)+(53\times25)+(58\times40)+(63\times80)+(68\times85)+(73\times90)+(78\times80)+(83\times50)+(88\times30)+(93\times10)}{500}$$

大約等於71。

(三)

本題可用卡方分配的適合度考驗，程序如下

1.建立假設 $\begin{cases} H_0 ：f_0 = f_e \\ H_1 ：f_0 \neq f_e \end{cases}$

2.在 α =0.05雙側考驗下查表得臨界值

3.算出 $\chi^2 = \sum \frac{(f_0 - f_e)^2}{f_e}$ 的值，與臨界值比較，若大於臨界值，則拒絕H_0，表示英文測驗的樣本資料來自常態分布（其錯誤機率為5%）

(四)建立假設 $\begin{cases} H_0 ：\mu_1 \leq \mu_2 \\ H_1 ：\mu_1 = \mu_2 \end{cases}$

α =0.05下，單側檢定臨界值為Z=1.96

今統計量 $Z = \frac{(\bar{X}_1 - \bar{X}_2)}{\sqrt{\frac{\sigma_1^2}{n_1} + \frac{\sigma_2^2}{n_2}}} = \frac{(77-74)}{\sqrt{\frac{10^2}{50} + \frac{10^2}{50}}} = 1.5$

∵Z=1.5<1.96　∴接受H_0

亦即商管與技術類科的英文測驗成績並無顯著差異（其錯誤機率為β）

觀念延伸 統計考驗力（power of test）、第一類型錯誤（Type I error）與第二類型錯誤（Type II error）。

111年 高考三級

一、請說明以雷達圖（radar chart）來繪製統計圖表的適用時機，並說明解讀雷達圖資訊時要注意那些陷阱？

破題分析 雷達圖是過去不常出現的統計圖表製作題，答題難度稍高。可見，未來的考題趨勢不會過度重視計算，反倒要多注意過去未曾出現的冷門概念。

答 雷達圖（radar chart）也被稱為蜘蛛圖、網狀圖、星圖、蛛網圖、Kiviat 圖、極坐標圖或不規則多邊形圖，它可以將三個或更多定量變數的多元資料對應到一根軸上，看起來像一張蜘蛛網，其中心軸至少輻射出三個輻條，稱為半徑，資料的值就對應到這些輻條上，因此可以一目瞭然地顯示其間的相似性、差異和離群值。雷達圖的適用時機與使用陷阱，說明如下：

(一) 雷達圖的適用時機

1. 存在多變數觀察值
2. 有任意數量的變數
3. 需要識別離群值
4. 需要對觀察變項進行比較
5. 資料量較小或大小中等

(二) 雷達圖的使用陷阱

1. 難以判斷半徑長度：半徑上的距離很難用肉眼判斷並加以量化。在這種情況下，在圖表上使用同心圓將有助於使半徑長度更容易判斷。如果對長度的理解很重要，還可以考慮在使用折線圖。
2. 雷達圖可能會扭曲資料：所有測量值都記錄在圖表上，整個區域就會被填滿，可能造成將陰影面積當做大小表現的視覺判斷，導致資料被扭曲。
3. 雷達圖可以連接彼此沒有關聯的變數：如果圖表上有五個變數，並且它們都標記在半徑上，那麼很容易認為這些並列的測量值之間存在某種關係。

4. 雷達圖可能導致遮擋和混亂：如果變數太多或資料系列太多，圖表可能會變得混亂。如果在一張圖表上繪製多個資料系列，則此問題會更複雜，並且資料點可能會被遮擋。

觀念延伸 與本題概念相關的尚有：曲線圖（折線圖）、長條圖（柱狀圖）、圓餅圖、散布圖、三角圖、風花圖。

二、請分別說明虛假相關（spurious correlation）、淨相關（partial correlation）及部分相關（part correlation）的意義，並各舉一例說明其應用時機。

破題分析 本題考變項間的相關，是教育統計的重要概念，必須詳細說明其意涵及使用時機，並舉實際的教育實務應用，才能順利取得不錯的分數。

答 (一) 虛假相關

所謂虛假相關（spurious correlation）又稱「偽關係」，即兩因素間本不存在因果關係，卻被誤認為存在。也就是說，兩變項之間的相關是表面的，不代表兩變項間具有真的因果性（causality）。

例如：學校辦理跨年晚會之後學生的期末考成績比期中考成績更好，因此推論辦跨年晚會與學生學業成就間具有正相關的因果關係，這是不恰當的虛假相關。因為期末考與期中考的考題並未經過標準化程序，有可能期末考的題目難度較低，導致學生成績較好，根本與辦跨年晚會無關。

(二) 淨相關

淨相關（Partial correlation）又稱「偏相關」。指的是兩個變項之間有關係，是否是剛好兩者皆與另外一個變項相關，因而導致兩者有關係。淨相關就是兩個變項排除共同變項的解釋力之外，所剩下的純相關程度。

例如：國中學生身高和體重的相關極高，但是身高、體重都會受到年齡的影響，因此將年齡的解釋力排除之後，所剩下的純相關即是「淨相關」。

(三) 部分相關

部分相關（Part correlation）與淨相關略有不同，指「第一變項」和「排除第三變項共同解釋力後的第二變項」之間的相關程度。

例如：身高和排除年齡因素後的體重間的相關，即是部分相關。

觀念延伸 與本題概念相關的尚有：史比爾曼等級相關、點二系列相關等。

三、受試者回應歷程（examinee response processes）資料的探究為當前評量的關注焦點之一，試說明其意義、資料來源類別及其對測驗效度的貢獻

破題分析 本題目涉及新近效度觀念，難度最高，雖然不熟，但也可從字面「受試者回應歷程」的表面意涵猜出一二，此概念必須熟悉以備未來考試之需。

答 受試者回應歷程（examinee response processes），指的是受試者在受試期間對於測驗內容的解讀、思考策略與解題行為。以此概念所發展而出的效度，稱為回應歷程效度（response processes validity），是受試者對於測驗內容（例如：題幹）的解讀以及隨後的思考流程及行動是否如同研究人員預期解讀的相似程度。因此，受試者回應歷程對測驗效度有著深遠的影響，其內涵意義、資料來源與對效度的貢獻，詳細說明如下：

(一) 受試者回應歷程的意義內涵與資料來源

透過紀錄、分析和評估受試者回應歷程的資料，可以瞭解受試者的認知和情感反應，進而評估試題的品質、測驗效度和信度。因此，受試者回應歷程資料是評量中的重要資料來源之一。

受試者回應歷程的資料來源主要包括口頭回答、書面作答和行為表現三個類型。口頭回答是受試者在回答問題時，邊想邊說，以了解受試者在解答問題時，所需經過的心理歷程，包括口試、訪談和焦點團體等方式。書面作答就是評量題本上答題的歷程，行為表現是評量過程中表現出的動作、反應和情感狀態。

(二) 受試者回應歷程對效度的貢獻

效度的驗證是多種證據累積的歷程。效度的證據可以來自測驗內容、測驗內部結構，也可以來自測驗結果、受試者回應歷程或和其他變項的關聯性。其中受試者回應歷程是新近效度理論非常重視的一塊，因為它對效度有以下重大的貢獻：

1. 提供試題品質的重要訊息：受試者在回答試題時是否出現對題意的困惑、誤解，作答時間的長短、作答策略的運用或是題意不清造成反應偏差等，都可以提供有關試題品質的重要訊息。
2. 評估試題品質的適用程度：選用的試題必須經過預試及分析，才可確保測驗的信度和效度。透過分析受試者回答試題的過程與結果，可以得到試題的難易度和鑑別度，了解試題的適用性並提供修正參考。

3. 用於效度驗證的重要憑據：透過受試者回應歷程資料的分析，可以了解受試者答題時的認知、情感和行為，以及受試者對於特定試題的反應，或是不同族群受試者的作答反應等，這些都是效度的重要證據。

觀念延伸 與本題概念相關的尚有：測驗內在結構分析、記憶偏誤、反應偏差、社會期待性的限制、反應強度、衝突敏感度等。

四、請說明Q技術的適用時機與實施歷程。

破題分析 Q技術雖然不難，但過去甚少出現，對於其適用時機與實施歷程，建議從研究個人心理問題（例如自我概念）入手。

答 Q技術又稱為Q資料分類技術，強調人的意識可以衡量與分類。Q技術由史蒂芬生（Stephenson）於1953年所提出，主要是運用等級順序程序對Q分類材料進行分析，以收集受試者有關心理、行為資料，探討其變化的一種方法。

(一) 適用時機

Q技術可用來分析受試者自己認為的真實我（real self）、別人對他的看法（社會我，social self），以及理想我（ideal self）。其優點是最後的分數可進行相關或變異數分析，其缺點是隨機取樣難、樣本小，不適合橫斷性研究。

(二) 實施歷程

Q技術主要根據研究目的設計一系列描述行為特質的敘述句如：「好學的」、「友善的」，並將每一敘述句寫於卡片上（卡片數以60～90張最好），請受試者就每一卡片上字句符合自己的程度進行分類，通常依標準九的常態分配百分比分成九等級，再按照符合程度高低分別給予9、8、7...1的分數。

觀念延伸 與本題概念相關的尚有：語意分析技術、猜是誰技術、社會關係圖、社會計量矩陣等。

111年 普考

一、請試述下列名詞之意涵：(一)穩定與等值係數（coefficient of stability and equivalence）(二)內容效度（content validity）(三)估計標準誤（standard error of estimate）(四)典型表現測驗（typical performance test）(五)效標混淆（criterion contamination）

破題分析 本題考的五個小題有四題與效度相關，因此對於信效度的基本概念必須非常熟悉，普考大都會有解釋名詞題，囿於時間，建議每題答題內容不超過150字，在100～150字間最適宜。

答 (一) 穩定與等值數（coefficient of stability and equivalence）

複本效度需用兩個不同題本但內容等同的評量工具來施測。若兩個複本讓同一群受試者同時間連續施測，就稱為等值係數；若間隔一段時間再實施，稱為穩定且等值係數，由於不同時間施測，因此是一種複本延宕信度，這樣可以同時兼顧試題抽樣與時間，用以說明測驗內容與時間造成的誤差。

(二) 內容效度（content validity）

內容效度是指測驗反應測驗目標與測驗內容的程度。例如：教師所編的測驗是否可以測出考試範圍內的教學目標與教學內容，如果該測驗具有教學內容取樣的代表性且符合教學目標，則稱該測驗具有效度。

(三) 估計標準誤（standard error of estimate）

任何的測驗都不可能達到百分百的效度，所以在預測效標分數時，一定會有誤差存在。因此，以一筆資料進行預測時，假使進行無限多次的預測，則每次預測結果均存在一組誤差。將所有誤差加總平均後所得的總變異，稱為估計標準誤。

(四) 典型表現測驗（typical performance test）

測驗的反應形態不同，有要求受試者盡全力得高分的測驗，稱為最高表現測驗；也有要求受試者表現最真實自然的一面，稱為典型表現測驗。典型表現測驗結果僅能區別能力的類型，無好壞高低之分，如：人格測驗。

(五) 效標混淆（criterion contamination）

如果測驗編製者以評分者評定受試者某項特質作為考驗測驗的效標，但評分者在評定之前，已經知道某項特質的測驗分數，則評分者的評分結果難免會受到影響，而導致不公平或不正確的評分，此種效標資料受到測驗分數影響所產生的誤差，稱為「效標混淆」，也稱為「效標汙染」。

觀念延伸 與本題概念相似的大致都集中於測驗的類型與信效度，例如：最高表現測驗、標準 照測驗、再測信度、複本信度、內部一致性信度、評分者信度、內容效度、效標關聯效度、建構效度等。

二、凱利方格法（repertory grids）的基本理念為何？又其實施程序為何？

破題分析 本題難度高，一般教育測驗與統計不會準備到這麼深的題目。此法源自性格心理學家凱利所提出的個人建構理論，也是質量混合研究的立論依據之一，必須加以熟悉。

答 結合質與量的分析方法有許多不同類型，統稱為混合方法研究設計，凱利方格分析技術（Kelly repertory grid technique）即是一種混合方法的重要分析技術。其基本理念與實施程序，詳述如下：（林裕仁、林日宗、洪振方，2016）

(一) 基本理念

在教育領域中，凱利方格分析往往被用以探索個案的認知結構，以及認知結構的改變與成長。凱利方格法的理論基礎是根據其個人建構理論（personal construct theory, PCT），提倡知識屬於個人建構的觀點。每個人對事物或現象都擁有獨一無二的構念系統，此構念系統是非語文的、內隱的，以及個體主動建構。

凱利將個體建構方格的歷程視為一項投射的歷程，其中個體內在獨特的構念，將被反應於方格的建構中。也就是說，方格建構的內容與結果，即代表著個體內在的認知系統，而研究者即是在分析這些建構的過程與結果。

(二) 實施程序

凱利方格法的實施程序主要包含下列階段：元素與構念的萃取、方格的建構與評比，以及方格的分析與解釋。

1. 元素與構念的萃取：研究者透過晤談受試者，選取其重視的概念或語詞，這些概念或語詞，即是「元素」。再進一步邀請受試者針對每一個元素做更詳細的推論、解釋或評論，而這些評論即是構念。
2. 方格的建構與評比：將元素與構念相互配對而建構方格，並將之提供給受試者進行施測與評比。
3. 方格的分析與解釋：將完成評比的方格進行量化或質性的分析與討論，探索並解釋說明受試者的認知系統。

觀念延伸 與本題概念相似的尚有：攀梯法（Laddering Technique）、深度訪談法、基模、認知結構、平衡、助人者催化改變歷程、信念修正、視覺隱喻抽取法（Zaltman Metaphor Elicitation Technique，ZMET）等。

三、請分別舉例說明簡單迴歸分析、單因子變異數分析及單因子共變數分析的使用時機，並敘明簡單迴歸分析及單因子共變數分析有那些基本假設？

破題分析 共變數分析的假定出現機率低，但隨著統計方法的使用時機和假定近年偶有考題，因此仍是準備時不能忽視的範圍。

答 (一)簡單迴歸分析

1. 使用時機

在迴歸方程式中，預測變項x只有一項時，稱為簡單迴歸分析；預測變項有兩項以上，則稱為多元迴歸分析。例如：以智商高低預測學業成績。

2. 基本假設

(1)母群呈常態分配。

(2)每個觀察值各自獨立。

(3)效標變項的估計標準誤等分散性。

(4)兩變項間呈線性關係。

(5)預測變項測量無誤差存在。

(6)迴歸模式並未遺漏任何重要變項。

(二) 單因子變異數分析

考驗二個以上母群平均數的差異顯著性，就需要使用「變異數分析」（analysis of variance，簡稱ANOVA）。若討論一個自變項的變異數分析，亦即「單因子變異數分析」（one-way ANOVA）。例如：分析三種教學方法對學業成績影響的差異情形。

(三) 單因子共變數分析

1. 使用時機

在實驗研究上，想探究實驗組與控制組的實驗處理成效，需考量是否有變項會影響其實驗處理效果。若確定有變項會影響實驗效果，則最好將該變項設定為共變項，進行共變數分析。例如：探討不同教學法是否會影響到成績，教學法總共有3種（分別為演講法、編序法及啟發法），但過程中合理的懷疑學生的智力（共變數），會影響到其成績，間接影響到實驗的結果，因此採用共變數的分析方式，在控制智力的情況下，去調整依變數（成績）後，再探討教學法對成績的影響。

2. 基本假定

(1)母群呈常態分配。

(2)每個觀察值都各自獨立。

(3)變異數同質。

(4)各組迴歸線斜率皆相同。

(5)共變數與自變項間獨立。

觀念延伸 與本題概念相似的尚有：t檢定、雙因子變異數分析、多因子變異數分析、多元迴歸分析等。

四、使用概念圖於評量的適用時機及其相應之目的為何？其評量的計分包含那些項目？

破題分析 又是一題較少出現的概念。概念圖是奧蘇貝爾（Ausubel）建構式學習（constructivism learning）觀點的延伸，由 Novak 等人（1984）所提出，必須盡快熟悉。

答 Novak教授認為，根據Ausubel意義學習觀點提出的認知學習同化理論，概念圖（concept map）是某個主題的概念及其關係的圖形化表示，概念圖是用來組織和表徵知識的工具。

(一) 概念圖適用時機及目的

概念圖不僅可以當成教學與學習的工具，亦可視為學習策略，即後設認知學習策略，當作表徵結構知識、增進對教材回憶，以及作為有效的教學評量工具。概念圖應用在教學評量上，可以根據學生概念圖和標準概念圖的相似程度進行評分或比較，便可以作為計分的基礎。

(二) 概念圖評量的計分項目

1. 關係：兩個概念聯結成一道命題的聯結關係，有效且有意義的連結關係給分。
2. 階層：每一個附屬關係比其上階層更具特殊性，有效的階層給分。
3. 交叉聯結：創造力的指標，有效的交叉聯結給分。
4. 舉例：若已標明出其概念間的關係，則每一個特定被舉出的事件或物件例子，即給分。
5. 分支：每個分支必須與其上階層概念間具有意義且有效的聯結關係可加以同等計分，第二階層以後的分支則給予遞增的加權分數。
6. 關鍵概念和命題的增加量：每個新增的關鍵概念或命題可以視同一個聯結關係來分別計分，給予額外的加分。

觀念延伸 與本題概念相似的尚有：建構式學習（constructivism learning）、先前知識（prior knowledge）、基礎框架（framework）、心智圖（mind map）等。

111年 地特三等

一、下圖為ABC三位球員10次比賽得分之盒鬚圖（boxplot）。

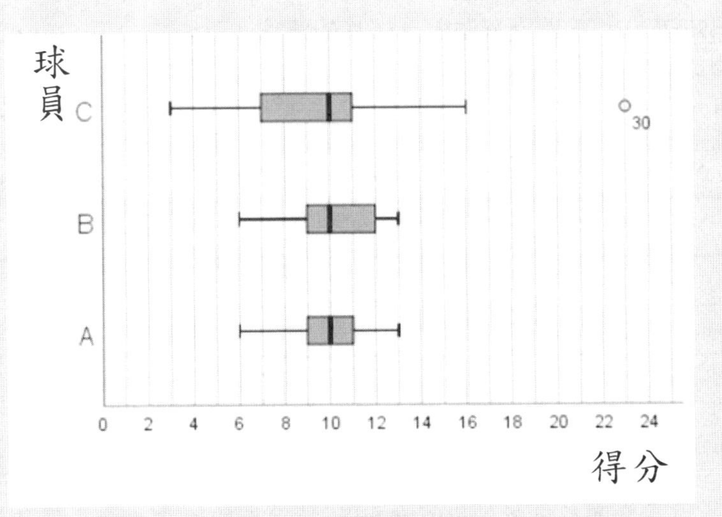

(一)三位球員得分之第三四分位數分別為多少？四分位距各為多少？得分分布的偏態型態各為何？說明理由。

(二)圖中右上方標示30的數值是什麼？若你是教練，要從三位中挑選一位球員，你會選擇那一位，理由為何？

破題分析 本題屬於簡單題，主要考的是離散量數和偏態觀念以及盒鬚圖觀念，這是統計圖表相當重要且常出現的題型。解題當中必須用到描述統計相關概念。

答 盒鬚圖盒子的左端橫線代表第一四分位數（Q1），中間是中位數（第二四分位數Q2），右端就代表第三四分位數（Q3）。盒子的寬度稱作四分位距（Interquartile range；IQR），也就是Q3減掉Q1所得到的數字。

(一) 依上述所言，三位球員得分的第三四分位數分別在A=11、B＝12、C＝11。而IQR＝Q3－Q1，所以依圖形可知：A＝11－9＝2、B＝12－9＝3、C＝11－7＝4。另外，偏態的部分，依據盒子中心線與兩側的相對位置，可以知道A和B集中趨勢皆靠近右側，所以皆為左偏；C則是因為有最小的極端值出現，所以為右偏。

(二) 30分的出現表示得分出現極端值，超出盒鬚圖估計極大值甚遠，表示C球員穩定性極為不佳。因此，對於教練而言，應該選擇三位球員中得分穩定性與集中性較佳的球員，就是B球員。

觀念延伸 與本題概念相近的議題尚有：離散型資料、次數分配表、莖葉圖、累積次數分配曲線等。

二、王教授想知道ABC三種治療法對憂鬱症的療效。他隨機分派120位受試者到三種療法，每組40人。經過治療後，ABC三組受試者的憂鬱分數之平均值（標準差）依序如下：21（4），17（5），19（6）。分數越高，代表憂鬱程度越嚴重。王教授透過變異數分析，檢驗三種療法之成效。變異數分析的假設為何？ Levene's Test是檢驗那一個假設？完成以下ANOVA表，寫出如何決定表中F=6.23的數值是否達統計顯著水準。

來源	平方和	df	均方	F	η2
組間	320	2	（　）	6.23	（　）
組內	（　）	（　）	（　）		
總變異	3323.39				

破題分析 單因子變異數分析的假定和SPSS統計表的概念是每年都會出現的超級常考題，除了計算題之外，實驗設計以及報表解釋的觀念，都必須相當熟悉。

答 (一) 獨立樣本單因子變異數分析的假定

1. 母群常態分配：樣本資料所來自的母群皆為常態分配。
2. 觀察值獨立：所有樣本資料取得皆是隨機抽樣的結果。
3. 變異數同質：所有不同實驗水準的變異數皆相同。

(二) Levene's test

又稱為《Levene變異數相等考驗》（Levene's Test for Equality of Variance）。是Levene（1960）基於F分配的基礎，發展出檢驗變異數同質性假定的統計考驗。

(三) 統計結果是否顯著

根據F分配表，在 α =.05時，df1=2、df2=117，其F臨界值約等於3。下表依據題意計算出的空格結果如下：

來源	平方和	df	均方	F	η2
組間	320	2	（160）	6.23	（0.1）
組內	（3003.39）	（117）	（25.67）		
總變異	3323.39				

可以知道計算出來的F值（6.23）大於臨界值（3），檢定結果拒絕虛無假設，接受對立假設。也就是說，對於憂鬱症的三種治療方法，其結果存有明顯差異，下錯結論的機率有5%。另外η2僅有0.1，表示這次研究測得的組間差異效果偏小。因此，自變項的解釋效果量強度偏弱。

觀念延伸 與本題概念相關的尚有：受試者內設計（within subject design）、受試者間設計（between subject design）、分析摘要表（summary table）。

三、研究者想瞭解社會情緒學習教育方案是否提升國中生自我覺察能力以及學生之學業表現。為了檢驗方案成效，研究者擬發展兩項評量工具：學生的自我覺察能力以及數學成就測驗，用在前後測。以表格分點列出兩種工具的(1)發展步驟(2)評估工具之信度(3)效度的合適方法。

破題分析 本題難度稍高，係針對不同測驗目的，考驗對於認知和情意類測驗的編制觀念與檢定程序，必須要非常熟悉才能拿高分。

答 學生的自我覺察能力量表（情意類）以及數學成就測驗（認知類），兩種工具的發展步驟、評估工具之信度、效度的方法，表格列點比較如下：

	自我覺察能力	**數學成就測驗**
發展步驟	1.確立測驗目的 2.確立量表的理論建構 3.確定題數與計分方式 4.擬定施測程序與計畫 5.進行專家審題與修改 6.進行預式與試題分析 7.正式施測與常模建立 8.完成測驗手冊	1.確立測驗目的 2.建立試題雙向細目表 3.安排題型題數與難度 4.擬定施測程序與計畫 5.進行專家審題與修改 6.進行預式與試題分析 7.正式施測與常模建立 8.完成測驗手冊
信度評估	再測信度、折半信度、內部一致性信度。	折半信度、複本信度、內部一致性信度、評分者信度（針對非測驗題）。
效度評估	效標關聯效度、建構效度。	效標關聯效度、內容效度。

觀念延伸 與本題概念相關的尚有：量表與測驗編製、再測信度、複本信度、內部一致性信度、評分者信度、內容效度、效標關聯效度、建構效度等。

四、某報進行市長候選人的支持度民意調查，結果發現甲候選人獲得36%選民支持，乙支持率47%。該調查在11月中旬晚間進行，成功訪問1196位設籍該市成年民眾，另有169人拒訪。在百分之九十五信心水準下，在不考慮設計效應下，抽樣誤差為多少？兩位候選人的支持度要差距多少，才達顯著差異？

破題分析 本題難度最高，考的是推論統計中區間估計的公式與應用，此類考題不常見，必須要熟悉公式的應用，也不能計算錯誤。

答 (一) 依題意，接受調查的有效樣本為1196－169=1027人。

因此在95%的信心水準下，抽樣誤差如下：

$$甲：2\times\sqrt{\frac{0.36(1-0.36)}{1027}}=3.0\%$$

$$乙：2\times\sqrt{\frac{0.47(1-0.47)}{1027}}=3.1\%$$

因此，兩者差距的抽樣誤差為正負6.1%。

(二) 可見，候選人的支持率差距至少要超過抽樣誤差，才能推論兩個候選人支持率具有差異存在。承上述結果可知，兩位候選人的支持度要差距6.1%以上，才達顯著差異，依題意兩者差距(47-36)%=11%，確實已達統計上的顯著差異。

觀念延伸 與本題概念相關的尚有：點估計與區間估計、決策理論（decision theory）、信賴區間（confidence interval）、信賴界限（confidence limits）、信賴係數（confidence coefficient）、顯著水準（significant level）等。

111年 地特四等

一、假設你在某個縣市的教育局（處）任職，教育局（處）長委託你承辦家長對於教育局（處）的政策實施滿意度調查。蒐集內容包含性別、年齡、教育程度、行業別及各項教育政策之滿意程度（1代表「非常滿意」、2代表「還算滿意」、3代表「無意見」、4代表「不算滿意」、5代表「非常不滿意」）。在分析時，你想要用一個統計圖描述滿意度和行業別的關係，試舉出兩個研究問題及其適用的統計圖（請自行假設數據進行說明並繪圖）。

破題分析 本題是考統計圖運用的描述統計題目，只是要自行假設數據並說明，較為煩瑣，但仍不難，必須穩定拿分。建議採用並排之長條圖來表示。

答 假設本研究要回答有關行業別與滿意度關係的兩個問題：第一、不同行業別的家長對教育政策滿意度的比例有何不同？第二、對各項教育政策滿意程度最高的是哪一個行業？今以三個行業為例，繪製統計結果的長條圖如下：

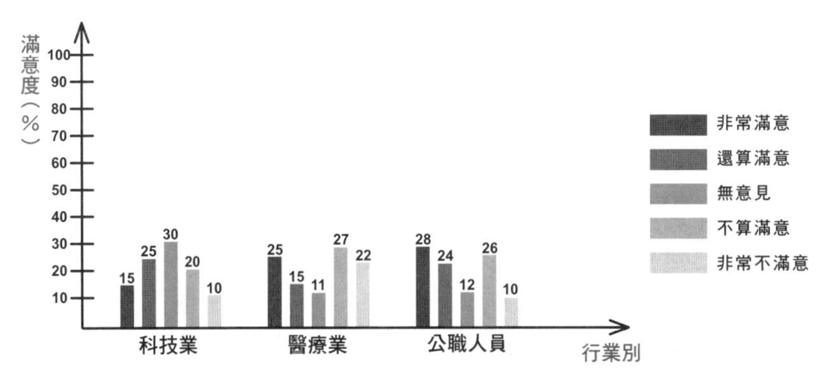

由上圖可見，不同行業別的家長對教育政策滿意度略有不同，其中對各項教育政策滿意程度最高的是公職人員（將非常滿意與還算滿意的比例相加即可判斷），滿意程度較低的是科技業與醫療業。

觀念延伸 與本題概念相關的尚有：直方圖（histogram）、折線圖（line chart）、圓餅圖、累積次數分配曲線圖、常態分布圖、盒鬚圖、莖葉圖等。

二、成績等第和學習進展報告可滿足學校的各種功能，為學生、家長和學校人員提供有用的訊息。假設你在某個縣市的教育局（處）任職，教育局（處）長委託你承辦該縣市國中、小學生等第和成績報告系統的革新設計。在規劃成績等第和學習報告內容時，你會考量什麼原則？請舉出五項。

破題分析 本題與第一題相同，都是情境規劃題。這樣的題目只要抓住大原則書寫即可，尤其要結合最新的教育趨勢，例如「標準本位評量」就是評量改革的新方向。

答 標準本位評量（standard-based assessment）是近年來評量改革的新趨勢，是一種呼應素養導向課程與教學的評量工具。素養導向的課程與教學，一方面重視學生的學習歷程，另一方面也重視學生的學習成果，從學生的「學習表現」來評量其學習成效。因此，規劃學生成績等第和學習報告內容，可根據標準本為評量的精神，考慮以下原則：

(一) 清楚了解成績等第和學習報告內容的功能：包括等第與成績報告可以提供的學習訊息、預期的結果，以及確保等第及成績報告方法能為學生學習提供精確且可理解的描述。

(二) 確保等第與成績報告可以提升教學與學習：提供後設評鑑數據，證明等第與成績報告的實施確實可以促進教師、學生與家長間溝通學生的學業表現，以及提供學生學習有效的幫助。

(三) 等第與學習報告的評分定義必須明確可行：各等第與學習報告有明確定義，有助於教師評分時，掌握清楚的標準，學生也有清楚的學習目標與努力方向。當學生達成多少教學目標時，給予對應的等第，以實質檢視學生的學習成效。

(四) 增加多元評量方式並提供評量標準與指標（Rubric）：除了紙筆測驗之外，教師可增加評量學生表現之評分方式，例如書面報告、心得、口頭報告等，最重要的是以「評量標準與指標」來評量。評量標準與指標提供統一的評分準則，讓所有教師與同學都有一致的學習成果目標，並能幫助教師節省評分時間。

(五) 提供表現指標（performance）讓學生知道如何表現可以更好：Rubric的形式包括該學習行為所需具備的各個面向，稱為「評量標準」（criteria），以及定義各面向表現優劣的「表現指標」。明訂各項評量標準加上評量學生表現的表現指標，可以讓學生知道教師的期望和要求，讓學生清楚未來努力方向並依據它來進行作業修改，督促自己的表現可以越來越好。

標準本位評量不但是「促進學習的評量（Assessment for Learning）」，強調在學習過程中進行評量，以更有效掌握學生學習成效，更是「評量即學習的評量（Assessment as Learning）」，強調後設認知的能力，關注於自己的進步幅度，以及學習遷移的部分，以實現全人教育。因此，符合標準本位評量精神的成績等第和學習報告不但符合教育目的之正當性，在評量時機上兼顧平時及定期，同時在評量對象上亦兼顧適性化及彈性調整。如此的革新才能滿足學校的各種功能，為學生、家長和學校人員提供有用的訊息。

觀念延伸 與本題概念相關的尚有：標準本位評量、素養導向評量、促進學習的評量、評量即學習的評量、學習後的評量、評量標準與指標、表現指標。

三、某項智力測驗的語文推理測驗平均數100、標準差15；而圖形推理測驗平均數90、標準差10。一位來自不同文化家庭的學生，在該項智力測驗的語文推理分數是70分，圖形推理分數是100分。你會考慮讓學生再接受那些類型的測驗來提供額外的訊息，以幫助你詮釋這位學生的智力分數？為什麼？

破題分析 從標準分數計算其測驗分數的相對地位，當相對地位出現不一致的情況，就必須藉由其他測驗進行學生問題診斷。

答 此位學生的語文推理分數為(70-100)/15=-2，相當於落後平均數的兩倍標準差，代表語文推理能力弱，達到障礙等級；但其圖形推理分數為(100-90)/10=1，高於平均數一倍標準差，代表圖形推理能力不錯。這樣的落差可能來自於測驗偏差，也可能真的是學生語文推理能力極弱。因此所以可以考慮讓學生接受以下兩種測驗：

(一) 瑞文氏圖形推理測驗：是一種非語文式的智力測驗，可用以判斷此位學生是否因閱讀理解能力不良造成語文推理分數不佳。

(二) 語文邏輯推理測驗：其中的語文推理能力在測量比較複雜的推理能力，可評估學生抽象或概括的潛力，而非簡單的語文流利或字彙認識。可以藉此判斷此位學生是否是文化背景因素所產生的試題差異作用，導致語文推理不佳。

觀念延伸 與本題概念相關的尚有：智力測驗、多元性向測驗、國語文推理智力測驗、語文邏輯推理測驗等。

四、在對稱、左偏和右偏的資料分配中，平均數、眾數和中位數的關係為何？請以文字和圖示說明之。

破題分析 本題屬於相當基本且常考的題型，僅需繪圖出來即可判別大小與偏態關係。

答 平均數(μ)、中位數(M_d)、眾數(M_o)

三者的大小關係如下：

(一)對稱分配：

$\mu = M_d = M_o$

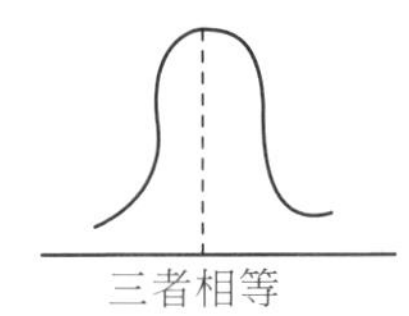

(二)左偏分配：

$\mu < M_d < M_o$

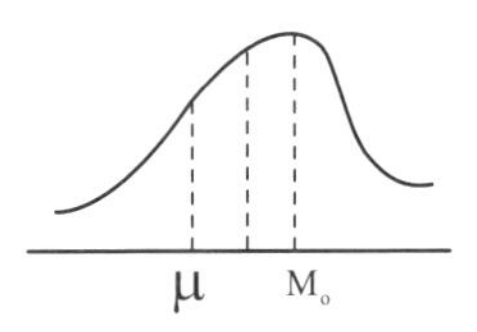

(三)右偏分配：

$\mu > M_d > M_o$

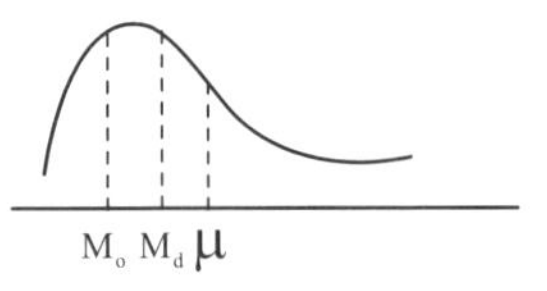

觀念延伸 與本題概念相關的尚有：峰度、變異量數、相對地位量數等。

112年 高考三級

一、某教育學者認為，COVID-19疫情期間，大多數國民中小學校皆採行線上教學來代替實體教學。但是，線上教學的學習成效深受各種因素的影響與干擾，因此，他認為有必要重新制訂線上教學時，學習成績是否達到「及格」的通過標準。請問：你會建議他該如何設定此通過標準？請至少列舉五項步驟的建議。

破題分析 本題考線上評量的建議，除了符合線上評量所需之外，還應考慮到教師與學生立場的不同，並從教學目標需求與編制評量過程，進行討論以探討編制評量標準。

答 線上教學課程評量的興起，除了因應疫情的教學活動改變之外，也應對過去標準化測驗評量只測驗最低能力提出反動，因為這樣的現象導致教師為提高學生成績而訓練學生練習測驗題目，反而不鼓勵學生參與更有用的學習活動。

(一) 線上評量標準設定OFF三大原則

1. 公開（Open）：評量方式及計分標準應按學生身心發展及個別差異，兼顧科目認知、技能及情意目標並公告周知，避免爭議。
2. 公平（Fair）：評量方式及計分標準應符合公平性，因為每位同學可能因設備或網路速度有別，教師設計評量方式時應多加考量。
3. 彈性（Flexible）：評量方式及計分標準可視課程性質，依循上面2個原則（公開、公平）的精神，並考慮到線上教學的多樣性和學生的不同情況做彈性調整。

(二) 線上評量標準的五項步驟與建議

1. 了解學習目標並設定成績標準：確定學習者在特定主題應該達到什麼程度的理解或能力。然後設定評量成績的標準是以百分比、等級或其他評分系統。
2. 採用多元評量方法及多向度分數：新式評量方法有各種不同的評量方式來獲得結果，可適應學生個別差異的需求，更能提高評量的信度和效度。例如：線上口頭報告、線上open book測驗、線上實作或紙筆測驗、線上出席率或討論參與度、線上直播操作過程等。

3. 考慮線上評量的彈性和公平性：考慮到線上教學的多樣性和學生的不同情況，應該考慮設立彈性和公平的成績標準。這可能包括給予學生額外的時間或資源，提供不同的評估選項，或考慮到學生的背景和環境因素。
4. 兼顧同步與非同步的學習表現：線上授課分同步跟非同步兩種模式，教師可依據領域型態、課程內容或是教材，選擇使用最適合的教學模式。和同步學習相比，非同步學習在於學生可以安排自己的學習步調，增加不少彈性和空間。因此，線上評量也應兼顧此兩種學習模式的學習表現。
5. 重視學習歷程的評量與結果的應用：傳統評量只強調學習的結果，因此線上評量方法必須同時重視學習的歷程。比如檔案評量中除了學生代表作品的多樣性之外，還有教師以及家長的評語與學生的自我評量和反省。除此之外，歷程檔案還重視每一位學生的個別差異，讓學生可以選擇收集哪些對自己較有意義的學習成果，允許學生可以建立對自己更有意義的學習內容與結構。

觀念延伸 與本題概念相似的尚有：檔案評量、實作評量、口語評量、軼事記錄、鑑賞領悟、自我評量、同儕互評等。

二、某市教育局舉辦一年一度的國小學生才藝競賽，並聘請兩位表演藝術專家針對10名進入總決賽的小學生才藝表演進行客觀的評分。這兩位專家針對這10名學生的評定名次如下表，請問：這兩位專家的評分間有無關聯性或一致性存在？
（查表的t值臨界值為：t.975,8=2.306）

學生	A	B	C	D	E	F	G	H	I	J
甲專家	2	8	5	7	4	6	1	9	3	10
已專家	5	4	1	8	3	7	6	10	2	9

破題分析 本題是最難的一題，既要懂得用哪種相關分析，同時要在複雜的計算中保持正確性，非常不容易。本題因為名次沒有相同組，所以直接採用Pearson積差相關估計相關結果，再進行t檢定考驗相關係數是否顯著存在。

答 本題評分者所用的資料是名次，屬於次序尺度變項間的相關統計，應使用斯皮爾曼等級相關係數（Spearman Rank Correlation）。又因受評者人數多達10位，且評分者間並未出現相同名次，所以可以採用Pearson的積差相關估計，相關結果如下：

若甲專家的評分為X，乙專家的評分為Y，則 $\sum X=55$，$\sum X^2=389$，$\sum Y=55$，$\sum Y 2=385$，$n=10$，$\sum XY=349$

$$\therefore \text{積差相關} rxy=\frac{\sum XY-\frac{\sum X\sum Y}{n}}{\sqrt{\sum X^2-\frac{(\sum X)^2}{n}}\sqrt{\sum Y^2-\frac{(\sum Y)^2}{n}}}$$

$$=\frac{349-\frac{55\times 55}{10}}{\sqrt{389-\frac{(55)^2}{10}}\sqrt{385-\frac{(55)^2}{10}}}$$

$=0.551$

接著進行積差相關係數的假設檢定：（t檢定）

$$\begin{cases}\text{虛無假設}（H_0）\text{：母群相關係數 } p=0\\ \text{研究假設}（H_1）\text{：母群相關係數 } p\neq 0\end{cases}$$

$$\text{統計量} t=\frac{r_{xy}-p}{S_r}=\frac{r_{xy}}{\sqrt{\frac{1-r_{xy}^2}{n-2}}}\ (p=0)=\frac{0.551}{\sqrt{\frac{1-(0.551)^2}{10-2}}}$$

$=1.868<t975.8=2.306$

檢定結果，拒絕H_1，接受H_0

換句話說，二位評分者的評分沒有關連性或不存在顯著的一致性。

觀念延伸 與本題概念相似的尚有：Pearson積差相關係數、點二系列相關係數（Point-biserial correlation coefficient）、史比爾曼等級相關係數等。

三、某教育學者想知道某校六年級學生的平均身高，他自該校隨機抽取9名學生為樣本，並測得其身高分別為140、142、140、143、139、140、141、142、141公分（已計算出這9名學生身高的M=140.89，SD=1.26），請問：你會推估出該校六年級學生的平均身高之95%信賴區間（查閱t分配表，臨界值為±2.306）為何？請寫出計算過程並說明你的答案。

破題分析 本題考區間估計、信心水準與信賴區間計算，是過去考古題常常出現的相關命題觀念，拿分相對較為容易。

答 依題意可知

母群平均數（μ）的不偏估計數 $\hat{s}=\frac{SD}{\sqrt{n}}=\frac{1.26}{\sqrt{9}}=0.42$

∴母群平均數95%的可信賴區間為 $-2.306\leqq\frac{\bar{x}-\mu}{\hat{s}}\leqq+2.306$

$\Rightarrow-2.306\leqq\frac{140.89-\mu}{0.42}\leqq+2.306$

$\Rightarrow(0.42)(-2.306)\leqq140.89-\mu\leqq+(+2.306)(0.42)$

$\Rightarrow-0.97\leqq140.89-\mu\leqq+0.97$

$\Rightarrow139.92\leqq\mu\leqq141.86$

故在95%的信心水準下，該校六年級學生平均身高的信賴區間位在139.92～141.86（公分）。

觀念延伸 與本題概念相似的尚有：有效樣本數、點估計、信賴水準、樣本統計量、樣本平均數的抽樣分配等。

四、請解釋下列專有名詞：(一)參數估計不變性（invariance of parameter estimation）(二)差異試題功能（differential item functioning）(三)可能值（plausible values）(四)效度量尺（validity scale）(五)試題特徵曲線（item characteristic curve）

破題分析 本題難度亦不低，五小題內容有三小題是IRT相關概念。因此，不但要把握答題的時間，還要處理涉及測驗計分解釋可能需要注意的事項。

答 (一) 參數估計不變性（invariance of parameter estimation）：古典測驗理論中，試題的難度指數和鑑別度指數，會因為受試者的能力分配不同而得到不一樣的估計結果，如要得到不偏的估計結果，必須選取具有代表性的樣本；而試題反應理論具有參數不變性（parameter invariance）之特色，即試題的試題參數估計，不受受試者能力分布影響，受試者能力值估計，亦不受到測驗試題之影響。

(二) 差異試題功能（differential item functioning）：是測驗發展過程中為維持測驗公平性以及測驗效度考量的必要程序。差別試題功能運用統計方法，以決定是否所驗證的項目可以適當地檢驗不同族群受測者的能力。差異試題功能判斷標準如下：如果不同的族群在某個題目之試題特徵函數（item characteristic curve, ICC）都不相同的話，則該題目出現DIF現象。反之，如果不同族群的試題特徵函數都相同的話，則該題目沒有DIF現象。因此，DIF的判斷即為檢驗試題特徵函數是否有差異。

(三) 可能值（plausible values）：國際大型測驗（如TIMSS或PISA）的評量目的常是要理解一個群體的知識或技能表現，在技術報告中，常可以見到將學生的分數以可能值（plausible value,簡稱PV）的方式呈現。PV就是透過特殊的測驗統計模式設計，在估計學生的能力時，除了考慮學生的答題反應外，更加入了和學生相關的背景變項（如性別、學校的位置等），估計一位學生能力值的機率分佈，再從此分佈中隨機抽取學生的能力值，呈現學生「可能合理」的能力值範圍。

(四) 效度量尺（validity scale）：所謂的效度量尺，主要就是用來鑑定受試者的誠實度。有效度量尺通常是測驗中的特殊項目或量表，它們旨在檢測受試者是否在測驗中存在不真實的回答、模擬行為、無關的反應或其他測量失真。效度量尺得分越高就表示受試者越不誠實，效度量尺分數得分越高的，這份測驗就越沒有參考價值。

(五) 試題特徵曲線（item characteristic curve）：是用來解釋試題與受試者能力間關係的迴歸線，它的形狀由受試者的能力值與該試題的試題參數所決定，而主要涵義是指某種潛在特質的程度與其在某一試題上答對機率兩者間的關係。簡而言之，把能力不同的考生得分點連接起來所構成的曲線，便是能力不同的考生在某一測驗試題上的試題特徵曲線。

觀念延伸 與本題概念相似的幾乎都集中於IRT理論，尚需注意的有試題反應理論（Item Response Theory, IRT）、受試者的能力（abilities）、潛在特質（latent traits）、鑑別度參數（discrimination parameter）、難度參數（item difficulty parameter）與猜測度參數（guessing parameter）等。

112年 普考

一、動態評量（dynamic assessment）是屬於另類評量方法的一種，請說明它的適用對象，以及若與傳統評量比較，動態評量具有那些優點特色可以彌補傳統評量的不足？

破題分析 本題是多元評量的常考題，只要掌握其與傳統評量的不同，以及如何運用或是優缺點，應可輕易拿分。

答 動態評量（dynamic assessment）主要是相對於傳統評量的靜態測量形式所提出，其意義是指：教師以「前測－介入－後測」的形式，針對一般傳統評量無法測出孩子的起點能力以及學習歷程的部分，進行互動性與持續性的評量。

(一) 適用對象

動態評量適用對象包含具有學習困難、發展不平衡或特殊學習需求的兒童、青少年或成人，用動態評量以診斷學生學習錯誤的原因，提供教師教學改進的訊息，以進行適當的補救教學。其目的在透過師生互動，提供學習訊息，評估學生的潛能而非目前的表現。

(二) 優缺點

1. 優點

(1)較能評量文化不足與身心障礙學生的認知潛能。

(2)重視學生的潛能表現與認知歷程。

(3)評量歷程連續且互動，效果較能持續。

2. 缺點

(1)設計與實施較耗時費力且成本太高。

(2)研究題材仍有待開發。

(3)執行不易，信效度較低。

(4)測驗結果較難解釋。

觀念延伸 與本題概念相關的尚有：多元評量、檔案評量、真實評量、實作評量。

二、假設有一位心理學家想籌建一套測驗評量系統，作為未來升學或就業時的診斷評估與甄選之用，並擬由各種不同心理測驗工具所組成。請問：你會建議他該考量什麼因素作為挑選測驗工具之參考標準？

破題分析 如何挑選一份良好的測驗，是測驗結果是否可以真實反應受試者學習狀態的重要關鍵，相信可以輕鬆拿分。

答 心理學家想籌建一套測驗評量系統，應該考量下列因素以確保測驗的品質良好：

1. 擁有良好的信、效度：測驗具有信度，則此測驗具有穩定性；測驗具有效度才能真正測到我們要測量的特質。
2. 適用對象的常模建立：選用了不適當的常模，將導致測驗結果無法正確比較，因此選擇測驗時，應考慮常模是否適合，包含常模的來源、常模是否時常更新等。
3. 適當的難度、鑑別度：難度與鑑別度關係密切，難度是鑑別度的必要條件，試題需具有適當的難度，才能發揮鑑別作用。
4. 按照並符合標準化程序：測驗的標準化，主要包含測驗編製的標準化、實施程序的標準化、計分與解釋的標準化三部份，由測驗專家根據測驗的編製標準化程序編成，且經由大量受試者接受測驗後，就能發展出一套試題內容與分數對照都較為適切的測驗，並有統一的實施與評分程序。
5. 實用、適切、客觀、參照：測驗本身在施測、計分、解釋上是否容易，還有測驗所涵蓋的向度，是否能適切診斷欲評鑑的項目。其次，測驗的材料本身及其實施過程是否有系統的對個人的特質做客觀的測量，最後，在成績計算時是否有不同的參照標準。

觀念延伸 與本題概念相關的尚有：標準化測驗、難度（Difficulty）、鑑別度（Discrimination）、誘答力（Distraction）、猜測度等。

三、某國小六年級學生的英語文檢測成績，剛好呈現常態分配的結果；此時，平均數、中位數及眾數等三種集中量數的數值，剛好都會相等。由於該校地處都市與偏鄉的交界處，後來因為發生下列事故情境，導致該校英語文成績的次數分配開始產生變化：情境(一)：由於當地政府正在積極整頓當地的交通問題，一時之間，交通陷入黑暗期，導致該校英語文成績優異的學生紛紛轉出至鄰近都市裡的學校就讀。請問：此時，該校英語文檢測成績的次數分配，將會呈現何種偏態的次數分配？在該種偏態的次數分配中，平均數、中位數及眾數等三種集中量數，何者的數值將會最大？情境(二)：一段時間後，當地政府整頓交通問題完畢，當地交通變得十分通暢。該校校長為挽救該校的就學率，大力推動雙語教育政策，反而吸引鄰近都市與偏鄉學校中英語文高材生紛紛轉入該校就讀，甚至，連當初轉學出去的高材生也全部紛紛回籠轉學回來就讀。請問：此時，該校英語文檢測成績的次數分配，將會呈現何種偏態的次數分配？在該種偏態的次數分配中，平均數、中位數及眾數等三種集中量數，何者的數值將會最大？情境(三)：經過上述兩種情境的干擾影響後，該校校長終將發現，在該校英語文檢測成績的次數分配中，有一種集中量數始終都會介於另兩種集中量數之間。請問：它會是何種集中量數？

破題分析 常態、偏態與平均數、中位數、眾數三者間的大小關係是非常重要且常考的統計觀念，屬於簡單題，題目雖然很長，但只要耐心找出關鍵概念，應可輕鬆拿分。

答 情境(一)：由於當地積極整頓交通問題，導致該校英語文成績優異的學生紛紛轉出至鄰近都市裡的學校就讀。因此，該校英語文檢測成績的次數分配，低分人數將會變多，僅有少數幾個分數較高，導致次數分配圖長尾端偏向分數高的一邊，形成右偏態。在右偏態的次數分配中，平均數最大，中位數次之，眾數最小。

情境(二)：一段時間後，當地交通變得十分通暢。該校校長為挽救該校的就學率，大力推動雙語教育政策，吸引英語文高材生轉入就讀。因此，該校英語文檢測成績的次數分配，高分人數將會變多，僅有少數幾個分數較低，導致次數分配圖長尾端偏向分數低的一邊，形成左偏態。在左偏態的次數分配中，眾數最大，中位數次之，平均數最小。

情境(三)：經過上述兩種情境的干擾影響後，該校校長發現，在該校英語文檢測成績的次數分配中，有一種集中量數始終都會介於另兩種集中量數之間。這種集中量數就是中位數，因為它不會受到偏態的影響。

觀念延伸 與本題概念相關的尚有：算術平均數、加權平均數、幾何平均數、調和平均數、離散量數（例如標準差、最小值和最大值……）等。

四、某教授觀察到教育統計學的學習成績，似乎存在著性別差異，且多數文獻均顯示男性學生的成績遠優於女性學生的成績。請問：你會建議他採用何種統計分析方法來驗證所觀察到的現象，並說明此檢驗的步驟？

破題分析 本題考的是自變項有兩個水準（性別只有男或女）的獨立樣本t檢定差異性分析，對於不了解統計考驗方法的人較有難度。

答 為了驗證觀察到的性別（男女兩個水準）差異現象，可以使用獨立樣本t檢定來進行統計分析。以下是該檢驗的步驟：

(一) 設定假設（Hypotheses）

虛無假設（H0）：男性成績平均值等於女性成績平均值（μ男=μ女）

對立假設（H1）：男性成績平均值不等於女性成績平均值（μ男≠μ女）

(二) 計算統計量

1. 在收集足夠的樣本，滿足樣本代表性之後，進行統計量計算。
2. 計算男性平均成績（X男）和女性平均成績（X女），以及男性的標準差（S男）和女性的標準差（S女）。
3. 依照前面的數據，計算獨立樣本統計量t值。
4. 計算自由度：df=男女總人數

(三) 確定顯著性水準

假如選擇顯著性水準α=0.05，表示我們願意接受5%的錯誤機會。

(四) 決策與解釋

根據前述計算出的t值，查找t分配表，找出對應顯著性水準下的臨界值。

比較t值和臨界值的大小，如果計算的t值大於臨界值，則拒絕虛無假設。此結果表示，男性和女性的成績存在顯著差異。可見，教授可以確定性別對學習成績產生顯著影響，並且此差異具有統計學上的意義。

反之，t值小於臨界值，則接受虛無假設，無明顯差異，不具統計意義。

觀念延伸 與本題概念相關的尚有：敘述性統計、推論性統計、卡方檢定（同質、獨立、適合度）、變異數分析（ANOVA）、相關分析等。

NOTE

高普｜地方｜各類特考

名師精編課本・題題精采・上榜高分必備寶典

教育行政

1N021121	心理學概要(包括諮商與輔導)嚴選題庫	李振濤、陳培林	550元
1N321131	國考類教育行政類專業科目重點精析 (含教概、教哲、教行、比較教育、教測統)	艾育	690元
1N381131	名師壓箱秘笈－教育心理學 榮登金石堂暢銷榜	舒懷	590元
1N401131	名師壓箱秘笈－教育測驗與統計(含概要)	舒懷	550元
1N411112	名師壓箱秘笈－教育行政學精析	舒懷	640元
1N421121	名師壓箱秘笈－教育哲學與比較教育 榮登金石堂暢銷榜	舒懷	790元

勞工行政

1E251101	行政法(含概要)獨家高分秘方版	林志忠	590元
2B031131	經濟學	王志成	近期出版
1F091131	勞工行政與勞工立法(含概要)	陳月娥	近期出版
1F101131	勞資關係(含概要)	陳月娥	近期出版
1F111131	就業安全制度(含概要)	陳月娥	近期出版
1N251101	社會學	陳月娥	750元

以上定價，以正式出版書籍封底之標價為準

高普 | 地方 | 原民
各類特考

一般行政、民政、人事行政

1F181131	尹析老師的行政法觀念課 ---- 圖解、時事、思惟導引 榮登金石堂暢銷榜	尹析	近期出版
1F141122	國考大師教你看圖學會行政學 榮登金石堂暢銷榜	楊銘	690 元
1F171131	公共政策精析	陳俊文	590 元
1F271071	圖解式民法(含概要)焦點速成＋嚴選題庫	程馨	550 元
1F281131	國考大師教您輕鬆讀懂民法總則	任穎	近期出版
1F351131	榜首不傳的政治學秘笈	賴小節	610 元
1F591091	政治學(含概要)關鍵口訣＋精選題庫	蔡先容	620 元
1F831131	地方政府與政治(含地方自治概要)	朱華聆	近期出版
1E251101	行政法 -- 獨家高分秘方版測驗題攻略	林志忠	590 元
1E191091	行政學 -- 獨家高分秘方版測驗題攻略	林志忠	570 元
1E291101	原住民族行政及法規(含大意)	盧金德	600 元
1E301111	臺灣原住民族史及臺灣原住民族文化(含概要、大意) 榮登金石堂暢銷榜	邱燁	730 元
1F321131	現行考銓制度(含人事行政學)	林志忠	近期出版
1N021121	心理學概要(包括諮商與輔導)嚴選題庫	李振濤 陳培林	550 元

以上定價，以正式出版書籍封底之標價為準

國家圖書館出版品預行編目(CIP)資料

(高普考)名師壓箱秘笈：教育測驗與統計(含概要) / 舒懷編著. -- 第九版. -- 新北市：千華數位文化股份有限公司, 2023.11

面； 公分

ISBN 978-626-380-148-6 (平裝)

1.CST: 教育測驗 2.CST: 教育統計

521.3 112019253

名師壓箱秘笈
[高普考] 教育測驗與統計(含概要)

編　著　者：舒　懷

發　行　人：廖　雪　鳳
登　記　證：行政院新聞局局版台業字第 3388 號
出　版　者：千華數位文化股份有限公司
地址／新北市中和區中山路三段 136 巷 10 弄 17 號
電話／ (02)2228-9070　　傳真／ (02)2228-9076
郵撥／第 19924628 號　千華數位文化公司帳戶
千華公職資訊網 : http://www.chienhua.com.tw
千華網路書店 : http://www.chienhua.com.tw/bookstore
網路客服信箱 : chienhua@chienhua.com.tw

法律顧問：永然聯合法律事務所
編輯經理：甯開遠
主　　編：甯開遠
執行編輯：陳資穎
校　　對：千華資深編輯群
排版主任：陳春花
排　　版：林蘭旭

出版日期：2023 年 11 月 25 日　　　　第九版／第一刷

本書如有勘誤或其他補充資料，
將刊於千華公職資訊網　http://www.chienhua.com.tw
歡迎上網下載。